#수능공략
#단기간 학습

수능전략
사회탐구 영역

Chunjae
Makes
Chunjae

▼

[수능전략] 생활과 윤리

기획총괄	김덕유
편집개발	오세중, 김세훈
디자인총괄	김희정
표지디자인	윤순미, 심지영
내지디자인	박희춘, 안정승
제작	황성진, 조규영

발행일	2022년 1월 15일 초판 2022년 1월 15일 1쇄
발행인	(주)천재교육
주소	서울시 금천구 가산로9길 54
신고번호	제2001-000018호
고객센터	1577-0902
교재 내용문의	(02)3282-1780

※ 정답 분실 시에는 천재교육 교재 홈페이지에서 내려받으세요.

수능전략

사·회·탐·구·영·역

생활과 윤리

BOOK 1

이 책의 구성과 활용

본책인 BOOK 1과 BOOK2의 구성은 다음과 같습니다.

BOOK 1	BOOK 2	BOOK 3
1주, 2주	1주, 2주	정답과 해설

주 도입

본격적인 학습에 앞서, 재미있는 만화를 살펴보며 이번 주에 학습할 내용을 확인해 봅니다.

1일

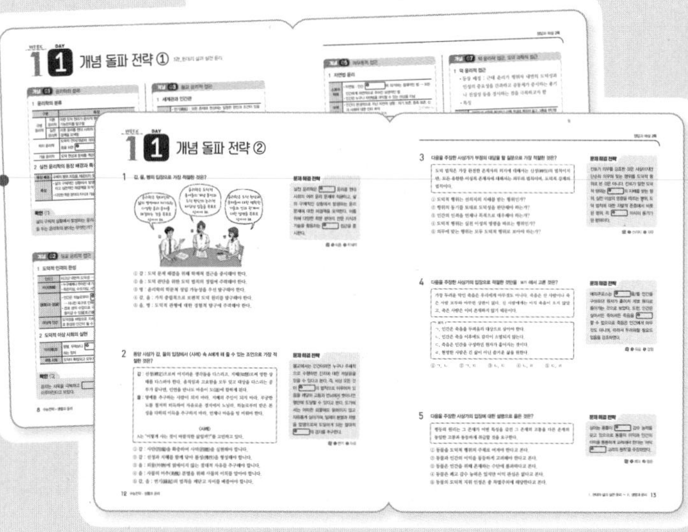

개념 돌파 전략

수능을 대비하기 위해 꼭 알아야 할 핵심 개념을 익힌 뒤, 간단한 문제를 풀며 개념을 잘 이해했는지 확인해 봅니다.

2일, 3일

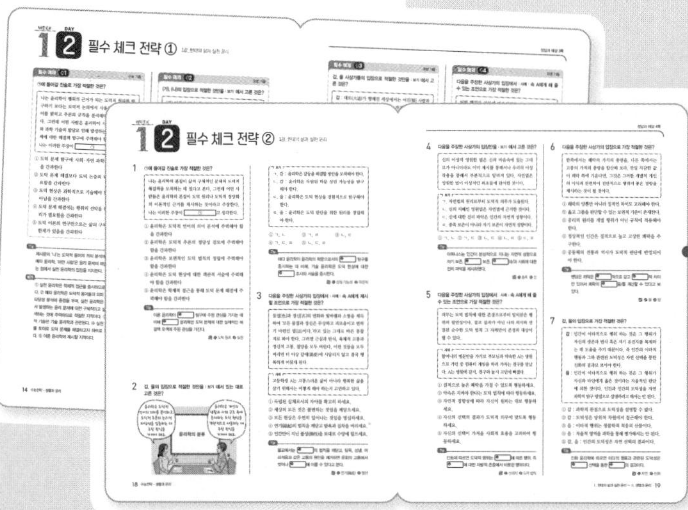

필수 체크 전략

기출문제에서 선별한 대표 유형 문제와 응용 문제를 함께 풀어 보며 문제에 접근하는 과정과 해결 전략을 체계적으로 익혀 봅니다.

본 책에서 다룬 대표 유형과 그 해결 전략을 집중적으로 연습할 수 있도록 권두부록을 구성했습니다.
부록을 뜯으면 미니북으로 활용할 수 있습니다.

주 마무리 코너

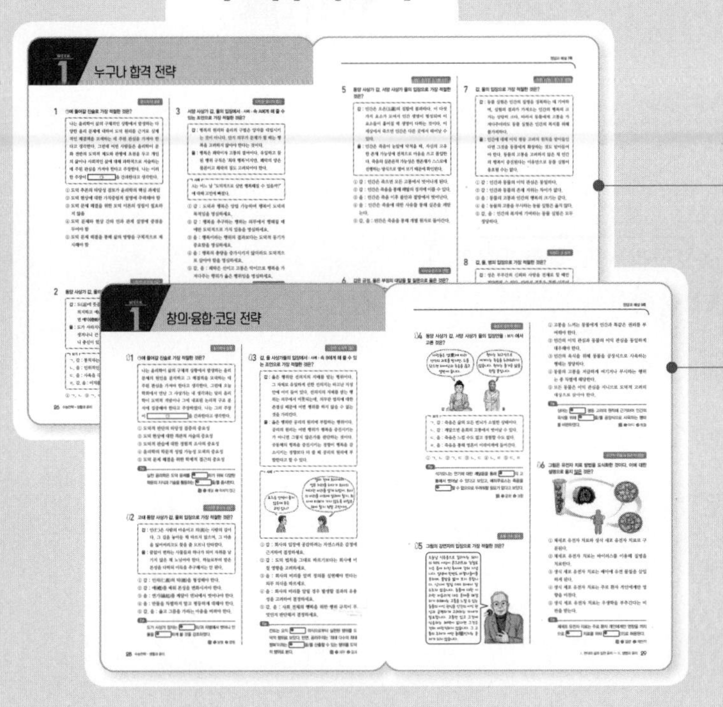

누구나 합격 전략
수능 유형에 맞춘 기초 연습 문제를 풀어 보며 학습에 대한 자신감을 높일 수 있습니다.

창의·융합·코딩 전략
수능에서 요구하는 융 · 복합적 사고력과 문제 해결력을 기를 수 있습니다.

권 마무리 코너

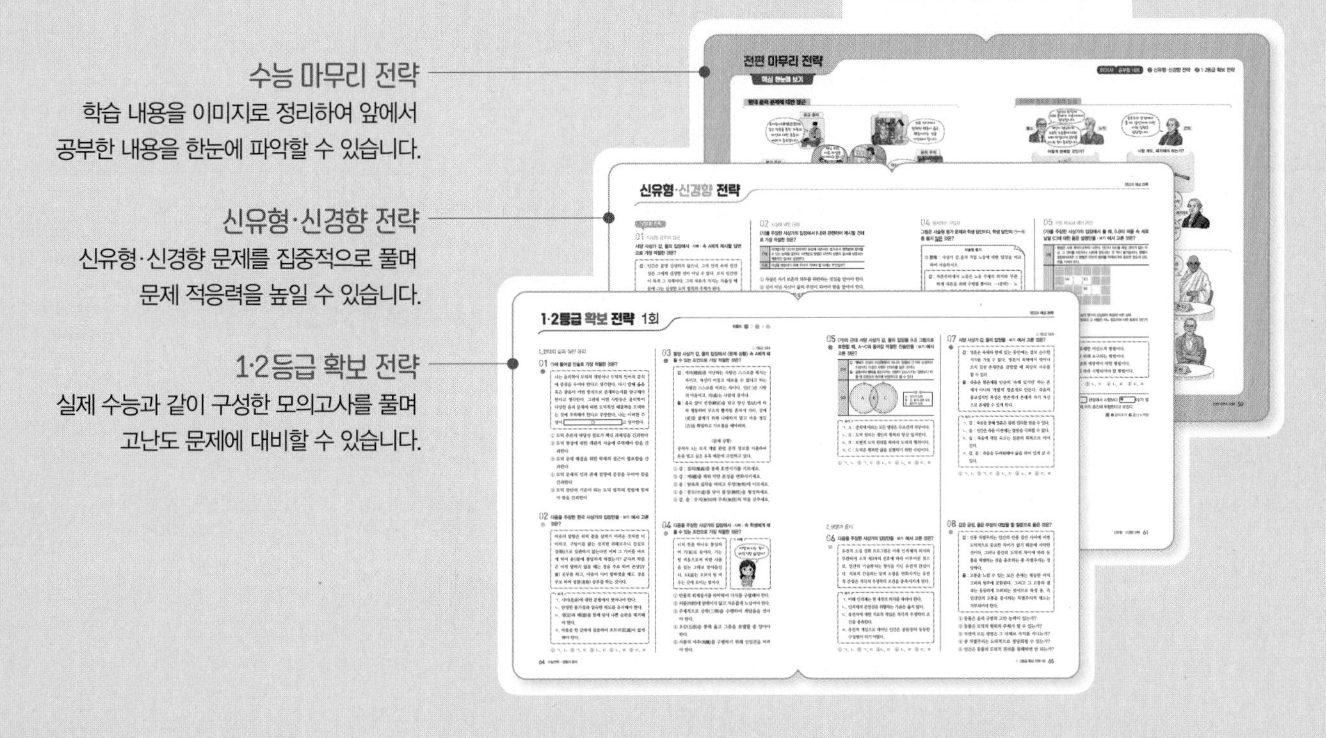

수능 마무리 전략
학습 내용을 이미지로 정리하여 앞에서 공부한 내용을 한눈에 파악할 수 있습니다.

신유형·신경향 전략
신유형·신경향 문제를 집중적으로 풀며 문제 적응력을 높일 수 있습니다.

1·2등급 확보 전략
실제 수능과 같이 구성한 모의고사를 풀며 고난도 문제에 대비할 수 있습니다.

이 책의 **차례**

BOOK 1

WEEK 1

Ⅰ. 현대의 삶과 실천 윤리 ~ Ⅱ. 생명과 윤리

WEEK 2

Ⅲ. 사회와 윤리

BOOK 2

WEEK 1

Ⅳ. 과학과 윤리

WEEK 2

Ⅴ. 문화와 윤리 ~ Ⅵ. 평화와 공존의 윤리

WEEK

1 Ⅰ. 현대의 삶과 실천 윤리 ~ Ⅱ. 생명과 윤리

1강_현대의 삶과 실천 윤리

학습할 내용 **1강** ❶ 윤리학의 분류 ❷ 윤리 문제에 대한 다양한 접근 ❸ 도덕적 탐구와 윤리적 성찰
2강 ❶ 삶과 죽음의 윤리 ❷ 생명 윤리 ❸ 사랑과 성 윤리

2강_생명과 윤리

WEEK 1 DAY 1

개념 돌파 전략 ①

1강_현대의 삶과 실천 윤리

개념 01 윤리학의 분류

1 윤리학의 분류

구분		특징
규범 윤리학	이론 윤리학	어떤 도덕 원리가 윤리적 행위를 위한 근본 원리로 성립 가능한지를 탐구함
	실천 윤리학	이론 윤리를 현대 사회의 여러 윤리 문제에 적용하여 해결책을 모색함
메타 윤리학		도덕적 언어(개념)의 의미 분석, 도덕 추론의 타당성 검증을 위한 ❶ (　　　) 에 주된 관심을 둠
기술 윤리학		도덕 현상과 문제를 객관적으로 조사하여 기술(記述)함

2 실천 윤리학의 등장 배경과 특징

등장 배경	구체적 행위 지침을 제공하지 못하는 이론 윤리학의 한계
특징	• 삶의 구체적인 상황에서 발생하는 윤리 문제에 대한 구체적이고 실천적인 해결책을 모색 • 다양한 학문 분야의 지식과 기술을 활용 → ❷ (　　　) 접근

답 ❶ 논리 분석 ❷ 학제적

확인 01

삶의 구체적 상황에서 발생하는 윤리 문제의 해결책 모색에 중점을 두는 윤리학의 분야는 무엇인가?

개념 02 유교 윤리적 접근

1 도덕적 인격의 완성

인(仁)	타고난 내면적 도덕성 → 사람을 사랑하는 것
사단(四端)	• 누구에게나 주어진 네 가지 선한 마음으로, 이를 확충해야 함 • 측은지심, 수오지심, 사양지심, 시비지심
경(敬)과 성(誠)	• 인간은 하늘로부터 ❶ (　　　) 을/를 부여받은 존재 → 지나친 욕구로 인해 잘못된 행동을 할 수 있음 • 경과 성의 수양으로 극복하여 예(禮)를 회복하고 인으로 돌아갈 수 있음[克己復禮]
이상적 인간	도덕성을 바탕으로 지속적으로 수양하면 누구나 도덕적으로 완성된 인간이 될 수 있음 → 성인(聖人), 군자(君子)

2 도덕적 이상 사회의 실현

덕치(德治)	형벌, 무력보다 ❷ (　　　) 와/과 예의로 백성을 교화하는 정치
대동 사회	도덕이 확립되고 모두가 더불어 잘 사는 이상 사회

답 ❶ 도덕적 본성 ❷ 도덕

확인 02

공자는 사욕을 극복하고 (　　　) (으)로 돌아가야 인(仁)이 이루어진다고 보았다.

개념 03 불교 윤리적 접근

1 세계관과 인간관

연기적 세계관	• 연기(緣起) : 모든 존재와 현상에는 일정한 원인과 조건이 있음 → 모든 것은 상호 관계 속에서 존재함 • 연기의 법칙을 깨달으면 ❶ (　　　) 의 마음이 생기고 탐욕에서 벗어날 수 있음
평등적 세계관	살아 있는 모든 존재는 불성(佛性)을 갖고 있으므로 모든 생명은 평등함
주체적 인간관	인간은 누구나 계(戒), 정(定), 혜(慧)의 삼학(三學)과 같은 수행으로 깨달음을 얻을 수 있음

2 이상적 경지와 이상적 인간상

이상적 경지	세상의 모든 것이 고정된 것이 아님을 깨닫는 수행을 통해 깨달음을 얻어 고통과 번뇌에서 벗어나면 열반(涅槃)에 도달할 수 있음
이상적 인간상	• 대승 불교에서 제시하는 이상적 인간상 : ❷ (　　　) • 깨달음을 얻어 중생을 구제하고자 하는 사람

답 ❶ 자비(慈悲) ❷ 보살(菩薩)

확인 03

불교 사상은 (　　　) 을/를 깨달으면 고통에서 벗어나 진정한 행복에 이를 수 있다고 본다.

개념 04 도가 윤리적 접근

1 노자의 도가 윤리 자연의 순리를 따르는 삶

무위자연(無爲自然)	인위적으로 강제하지 않고 자연스러움을 따르는 것 → ❶ (　　　) 의 특성이자 이상적 삶의 모습
소국과민(小國寡民)	인위적 문명의 발달이 없고 무위의 다스림이 이루어진 사회

2 장자의 도가 윤리 평등적 세계관

• 이상적 경지 : 제물(齊物)과 소요유(逍遙遊) → 도의 관점에서는 세상 만물은 ❷ (　　　) 한 가치를 지님

제물	• 세상 만물을 차별하지 않고 한결같이 바라봄 • 좌망(坐忘)과 심재(心齋)를 통해 도달 가능
소요유	일체의 분별과 차별을 없앰으로써 도달하게 되는 절대 자유의 경지

• 이상적 인간상 : 지인(至人), 진인(眞人), 신인(神人), 천인(天人)

답 ❶ 도(道) ❷ 평등

확인 04

도가 사상은 천지 만물의 근원인 도(道)에 따라 인위적으로 강제하지 않고 자연스러움을 따르는 (　　　) 의 삶을 강조한다.

개념 05 의무론적 접근

1 자연법 윤리

스토아 학파	• 자연법 : 인간 ❶ [ ] 에 의거하는 절대적인 법 → 모든 인간에게 자연적으로 주어진 보편적인 법 • 인간은 누구나 자연법을 파악할 수 있는 이성을 지님
아퀴나스	• 인간이 본성적으로 지닌 자연적 성향 : 자기 보존, 종족 보존, 신과 사회에 대한 진리 파악 • 영원법 : 자연법의 궁극적 근거

2 칸트의 의무론

• 오직 도덕 법칙에 따라야 한다는 의무 의식과 선의지에 근거하여 한 행위만이 도덕적 가치를 지님

• 이성적·자율적 인간은 보편적 ❷ [ ] 의식 가능

• 도덕 법칙의 형식과 내용

형식	정언 명령 : 행위 결과와 무관하게 행위 그 자체가 선(善)이므로 무조건 수용해야 하는 도덕적 명령 → 조건적 이유가 없는 명령
내용	• 보편주의 : 네 의지의 준칙(격률)이 언제나 동시에 보편적 입법의 원리가 될 수 있도록 행위하라. • 인격주의 : 너 자신과 다른 모든 사람의 인격을 결코 단순히 수단으로만 취급하지 말고 언제나 동시에 목적으로 대우하도록 행위하라.

답 ❶ 본성 ❷ 도덕 법칙

확인 05

칸트가 제시한 도덕 법칙의 형식은 무엇인가?

공리주의는 쾌락이나 행복을 추구하는 유용성에 따라 옳고 그름을 판단해.

개념 06 공리주의적 접근

1 도덕의 원리

행복을 가져다주는 ❶ [ ] 을/를 기준으로 윤리적 규칙 도출 → 최대 행복의 원리

2 고전적 공리주의

벤담	• '최대 다수의 최대 행복'을 도덕과 입법의 원리로 제시 • 양적 공리주의 : 모든 쾌락은 질적으로 같으며 양적 차이만 있다고 보아 쾌락을 ❷ [ ] 할 수 있다고 주장함
밀	• 질적 공리주의 : 쾌락은 양과 질의 차이를 모두 고려해야 함 • 정상적 인간이라면 누구나 질적으로 높고 고상한 쾌락을 추구할 것

3 현대의 공리주의

행위 공리주의	유용성의 원리를 개별적 행위에 적용하여 개별적 행위가 가져올 행복에 따라 옳은 행위를 결정함
규칙 공리주의	유용성의 원리를 행위의 규칙에 적용하여 최대의 행복을 가져오는 행위의 규칙에 따른 행위를 옳은 행위로 결정함

답 ❶ 유용성(공리) ❷ 계산

확인 06

공리주의는 '최대 [ ] 의 원리'를 옳은 행위를 결정하는 기준이라고 본다.

개념 07 덕 윤리적 접근, 도덕 과학적 접근

1 덕 윤리적 접근

• 등장 배경 : 근대 윤리가 행위자 내면의 도덕성과 인성의 중요성을 간과하고 공동체가 중시하는 용기나 진실성 등을 경시하는 점을 극복하고자 함

• 특징

행위자 중심	• 행위자의 성품을 평가하고 이를 토대로 행위의 옳고 그름을 판단함 • 윤리적으로 옳고 선한 결정을 하기 위해 유덕한 ❶ [ ] 을/를 길러야 함 → 옳고 선한 행위를 습관화하여 자기 행위로 내면화해야 함
덕 강조	자연적 감정과 동기 중시 → 인간의 욕구나 감정, 인간관계에 주목

2 도덕 과학적 접근

신경 윤리학	도덕 판단 과정에서 이성과 정서의 역할, 자유 의지나 공감 능력의 여부 등을 과학적 측정 방법을 통해 입증하고자 함
진화 윤리학	이타적 행동 및 성품과 관련된 도덕성을 자연 선택을 위한 ❷ [ ] 의 결과라고 주장

답 ❶ 품성 ❷ 진화

확인 07

현대 덕 윤리는 [ ] 의 성품을 먼저 평가하고, 이를 근거로 행위의 옳고 그름을 판단해야 한다고 본다.

윤리적 성찰은 도덕적 경험을 바탕으로 반성적 사고를 하고, 도덕적 삶의 실천 방향을 결정하는 행동이야.

개념 08 도덕적 탐구 방법과 윤리적 성찰

1 도덕적 탐구 방법

• 도덕적 탐구 : 도덕적 사고를 통해 도덕적 의미를 새롭게 구성하는 지적 활동

• 방법 : 윤리적 쟁점 또는 딜레마 확인 → 자료 수집 및 분석 → 입장 채택 및 정당화 근거 제시 → 최선의 대안 도출 → 반성적 성찰 및 입장 정리

2 윤리적 성찰

• 윤리적 성찰 : 자신의 정체성과 가치관에 관해 윤리적 관점에서 ❶ [ ] 하고 살피는 태도

• 중요성 : 도덕적 자각의 계기 제공, ❷ [ ] 함양에의 도움 등

답 ❶ 반성 ❷ 인격

확인 08

소크라테스에 따르면 [ ] 하지 않는 삶은 살아갈 가치가 없다.

WEEK 1 DAY 1

개념 돌파 전략 ①

2강_생명과 윤리

개념 01 삶과 죽음의 윤리적 의미

1 출생의 윤리적 의미

- 인간의 자연적 성향의 실현 과정
- 도덕적 주체로 사는 삶의 출발점
- 가족 및 사회 구성원으로 사는 삶의 시작

2 죽음의 윤리적 의미

유교	• 죽음은 자연의 과정이자 애도의 대상 • 공자 : 죽음보다 도덕적 삶에 관심을 가질 것 강조
불교	• 죽음[死]을 생로병(生老病)과 함께 ❶ ____ 의 하나로 봄 • 부처 : 죽음은 윤회의 과정으로, 현세의 업보가 죽음 이후의 삶을 결정한다고 봄
도가	• 삶과 죽음은 ❷ ____ 의 모임과 흩어짐 • 삶과 죽음은 자연스러운 순환 과정이므로 죽음을 두려워할 필요가 없다고 봄
플라톤	죽음으로서 영혼은 육체로부터 해방되어 이데아의 세계에 감
에피쿠로스	• 죽음은 인간을 구성하던 원자가 흩어져 개별 원자로 돌아가는 것 • 인간은 죽음을 경험할 수 없음 → 두려워할 필요가 없음
하이데거	죽음을 외면하지 말고 직시해야 함 → 죽음 앞으로 미리 달려가 봄으로써 삶을 더 유의미하게 살 수 있음

답 ❶ 고통 ❷ 기

확인 01

에피쿠로스는 가장 두려운 악인 ____ 은/는 산 사람이나 죽은 사람 모두와 아무런 상관이 없다고 주장하였다.

개념 02 인공 임신 중절의 윤리적 쟁점

찬성	• 소유권 근거 : 여성은 자기 몸에 대한 소유권을 가지며 태아는 여성 몸의 일부임 • 생산 근거 : 여성은 태아를 생산 → 태아에 대한 권리를 여성이 지님 • 자율 근거 : 인간은 자기 신체에 대해 자율적으로 ❶ ____ 할 권리가 있음
반대	• 잠재성 근거 : 태아는 임신 순간부터 성인으로 발달할 ❷ ____ 을 가지므로 인간의 지위를 지님 • 존엄성 근거 : 모든 인간의 생명은 존엄하므로 태아의 생명도 존엄함 • 무고한 인간의 신성불가침 근거 : 잘못이 없는 인간을 해치는 행위는 비도덕적임 → 태아는 무고한 인간이므로 해쳐서는 안 됨

답 ❶ 선택 ❷ 잠재성

확인 02

여성의 선택권보다 태아의 생명권을 보호하는 입장에서는 인공 임신 중절을 (찬성 , 반대)한다.

개념 03 자살과 안락사의 윤리적 쟁점

1 자살의 윤리적 문제

- 자기 생명을 스스로 훼손함
- 인격을 훼손하고 자아실현의 가능성을 없앰
- 사회 공동체의 결속을 약화시킴

2 안락사의 유형과 윤리적 쟁점

- 안락사의 유형

환자의 동의 여부	자발적 안락사, 반자발적 안락사, 비자발적 안락사
시술 행위의 적극성 여부	• 적극적 안락사 : 구체적 행위로 환자의 생명을 단축시킴 • 소극적 안락사 : 무의미한 연명 치료를 중단하고 자연스러운 죽음을 받아들이게 함

- 안락사의 윤리적 쟁점

찬성	• 환자의 ❶ ____ 와/과 삶의 질 중시 • 공리주의 관점 : 연명 치료는 환자 본인과 가족에게 심리적 · 경제적 부담을 줌, 제한된 의료 자원의 비효율적 사용으로 사회 전체의 이익에 부합하지 않음
반대	• 인간은 죽음을 인위적으로 선택할 권리를 갖지 않음 • 자연의 질서에 부합하지 않으며 인간 생명의 ❷ ____ 을/를 훼손함

답 ❶ 자율성 ❷ 존엄성

확인 03

안락사를 (찬성 , 반대)하는 입장에서는 인간은 자율적 주체로서 자신이 죽을 방법을 스스로 선택할 수 있어야 한다고 본다.

개념 04 뇌사의 윤리적 쟁점

찬성	• 뇌 기능이 정지하면 수일 내 심폐 기능도 정지함 → 뇌사는 이미 죽음의 단계에 들어선 것 • 의료 자원의 효율적 이용에 도움 • 뇌사자의 장기를 다른 환자에게 ❶ ____ 가능
반대	• 연명 의료 기기를 이용하면 심폐 기능이 유지되므로 죽음이 아님 • 의료 자원의 효율적 활용, 장기 이식을 위한 뇌사 인정은 생명 존엄성을 경시하는 것 • 뇌사 판정의 ❷ ____ 도 존재함

답 ❶ 이식 ❷ 오류 가능성

확인 04

뇌사를 죽음으로 (인정하면 , 인정하지 않으면), 뇌사자의 장기를 다른 환자에게 이식할 수 있다.

개념 05 생명 복제 문제

1 동물 복제에 대한 입장

찬성	우수한 동물 품종 개발, 희귀 동물 보존, 멸종 동물 복원 가능 → 복제로 얻을 수 있는 유용한 결과나 행복 증진에 관심
반대	자연의 질서에 어긋남, 종의 ❶ ( ) 을/를 해침, 동물 생명이 인간의 유용성을 위한 도구가 될 우려가 있음

2 인간 복제에 대한 입장

• 배아 복제 : 배아 줄기세포를 얻기 위해 복제 후 배아 단계까지만 발생을 진행시킴

찬성	• 배아는 아직 완전한 인간이 아님 • 획득한 줄기세포를 인체 조직과 장기 복구, 질병 치료 등에 활용 가능
반대	• 배아는 인간의 생명이므로 보호되어야 함 • 난자 확보 과정에서 여성의 건강권과 인권 훼손 우려

• 개체 복제 : 복제로 새로운 인간 개체를 만듦

찬성	• 불임 부부가 자녀를 가질 수 있음 • 복제 인간도 독자적인 삶을 살아갈 수 있음
반대	• 복제된 인간은 체세포 제공자와 유전 형질이 같음 → 인간의 고유성 위협 • 복제한 사람의 의도에 따라 복제된 인간을 이용할 수 있음 → 인간 존엄성 훼손 • 자연스러운 ❷ ( ) 과정에 위배, 가족 관계에 혼란 초래

답 ❶ 다양성 ❷ 출산

확인 05

배아 복제는 체세포 핵 이식 기술을 활용하여 세포 복제 후 ( ) 단계까지만 발생을 진행시키는 것이다.

개념 06 유전자 치료의 윤리적 쟁점

1 체세포 유전자 치료 치료를 위해 주입된 유전자는 주로 환자 개인에게만 영향을 미치므로 제한적으로 허용됨

2 생식 세포 유전자 치료의 윤리적 쟁점

찬성	• 병의 유전을 막아 다음 세대의 병을 예방함 • 새로운 치료법 개발을 통해 경제적 효용 가치 산출 가능
반대	• ❶ ( ) 의 동의 여부가 불확실함 • 인간의 유전자를 조작하는 우생학을 부추김 • 고가의 치료비로 그 혜택이 일부 사람에 치중되어 ❷ ( ) 에 어긋날 우려

답 ❶ 미래 세대 ❷ 분배 정의

확인 06

생식 세포 유전자 치료는 변형된 유전적 정보가 ( ) 에 직접적인 영향을 미쳐 윤리적으로 논란이 된다.

개념 07 동물 실험과 동물 권리 문제

1 동물 실험의 윤리적 쟁점

찬성	• 인간과 동물의 지위는 근본적으로 다름 → 인간은 동물 이용 가능 • 인간과 동물은 생물학적으로 유사하여 동물 실험의 결과를 인간에게 적용할 수 있음
반대	• 인간과 동물의 존재 지위는 별 차이가 없음 • 컴퓨터 모의실험 등 대안적 방법 존재

2 동물 권리 논쟁 동물의 도덕적 권리를 인정하는가

인정	• 벤담 : 동물도 고통을 느끼므로 도덕적으로 고려해야 함 • 싱어 : 동물은 ❶ ( ) 을/를 갖고 있으므로 동물의 이익도 평등하게 고려해야 함 • 레건 : 한 살 이상의 포유동물은 믿음, 욕구, 지각, 기억, 감정 등을 지닌 삶의 주체가 될 수 있음 → 인간처럼 내재적 가치를 지님
부정	• 아리스토텔레스 : 식물은 동물을 위해, 동물은 인간을 위해 존재함 • 아퀴나스 : 동물은 도덕적으로 고려받을 권리를 갖지 않음 • 데카르트 : 동물은 '자동인형', '움직이는 기계'에 불과 • 칸트 : 동물에 대한 인간의 의무는 ❷ ( ) 의무임 • 코헨 : 동물은 윤리 규범의 고안 능력이나 자율성 등이 없으므로 도덕적 권리를 소유할 수 없음

답 ❶ 쾌고 감수 능력 ❷ 간접적

확인 07

동물은 윤리 규범의 고안 능력 등이 없어 도덕적 권리를 갖지 못하며, 의학 발전은 동물 실험을 통해 무수히 이루어졌다고 보는 사람은 누구인가?

개념 08 사랑과 성 윤리, 결혼과 가족의 윤리

1 사랑과 성의 관계에 대한 관점

보수주의	성은 ❶ ( ) 간의 신뢰와 사랑을 전제로 할 때만 도덕적임
중도주의	사랑을 동반한 성적 자유는 인정될 수 있음
자유주의	자발적 동의 중심의 성 윤리 → 타인에게 해악을 주지 않는 범위에서 성인들의 자발적 동의에 따른 성적 자유를 허용

2 결혼과 가족의 윤리

부부 윤리	• 전통 사회 : 남녀 간 역할을 구분하면서도 서로 존중할 것 강조 → 부부유별, 상경여빈(相敬如賓) 등 • 오늘날 : 각자의 주체성과 자유 존중, ❷ ( ) 강조
가족 윤리	• 전통 사회 : 부자유친(父子有親), 부자자효(父慈子孝) • 부모는 자애를, 자녀는 효도를 실천해야 함 • 형제자매는 형우제공(兄友弟恭)을 실천해야 함

답 ❶ 부부 ❷ 양성평등

확인 08

전통 사회에서는 자연의 음(陰)과 양(陽)의 관계처럼 부부가 상호 ( ) 적이라고 보았다.

WEEK 1 DAY 1

개념 돌파 전략 ②

1 갑, 을, 병의 입장으로 가장 적절한 것은?

① 갑 : 도덕 문제 해결을 위해 학제적 접근을 중시해야 한다.
② 을 : 도덕 판단을 위한 도덕 법칙의 정립에 주력해야 한다.
③ 병 : 윤리학의 학문적 성립 가능성을 우선 탐구해야 한다.
④ 갑, 을 : 가치 중립적으로 보편적 도덕 원리를 탐구해야 한다.
⑤ 을, 병 : 도덕적 관행에 대한 경험적 탐구에 주력해야 한다.

문제 해결 전략

실천 윤리학은 ❶ [   ] 윤리를 현대 사회의 여러 윤리 문제에 적용하고, 삶의 구체적인 상황에서 발생하는 윤리 문제에 대한 해결책을 모색한다. 이를 위해 다양한 학문 분야의 전문 지식과 기술을 활용하는 ❷ [   ] 접근을 중시한다.

답 ❶ 이론 ❷ 학제적

2 동양 사상가 갑, 을의 입장에서 〈사례〉 속 A에게 해 줄 수 있는 조언으로 가장 적절한 것은?

> **갑** : 선정(禪定)으로써 어지러운 생각들을 다스리고, 지혜(知慧)로써 멍한 상태를 다스려야 한다. 움직임과 고요함을 모두 잊고 대상을 다스리는 공부가 끝나면, 인연을 만나도 마음이 도(道)에 합하게 된다.
> **을** : 명예를 추구하는 사람이 되지 마라. 지혜의 주인이 되지 마라. 무궁한 도를 철저히 터득하여 자유로운 경지에서 노닐라. 하늘로부터 받은 본성을 다하되 이득을 추구하지 마라. 언제나 마음을 텅 비워야 한다.
>
> 〈사례〉
> A는 "어떻게 사는 것이 바람직한 삶일까?"를 고민하고 있다.

① 갑 : 사단(四端)을 확충하여 사덕(四德)을 실현해야 합니다.
② 갑 : 선정과 지혜를 함께 닦아 불성(佛性)을 형성해야 합니다.
③ 을 : 외물(外物)에 얽매이지 않는 절대적 자유를 추구해야 합니다.
④ 을 : 사물의 미추(美醜) 분별을 위해 사물의 이치를 알아야 합니다.
⑤ 갑, 을 : 연기(緣起)의 법칙을 깨닫고 자비를 베풀어야 합니다.

문제 해결 전략

불교에서는 인간이라면 누구나 주체적으로 수행하면 진리에 대한 깨달음을 얻을 수 있다고 본다. 즉, 세상 모든 것이 ❶ [   ]의 법칙으로 이루어져 있음을 깨달아 고통과 번뇌에서 벗어나면 열반에 도달할 수 있다고 본다. 도가에서는 어떠한 외물에도 얽매이지 않고 자유롭게 살아가며, 일체의 분별과 차별을 없앰으로써 도달하게 되는 절대적 ❷ [   ]의 경지를 추구한다.

답 ❶ 연기 ❷ 자유

3 다음을 주장한 사상가가 부정의 대답을 할 질문으로 가장 적절한 것은?

① 도덕적 행위는 선의지의 지배를 받는 행위인가?
② 행위의 동기를 토대로 도덕성을 판단해야 하는가?
③ 인간의 인격을 언제나 목적으로 대우해야 하는가?
④ 도덕적 행위는 실천 이성의 명령을 따르는 행위인가?
⑤ 의무에 맞는 행위는 모두 도덕적 행위로 보아야 하는가?

문제 해결 전략

칸트가 의무를 강조한 것은 사실이지만 단순히 의무에 맞는 행위를 도덕적 행위로 본 것은 아니다. 칸트가 말한 도덕적 행위는 ❶ ______의 지배를 받는 행위, 실천 이성의 명령을 따르는 행위, 도덕 법칙에 대한 자발적 존중에서 비롯된 행위, 즉 ❷ ______ 의식이 동기가 된 행위이다.

답 ❶ 선의지 ❷ 의무

4 다음을 주장한 사상가의 입장으로 적절한 것만을 | 보기 |에서 고른 것은?

가장 두려운 악인 죽음은 우리에게 아무것도 아니다. 죽음은 산 사람이나 죽은 사람 모두와 아무런 상관이 없다. 산 사람에게는 아직 죽음이 오지 않았고, 죽은 사람은 이미 존재하지 않기 때문이다.

| 보기 |
ㄱ. 인간은 죽음을 두려움의 대상으로 삼아야 한다.
ㄴ. 인간은 죽음 이후에도 감각이 소멸되지 않는다.
ㄷ. 죽음은 인간을 구성하던 원자가 흩어지는 것이다.
ㄹ. 현명한 사람은 긴 삶이 아닌 즐거운 삶을 원한다.

① ㄱ, ㄴ ② ㄱ, ㄷ ③ ㄴ, ㄷ ④ ㄴ, ㄹ ⑤ ㄷ, ㄹ

문제 해결 전략

에피쿠로스는 ❶ ______을/를 인간을 구성하던 원자가 흩어져 개별 원자로 돌아가는 것으로 보았다. 또한, 인간은 살아서든 죽어서든 죽음을 ❷ ______ 할 수 없으므로 죽음은 인간에게 아무것도 아니며, 따라서 두려워할 필요도 없음을 강조하였다.

답 ❶ 죽음 ❷ 경험

5 다음을 주장한 사상가의 입장에 대한 설명으로 옳은 것은?

① 동물을 도덕적 행위의 주체로 여겨야 한다고 본다.
② 동물과 인간의 이익을 동등하게 고려해야 한다고 본다.
③ 동물은 인간을 위해 존재하는 수단에 불과하다고 본다.
④ 동물은 쾌고 감수 능력은 있지만 이익 관심은 없다고 본다.
⑤ 동물의 도덕적 지위 인정은 종 차별주의에 해당한다고 본다.

문제 해결 전략

싱어는 동물이 ❶ ______ 감수 능력을 갖고 있으므로 동물의 이익과 인간의 이익을 동등하게 고려해야 한다는 '이익 ❷ ______ 고려의 원칙'을 주장하였다.

답 ❶ 쾌고 ❷ 평등

필수 체크 전략 ①

1강_현대의 삶과 실천 윤리

필수 예제 01

수능 기출

㉠에 들어갈 진술로 가장 적절한 것은?

> 나는 윤리학이 행위의 근거가 되는 도덕적 원리를 탐구하기 보다는 도덕적 논의에서 사용되는 용어의 의미를 밝히고 추론의 규칙을 분석해야 한다고 생각한다. 그런데 어떤 사람은 윤리학이 사회·문화적 변화와 과학 기술의 발달로 인해 발생하는 구체적 윤리 문제에 대한 해결책 탐구에 주력해야 한다고 주장한다. 나는 이러한 주장이 [㉠]고 생각한다.

① 도덕 문제 탐구에 사회·자연 과학적 지식이 필요함을 간과한다
② 도덕 문제 해결보다 도덕 논증의 타당성 분석이 중요함을 간과한다
③ 도덕 현상은 과학적으로 기술해야 할 사실의 집합이 아님을 간과한다
④ 도덕 문제 해결에는 행위의 선악을 판단하는 도덕 원리가 필요함을 간과한다
⑤ 도덕 이론의 연구만으로는 삶의 구체적 문제 해결에 한계가 있음을 간과한다

Tip

제시문의 '나'는 도덕적 용어의 의미 분석에 초점을 맞춘 점에서 메타 윤리학, '어떤 사람'은 윤리 문제의 해결책 탐구에 주력한다는 점에서 실천 윤리학의 입장을 지지한다.

풀이

① 실천 윤리학은 학제적 접근을 중시하므로 적절한 지적이 아니다. ② 메타 윤리학은 도덕적 용어들의 의미 분석 및 도덕 논증의 타당성 분석에 중점을 두며, 실천 윤리학은 삶의 구체적 상황에서 발생하는 윤리 문제에 대한 구체적이고 실천적인 해결책을 모색하는 것에 주력하므로 적절한 지적이다. ③ 도덕 현상의 과학적 기술은 기술 윤리학과 관련된다. ④ 실천 윤리학은 도덕 원리를 토대로 도덕 문제를 해결하고자 하므로 적절한 지적이 아니다. ⑤ 이론 윤리학에 제시할 지적이다.

답 ②

필수 예제 02

모평 기출

(가), (나)의 입장으로 적절한 것만을 | 보기 |에서 고른 것은?

> (가) 이것이 있기 때문에 저것이 있고, 이것이 생기기 때문에 저것이 생긴다. 이것이 없기 때문에 저것이 없고, 이것이 사라지기 때문에 저것이 사라진다. 이를 연기(緣起)라 한다.
>
> (나) 인위적인 것을 멀리하고 분별적 지혜를 버리면 백성의 이익이 백배가 된다. 인(仁)을 끊고 의(義)를 버리면 백성이 다시 효도하고 자애로워진다.

| 보기 |

ㄱ. (가) : 고정불변의 실체가 있음을 깨달아야 한다.
ㄴ. (가) : 연기의 법칙을 깨달아 자비를 실천해야 한다.
ㄷ. (나) : 인위에 얽매이지 않고 도(道)에 따라야 한다.
ㄹ. (가), (나) : 인의(仁義)를 통해 도덕적 삶을 추구해야 한다.

① ㄱ, ㄴ ② ㄱ, ㄷ ③ ㄴ, ㄷ ④ ㄴ, ㄹ ⑤ ㄷ, ㄹ

Tip

(가)는 연기를 제시한 점에서 불교 사상, (나)는 인위적인 것을 멀리하고 분별적 지혜를 버리라고 주장한 점에서 도가 사상이다.

풀이

ㄱ. 불교 사상은 고정불변의 실체가 없다고 본다. ㄴ. 불교 사상은 연기의 법칙을 깨달으면 자비의 마음이 생긴다고 본다. ㄷ. 도가 사상은 인위를 멀리하고 천지 만물의 근원인 도에 따라야 한다고 본다. ㄹ. 유교 사상에만 해당한다.

답 ③

응용 02-1

다음 사상의 입장으로 적절한 것만을 | 보기 |에서 고른 것은?

> 모든 현상이 무수한 인(因)과 연(緣)에 의해 생겨남을 깨닫지 못하면 모든 것이 괴롭다.

| 보기 |

ㄱ. 사욕을 극복하고 예(禮)를 회복해야 한다.
ㄴ. 인간의 현실적 삶은 고통으로 가득 차 있다.
ㄷ. 인간은 독립된 실체로서의 자아를 갖지 않는다.
ㄹ. 인위적인 규범과 제도가 사회 혼란의 원인이다.

① ㄱ, ㄴ ② ㄱ, ㄷ ③ ㄴ, ㄷ ④ ㄴ, ㄹ ⑤ ㄷ, ㄹ

필수 예제 03

모평 기출

갑, 을 사상가들의 입장으로 적절한 것만을 |보기|에서 고른 것은?

갑

대도(大道)가 행해진 세상에서는 어진[賢] 사람과 능력 있는 사람을 선발하며, 자기 부모만을 부모로, 자기 자식만을 자식으로 여기지는 않는다. 재물이 버려지는 것을 싫어하지만 반드시 그것을 자기만의 소유물로 삼으려 하지는 않는다. 그래서 도둑질이 일어나지 않아 바깥문을 닫는 일이 없다.

을

나라는 작아야 하고 백성은 적어야 한다. 많은 도구가 있더라도 사용하지 않고, 백성으로 하여금 죽음을 중히 여겨 멀리 옮겨 다니지 않도록 한다. 비록 배나 수레가 있어도 타는 일이 없고, 갑옷과 무기가 있어도 꺼내서 늘어놓는 일이 없다.

|보기|

ㄱ. 갑 : 인(仁)의 출발점인 무차별적 사랑[兼愛]을 행해야 한다.

ㄴ. 갑 : 유능한 인재가 선발되는 도덕 공동체를 지향해야 한다.

ㄷ. 을 : 인위적인 통치가 없는 소박한 사회를 지향해야 한다.

ㄹ. 갑, 을 : 예법을 통해 본래의 자연스러운 삶으로 돌아가야 한다.

① ㄱ, ㄴ ② ㄱ, ㄷ ③ ㄴ, ㄷ ④ ㄴ, ㄹ ⑤ ㄷ, ㄹ

Tip

갑은 재화의 고른 분배, 가족주의에 얽매이지 않는 등의 평화로운 도덕 공동체를 지향한 점을 통해 유교 사상가 공자임을 알 수 있다. 을은 소국과민 사회를 제시한 점, 인위적인 문명의 발달이 없는 무위와 무욕의 이상 사회를 지향한 점을 통해 도가 사상가 노자임을 알 수 있다.

풀이

ㄱ. 공자는 무차별적 사랑이 인의 출발점이라고 보지 않았다. 무차별적 사랑은 묵자의 주장이다. ㄴ. 공자가 제시한 이상 사회인 대동 사회는 유능한 인재가 중용되는 도덕 공동체이다. ㄷ. 노자가 제시한 이상 사회인 소국과민 사회는 인위적인 통치가 없는 사회이다. ㄹ. 노자는 예법을 사회 혼란의 원인으로 보았다. 답 ③

필수 예제 04

모평 기출

다음을 주장한 사상가의 입장에서 |사례| 속 A에게 해 줄 수 있는 조언으로 가장 적절한 것은?

어떤 행위가 의무에 맞을지라도 반드시 도덕적 가치를 갖는다고 할 수는 없습니다. 비록 그 행위가 의무가 명령한 것에 맞게 일어난다 할지라도 의무로부터 일어난 것이 아니라면 도덕적 가치를 갖지 않기 때문입니다.

|사례|

상인 A는 정직하게 손님을 대하여 많은 단골손님을 갖게 되었다. 그러던 어느 날 정직한 행동이 이익으로 돌아온다는 생각이 들었다. 하지만 시간이 갈수록 그는 이익을 위해 정직하게 행동하는 것이 진정으로 도덕적인 것인지 고민하게 되었다.

① 꾸준한 도덕적 실천으로 얻어진 덕에 따라 행동하세요.
② 당신의 자연적 성향에 따라 손님들을 정직하게 대하세요.
③ 모두의 이익을 증진시킬 수 있도록 정직하게 행동하세요.
④ 당신의 정직한 행위가 도덕적 의무에 맞기만 하면 됩니다.
⑤ 경향성이 섞이지 않은 순수한 도덕적 동기에 따라 행동하세요.

Tip

제시문을 주장한 사상가는 의무로부터 일어난 행위만이 도덕적 가치를 가진다고 본 점에서 칸트이다.

풀이

① 행위자의 덕, 유덕한 성품을 갖추기 위해 선한 행위를 습관화하고 내면화해야 한다고 본 점을 통해 덕 윤리의 입장에서 제시할 조언임을 알 수 있다. ② 칸트는 자연적 성향에 따른 행위는 도덕적 가치를 갖지 못한다고 보았다. ③ 유용성의 원리를 강조한 점을 통해 공리주의의 입장에서 제시할 조언임을 알 수 있다. ④ 칸트는 어떤 행위가 도덕적 의무에 맞더라도 의무 의식에서 비롯된 것이 아니라면 도덕적 가치를 갖지 않는다고 보았다. ⑤ 칸트는 자연적 경향성에서 비롯된 행위나 의무에 맞는 행위가 아니라 오직 의무 의식에서 비롯된 행위, 즉 자연적 경향성이 섞이지 않은 순수한 도덕적 동기에 의해 실현된 행위만이 도덕적 행위라고 보았다. 답 ⑤

필수 예제 05 수능 기출

갑 사상가가 을 사상가에게 제기할 수 있는 비판으로 가장 적절한 것은?

갑

'나는 무엇을 해야만 하는가?'라는 물음에 앞서 '나는 어떤 이야기 또는 이야기들의 부분인가?'라는 물음에 답해야 합니다. 나의 삶의 역사는 공동체의 역사 속에 있고, 나의 도덕적 정체성은 공동체 구성원의 자격 속에서 발견됩니다.

을

'나는 무엇을 해야만 하는가?'라는 물음에 대한 적절한 대답은 공리의 원리를 따르는 것이라고 하겠습니다. 이 원리는 고통과 쾌락의 양을 계산하여, 구성원들의 이익 총합으로서의 공동체 이익을 증진시키도록 행위할 것을 요구합니다.

① 행위자의 품성보다 행위의 유용성이 중요함을 간과한다.
② 보편적 도덕 원리를 행위의 기준으로 삼아야 함을 간과한다.
③ 공동체가 개인의 단순한 집합체로 간주될 수 없음을 간과한다.
④ 개인이 다른 사람의 행복을 고려하여 행위해야 함을 간과한다.
⑤ 도덕 판단에서 역사적 특수성보다 행위 결과를 고려해야 함을 간과한다.

Tip

갑은 공동체의 역사와 전통을 중시하고, 도덕적 정체성을 공동체 구성원의 자격 속에서 발견한다는 점을 통해 덕 윤리학자 매킨타이어임을 알 수 있다. 을은 공리의 원리를 강조하고 고통과 쾌락의 양을 계산할 수 있다고 본 점을 통해 양적 공리주의를 제시한 벤담임을 알 수 있다.

풀이

①, ⑤ 행위자의 품성, 역사적 특수성을 고려한 도덕 판단을 강조한 것은 매킨타이어, 행위의 유용성, 행위 결과를 고려한 도덕 판단을 강조한 것은 벤담이다. 따라서 벤담이 제기할 비판이다. ② 벤담은 공리의 원리라는 보편적 도덕 원리를 제시하였다. ③ 매킨타이어는 공동체를 개인의 단순한 집합체가 아니라 개인의 총합 그 이상의 것이라고 보았으며, 이러한 공동체 속에서 개인의 자아 정체성이 형성된다고 주장하였다. ④ 벤담은 타인의 행복을 고려하여 행동할 것을 주장하였다. 답 ③

응용 05-1

갑, 을의 입장으로 가장 적절한 것은?

> 갑 : 덕은 습득된 인간의 자질로서, 그것을 소유하고 실행하면 우리는 실천에 내재된 선들을 성취할 수 있고, 그것이 없으면 우리가 그런 선을 성취하는 것이 제지된다. 핵심적인 덕성들이 없다면 우리가 실천에 내재된 선으로 다가가는 것이 봉쇄된다.
> 을 : '도덕과 입법의 원리'에 대한 일반적 표현은 공동체의 이익이다. 옳은 행위인지를 평가하는 데 고려해야 할 유일한 요소는 행위에 의해 생겨나는 행복과 불행의 양에 대한 측정과 그 결과이다. 어떤 행동이 공동체의 행복을 증가시키는 경향이 감소시키는 경향보다 클 경우, 그 행동은 공리의 원리에 일치한다.

① 갑 : 인간의 자연적 감정과 동기를 배제해야 한다.
② 갑 : 반복적 실천과 습관화로 천부적 덕을 발현해야 한다.
③ 을 : 개개인의 행복은 사회 전체의 행복과 연결된다.
④ 을 : 도덕 법칙은 인간이라면 누구나 예외 없이 따라야 하는 무조건적 명령이다.
⑤ 갑, 을 : 도덕 원리보다 행위자의 품성을 중시해야 한다.

응용 05-2

다음을 주장한 사상가의 입장으로 옳은 것만을 보기 에서 고른 것은?

> 우리는 누군가의 아들이거나 딸이고, 누군가의 사촌이거나 삼촌이다. 우리는 이 도시 또는 저 도시의 시민이며, 이 친족에 속하고, 저 부족에 속하며, 이 민족에 속한다. 우리는 자신의 가족과 도시, 민족으로부터 다양한 유산과 의무를 물려받는다.

보기
ㄱ. 사회적 맥락에 따라 도덕적 판단은 달라질 수 있다.
ㄴ. 사회의 공동선보다 개개인의 행복 추구가 더 중요하다.
ㄷ. 유덕한 성품을 갖추려면 옳은 행위를 습관화해야 한다.
ㄹ. 공동체의 전통과 역사에서 벗어나려는 노력이 필요하다.

① ㄱ, ㄴ ② ㄱ, ㄷ ③ ㄴ, ㄷ ④ ㄴ, ㄹ ⑤ ㄷ, ㄹ

필수 예제 06 수능 기출

다음을 주장한 사상가의 입장에서 | 사례 | 속 A에게 제시할 충고로 가장 적절한 것은?

재물이나 명성과 명예는 최대한 많아지도록 마음을 쓰면서도 지혜와 진리, 자신의 영혼이 최대한 훌륭해지도록 하는 일에 대해서는 마음을 쓰지 않는 것을 부끄러워해야 합니다. 숙고하지 않는 삶은 살 가치가 없습니다.

사례

제2차 세계 대전 당시 유대인 학살의 실무 책임자였던 피고 A는 재판 과정에서 자신이 명령받은 일을 하지 않았다면 양심의 가책을 받았을 것이라고 말했다. 이에 많은 사람들은 그를 악마 같다고 비난했으나, 그는 맡은 일을 성실히 수행했을 뿐인데 자신이 비난받는 이유를 모르겠다고 항변했다.

① 영혼의 훌륭함보다는 명성과 명예를 추구해야 한다.
② 자신의 행동에서 지혜롭지 못한 것은 없는지 성찰해야 한다.
③ 옳음보다는 유용성을 기준으로 자신의 삶의 목적을 정해야 한다.
④ 직위와 결부된 책임을 충실히 이행하기 위해 노력해야 한다.
⑤ 자신이 속한 국가가 정한 규범을 의심 없이 받아들여야 한다.

Tip

제시문은 '숙고하지 않는 삶은 살 가치가 없다.'라고 말한 점을 통해 소크라테스의 주장임을 알 수 있다.

풀이

① 소크라테스는 높은 명성, 많은 부를 쌓는 것을 추구하기보다 자신의 영혼을 최대한 훌륭하게 만드는 것에 마음을 다할 것을 강조하였다. ② 소크라테스는 윤리적으로 성찰하는 삶을 강조하면서 자신의 행동에서 지혜롭지 못한 것은 없는지 지속적으로 성찰해야 한다고 주장하였다. ③ 소크라테스는 당시의 소피스트들이 유용성을 중시한 것과 달리 옳음을 중시하였으며, 옳음을 삶의 목적으로 삼아야 한다고 강조하였다. ④ 소크라테스는 자신이 맡은 직위와 결부된 책임을 이행할 때에도 그것이 옳은가에 대한 성찰이 반드시 필요하다고 주장하였다. ⑤ 소크라테스는 국가의 규범도 성찰의 대상이므로 의심 없이 수용해서는 안 된다고 주장하였다.

답 ②

응용 06-1

다음을 주장한 사상가의 입장으로 가장 적절한 것은?

아테네 시민 여러분, 저는 여러분을 존경하고 또 사랑합니다. 그러나 여러분보다는 오히려 신에게 복종할 것입니다. 그리고 숨을 쉬는 한 지혜를 사랑하고 누구를 만나든 제 생각을 말하기를 그만두지 않을 것입니다. 저는 평소와 같이 이렇게 말할 것입니다. '그대는 지혜와 힘에 있어서 가장 뛰어나고 가장 명성이 높은 나라인 아테네의 국민이면서 어떻게 하면 더 많은 돈을 자기의 것으로 만들까 하는 데에만 머리를 쓰고 있으니 부끄럽지 않소? 명성이나 지위에 관해서는 신경을 쓰면서 사려나 진리는 마음에도 두지 않고, 정신을 될 수 있는 대로 훌륭하게 만드는 데는 신경도 쓰지 않을뿐더러 걱정도 하지 않으니 부끄럽지 않소?'

① 부와 명예를 얻기 위해 옳은 행동을 실천해야 한다.
② 자신의 삶에 대해 법률적인 관점에서 검토해야 한다.
③ 끊임없는 질문을 통해 자신의 무지를 자각해야 한다.
④ 맑은 본성을 찾아 바르게 살아가기 위해 수행해야 한다.
⑤ 다수가 지지하는 견해를 논리적 비판 없이 수용해야 한다.

응용 06-2

다음을 주장한 한국 사상가의 입장으로 옳은 것만을 | 보기 |에서 있는 대로 고른 것은?

버릇은 사람의 뜻을 견고하지 못하게 하고, 행실을 독실하지 못하게 하여, 오늘 한 것을 내일 고치기 어렵고 아침에 행한 것을 후회하고도 저녁이면 벌써 다시 그렇게 한다. 반드시 크게 용맹스러운 뜻을 펼쳐, 마치 한 칼로 밑동을 시원스레 잘라 버리듯, 마음을 깨끗이 씻어 털끝만한 남은 줄기마저 없게 하고, 때때로 깊이 반성하는 공부를 더해 이 마음으로 하여금 옛날에 물든 더러움을 한 점이라도 없게 한 뒤라야 학문에 나아가는 공부를 말할 수 있다.

보기

ㄱ. 잘못된 버릇을 고치기 위해 부단히 노력해야 한다.
ㄴ. 단박에 깨달은 후에 선정과 지혜를 함께 닦아야 한다.
ㄷ. 과거의 생각이나 행동에 대한 반성이 반드시 필요하다.
ㄹ. 옳고 그름, 선과 악을 구별하려는 태도를 버려야 한다.

① ㄱ, ㄷ ② ㄱ, ㄹ ③ ㄴ, ㄷ
④ ㄱ, ㄴ, ㄹ ⑤ ㄴ, ㄷ, ㄹ

필수 체크 전략 ②

1강_현대의 삶과 실천 윤리

1 ㉠에 들어갈 진술로 가장 적절한 것은?

> 나는 윤리학의 본질이 삶의 구체적인 문제의 도덕적 해결책을 모색하는 데 있다고 본다. 그런데 어떤 사람들은 윤리학의 본질이 도덕 원리나 도덕적 정당화의 이론적인 근거를 제시하는 것이라고 주장한다. 나는 이러한 주장이 [㉠]고 생각한다.

① 윤리학은 도덕적 언어의 의미 분석에 주력해야 함을 간과한다
② 윤리학은 도덕적 추론의 정당성 검토에 주력해야 함을 간과한다
③ 윤리학은 보편적인 도덕 법칙의 정립에 주력해야 함을 간과한다
④ 윤리학은 도덕 현상에 대한 객관적 서술에 주력해야 함을 간과한다
⑤ 윤리학은 학제적 접근을 통해 도덕 문제 해결에 주력해야 함을 간과한다

Tip
이론 윤리학이 ❶[ ] 탐구에 주된 관심을 가지는 데 비해 ❷[ ] 윤리학은 도덕 문제에 대한 실제적인 해결책 모색에 주된 관심을 가진다. 답 ❶ 도덕 원리 ❷ 실천

2 갑, 을의 입장으로 적절한 것만을 <보기>에서 있는 대로 고른 것은?

> 보기
> ㄱ. 갑 : 윤리학은 갈등을 해결할 방안을 모색해야 한다.
> ㄴ. 갑 : 윤리학은 독립된 학문 성립 가능성을 탐구해야 한다.
> ㄷ. 을 : 윤리학은 도덕 현상을 경험적으로 탐구해야 한다.
> ㄹ. 을 : 윤리학은 도덕 판단을 위한 원리를 정립해야 한다.

① ㄱ, ㄴ ② ㄱ, ㄹ ③ ㄴ, ㄷ
④ ㄱ, ㄷ, ㄹ ⑤ ㄴ, ㄷ, ㄹ

Tip
메타 윤리학이 윤리학의 학문으로서의 ❶[ ] 탐구를 중시하는 데 비해, 기술 윤리학은 도덕 현상에 대한 ❷[ ] 조사와 서술을 중시한다.
답 ❶ 성립 가능성 ❷ 객관적

3 다음을 주장한 사상가의 입장에서 <사례> 속 A에게 제시할 조언으로 가장 적절한 것은?

> 물질[色]과 정신[名]의 변화와 빛바램과 소멸을 체득하여 '모든 물질과 정신은 무상하고 괴로움이고 변하기 마련인 법(法)이다.'라고 있는 그대로 바른 통찰지로 봐야 한다. 그러면 근심과 탄식, 육체적 고통과 정신적 고통, 절망을 모두 버린다. 이런 것들을 모두 버리면 더 이상 갈애(渴愛)에 시달리지 않고 결국 행복하게 머물게 된다.

> 사례
> 고등학생 A는 고통스러운 삶이 아니라 행복한 삶을 살기 위해서는 어떻게 해야 하는지 고민하고 있다.

① 독립된 실체로서의 자아를 확고히 하세요.
② 세상의 모든 것은 불변하는 것임을 깨달으세요.
③ 모든 현상은 우연히 일어나는 것임을 명심하세요.
④ 연기(緣起)의 법칙을 깨닫고 탐욕과 집착을 버리세요.
⑤ 인간만이 지닌 불성(佛性)을 토대로 수양에 힘쓰세요.

Tip
불교에서는 ❶[ ]의 법칙을 깨닫고, 탐욕, 성냄, 어리석음과 같은 고통의 원인을 제거하면 윤회의 고통에서 벗어나 ❷[ ]에 이를 수 있다고 본다.
답 ❶ 연기(緣起) ❷ 열반

4 다음을 주장한 사상가의 입장만을 〈보기〉에서 고른 것은?

> 신의 이성의 영원한 법은 신의 마음속에 있는 그대로가 아니더라도 이미 계시를 통해서나 우리의 이성 작용을 통해서 부분적으로 알려져 있다. 자연법은 영원한 법이 이성적인 피조물에 관여한 것이다.

〈보기〉
ㄱ. 자연법의 원리로부터 도덕적 의무가 도출된다.
ㄴ. 신의 시혜인 영원법은 자연법에 근거한 것이다.
ㄷ. 신에 대한 진리 파악은 인간의 자연적 성향이다.
ㄹ. 종족 보존이 아니라 자기 보존이 자연적 성향이다.

① ㄱ, ㄴ ② ㄱ, ㄷ ③ ㄴ, ㄷ ④ ㄴ, ㄹ ⑤ ㄷ, ㄹ

Tip
아퀴나스는 인간이 본성적으로 지니는 자연적 성향으로 자기 보존, ❶ [　　] 보존, ❷ [　　]와/과 사회에 대한 진리 파악을 제시하였다.

답 ❶ 종족 ❷ 신

5 다음을 주장한 사상가의 입장에서 〈사례〉 속 A에게 해 줄 수 있는 조언으로 가장 적절한 것은?

> 의무는 도덕 법칙에 대한 존경으로부터 말미암은 행위의 필연성이다. 결코 결과가 아닌 나의 의지와 연결된 순수한 도덕 법칙 그 자체만이 존경의 대상이 될 수 있다.

〈사례〉
할머니의 병문안을 가기로 부모님과 약속한 A는 병원으로 가던 중 컴퓨터 게임을 하러 가자는 친구를 만났다. A는 병원에 갈지, 친구와 놀지 고민에 빠졌다.

① 질적으로 높은 쾌락을 가질 수 있도록 행동하세요.
② 약속은 지켜야 한다는 도덕 법칙에 따라 행동하세요.
③ 자연적 경향성에 따라 자신이 원하는 대로 행동하세요.
④ 자신의 선택의 결과가 도덕적 의무에 맞도록 행동하세요.
⑤ 자신의 선택이 가져올 사회적 효용을 고려하여 행동하세요.

Tip
칸트에 따르면 도덕적 행위는 ❶ [　　]에 따른 행위, 즉 ❷ [　　]에 대한 자발적 존중에서 비롯된 행위이다.

답 ❶ 선의지 ❷ 도덕 법칙

6 다음을 주장한 사상가의 입장으로 가장 적절한 것은?

> 한쪽에서는 쾌락의 가치의 총량을, 다른 쪽에서는 고통의 가치의 총량을 합산해 보라. 만일 차감한 값이 쾌락 쪽에 기운다면, 그것은 그러한 개별적 개인의 이익과 관련하여 전반적으로 행위의 좋은 경향을 제시하는 것이 될 것이다.

① 쾌락의 양뿐만 아니라 질적인 차이도 고려해야 한다.
② 옳고 그름을 판단할 수 있는 보편적 기준이 존재한다.
③ 공리의 원리를 개별 행위가 아닌 규칙에 적용해야 한다.
④ 정상적인 인간은 질적으로 높고 고상한 쾌락을 추구한다.
⑤ 공동체의 전통과 역사가 도덕적 판단에 반영되어야 한다.

Tip
벤담은 쾌락은 ❶ [　　]적으로 같고 ❷ [　　]적 차이만 있어서 쾌락의 ❷ [　　]을/를 계산할 수 있다고 보았다.

답 ❶ 질 ❷ 양

7 갑, 을의 입장으로 가장 적절한 것은?

> **갑** : 인간이 이타적으로 행위 하는 것은 그 행위가 자신의 생존과 번식 혹은 자기 유전자를 복제하는 데 도움을 주기 때문이다. 즉 인간의 이타적 행동과 그와 관련된 도덕성은 자연 선택을 통한 진화의 결과로 보아야 한다.
> **을** : 인간이 이타적으로 행위 하는 것은 그 행위가 자신과 타인에게 옳은 것이라는 자율적인 판단에 의한 것이다. 인간과 인간의 도덕성을 자연 과학적 탐구 방법으로 설명하려고 해서는 안 된다.

① 갑 : 과학적 관점으로 도덕성을 설명할 수 없다.
② 갑 : 도덕성은 당위적 차원에서 접근해야 한다.
③ 을 : 이타적 행위는 생물학적 적응의 산물이다.
④ 을 : 자율적 영역을 과학을 통해 평가해서는 안 된다.
⑤ 갑, 을 : 인간의 도덕성은 자연 선택의 결과이다.

Tip
진화 윤리학에 따르면 이타적 행동과 관련된 도덕성은 ❶ [　　] 선택을 통한 ❷ [　　]의 결과이다.

답 ❶ 자연 ❷ 진화

필수 체크 전략 ①

2강_생명과 윤리

필수 예제 01

수능 기출

(가)~(다) 사상의 입장으로 옳지 않은 것은?

(가) 아침에 도(道)를 깨달으면 저녁에 죽어도 좋다. 뜻있는 선비는 살아남고자 하여 인(仁)을 해치는 일이 없다.
(나) 진인(眞人)은 삶을 기뻐하지도 않고, 죽음을 싫어하지도 않는다. 착한 일을 행하여 명성을 가까이 하지도 말고, 악한 짓을 행하여 형벌을 가까이하지도 말아야 한다.
(다) 전생(前生)에 뿌려진 씨앗은 이번 생에 받는 것이고, 다음 생에 거둘 열매는 이번 생에 행하는 바로 그것이다.

① (가) : 죽음은 슬픈 일이지만 의로운 일을 위해 목숨을 버릴 수 있다.
② (나) : 인의(仁義)를 위해 목숨을 바치는 것은 어리석은 일이다.
③ (다) : 연기의 법칙을 깨달으면 윤회의 고통에서 벗어날 수 있다.
④ (가), (나) : 태어남과 죽음은 본래 자연스러운 과정일 뿐이다.
⑤ (나), (다) : 남을 도우며 선하게 살아야 내세의 행복을 기약할 수 있다.

Tip

(가)는 살기 위해 인(仁)을 해치는 일은 하지 않는다고 본 점을 통해 유교 사상, (나)는 '진인'이라는 이상적 인간상을 제시한 점을 통해 도가 사상, (다)는 업과 윤회에 대해 설명한 점을 통해 불교 사상임을 알 수 있다.

풀이

① 유교 사상에 따르면, 죽음은 마땅히 애도해야 하는 슬픈 일이지만, 의로운 일을 위해서라면 목숨을 버릴 수 있다. ② 도가 사상은 인의(仁義)나 예(禮)와 같은 도덕을 위해 목숨을 바치는 것은 어리석은 일이라고 지적한다. ③ 불교 사상은 연기의 법칙을 깨달아 집착을 버리면 윤회의 고통에서 벗어나고 열반의 경지에 이를 수 있다고 본다. ④ 유교 사상은 삶과 죽음을 자연의 순환 과정으로, 도가 사상은 기(氣)의 모임과 흩어짐이라는 자연스러운 순환 과정으로 이해한다. ⑤ 선한 삶이 내세의 행복을 기약할 수 있다고 본 것은 불교만의 주장이다.

답 ⑤

필수 예제 02

모평 기출

갑, 을 사상가들의 입장으로 가장 적절한 것은?

갑 : 모든 좋고 나쁨은 감각에 달려 있는데 죽으면 감각을 잃는다. 따라서 죽음은 우리에게 아무것도 아니다. 현자는 사려 깊음을 통해 죽음을 무서워하지 않고 마음의 평안을 추구한다.
을 : 죽음은 진리 추구를 방해하는 육체에서 영혼이 분리되는 것이다. 평생에 걸쳐 최대한 죽음과 가장 가까운 상태로 영혼을 정화하며 살고자 했던 사람이 그토록 열망하는 지혜를 얻을 수 있는 곳으로 가는 것이 죽음이다.

① 갑 : 죽음 이후에 비로소 선의 본질이 드러난다.
② 갑 : 현세의 삶은 사후의 영혼의 삶에 영향을 준다.
③ 을 : 죽음의 순간에 육체의 소멸과 함께 영혼도 소멸한다.
④ 을 : 죽음의 두려움은 감각적 쾌락을 통해 해소되어야 한다.
⑤ 갑, 을 : 지혜로운 사람에게 죽음은 두려움의 대상이 아니다.

Tip

갑은 죽으면 감각을 잃으므로 죽음이 인간에게 아무것도 아니라고 본 점을 통해 에피쿠로스, 을은 죽음을 육체에 갇혀 있던 영혼이 분리되는 것으로 본 점을 통해 플라톤임을 알 수 있다.

풀이

① 에피쿠로스는 죽음 이후에 육체와 감각이 모두 소멸한다고 보았다. ② 에피쿠로스는 죽음을 인간을 구성하던 원자가 개별 원자로 흩어지는 것으로 이해하였다. 따라서 죽음 이후의 삶은 없다. ③ 플라톤은 죽음을 통해 영혼이 육체로부터 해방된다고 보았으며, 영혼은 불멸한다고 주장하였다. ④ 플라톤은 죽음을 두려움의 대상으로 보지 않았다. ⑤ 에피쿠로스는 산 사람이든 죽은 사람이든 죽음을 경험할 수 없으므로 죽음을 두려워할 필요가 없다고 보았다. 플라톤은 죽음을 순수한 인식을 방해하는 육체로부터 영혼이 해방되는 것으로 보아 죽음을 두려워할 필요가 없다고 보았다.

답 ⑤

필수 예제 03

모평 기출

(가)의 입장에서 (나)의 입장에 대해 제기할 수 있는 비판으로 가장 적절한 것은?

(가) 심장 박동과 호흡이 비가역적으로 정지된 심폐사만을 죽음으로 인정해야 한다. 심폐사는 죽음에 대한 전통적인 판정 기준으로, 죽음의 시점을 확실하게 적시할 수 있어서 누가 보더라도 죽음을 판정할 수 있다는 장점이 있다.

(나) 뇌의 모든 기능을 상실한 사람은 결국 수일 내에 심폐사에 이르게 된다. 뇌사자에게 불필요한 치료를 억지로 지속하는 것은 뇌사자를 비인간적으로 대우하는 것일 뿐만 아니라, 한정된 의료 자원을 소모하면서 장기를 기증할 기회도 잃게 하므로 뇌사를 죽음으로 인정해야 한다.

① 의료 자원의 효율적 이용이 필요하다는 것을 간과한다.
② 뇌사가 죽음에 이르는 과도기적 상태라는 것을 간과한다.
③ 뇌사 인정은 뇌사자의 생명권을 존중하는 것임을 간과한다.
④ 장기 이식을 위해 뇌사를 죽음의 기준으로 삼아야 함을 간과한다.
⑤ 무의미한 연명 치료는 인간 존엄성을 훼손한다는 것을 간과한다.

Tip

죽음에 대한 판정 기준으로 (가)는 심폐사, (나)는 뇌사를 주장한다.

풀이

①, ④, ⑤ (나)의 입장에서 (가)의 입장에 제기할 비판이다. ② (가)의 입장은 뇌사가 완결된 죽음이 아니며 '죽어 가는 과정'에 불과하다고 본다. ③ (가)의 입장은 뇌사 인정이 뇌사자의 생명권을 침해한다고 본다.

답 ②

응용 03-1

죽음의 판정 기준으로 뇌사를 제시하는 입장에서 지지할 내용만을 보기에서 골라 쓰시오.

보기
ㄱ. 뇌사자의 장기를 다른 환자에게 이식할 수 있다.
ㄴ. 뇌 기능 전체의 불가역적 상실은 죽음과 동일하다.
ㄷ. 치료와 무관한 생명 연장 행위는 바람직하지 않다.
ㄹ. 호흡과 심장 박동이 유지되면 죽음으로 판정할 수 없다.

필수 예제 04

모평 기출

다음 토론의 핵심 쟁점으로 가장 적절한 것은?

갑: 생태계를 파괴하지 않는 한 동물 복제는 허용되어야 합니다. 동물 복제는 멸종 동물의 복원과 희귀 동물의 보존뿐만 아니라 식량난 해결에도 도움이 되기 때문입니다.

을: 전적으로 동의합니다. 하지만 인간 복제는 허용되어서는 안 됩니다. 인간 복제는 '인간이 인간을 만드는 일'로 인간 존엄성에 어긋나기 때문입니다.

갑: 인간 개체 복제는 인간 존엄성에 위배되지만, 질병 치료를 위한 인간 배아 복제는 그렇지 않습니다. 배아는 도덕적 지위를 지닌 인간으로 볼 수 없습니다.

을: 인간 배아는 성인으로서의 도덕적 지위를 갖지는 않지만, 인간으로 발달할 잠재성을 지닌 존재입니다. 따라서 인간 배아 복제 역시 허용될 수 없습니다.

① 동물 복제는 허용될 수 있는가?
② 인간 개체 복제는 인간 존엄성을 훼손하는가?
③ 동물 복제는 사회적 유용성 증진에 기여하는가?
④ 치료 목적의 인간 배아 복제는 허용될 수 있는가?
⑤ 인간 배아는 성인과 같은 도덕적 지위를 지니는가?

Tip

갑은 동물 복제 찬성, 인간 개체 복제 반대, 치료를 위한 인간 배아 복제 찬성의 입장이며, 을은 동물 복제 찬성, 인간 개체 복제와 배아 복제 반대의 입장이다. 따라서 ④ 치료 목적의 인간 배아 복제를 허용해야 하는가에 대한 토론이다.

풀이

①, ②, ③ 갑, 을 모두 찬성한다. ⑤ 갑, 을 모두 반대한다. 답 ④

응용 04-1

인간 개체 복제를 허용해서는 안 된다는 입장에서 지지할 내용만을 보기에서 고른 것은?

보기
ㄱ. 생명 경시 풍조가 확산될 우려가 있다.
ㄴ. 인간의 유전적 다양성을 향상할 수 있다.
ㄷ. 인간이 지니는 정체성에 혼란이 야기할 수 있다.
ㄹ. 복제된 인간도 독자적인 고유성을 가질 수 있다.

① ㄱ, ㄴ ② ㄱ, ㄷ ③ ㄴ, ㄷ ④ ㄴ, ㄹ ⑤ ㄷ, ㄹ

필수 체크 전략 ①

필수 예제 05

수능 기출

갑은 긍정, 을은 부정의 대답을 할 질문으로 가장 적절한 것은?

> **갑** : 유전적 결함이 있는 환자는 유전자 교정 기술의 혜택으로 자신과 타인의 부정적 평가에서 벗어나 잃어버린 존엄을 되찾을 수 있다. 이 기술의 활용은 개인의 유전자 선호에 달려 있다. 인류는 자신의 의도에 맞게 유전 정보를 활용하여 과학적 유토피아를 실현할 수 있다.
>
> **을** : 유전자 교정 기술은 인간성을 변화시킬 수 있어서 바람직하지 않다. 이 기술이 발전하면 인류는 생명체를 지적(知的)으로 설계할 수 있는 힘을 가질 수밖에 없다. 그러나 유전자의 좋고 나쁨을 인간이 판단해서는 안 된다. 왜냐하면 교정은 좋은 것이 있음을 전제하는데, 변화하는 환경에 유전자가 어떻게 적응할지 모르기 때문이다.

① 유전자 교정 기술은 인간의 정체성에 변화를 줄 수 있는가?
② 유전자 교정 기술에 의해 생명체의 능력이 강화될 수 있는가?
③ 유전자 교정 기술에서 개인의 유전자 선택을 금지해야 하는가?
④ 유전자 교정 기술을 활용하는 과정에서 윤리 문제가 생길 수 있는가?
⑤ 유전자 교정 기술에서 인간이 유전자의 가치를 판단하는 것은 정당한가?

Tip

갑은 유전자 교정 기술이 가져올 미래를 긍정적으로 바라보며, 인류가 그 의도에 맞게 통제할 수 있다고 본다. 반면 을은 유전자 교정 기술이 인류에 미칠 영향을 알 수 없기 때문에 자의적으로 판단해서는 안 된다고 본다. 따라서 ⑤ 유전자 교정 기술에서 인간이 유전자의 가치를 판단하는 것은 정당한가에 대한 토론이다.

풀이

①, ② 갑, 을 모두 긍정의 대답을 할 질문이다. ③, ④ 갑은 부정, 을은 긍정의 대답을 할 질문이다.

답 ⑤

필수 예제 06

모평 기출

(가), (나)의 입장으로 적절한 것만을 보기 에서 고른 것은?

> (가) 인간의 행복을 위해서는 질병을 극복할 수 있는 신약이 개발되어야 한다. 개발 과정에서 인간에게 미칠 수 있는 신약의 부작용을 최소화하기 위해서는, 설령 동물에게 고통을 준다 해도 동물 실험은 불가피하다. 다만, 고통은 악(惡)이므로 연구자는 동물에게 가하는 고통을 최소화해야 한다.
>
> (나) 질병은 극복되어야 할 인류의 과제이다. 하지만 인간과 동물은 질병의 종류와 증상이 매우 다르기 때문에, 동물 실험은 그 효과가 의심스러우며 신약 개발에 도움이 되지 않는다. 특히 인간처럼 쾌고 감수 능력을 지닌 동물에게 고통을 주는 동물 실험을 금지하고 그 대안을 강구해야 한다.

보기

ㄱ. (가) : 동물 실험은 그 목적이 선해도 허용될 수 없다.
ㄴ. (가) : 인간의 복지가 동물들의 이익 관심보다 우선한다.
ㄷ. (나) : 인간은 생물학적으로 대부분의 질병을 동물과 공유한다.
ㄹ. (가), (나) : 동물에게 고통을 가하는 것은 도덕적으로 악하다.

① ㄱ, ㄴ ② ㄱ, ㄷ ③ ㄴ, ㄷ ④ ㄴ, ㄹ ⑤ ㄷ, ㄹ

Tip

(가)는 신약 개발 과정에서 동물들에게 고통을 준다 해도 동물 실험은 불가피하며, 단지 고통을 최소화하기 위한 노력은 필요하다고 본다. 반면, (나)는 동물 실험의 효과를 의심하며, 쾌고 감수 능력을 지닌 동물에게 고통을 주는 실험을 하면 안 된다고 본다.

풀이

ㄱ. (가)는 동물 실험을 허용해야 한다는 입장이다. ㄴ. (가)는 인류의 건강이나 행복 등과 같은 복지가 동물들의 이익 관심보다 우선한다고 본다. ㄷ. (나)는 인간과 동물의 질병의 종류와 증상은 매우 다르다고 본다. ㄹ. (가)는 고통을 악으로 본 점, (나)는 동물이 쾌고 감수 능력을 지녔다고 본 점을 통해 두 입장 모두 동물에게 고통을 가하는 것을 도덕적으로 악하다고 여기는 점을 알 수 있다.

답 ④

필수 예제 07

모평 기출

다음을 주장한 사상가의 입장으로 가장 적절한 것은?

결혼은 서로에게 평등한 권리를 허용하고, 자신의 전인격을 온전히 상대방에게 양도한다는 조건을 받아들이겠다는 두 사람 사이의 계약입니다. 그리하여 각자는 상대방의 전인격에 대한 완전한 권리를 갖게 되며, 이제 인간성을 추락시키지도 않고 도덕성을 위반하지 않으면서도 성관계가 가능한 방식이 이성(理性)을 통해 명확해집니다.

① 자발적 동의가 없는 성관계도 도덕적으로 정당화될 수 있다.
② 결혼이라는 조건이 충족될 때 상대방의 성을 향유할 수 있다.
③ 타인에게 해를 끼치지 않는 모든 성관계는 도덕적으로 정당하다.
④ 인격적 만남을 통한 성관계는 부부 사이가 아니어도 정당하다.
⑤ 부부 사이의 성관계도 출산을 의도할 때에만 도덕적으로 정당하다.

Tip

제시문은 칸트의 주장이다.

풀이

① 칸트는 결혼을 두 사람 간의 계약, 즉 자발적 동의에 바탕을 둔 계약이라고 보았다. 따라서 자발적 동의가 없는 성관계는 도덕적이지 않다. ② 칸트에 따르면, 인간성의 추락, 도덕성의 위반을 유발하지 않으면서도 성관계가 가능한 것은 오직 결혼이라는 조건이 충족될 때이다. ③, ④, ⑤ 칸트에 따르면, 성관계는 타인에게 해를 끼치는지, 인격적 만남인지, 출산을 의도하였는지 등이 아닌 결혼이라는 조건이 충족되었는지에 따라 정당화될 수 있다.

답 ②

응용 07-1

칸트의 입장으로 적절한 것만을 보기 에서 고른 것은?

보기
ㄱ. 부부는 상이한 두 인격체가 결합한 것이다.
ㄴ. 인간의 성(性)을 인격의 일부로 보아서는 안 된다.
ㄷ. 남녀는 결혼을 통해 하나의 도덕적 인격체를 이룬다.
ㄹ. 부부가 서로의 성을 향유하는 것은 인격 침해 행위이다.

① ㄱ, ㄴ ② ㄱ, ㄷ ③ ㄴ, ㄷ ④ ㄴ, ㄹ ⑤ ㄷ, ㄹ

필수 예제 08

수능 기출

다음 사상의 입장으로 적절하지 않은 것은?

부부는 백성을 낳는 시작이며 모든 행복의 근원이다. 남편은 바깥채에 거처하며 안채의 일을 말하지 않고, 아내는 안채에 거처하며 바깥채의 일을 말하지 않는다. 남편은 아내에게 정중하게 임하여 하늘의 건실한 도리를 실천하고, 아내는 부드러움으로 남편을 바로잡아 땅의 순응하는 도리를 실천한다면, 집안이 바르게 될 것이다. 부부가 서로 공경하여 집안이 화목하고 순조로워야 부모께서 편안하고 즐거우실 것이다.

① 화목한 부부 생활은 효도의 한 방법이다.
② 부부는 서로 의존하면서 보완하는 관계이다.
③ 부부는 서로의 고유한 영역을 인정하고 존중해야 한다.
④ 부부의 의의는 세대를 계승하고 행복을 추구하는 데 있다.
⑤ 부부의 관계는 옳고 그름이나 예절의 규제로부터 자유롭다.

Tip

제시문은 남녀의 역할은 구분되지만 서로 존중할 것을 강조한 점에서 유교 사상의 입장에서 제시한 부부 윤리이다.

풀이

① 유교 사상은 부부가 서로 공경하면 그 부모가 편안하다고 본다. ② 유교 사상은 부부가 각자 역할을 수행하고 서로 조화되어야 한다고 본다. ③ 제시문에서 남편이 안채의 일을, 아내가 바깥채의 일을 말하지 않는다고 하였듯 유교 사상은 서로 고유의 영역을 존중해야 한다고 본다. ④ 제시문에서 부부가 백성을 낳는 시작이라고 하였듯 유교 사상은 부부가 세대 계승과 행복 추구의 시작이라고 본다. ⑤ 유교 사상에 따르면, 부부는 옳고 그름이나 상대에 대한 예절을 지키며 상호 의존하는 관계이어야 한다.

답 ⑤

응용 08-1

오늘날 부부 윤리로 적절한 것만을 보기 에서 고른 것은?

보기
ㄱ. 우애 있게 지내며 자애를 실천해야 한다.
ㄴ. 각자의 주체성과 자유를 존중해야 한다.
ㄷ. 형우제공(兄友弟恭)의 덕을 실천해야 한다.
ㄹ. 서로 동등한 존재로서 평등하게 대해야 한다.

① ㄱ, ㄴ ② ㄱ, ㄷ ③ ㄴ, ㄷ ④ ㄴ, ㄹ ⑤ ㄷ, ㄹ

필수 체크 전략 ②

2강_생명과 윤리

1 동양 사상가 갑, 을의 입장으로 가장 적절한 것은?

> **갑** : 태어남도, 늙음도, 병도 그리고 죽음도 괴로움이다. 집착의 대상이 되는 다섯 가지 무더기[五蘊] 자체도 괴로움이다.
>
> **을** : 삶과 죽음은 기(氣)의 변화 속에서 하나로 이어진 것이니, 내 삶을 좋다 함은 바로 내 죽음도 좋다고 하는 것이 된다.

① 갑 : 현세에서의 업(業)은 사후의 삶과 무관하다.
② 갑 : 인간은 윤회의 고통으로부터 벗어날 수 없다.
③ 을 : 삶과 죽음은 우연히 이루어지는 사건이다.
④ 을 : 삶과 죽음은 기가 모이고 흩어지는 과정이다.
⑤ 갑, 을 : 죽음은 최고의 고통이자 두려움의 대상이다.

Tip

불교 사상은 현세의 ❶ 이/가 죽음 이후의 삶을 결정한다고 보고, 도가 사상은 삶과 죽음을 ❷ 의 자연스러운 흐름이라고 본다.

답 ❶ 업 ❷ 기

2 서양 사상가 갑, 을의 입장만을 | 보기 |에서 고른 것은?

> **갑** : 영혼이 육체에서 벗어나 감각이나 욕망을 갖지 않고 오직 참된 존재만을 갈망할 때 최상의 사유를 할 수 있다.
>
> **을** : 현존재는 죽음이 자신의 눈앞에 닥쳐올 때, 자신의 고유한 존재 가능에 전적으로 마음을 쓰고 몰입한다.

보기
ㄱ. 갑 : 영혼은 언제든지 참된 인식을 할 수 있다.
ㄴ. 갑 : 영혼은 죽음 이후 육체의 감옥에서 풀려난다.
ㄷ. 을 : 죽음을 직시하면 삶을 의미 있게 살 수 있다.
ㄹ. 갑, 을 : 인간은 죽음을 통해 절망에서 벗어난다.

① ㄱ, ㄴ ② ㄱ, ㄷ ③ ㄴ, ㄷ ④ ㄴ, ㄹ ⑤ ㄷ, ㄹ

Tip

플라톤은 영혼이 ❶ (으)로부터 해방되었을 때 참된 인식을 할 수 있다고 보았으며, 하이데거는 ❷ 을/를 직시하면 유의미하게 살 수 있다고 하였다.

답 ❶ 육체 ❷ 죽음

3 그림은 신문 칼럼의 일부이다. ㉠에 대해 제기할 수 있는 반론으로 가장 적절한 것은?

> ○○ 신문 ○○○○년 ○○월 ○○일
>
> 2021년 1월 1일 낙태죄는 자동적으로 폐지되었지만, 여전히 낙태에 대한 찬반 논쟁이 계속되고 있는데, 이와 관련하여 우리는 어느 사상가의 주장에 주목할 필요가 있다. 그는 ㉠ "자의식을 갖추지 못한 비인격적 존재인 태아는 생명의 권리를 갖지 않는다."고 주장하였다. …(후략).

① 태아는 독자적으로 생존할 능력이 없다.
② 태아의 권리보다 여성의 선택권이 우선한다.
③ 태아는 성숙한 인간이 될 잠재성을 갖고 있다.
④ 태아는 인격적 존재로서의 지위를 갖지 못한다.
⑤ 태아는 미래에 대한 합당한 욕망을 가질 수 없다.

Tip

인공 임신 중절을 ❶ 하는 입장은 태아가 성숙한 인간으로 발달할 ❷ 을/를 가지고 있다고 본다.

답 ❶ 반대 ❷ 잠재성

4 다음 입장에서 지지할 내용만을 | 보기 |에서 고른 것은?

의사의 가장 기본적이며 고귀한 임무는 환자의 생명을 보호하고 치료하는 일인데 환자를 도와서 죽게 한다면 의사 자신이 생명의 존엄성에 대해 무감각해질 것입니다.

보기
ㄱ. 환자 본인이 원하면 안락사를 해야 한다.
ㄴ. 의사는 환자를 치료하는 일에 매진해야 한다.
ㄷ. 제한된 의료 자원을 효율적으로 사용해야 한다.
ㄹ. 인간의 생명을 인위적으로 단축해서는 안 된다.

① ㄱ, ㄴ ② ㄱ, ㄷ ③ ㄴ, ㄷ ④ ㄴ, ㄹ ⑤ ㄷ, ㄹ

Tip

안락사를 ❶ 하는 입장에서는 의료인이 환자의 죽음을 앞당기는 ❷ 행위를 해서는 안 된다고 본다.

답 ❶ 반대 ❷ 의료

5 갑은 긍정, 을은 부정의 대답을 할 질문만을 | 보기 |에서 있는 대로 고른 것은?

| 보기 |
ㄱ. 인간 생명의 본질은 뇌의 기능에 있는가?
ㄴ. 심폐사를 죽음의 판정 기준으로 삼아야 하는가?
ㄷ. 뇌 기능 전체의 불가역적 상실은 죽음과 동일한가?
ㄹ. 치료와 무관한 생명 연장의 행위는 무의미한가?

① ㄱ, ㄴ ② ㄱ, ㄷ ③ ㄴ, ㄹ
④ ㄱ, ㄷ, ㄹ ⑤ ㄴ, ㄷ, ㄹ

Tip
뇌사를 죽음의 판정 기준으로 보는 입장에서는 인간 생명의 본질이 ❶ [ ] 기능에 있으며 그 기능의 불가역적 ❷ [ ]은/는 죽음이라고 여긴다.
답 ❶ 뇌 ❷ 상실

6 다음을 주장한 사상가의 입장에서 | 사례 | 속 A에게 해 줄 수 있는 조언으로 가장 적절한 것은?

선의지는 그것이 생기게 하는 것이나 성취한 것으로 말미암아, 또 어떤 세워진 목적 달성에 쓸모 있음으로 말미암아 선한 것이 아니라, 오로지 그 의욕함으로 말미암아, 다시 말해 그 자체로 선한 것이다.

| 사례 |
A는 동물 복제를 통해 우수한 품종을 개발할 수 있다는 말을 듣고 동물 복제 실험을 할지 고민하고 있다.

① 동물은 목적적 존재임을 고려하세요.
② 사회적 유용성의 산출 여부를 고려하세요.
③ 동물이 선의지를 지닌 존재임을 고려하세요.
④ 동물 복제 실험은 어떤 경우에도 부당함을 고려하세요.
⑤ 동물에 대해 인간이 간접적 의무를 지님을 고려하세요.

Tip
칸트는 동물이 인간 목적의 실현을 위한 ❶ [ ](이)라고 여겼으며, 이러한 동물에 대해 인간은 ❷ [ ] 의무를 갖는다고 보았다.
답 ❶ 수단 ❷ 간접적

7 갑, 을의 입장으로 가장 적절한 것은?

어떤 존재가 고통을 느낀다면 그 고통을 고려하지 않으려는 것은 도덕적으로 정당화될 수 없습니다. 평등의 원리는 그 존재가 어떤 특성을 갖건 그 존재의 고통을 다른 존재의 동일한 고통과 동등하게 취급할 것을 요구합니다.

갑

어떤 존재가 개별적인 복지를 갖는다면, 그 개체는 삶의 주체입니다. 한 동물이 삶의 주체로서 확인되면 그는 내재적 가치를 갖는 존재로서 평등한 도덕적 권리를 갖습니다.

을

① 갑 : 인간과 동물의 이익 관심은 동일하다.
② 갑 : 동물은 도덕적 행위의 주체가 될 수 있다.
③ 을 : 도덕적으로 무능하면 삶의 주체가 될 수 없다.
④ 을 : 동물은 인간에게 유용할 때 도덕적 지위를 지닌다.
⑤ 갑, 을 : 비이성적 존재도 내재적 가치를 지닐 수 있다.

Tip
싱어는 동물이 ❶ [ ]을/를 지니기 때문에, 레건은 동물이 삶의 ❷ [ ]이/가 될 수 있기 때문에 내재적 가치를 갖는다고 보았다.
답 ❶ 쾌고 감수 능력 ❷ 주체

윤리학의 분류

1 ㉠에 들어갈 진술로 가장 적절한 것은?

> 나는 윤리학이 삶의 구체적인 상황에서 발생하는 다양한 윤리 문제에 대하여 도덕 원리를 근거로 실제적인 해결책을 모색하는 데 주된 관심을 가져야 한다고 생각한다. 그런데 어떤 사람들은 윤리학이 문화 전반의 도덕적 제도와 관행에 초점을 두고 개인의 삶이나 사회적인 삶에 대해 과학적으로 서술하는 데 주된 관심을 가져야 한다고 주장한다. 나는 이러한 주장이 [㉠]을 간과한다고 생각한다.

① 도덕 추론의 타당성 검토가 윤리학의 핵심 과제임
② 도덕 현상에 대한 가치중립적 설명에 주력해야 함
③ 도덕 문제 해결을 위한 도덕 이론의 정립이 필요하지 않음
④ 도덕 문제와 현상 간의 인과 관계 설명에 중점을 두어야 함
⑤ 도덕 문제 해결을 통해 삶의 방향을 구체적으로 제시해야 함

다양한 윤리적 접근

2 동양 사상가 갑, 을의 입장만을 | 보기 |에서 고른 것은?

갑: 도(道)에 뜻을 두고 덕(德)에 의거하며, 인(仁)에 의지하고 예(禮)에서 노닐어야 한다. 도가 있으면 예악(禮樂)이나 정벌(征伐)이 천자에게서 나온다.

을: 도가 사라지니 인의(仁義)가 있게 되고, 지혜가 생겨나니 큰 위선이 있게 되고, 국가가 혼란하니 충신이 있게 된다.

| 보기 |
ㄱ. 갑 : 통치자는 형벌보다 덕으로 다스려야 한다.
ㄴ. 을 : 인위적인 규범은 인간의 본성에 해가 된다.
ㄷ. 을 : 사욕을 극복하고 인과 예를 회복해야 한다.
ㄹ. 갑, 을 : 이치를 탐구하여 무지에서 벗어나야 한다.

① ㄱ, ㄴ ② ㄱ, ㄷ ③ ㄴ, ㄷ ④ ㄴ, ㄹ ⑤ ㄷ, ㄹ

다양한 윤리적 접근

3 서양 사상가 갑, 을의 입장에서 | 사례 | 속 A에게 해 줄 수 있는 조언으로 가장 적절한 것은?

> 갑 : 행복의 원리와 윤리의 구별은 양자를 대립시키는 것이 아니다. 단지 의무가 문제가 될 때는 행복을 고려하지 않아야 한다는 것이다.
> 을 : 행복은 쾌락이자 고통의 결여이다. 유일하고 참된 행위 규칙은 '최대 행복'이지만, 쾌락의 양은 물론이고 쾌락의 질도 고려되어야 한다.

| 사례 |
A는 어느 날 "도덕적으로 살면 행복해질 수 있을까?"에 대해 고민에 빠졌다.

① 갑 : 도덕과 행복은 양립 가능하며 행복이 도덕의 목적임을 명심하세요.
② 갑 : 행복을 추구하는 행위는 의무에서 행해질 때에만 도덕적으로 가치 있음을 명심하세요.
③ 을 : 행복이라는 행위의 결과보다는 도덕적 동기가 중요함을 명심하세요.
④ 을 : 행복의 총량을 증가시키지 않더라도 도덕적으로 살아야 함을 명심하세요.
⑤ 갑, 을 : 쾌락은 선이고 고통은 악이므로 행복을 가져다주는 행위가 옳은 행위임을 명심하세요.

다양한 윤리적 접근

4 밑줄 친 '이 사상가'의 입장에서 ㉠에 들어갈 진술로 가장 적절한 것은?

> <u>이 사상가</u>는 "덕은 전체의 삶의 선을 추구하는 개인의 삶의 형태를 유지할 뿐만 아니라, 실천과 개인적 삶이 필요로 하는 역사적 맥락을 제공하는 전통을 유지한다."라고 주장하였다. 따라서 도덕적 갈등 상황에 놓였을 때 [㉠]고 말할 것이다.

① 실천 이성의 명령에 따라야 한다
② 선천적으로 타고난 덕을 발휘해야 한다
③ 상황과 무관하게 도덕적 의무를 실천해야 한다
④ 구체적·맥락적 사고를 토대로 상황에 접근해야 한다
⑤ 사회적 유용성의 산출 여부로 도덕적 판단을 해야 한다

삶과 죽음의 윤리적 의미

5 동양 사상가 갑, 서양 사상가 을의 입장으로 가장 적절한 것은?

> **갑** : 인간은 오온(五蘊)의 집합에 불과하다. 이 다섯 가지 요소가 모여서 인간 생명이 형성되며 이 요소들이 흩어질 때 생명이 다하는 것이다. 이 세상에서 죽으면 인간은 다른 곳에서 태어날 수 있다.
>
> **을** : 인간은 죽음이 눈앞에 닥쳐올 때, 자신의 고유한 존재 가능성에 전적으로 마음을 쓰고 몰입한다. 죽음의 실존론적 가능성은 현존재가 스스로에 선행하는 방식으로 열어 보기 때문에 확인된다.

① 갑 : 인간은 죽으면 모든 고통에서 벗어나게 된다.
② 갑 : 인간은 죽음을 통해 해탈의 경지에 이를 수 있다.
③ 을 : 인간은 죽음 이후 불안과 절망에서 벗어난다.
④ 을 : 인간은 죽음에 대한 사유를 통해 실존을 깨닫는다.
⑤ 갑, 을 : 인간은 죽음을 통해 개별 원자로 돌아간다.

뇌사의 윤리적 쟁점

6 갑은 긍정, 을은 부정의 대답을 할 질문으로 옳은 것은?

① 뇌사를 인정하는 것이 사회 전체의 이익인가?
② 심폐 기능의 정지만이 죽음의 판단 기준인가?
③ 뇌사자의 장기 이식으로 생명을 구할 수 있는가?
④ 대뇌의 기능만 정지하면 죽음으로 보아야 하는가?
⑤ 뇌 기능 전체의 불가역적 상실은 죽음과 동일한가?

동물 실험의 윤리적 쟁점

7 갑, 을의 입장으로 가장 적절한 것은?

> **갑** : 동물 실험은 인간의 질병을 정복하는 데 기여하며, 실험의 결과가 가져오는 인간의 행복의 크기는 상당히 크다. 따라서 동물에게 고통을 가져다주더라도 동물 실험은 인간의 복지를 위해 불가피하다.
>
> **을** : 인간에 대해 이익 평등 고려의 원칙을 받아들인다면 그것을 동물에게 확장하는 것도 받아들여야 한다. 동물의 고통을 고려하지 않은 채 인간의 행복이 증진된다는 이유만으로 동물 실험이 옹호될 수는 없다.

① 갑 : 인간과 동물의 이익 관심은 동일하다.
② 갑 : 인간과 동물의 존재 지위는 차이가 없다.
③ 을 : 동물의 고통과 인간의 행복의 크기는 같다.
④ 을 : 동물의 고통을 무시하는 동물 실험은 옳지 않다.
⑤ 갑, 을 : 인간의 복지에 기여하는 동물 실험은 모두 정당하다.

사랑과 성 윤리

8 갑, 을, 병의 입장으로 가장 적절한 것은?

> **갑** : 성은 부부간의 신뢰와 사랑을 전제로 할 때만 정당화될 수 있다. 따라서 결혼을 통해 이루어지는 성적 관계만이 정당하다.
>
> **을** : 성은 타인에게 피해를 주지 않으며 개인의 자발적 동의를 기반으로 하는 범위 내에서 이루어진다면 얼마든지 정당화될 수 있다.
>
> **병** : 성은 사랑을 기반으로 할 때 정당화될 수 있다. 사랑이 동반된 성은 도덕적이며 그렇지 않은 성은 도덕적이지 않다.

① 갑 : 성의 생식적 가치보다 쾌락적 가치가 중요하다.
② 을 : 사랑은 성이 정당화되기 위한 필요충분조건이다.
③ 병 : 서로 사랑하는 부부간의 성적 관계만이 정당하다.
④ 갑, 을 : 자발적 동의에 따른 성적 자유는 정당하다.
⑤ 을, 병 : 성적 관계는 결혼과 별개로 정당화될 수 있다.

윤리학의 분류

01 ㉠에 들어갈 진술로 가장 적절한 것은?

> 나는 윤리학이 삶의 구체적 상황에서 발생하는 윤리 문제의 원인을 분석하고 그 해결책을 모색하는 데 주된 관심을 가져야 한다고 생각한다. 그런데 오늘 학회에서 만난 그 사상가는 내 생각과는 달리 윤리학이 도덕적 개념이나 그에 내포된 논리적 구조 분석에 집중해야 한다고 주장하였다. 나는 그의 주장이 [㉠]을 간과한다고 생각한다.

① 도덕적 판단의 타당성 검증의 중요성
② 도덕 현상에 대한 객관적 서술의 중요성
③ 도덕적 관습에 대한 경험적 조사의 중요성
④ 윤리학의 학문적 성립 가능성 모색의 중요성
⑤ 도덕 문제 해결을 위한 학제적 접근의 중요성

Tip
실천 윤리학은 도덕 문제를 [❶]하기 위해 다양한 학문의 지식과 기술을 활용하는 [❷]을/를 중시한다.

답 ❶ 해결 ❷ 학제적 접근

다양한 윤리적 접근

02 고대 동양 사상가 갑, 을의 입장으로 가장 적절한 것은?

> 갑 : 인(仁)은 사람의 마음이고 의(義)는 사람의 길이다. 그 길을 놓아둔 채 따르지 않으며, 그 마음을 잃어버리고도 찾을 줄 모르니 안타깝다.
> 을 : 끝없이 변하는 사물들과 하나가 되어 자취를 남기지 않은 채 노닐어야 한다. 하늘로부터 받은 본성을 다하되 이득을 추구해서는 안 된다.

① 갑 : 인의(仁義)의 덕(德)을 형성해야 한다.
② 갑 : 예(禮)를 배워 본성을 변화시켜야 한다.
③ 을 : 연기(緣起)를 깨달아 번뇌에서 벗어나야 한다.
④ 을 : 만물을 차별하지 말고 평등하게 대해야 한다.
⑤ 갑, 을 : 옳고 그름을 가리는 마음을 버려야 한다.

Tip
도가 사상가 장자는 [❶]와/과 차별에서 벗어나 만물을 [❷]하게 볼 것을 강조하였다.

답 ❶ 분별 ❷ 평등

다양한 윤리적 접근

03 갑, 을 사상가들의 입장에서 | 사례 | 속 B에게 해 줄 수 있는 조언으로 가장 적절한 것은?

> 갑 : 옳은 행위란 선의지의 지배를 받는 행위이다. 그 자체로 유일하게 선한 선의지는 타고난 지성 안에 이미 들어 있다. 선의지의 지배를 받는 행위는 의무에서 비롯되는데, 의무란 법칙에 대한 존경심 때문에 어떤 행위를 하지 않을 수 없는 것을 가리킨다.
> 을 : 옳은 행위란 공리의 원리에 부합하는 행위이다. 공리의 원리는 어떤 행위가 행복을 증진시키는가 아니면 그렇지 않은가를 판단하는 것이다. 공동체의 행복을 증진시키는 경향이 행복을 감소시키는 경향보다 더 클 때 공리의 원리에 부합한다고 할 수 있다.

| 사례 |

① 갑 : 회사의 입장에 공감하려는 자연스러운 감정에 근거하여 결정하세요.
② 갑 : 도덕 법칙을 그대로 따르기보다는 회사에 미칠 영향을 고려하세요.
③ 을 : 회사의 비리를 알려 정의를 실현해야 한다는 의무 의식을 따르세요.
④ 을 : 회사의 비리를 알릴 경우 발생할 결과의 유용성을 고려하여 결정하세요.
⑤ 갑, 을 : 사회 전체의 행복을 위한 행위 규칙이 무엇인지 판단해서 결정하세요.

Tip
칸트는 오직 [❶] 의식으로부터 실현된 행위를 도덕적 행위로 보았다. 반면, 공리주의는 '최대 다수의 최대 행복'이라는 [❷]을/를 산출할 수 있는 행위를 도덕적 행위로 본다.

답 ❶ 의무 ❷ 결과

죽음의 윤리적 의미

04 동양 사상가 갑, 서양 사상가 을의 입장만을 | 보기 |에서 고른 것은?

| 보기 |
ㄱ. 갑 : 죽음은 삶의 모든 번뇌가 소멸한 상태이다.
ㄴ. 갑 : 깨달으면 윤회의 고통에서 벗어날 수 있다.
ㄷ. 을 : 죽음은 느낄 수도 없고 경험할 수도 없다.
ㄹ. 을 : 죽음을 통해 영혼이 이데아계에 들어간다.

① ㄱ, ㄴ ② ㄱ, ㄷ ③ ㄴ, ㄷ ④ ㄴ, ㄹ ⑤ ㄷ, ㄹ

Tip

석가모니는 연기에 대한 깨달음을 통해 ❶ [ ] 의 고통에서 벗어날 수 있다고 보았고, 에피쿠로스는 죽음을 ❷ [ ] 할 수 없으므로 두려워할 필요가 없다고 보았다.

답 ❶ 윤회 ❷ 경험

동물 권리 문제

05 그림의 강연자의 입장으로 가장 적절한 것은?

오늘날 식육용으로 길러지는 돼지의 90% 이상이 콘크리트와 강철로 지은 좁아 터진 축사에 갇혀 지냅니다. 일생에 한번도 바깥나들이를 못하며, 풀밭을 밟아 보지 못합니다. 심지어 밀짚 더미 위에서 잘 수조차 없습니다. 동물에 대한 이러한 비윤리적 대우 문제를 해결하기 위해서는 고통을 느낄 수 있는 동물의 이익 관심을 인간의 이익 관심과 공평하게 고려하는 자세가 필요합니다. 고통만 있고 그것에 상응하는 혜택이 없다면 그것은 전혀 바람직하지 않습니다. 그 고통의 주체가 어떤 종(種)인지는 문제가 되지 않습니다.

① 고통을 느끼는 동물에게 인간과 똑같은 권리를 부여해야 한다.
② 인간의 이익 관심과 동물의 이익 관심을 동일하게 대우해야 한다.
③ 인간의 육식을 위해 동물을 공장식으로 사육하는 행태는 정당하다.
④ 동물의 고통을 저급하게 여기거나 무시하는 행위는 종 차별에 해당한다.
⑤ 모든 동물은 이익 관심을 지니므로 도덕적 고려의 대상으로 삼아야 한다.

Tip

싱어는 ❶ [ ] 평등 고려의 원칙에 근거하여 인간의 육식을 위해 ❷ [ ] 을/를 공장식으로 사육하는 행태를 비판하였다.

답 ❶ 이익 ❷ 동물

유전자 치료의 윤리적 쟁점

06 그림은 유전자 치료 방법을 도식화한 것이다. 이에 대한 설명으로 옳지 않은 것은?

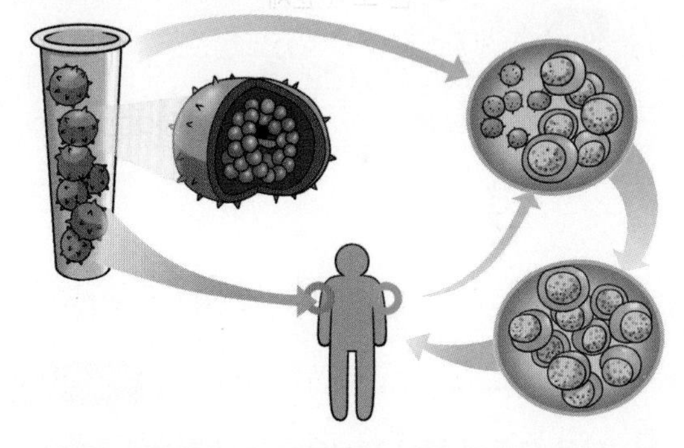

① 체세포 유전자 치료와 생식 세포 유전자 치료로 구분된다.
② 체세포 유전자 치료는 바이러스를 이용해 질병을 치료한다.
③ 생식 세포 유전자 치료는 배아에 유전 물질을 삽입하게 된다.
④ 생식 세포 유전자 치료는 주로 환자 개인에게만 영향을 미친다.
⑤ 생식 세포 유전자 치료는 우생학을 부추긴다는 비판을 받는다.

Tip

체세포 유전자 치료는 주로 환자 개인에게만 영향을 끼치므로 ❶ [ ] 치료를 위해 ❷ [ ] (으)로 허용된다.

답 ❶ 질병 ❷ 제한적

윤리학의 분류

07 그림의 강연자가 지지할 견해로 가장 적절한 것은?

우리가 매일 마주치는 문제들이 가장 현실적인 윤리적 문제들입니다. 인공 임신 중절이나 안락사와 같은 문제들은 일상적으로 결정할 문제는 아니지만 여전히 현실적인 문제들입니다. 민주 시민이라면 누구나 알고 숙고하여 의견을 내놓아야 할 문제들입니다.

① 윤리학은 도덕적 언어의 분석에 중점을 두어야 한다.
② 윤리학은 실제적 도덕 문제의 해결책을 모색해야 한다.
③ 윤리학은 도덕성에 대한 이론적 분석에 주력해야 한다.
④ 윤리학은 사회 규범 조사와 객관적 기술에 주력해야 한다.
⑤ 윤리학은 도덕적 추론의 규칙 검토에 중점을 두어야 한다.

Tip

싱어는 인간이 당면한 ❶ [　　　]적 도덕 문제들에 대한 구체적인 ❷ [　　　] 모색이 중요하다고 보았다.

답 ❶ 현실 ❷ 해결책

뇌사의 윤리적 쟁점

08 다음 토론의 핵심 쟁점으로 가장 적절한 것은?

갑: 장기 기증에 사전 동의한 뇌사자의 장기를 이식하면 다른 사람의 생명을 구할 수 있습니다.

을: 뇌사자의 장기를 장기 이식에 활용할 수밖에 없다는 점은 인정합니다. 하지만 뇌사자가 사전에 장기 기증에 동의한 경우에만 허용해야 합니다.

갑: 인간 생명의 본질은 뇌 기능에 있습니다. 따라서 뇌사를 죽음으로 인정해야 합니다.

을: 뇌사에 이르렀다 하더라도 연명 의료 기기를 이용하면 호흡과 심장 박동이 유지되므로 아직 죽음에 이른 것은 아닙니다.

① 뇌사자의 장기 이식은 의학적으로 필요한가?
② 뇌사자는 모든 뇌의 기능이 정지한 상태인가?
③ 장기 이식을 할 때 뇌사자의 사전 동의가 필요한가?
④ 뇌사자의 장기를 분배할 때 공정한 기준이 필요한가?
⑤ 심폐 기능의 정지만이 죽음의 판단 기준이 되어야 하는가?

Tip

죽음의 판정과 관련하여 심폐 기능의 상실인 ❶ [　　　] 와/과 뇌 기능의 상실인 ❷ [　　　]이/가 대립한다.

답 ❶ 심폐사 ❷ 뇌사

다양한 윤리적 접근

09 다음을 주장한 사상가의 입장에서 사례 속 A에게 해 줄 수 있는 조언으로 가장 적절한 것은?

나는 내 가족, 내 도시, 내 부족, 내 나라의 과거에서 다양한 빚, 유산, 적절한 기대와 의무를 물려받는다. 이는 내 삶에서 기정사실이며 도덕의 출발점이다. 또한 내 삶에서 도덕적 특수성을 부여하는 것이기도 하다.

사례

고등학생 A는 일상생활에서 직면하게 되는 도덕적 갈등 상황에서 윤리적으로 옳고 선한 결정을 하기 위해서는 어떻게 해야 하는지 고민하고 있다.

① 자연적 경향성이 아니라 실천 이성의 명령에 따르세요.
② 도덕적 갈등 상황과 관계없이 도덕적 의무를 실천하세요.
③ 사회적 유용성을 도덕적 판단의 절대적 기준으로 삼으세요.
④ 윤리적인 결정을 할 수 있도록 선천적으로 타고난 덕을 발휘하세요.
⑤ 갈등 상황에 대한 구체적이고 맥락적인 사고를 바탕으로 판단하세요.

Tip

매킨타이어는 ❶ [　　　]의 전통과 역사를 중시하며, 역사적 시간과 사회적 공간에서 펼쳐지는 삶의 ❷ [　　　] 모습이 도덕적 판단에 반영되어야 한다고 보았다.

답 ❶ 공동체 ❷ 구체적

다양한 윤리적 접근

10 (가)의 갑, 을의 입장을 (나) 그림으로 표현할 때, A~C에 들어갈 적절한 진술만을 「보기」에서 고른 것은?

(가)

갑 : 윤리학은 뇌의 작동 방식을 탐구하는 신경 과학 분야의 방법론을 도입해야 한다. 우리는 도덕적 위기 상황에서 인간의 공격을 감소시키고 사회적 협력을 증진할 수 있는 약물을 통해 도덕적 향상을 기대할 수 있다.

을 : 윤리학은 진화의 측면에서 이해되어야 한다. 이타적 행동 및 성품과 관련된 도덕성은 자연 선택을 통해 진화한 결과이다. 인간은 지기 생존과 번식 혹은 지기 유전지를 복제하는 데 도움을 주기 때문에 이타적 행위를 한다.

(나)

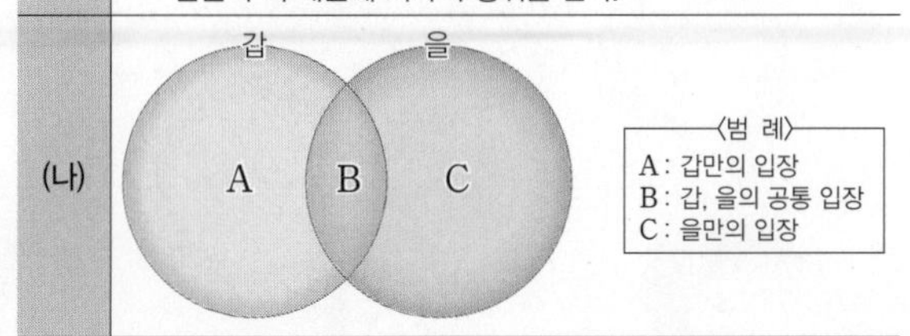

보기

ㄱ. A : 뇌를 촬영한 영상으로는 인간의 감정을 이해할 수 없다.
ㄴ. B : 도덕적 행위를 과학적으로 탐구하고 설명할 수 있다.
ㄷ. C : 도덕적 행위는 인간이 생물학적으로 적응한 결과의 산물이다.
ㄹ. C : 과학은 도덕성 형성 과정이 아니라 도덕적 삶의 방향을 설명할 수 있다.

① ㄱ, ㄴ ② ㄱ, ㄷ ③ ㄴ, ㄷ ④ ㄴ, ㄹ ⑤ ㄷ, ㄹ

Tip

신경 윤리학은 뇌의 작동 방식과 같은 ❶ ( ) 측정 방법을 통해 도덕 판단 과정을 설명할 수 있다고 보고, 진화 윤리학은 도덕성이 자연 선택을 통한 ❷ ( )의 결과라고 본다.

답 ❶ 과학적 ❷ 진화

사랑과 윤리

11 다음 가상 편지에서 강조하는 내용으로 가장 적절한 것은?

> ○○에게
> 사랑은 인간으로 하여금 고립감과 분리감을 극복하게 하면서도 각자에게 자신의 특성을 허용하고 자신의 통합성을 유지시킨다네. 모든 형태의 사랑은 보호, 책임, 존경, 이해라는 공통된 기본적인 요소들을 내포하고 있다네. …(후략).

① 사랑은 성적 결합에 의해 완성되는 것이다.
② 사랑은 상대방을 경외하고 두려워하는 것이다.
③ 사랑은 자기 자신을 철저하게 희생하는 것이다.
④ 사랑은 상대방을 소유하기 위해 힘쓰는 것이다.
⑤ 사랑은 온전한 인격적 관계 속에서 성립할 수 있다.

Tip

프롬에 따르면, ❶ ( )의 구성 요소는 보호, 책임, 존경, ❷ ( )이다.

답 ❶ 사랑 ❷ 이해

도덕적 탐구

12 (가)의 주장을 (나) 그림으로 나타낼 때, ㉠에 대한 반론의 근거로 가장 적절한 것은?

(가)	안락사는 인간의 존엄성을 훼손하는 행위이므로 허용되어서는 안 된다.
(나)	대전제: 인간의 존엄성을 훼손하는 행위는 허용되어서는 안 된다. ↓ 소전제: ㉠ ↓ 결 론: 안락사는 허용되어서는 안 된다.

① 죽음은 인간이 스스로 선택할 수 없는 문제이다.
② 생명의 존엄성은 어떠한 경우에도 지켜져야 한다.
③ 인간은 자신의 생명과 죽음에 대한 권리를 갖는다.
④ 인간의 죽음을 앞당기는 행위는 자연의 질서에 어긋난다.
⑤ 안락사는 인간을 목적이 아닌 수단으로 대우하는 것이다.

Tip

도덕적 추론은 대전제(도덕 ❶ ( )), 소전제(사실 판단), 결론(❷ ( ) 판단)으로 이루어진다.

답 ❶ 원리 ❷ 도덕

WEEK

2 Ⅲ. 사회와 윤리

3강_직업과 청렴의 윤리～사회 정의와 윤리①

학습할 내용 **3강** ❶ 직업 생활과 행복 ❷ 직업 윤리와 청렴 ❸ 사회 정의의 의미
4강 ❶ 분배적 정의 ❷ 교정적 정의 ❸ 국가의 권위와 시민에 대한 의무 ❹ 시민 불복종

4강_사회 정의와 윤리②~국가와 시민의 윤리

WEEK 2 DAY 1

개념 돌파 전략 ①

3강_직업과 청렴의 윤리 ~ 사회 정의와 윤리 ①

개념 01 직업의 의의와 기능

1 직업의 의의와 중요성

구분	내용
개인적 측면	• 생계유지에 필요한 경제적 기반을 확보함 • 잠재적 능력을 발휘하여 ❶ [　　] 에 이바지함
사회적 측면	직업 행위를 바탕으로 ❷ [　　] (으)로서의 역할을 수행하고 사회 발전에 기여함

2 직업 생활과 행복한 삶
행복한 직업 생활을 하려면 바람직한 직업관을 가지고, 타인을 배려하고 서로 존경과 사랑을 주고받아야 함

답 ❶ 자아실현 ❷ 사회 구성원

확인 01

자신의 적성과 능력에 따라 일정 기간 지속적으로 종사하는 일을 무엇이라고 하는가?

공자는 임금은 임금답고, 신하는 신하답고, 아버지는 아버지답고, 자식은 자식다워야 한다는 정명을 강조했지.

개념 02 동서양의 직업관

1 동양의 직업관

사상가	내용
공자	자신의 직분에 충실해야 하는 정명(正名) 강조
맹자	• 사회적 분업과 직업 간의 상호 보완성 강조 • 직업을 통한 경제적 안정[恒産(항산)]이 도덕적 삶[恒心(항심)]의 기반이 된다고 봄
순자	각자의 적성과 능력에 따라 사회적 역할을 분담하는 ❶ [　　] 에 따를 것을 강조

2 서양의 직업관

사상	내용
플라톤	• 각자 고유한 기능에 따라 사회적 역할을 분담해야 함 • 직업을 통해 자신의 고유한 기능을 발휘하면 덕(德) 실현
중세 그리스도교	• 노동은 원죄에 대한 벌로써 신이 부과함 • 속죄의 차원에서 노동을 해야 한다고 강조
칼뱅	• 직업은 신의 부르심[召命(소명)] • 자신의 직업에 충실히 임하는 것이 신의 명령을 따르는 것 • 직업적 성공을 통한 부의 축적은 신의 축복임 → 이익을 추구하는 경제 활동의 정당화
마르크스	• 인간은 노동을 통해 자기 본질을 실현함 • 자본주의 체제의 분업화된 노동은 ❷ [　　] 을/를 발생시킨다고 비판함

답 ❶ 예(禮) ❷ 인간 소외

확인 02

자신의 직분에 충실해야 한다는 정명(正名)을 강조한 사상가는 누구인가?

개념 03 기업가와 근로자의 윤리

1 기업의 책임

구분	내용
소극적 책임	합법적 테두리 내에서 기업 본연의 목적인 ❶ [　　] 을/를 창출해야 함
적극적 책임	• 기업은 사회의 핵심 기관이므로 그에 상응하는 사회적 책임을 져야 함 • 이익의 사회 환원, 환경 보호에의 참여, 인류애 구현 등

2 기업의 사회적 책임에 대한 입장

사상가	내용
프리드먼	• 기업의 유일한 사회적 책임은 이윤 극대화 • 이윤 극대화 외의 사회적 책임 강요는 소유주나 주주의 권익 보호를 막는 행위임
애로	사회의 일원으로서 기업은 사회적 책임을 이행해야 하며, 이는 기업의 장기적 이익에 이바지함

3 기업가 윤리
근로자의 권리 존중, 소비자에 대한 책임, 건전한 이윤 추구, 공익적 가치의 실현 등

4 근로자 윤리
성실한 업무 수행, 근로 계약 준수, 동료와 ❷ [　　] 형성, 기업가와 협력 추구 등

답 ❶ 경제적 이윤 ❷ 연대 의식

확인 03

기업에 대한 적극적인 사회적 책임 강요를 기업의 본질에 대한 무지에서 나온 것이며 자유 시장 경제의 틀을 깨뜨리는 행위로 판단한 사람은 누구인가?

개념 04 전문직과 공직자의 윤리

1 전문직 윤리
- 전문직은 전문성, ❶ [　　], 자율성의 특징을 가짐 → 높은 수준의 도덕성과 직업 윤리 요구
- 전문적 지식과 능력, 기술 등을 사회 발전을 위해 사용하는 책임감을 지녀야 함

2 공직자 윤리
- 공직자 : 국민으로부터 권한을 위임받은 ❷ [　　] (으)로서 법에 규정된 공권력을 지님 → 사회에 미치는 영향이 큼
- 멸사봉공(滅私奉公), 청렴, 공정성의 윤리 등 요구

답 ❶ 독점성 ❷ 대리인

확인 04

공직자 윤리 중 하나로, 공사(公私)를 구분하여 공익을 우선적으로 실현하기 위해 노력해야 함을 뜻하는 말은 무엇인가?

개념 05 부패 방지와 청렴 문화 형성

1 **부패** 개인의 이익을 위해 자신의 직위를 이용하는 위법 행위

2 **청렴 문화 정착을 위한 노력**

- 청렴 : 성품과 품행이 맑으며 탐욕이 없는 것
- 청렴을 강조하는 전통 윤리 : ❶ [ ] 정신, 봉공(奉公) 정신, 견리사의(見利思義) 등
- 제도적 보완과 ❷ [ ]의 확충을 통한 청렴 문화의 정착 노력 필요
- 청렴한 사회를 만들기 위한 제도적 노력 : 불공정한 관행이나 불합리한 제도 개선, 내부 고발 제도 확립, 시민 단체 감시 활동, 공직 사회의 자정 노력과 공직 기강 확립 등

답 ❶ 청백리(淸白吏) ❷ 사회적 자본

확인 05

청렴 문화를 강조하는 전통 윤리 중 하나로, 이익을 취하기 전에 그 이익이 정당한 것인지 생각하는 자세를 뜻하는 말은 무엇인가?

개념 06 개인 윤리와 사회 윤리

1 **사회 윤리의 등장 배경** 개인의 양심이나 도덕성의 회복만으로는 해결하기 어려운 윤리 문제의 발생(예 계층 갈등, 빈부 격차, 인종 차별 등)

2 **개인 윤리와 사회 윤리**

구분	윤리 문제의 원인	윤리 문제에 대한 해결책
개인 윤리	개인의 도덕성 결핍, 실천 의지의 결여	개인의 도덕적 판단 능력, 실천 의지, 도덕적 습관 함양
사회 윤리	개인보다 ❶ [ ]와/과 제도의 문제	개인의 도덕성 함양과 더불어 사회의 구조적 모순과 잘못된 제도의 개선

3 **니부어의 사회 윤리**

- 도덕적 개인도 소속 집단의 이익을 위해 비도덕적 행동을 하기 쉬움
- 문제 해결을 위해 정치적 ❷ [ ]에 의한 방법도 병행되어야 함

답 ❶ 사회 구조 ❷ 강제력

확인 06

도덕적 개인으로 구성된 집단일지라도 집단에 속한 개인은 이기적으로 행동하기 쉽다고 보아, 개인뿐만 아니라 사회 구조와 제도의 도덕성 실현까지 주장한 사상가는 누구인가?

개념 07 사회 정의

1 **사회 정의** 본래 각자의 합당한 ❶ [ ]을/를 규정하는 것으로, 사회를 구성하고 유지하는 공정한 도리

2 **사회 정의에 대한 논의**

- 동양 : 정의를 천리(天理)에 부합하는 올바름, 올바른 도리로서의 의로움으로 이해함
- 서양 : 올바름, 공정함을 뜻함

소크라테스	질서가 잘 잡힌 영혼이 추구하는 본성
플라톤	지혜, 용기, 절제가 완전한 조화를 이룰 때 나타나는 최고의 덕목
아리스토텔레스	• 각자가 자신의 것을 취하며 법이 정하는 대로 따르는 것 • 일반적(보편적) 정의 : 법을 준수함으로써 공익을 실현하는 것 • 부분적(특수적) 정의 : 일반적 정의의 실현을 위해 돈이나 명예의 분배 상황, 잘못의 교정 상황, 물건의 교환 상황에 적용되는 것

3 **사회 정의의 종류**

분배적 정의	• 각자가 자신의 몫을 누릴 수 있게 하는 것 • 사회적 · 경제적 가치를 공정하게 분배하여 실현됨
교정적 정의	위법과 불공정함을 바로잡아 ❷ [ ]을/를 확보하는 것

답 ❶ 몫 ❷ 공정함

확인 07

사회가 추구해야 할 가장 핵심적이고 기본적인 덕목 중 하나로 사회 윤리적 문제를 해결하기 위한 기준이 되는 것은 무엇인가?

마르크스는 능력에 따라 일하고 필요에 따라 분배받아야 한다고 주장했지.

개념 08 분배의 다양한 기준과 장단점

기준	장점	단점
절대적 평등	기회와 혜택의 균등 보장	생산 의욕과 효율성 저하, 개인의 ❶ [ ] 약화
필요	인간 존엄성 보장, 사회적 약자의 보호 용이	모든 사람의 필요를 충족시키기 어려움, 경제적 효율성 저하
능력	능력이 뛰어난 사람에게 적절한 보상 가능	능력의 획득에 선천적인 요소 개입, 능력 평가 기준의 모호함
업적	객관적 평가와 측정 용이, 동기 부여와 생산성 향상	❷ [ ]을/를 배려하기 어려움, 서로 다른 종류의 업적에 대한 양과 질의 평가가 어려움

답 ❶ 책임 의식 ❷ 사회적 약자

확인 08

업적에 따른 분배는 동기 부여와 생산성 향상에 강점을 보이지만 [ ]을/를 배려하는 데는 어려움이 있다.

WEEK 2 DAY 1

개념 돌파 전략 ①

4강_사회 정의와 윤리 ② ~ 국가와 시민의 윤리

개념 01 분배적 정의에 대한 다양한 관점

1 **아리스토텔레스** 기하학적 비례의 동등함을 추구하는 것 → 각 사람의 가치에 따라 분배되는 것이 정의로움

2 **마르크스** 능력에 따라 일하고 필요에 따라 분배함

3 **롤스의 '공정으로서의 정의'**

- 무지의 베일을 쓴 ❶ [ ] : 자연적·사회적 우연성을 배제한 상황에서 자신이 가장 불리한 상황에 놓일 것을 염두에 두고 정의의 원칙에 합의함
- 정의의 원칙

제1 원칙	평등한 자유의 원칙	모든 사람은 평등한 기본적 자유를 가져야 함
제2 원칙	차등의 원칙	사회적·경제적 불평등은 최소 수혜자에게 최대 이익이 되도록 편성될 때 정당화됨
	기회균등의 원칙	사회적·경제적 불평등의 계기가 되는 직위와 직책은 모든 사람에게 열려 있어야 함

4 **노직의 '소유 권리로서의 정의'**

- 정당하게 소유한 소유물에 대해 배타적·절대적 권리를 지님
- 개인의 권리 보호 역할만 수행하는 최소 국가 강조
- 소유 권리의 원칙

취득의 원칙	노동을 통해 정당하게 취득한 재화는 취득한 사람에게 소유 권리가 있음
이전(양도)의 원칙	타인에 의해 자유로이 양도받은 재화에 대한 정당한 소유 권리가 있음
교정의 원칙	재화를 취득하고 양도받는 과정에서 과오나 잘못된 절차에 의한 소유가 발생했을 때는 이를 바로잡아야 함

5 **왈처의 '복합 평등으로서의 정의'** 다양한 삶의 영역에서 각기 다른 공정한 기준에 따라 사회적 가치가 분배될 때 사회 정의 실현

6 **관련 윤리적 쟁점** 우대 정책에 대한 찬반 논쟁

찬성 입장	반대 입장
• 보상의 논리 : 과거의 부당한 차별에 대한 보상 • 공리주의 논리 : 사회 갈등 완화, 사회 전체의 이익 극대화 • 재분배의 논리 : 자연적·사회적 운으로 발생한 불평등을 시정하여 실질적인 ❷ [ ]의 평등 보장	• 특정 집단에 대한 부당한 특혜 • 업적주의 위배 • 잘못이 없는 현세대에 대한 보상 책임의 부당성 • 역차별로 새로운 사회 갈등 유발

답 ❶ 원초적 입장 ❷ 기회

확인 01

노직은 개인이 정당하게 소유한 대상에 대해서는 (절대적 , 상대적) 권리를 지닌다고 주장하였다.

개념 02 교정적 정의와 윤리적 쟁점

1 **교정적 정의** 사람 사이의 동등하지 않은 관계를 바로잡거나 위반 혹은 침해를 일으킨 사람에 대해 형벌을 가하여 공정함을 확보하는 것

2 **교정적 정의의 다양한 관점**

응보주의	• 처벌의 본질 : 범죄 행위에 상응하는 해악을 가하는 것 • 범죄 예방과 범죄자 교화에 상대적으로 무관심함
공리주의	• 처벌의 본질 : 사회적 이익의 증진을 위한 수단 • 처벌의 ❶ [ ]의 증명 어려움, 인간 존엄성 훼손 우려

3 **사형 제도에 대한 관점**

칸트 : 응보주의 관점	사형은 살인자의 고통 받는 인격을 해방하여 인간의 존엄성을 실현하는 것이므로 정당함
루소 : 사회 계약설의 관점	• 계약자인 시민의 생명과 안전을 확보하기 위한 사형 제도는 정당함 • 타인의 희생으로 자신의 생명을 보존하려는 사람은 타인을 위해 필요하다면 마땅히 자신의 생명을 희생해야 함
베카리아 : 공리주의의 관점	• 사형보다 종신 노역형이 범죄 예방과 사회 전체 이익 증진에 부합함 • 생명의 위임은 사회 계약 내용에 포함될 수 없으므로 ❷ [ ]을/를 이유로 사형을 정당화할 수 없음

답 ❶ 예방적 효과 ❷ 사회 계약

확인 02

(공리주의 , 응보주의) 관점에서는 처벌을 사회적 이익 증진을 위한 수단으로 본다.

개념 03 국가 권위의 정당성에 대한 관점

1 **유교** 군주의 통치권은 하늘로부터 주어진 것으로, 군주의 통치는 백성을 위해야 함

2 **플라톤** 개인이 타고난 기능은 국가를 통해 실현됨

3 **아리스토텔레스** 인간은 본성적으로 ❶ [ ]

4 **사회 계약론** 국가의 권위는 시민들의 자발적 합의로 형성된 것임

5 **공리주의** 국가의 권위를 따를 때 ❷ [ ]을/를 실현할 수 있음

답 ❶ 정치적 존재 ❷ 최대 다수의 최대 행복

확인 03

국가가 가족 공동체와 마찬가지로 자연 발생한 것이라고 주장한 사상가는 누구인가?

개념 04 국가에 대한 정치적 의무의 도덕적 근거

1 **인간의 본성** 인간의 정치적 본성을 근거로 개인이 국가의 권위를 존중하고 정치적 의무를 져야 한다고 주장함(예 아리스토텔레스)

2 **동의** 시민의 자발적 동의와 계약으로 국가가 구성되었으므로 시민은 ❶ ______ 을/를 준수해야 하는 정치적 의무가 발생함(예 로크)

3 **공공재의 혜택** 국가는 공공재를 제공하며, 공동의 이익을 위해 만들어진 각종 제도나 법률, 규칙 등과 같은 관행의 혜택을 제공하므로 시민은 국가에 복종해야 함(예 흄)

4 **자연적 의무** 국가는 시민 권리의 보호, 행복의 증진, 공동선과 정의 등 ❷ ______ 의 실현에 기여하므로 시민은 국가에 복종해야 하는 자연적 의무가 발생함

답 ❶ 계약 ❷ 도덕적 선

확인 04

국가로부터 이익과 혜택을 얻기 때문에 국가에 복종해야 한다고 보아, 그 혜택이 사라진다면 정치적 의무를 다할 필요가 없다고 말한 사상가는 누구인가?

한비자는 엄격한 법에 따라 상벌을 적절하게 제공하여 사회 질서를 유지하고자 했어.

개념 05 동양 사상에 나타난 국가의 역할과 의무

공자	민본주의에 따라 군주가 먼저 백성들에게 덕을 베풀어야 함
맹자	• 백성들이 도덕적인 삶[恒心(항심)]을 살 수 있게 하려면 우선 ❶ ______ (으)로 안정[恒産(항산)]시켜야 함 • 세금을 가볍게 하고 곤궁한 처지의 백성을 돌보아 민생 문제를 해결해야 함
묵자	서로 차별하지 않고 돌보며 상호 이익을 추구하여 천하가 혼란스럽지 않게 해야 함
한비자	이기적 존재인 인간은 엄격한 ❷ ______ 에 따라 통치하고 적절한 포상과 처벌로 질서를 유지해야 함
정약용	• 분쟁을 현명하게 해결해야 함 • 백성의 건강한 삶을 위해 통치자가 헌신해야 함 • 애민(愛民)정신으로 노약자나 빈자(貧者)를 돌보고 구제해야 함

답 ❶ 경제적 ❷ 법

확인 05

남의 나라와 나의 나라, 남의 가족과 나의 가족을 차별하지 않고 서로 돌보고 상호 이익을 추구해야 한다고 주장한 사상가는 누구인가?

개념 06 서양 사상에 나타난 국가의 역할과 의무

홉스	시민의 생명과 재산을 보호하고 사회 질서를 유지함
로크	오류 가능성이 있는 인간의 분쟁을 해결하고 시민의 생명과 ❶ ______ , 재산을 보호해야 함
루소	선한 본성을 지닌 개인의 생명을 보존하고 번영할 수 있도록 해야 함
밀	시민이 타인에게 ❷ ______ 을/를 끼치는 경우를 제외하고는 시민의 자유와 기본권을 보장해야 함
롤스	평등한 자유의 원칙, 차등의 원칙, 기회균등의 원칙이 시켜질 수 있도록 해야 함

답 ❶ 자유 ❷ 해악

확인 06

루소에 따르면, 국가는 (선한 , 악한) 본성을 지닌 개인의 생명을 보존하고 번영할 수 있도록 도와야 한다.

시민 불복종은 부정의한 법을 개정하거나 정책을 변혁하려는 목적으로 행하는 의도적인 위법 행위를 말해.

개념 07 시민 불복종

1 시민 불복종에 대한 다양한 관점

소로	• 법보다 정의에 대한 존경심이 중요함 • 악법에 대한 불복종은 도덕적이고 정의로운 행동 • 양심에 따라 부정의에 대해 적극적으로 불복종해야 함
간디	• 부당한 법에 대한 불복종은 정당함 • 비폭력적이고 평화적인 방법을 사용해야 함
롤스	• 불복종의 기준은 사회적 다수에 의해 공유된 ❶ ______ • 거의 정의로운 사회에서 부정의한 법과 정책의 변화를 위해 전개되어야 함
싱어	시민 불복종이 산출할 이익과 손해, 불복종 행위의 성공 가능성을 고려해야 함

2 시민 불복종의 정당화 조건

- 합법적 방법이 더 이상 효과가 없을 때 고려하는 최후의 수단이어야 함
- ❷ ______ 방법을 사용해야 함
- 사회 정의 실현과 같은 공익을 목적으로 해야 함
- 공개적으로 이루어져야 함
- 위법 행위에 대한 처벌을 감수해야 함

답 ❶ 정의관 ❷ 비폭력적

확인 07

부정의한 법이나 정부 정책에 대한 불복종의 정당한 근거를 개인의 양심이라고 주장한 사상가는 누구인가?

WEEK 2 DAY 1

개념 돌파 전략 ②

1 다음 사상가가 지지할 입장으로 옳지 않은 것은?

스스로 농사를 지어 자급자족하면서 천하를 다스릴 수 있겠는가. 대인(大人)이 하는 일이 있고 소인(小人)이 하는 일이 있는 것이다. 또 사람은 많은 사람들이 만든 물건들을 사용하기 마련이고, 모든 것을 스스로 만들어 사용하면서 살아갈 수는 없는 것이다.

① 공동체의 질서 유지를 위해 사회적 분업이 필요하다.
② 직업 선택은 능력보다 선호에 의해 이루어져야 한다.
③ 통치자는 구성원의 생계유지 기반을 마련해 주어야 한다.
④ 개인의 노동은 사회 구성원들의 윤택한 삶에 이바지할 수 있다.
⑤ 마음을 수고롭게 하는 사람과 몸을 수고롭게 하는 사람은 각 역할을 통해 보완적이다.

문제 해결 전략

맹자는 대인과 소인의 역할을 구분하여 사회적 ❶ [ ] 와/과 직업 간의 상호 보완성을 강조하였다. 또한 통치자가 백성들에게 직업을 통한 ❷ [ ] 을/를 보장함으로써 도덕적 삶을 살 수 있게 해야 한다고 보았다.

답 ❶ 분업 ❷ 경제적 안정

2 다음 사상가의 직업관에 대한 설명으로 옳은 것은?

사회를 이루는 세 계층은 각자 타고난 성향에 따라 하나의 일에 배치되어야 한다. 각자 자신이 맡은 일에서 탁월함을 발휘하여 조화를 이룰 때 그 사회는 정의롭게 된다. 서로의 일에 참견하는 것은 사회에 해악을 끼치는 일이다.

① 직업은 소명(召命)이므로 충실히 임해야 한다.
② 직업 활동에서 전문성은 중요한 요소가 아니다.
③ 구성원은 서로 자유롭게 역할을 교환할 수 있다.
④ 사회질서의 유지를 위해 사회적 분업이 중요하다.
⑤ 직업을 선택할 때 타고난 능력보다 후천적 노력이 중요하다.

문제 해결 전략

플라톤은 인간의 영혼이 세 부분으로 나누어진다고 주장하였다. 그리고 각자의 선택이나 선호 등이 아니라 영혼의 세 부분의 상응에 따라 사람들을 통치자, 방위자, ❶ [ ] (으)로 구분하였다. 나아가 이 세 계층이 각각의 본분에 맞는 탁월성을 발휘하여 ❷ [ ] 을/를 이룰 때 국가가 정의로워진다고 주장하였다.

답 ❶ 생산자 ❷ 조화

3 다음 입장에서 부정의 대답을 할 질문으로 가장 적절한 것은?

사회에 대한 적극적 책임 이행은 기업에 이익이 되지 않으며, 시장 경제 질서를 어지럽힐 뿐이다. 기업은 이익 추구에 전념해야 하므로 기업의 어떤 행위도 법의 테두리를 벗어나지만 않는다면 허용되어야 한다.

① 기업 활동의 목적은 이윤의 창출인가?
② 기업은 이윤 추구 과정에서 법을 준수해야 하는가?
③ 기업은 적극적으로 사회적 책임을 져야 할 의무가 있는가?
④ 사회에 대한 기업의 적극적 책임 이행은 시장에 해로운가?
⑤ 합법적 기업 행위는 사회에 해를 끼쳐도 허용되어야 하는가?

문제 해결 전략

프리드먼은 기업 경영자들의 직접적이고 적극적인 사회적 책임은 합법적인 범위 내에서 ❶ [ ] 을/를 극대화하는 것일 뿐, 그 외의 사회적 책임을 강요해서는 안 된다고 주장하였다. 반면, 애로는 기업은 사회의 일원으로서 ❷ [ ] 을/를 수행해야 한다고 주장하였다.

답 ❶ 이윤(이익) ❷ 사회적 책임

4 다음 사상가의 입장으로 적절한 것만을 | 보기 |에서 있는 대로 고른 것은?

사회의 요구와 양심의 요청 사이에는 여간해서 화합되기 힘든 지속적인 모순과 갈등이 발견된다. 간단히 정치와 윤리의 갈등이라고 규정할 수 있는 모순과 갈등은 도덕 생활의 이중적 성격으로 불가피하게 발생하는 것인데, 그 하나는 개인의 내면적 생활이고, 다른 하나는 사회생활의 요구이다.

보기

ㄱ. 개인의 이기적 충동은 집단에서 강화된다.
ㄴ. 개인의 도덕성이 그 집단의 도덕성을 결정한다.
ㄷ. 사회 정의는 집단 간의 균형으로 실현될 수 있다.
ㄹ. 사회 정의를 위해 선의지의 통제를 받는 강제력이 필요하다.

① ㄱ, ㄴ ② ㄱ, ㄷ ③ ㄴ, ㄹ ④ ㄱ, ㄷ, ㄹ ⑤ ㄴ, ㄷ, ㄹ

문제 해결 전략

사회 윤리를 주장한 니부어는 집단 속에서 ❶ (으)로 되어 가는 인간의 성향과 힘의 불균등한 분배로 부정의가 지속되고 있다고 파악하였다. 그래서 ❷ 을/를 동원하여 정의를 실현할 필요가 있다고 강조하였다.

답 ❶ 이기적 ❷ 외적 강제력

5 다음 사상가의 입장으로 적절한 것만을 | 보기 |에서 고른 것은?

정의로운 분배는 공정한 절차를 통해 합의된 원칙에 따라 이루어진다. 첫째, 기본적 자유는 평등하게 분배되어야 한다. 둘째, 사회적·경제적 불평등은 최소 수혜자의 처지를 개선하는 경우에 한해 정당화된다.

보기

ㄱ. 정의의 원칙은 타인의 필요를 기준으로 수립된다.
ㄴ. 가상적 상황에서 인간은 이기주의자로서 서로 무관심하다.
ㄷ. 공정한 절차를 준수하여 나타난 결과는 불평등해도 인정된다.
ㄹ. 사회 구성원들에게 결과에서의 절대적 평등을 보장해야 한다.

① ㄱ, ㄴ ② ㄱ, ㄷ ③ ㄴ, ㄷ ④ ㄴ, ㄹ ⑤ ㄷ, ㄹ

문제 해결 전략

롤스에 따르면, 복지 국가 자본주의는 경제적 불평등과 이로 인해 발생하는 정치적 영향력의 격차를 막지 못해 ❶ 을/를 충분히 실현할 수 없다. 이러한 복지 국가 자본주의에 대한 대안으로 ❷ 을/를 제안하였는데, 이는 부의 집중을 막고 이를 바탕으로 평등한 기본적 자유와 공정한 기회 균등을 실현할 수 있는 자본주의이다.

답 ❶ 정의의 원칙 ❷ 재산 소유 민주주의

6 다음 서양 사상가의 입장으로 옳지 않은 것은?

법이 자연법에 비추어 형평성보다는 독단에 치우쳐 있다고 판단한다면 순순히 따르지 말고 양심에 따라 저항하라.

① 법보다 정의에 대한 존경심이 더 중요하다.
② 시민 불복종은 다수의 정의관에 근거해야 한다.
③ 부정의한 법이나 정책에 대해 즉각 불복종할 수 있다.
④ 악법에 대한 불복종은 도덕적이고 정의로운 행동이다.
⑤ 양심에 따라 부정의에 대해 적극적으로 불복종해야 한다.

문제 해결 전략

소로는 ❶ 에 따라 부정의에 대해 적극적으로 불복종해야 한다고 보았고, 롤스는 사회적 다수의 공유된 ❷ 에 근거해 시민 불복종 여부를 결정해야 한다고 보았다.

답 ❶ 양심 ❷ 정의관

필수 체크 전략 ①

3강_직업과 청렴의 윤리 ~ 사회 정의와 윤리 ①

필수 예제 01

수능 기출

갑, 을 사상가들의 공통된 입장만을 보기 에서 있는 대로 고른 것은?

> 갑 : 모든 사람에게는 주어진 본분이 있다. 군주는 군주의 본분을, 신하는 신하의 본분을, 부모는 부모의 본분을, 자식은 자식의 본분을 다하는 것을 정명(正名)이라 한다.
>
> 을 : 국가에서 통치자는 지혜를, 방위자는 용기를, 생산자는 절제를 발휘하여, 여러 구성원들이 조화롭게 살아가는 것을 정의(正義)라 한다.

보기

ㄱ. 사회적 직분에는 그것에 합당한 도덕적 덕목이 요구된다.
ㄴ. 누구나 자신의 직업을 선택할 수 있는 자유를 가져야 한다.
ㄷ. 각자는 역할 수행에 필요한 덕을 갖추도록 노력해야 한다.
ㄹ. 구성원의 역할이 분담되면 자연스럽게 이상적 국가가 실현된다.

① ㄱ, ㄴ ② ㄱ, ㄷ ③ ㄴ, ㄹ
④ ㄱ, ㄷ, ㄹ ⑤ ㄴ, ㄷ, ㄹ

Tip

갑은 모든 사람에게는 주어진 본분이 있고 그 본분을 다하는 것을 정명(正名)이라고 한 점을 통해 공자임을, 을은 국가의 세 계층이 각각의 덕을 잘 발휘하고 이것이 조화되었을 때를 정의라고 본 점을 통해 플라톤임을 알 수 있다.

풀이

ㄱ. 공자는 어떤 사회적 직분이든 그에 합당한 덕목이 있다고 보았으며, 플라톤은 각 계층에 적합한 덕목이 있다고 보았다. ㄴ. 공자와 플라톤은 모두 사회적 직분, 즉 직업을 스스로 선택하기보다 주어진 것으로 이해하였다. ㄷ. 공자와 플라톤에 따르면, 사람들은 주어진 사회적 직분을 탁월하게 수행하기 위한 덕을 갖추기 위해 노력해야 한다. ㄹ. 공자와 플라톤은 모두 이상적 국가가 실현되기 위해서는 사회 구성원들이 사회적 직분을 분담하는 것만으로는 불충분하며, 각자 분담된 직분을 훌륭하게 수행해야 한다고 주장하였다.

답 ②

필수 예제 02

수능 기출

다음 신문 칼럼이 강조하는 내용으로 가장 적절한 것은?

> ○○ 신문 ○○○○년 ○○월 ○○일
>
> **칼럼**
>
> 기업은 고용인(雇傭人)*과 고용주의 이윤 추구를 위한 계약 관계로 유지된다. 기업의 결속력도 서로의 이윤 창출을 위한 행위에 의해 생길 뿐이다. 고용주는 고용인의 충성까지 구매할 수는 없다. 따라서 사회 정의를 해치는 기업의 행위를 알게 된 고용인이 이를 사회에 알리는 것은 정당하다. 또한 사회는 고용인에게 기업의 불법 행위나 부도덕한 행위를 외부에 적극 알려야 할 의무를 요구할 수 있다. 고용인은 특정 조직에 속한 개인인 동시에 정의롭고 행복하게 유지되어야 할 사회 공동체의 구성원이기 때문이다.
>
> * 고용인(雇傭人) : 고용되어 일하는 사람

① 고용주는 기업을 사익 추구의 수단으로 간주해서는 안 된다.
② 고용인과 고용주는 상호 협력과 결속 관계를 형성할 수 없다.
③ 고용인은 고용주에 대한 신의를 어떠한 경우에도 지켜야 한다.
④ 조직에 충성하기를 포기한 고용인은 그 조직에서 떠나야 한다.
⑤ 고용인은 조직에 대한 책무와 함께 시민의 의무를 다해야 한다.

Tip

제시문은 기업에서 고용인과 고용주의 관계, 고용인의 의무를 다루고 있다.

풀이

① 기업은 고용주에게 사익 추구의 수단이 될 수 있다. ② 기업이 고용인과 고용주의 상호 이익 추구를 위한 계약이듯, 고용인과 고용주는 각자의 이익을 위해 서로 협력할 수 있다. ③ 고용인은 고용주가 공익을 해치는 것을 알게 되면 신의를 지키는 것이 아니라 사회에 적극 알리는 것이 정당하다. ④ 고용주는 고용인의 충성까지 구매할 수 없으므로 충성하지 않는 고용인이라 하더라도 조직에서 떠날 필요는 없다. ⑤ 고용인은 기업이 이윤을 창출하는 데에 기여해야 할 의무와 동시에 공익을 위반한 기업의 비행을 사회에 적극적으로 알려야 할 시민의 의무를 함께 이행해야 한다.

답 ⑤

필수 예제 03

모평 기출

갑, 을 사상가들의 입장으로 가장 적절한 것은?

갑 : 목민관은 책객(冊客)*을 두어 회계를 맡겨서는 안 된다. 관부의 회계는 공적 사용과 사적 사용이 모두 기입되기 때문이다. 그리고 관내의 친척과 친구를 단속하여 의심과 비방이 생기지 않도록 하되, 서로의 정(情)을 잘 유지해야 한다.

을 : 나라가 올바르게 되려면 그 구성원들이 각자의 덕을 발휘해야 한다. 이들 중 통치자들은 그 어떤 사유 자산도 가져서는 안 된다. 통치자들은 공동생활을 하며, 공동체를 위해 유익한 것에 대한 지식을 가지고 다른 시민들을 보살펴야 한다.

* 책객 : 고을 원에 의해 사사로이 채용되어 비서 일을 맡아보는 사람

① 갑 : 공직자는 공적 업무와 사적 업무의 경계를 정하지 말아야 한다.
② 갑 : 공직자의 청렴은 공무를 수행하는 데 있어서 필수적 덕목은 아니다.
③ 을 : 통치자는 지혜의 덕을 발휘하여 정의로운 국가를 추구해야 한다.
④ 을 : 통치자는 시민들이 통치에 직접 참여할 수 있도록 허용해야 한다.
⑤ 갑, 을 : 올바른 통치를 위해 다스리는 자의 사유 재산을 금지해야 한다.

Tip

제시문의 갑은 목민관의 올바른 자세에 대해 말한 점을 통해 정약용임을, 을은 국가 구성원이 각자 덕을 발휘해야 하며 특히 통치자는 사유 자산을 갖지 않고 공동생활을 해야 한다고 말한 점을 통해 플라톤임을 알 수 있다.

풀이

① 정약용에 따르면, 목민관은 공사(公私)의 구분을 분명히 해야 한다. ② 정약용에 따르면, 목민관이 가져야 할 덕목들 중 청렴은 공무 수행에 필수적이다. ③ 플라톤에 따르면, 국가의 구성원은 각자의 덕을 잘 발휘하여 맡은 바 직분을 수행해야 하며, 이것이 조화될 때 정의로운 국가가 된다. 그 중 통치자는 지혜의 덕을 발휘해야 한다. ④ 플라톤에 따르면, 국가의 구성원은 맡은 직분을 탁월하게 수행하기 위해 노력해야 한다. 따라서 통치는 통치자의 고유 역할이므로 통치자가 아닌 구성원이 통치에 참여하는 것은 적절하지 않다. ⑤ 플라톤의 주장에만 해당한다.

답 ③

응용 03-1

다음을 주장한 사상가의 입장만을 〈보기〉에서 있는 대로 고른 것은?

못 배우고 무식한 사람이 한 고을을 얻으면 건방져지고 사치스럽게 되어 절약하지 않고 재물을 함부로 써서 빚이 날로 불어나면 반드시 욕심을 부리게 됩니다. 욕심을 부리면 아전들과 짜고 일을 꾸며 이익을 나눠 먹게 되고, 이익을 나눠 먹다 보면 백성들이 고혈을 짜게 됩니다.

보기

ㄱ. 공직자는 청렴을 실천하기 위해 청탁(請託)을 배격해야 한다.
ㄴ. 공직자는 선물로 맺어진 은정(恩情)을 토대로 공직에 임해야 한다.
ㄷ. 공직자는 공사(公私)의 구분에서 벗어나 모든 일을 판단해야 한다.
ㄹ. 공직자가 자애를 실천하기 위해서는 반드시 절약을 실천해야 한다.

① ㄱ, ㄷ ② ㄱ, ㄹ ③ ㄴ, ㄹ
④ ㄱ, ㄴ, ㄷ ⑤ ㄴ, ㄷ, ㄹ

응용 03-2

다음을 주장한 사상가의 공직자 윤리에 대한 입장만을 〈보기〉에서 있는 대로 고른 것은?

국가를 구성하는 통치자, 방위자, 생산자 세 계층이 각각 자신들이 맡은 역할에 전념할 때 정의로운 국가가 됩니다. 국가는 개인의 영혼이 확대된 것으로 볼 수 있으며, 국가의 세 계층의 사람들이 각각 계층에 적합한 덕목을 실천하여 전체적으로 조화를 이룰 때 이상 국가가 실현됩니다.

보기

ㄱ. 공직자의 사유 재산 보장을 강조한다.
ㄴ. 엄격한 자기 절제(節制)를 강조한다.
ㄷ. 본분에 걸맞은 역할 수행을 중시한다.
ㄹ. 직무수행에서 공사의 구별을 강조한다.

① ㄱ, ㄷ ② ㄱ, ㄹ ③ ㄴ, ㄹ
④ ㄱ, ㄴ, ㄷ ⑤ ㄴ, ㄷ, ㄹ

필수 체크 전략 ①

필수 예제 04

수능 기출

다음 사상가의 입장으로 옳지 않은 것은?

> 인간은 본성상 이기적 충동과 이타적 충동을 함께 갖고 태어난다. 그런데 도덕의 문제가 개인 차원에서 집단 간의 관계로 옮겨 갈수록 이기적 충동이 득세하게 된다. 사회의 집단 이기심은 불가피하며 이런 이기심이 비정상적으로 확장될 경우, 이에 맞서는 다른 집단들의 이기심에 의해서만 견제될 수 있다. 게다가 도덕적이거나 합리적인 설득 외에 강제력도 병행되어야 견제가 실효성을 지닐 수 있다.

① 사회 갈등을 해소하는 민주적 과정에는 강제력이 불필요하다.
② 인간의 자기 보존의 욕구는 세력 강화의 욕구로 쉽게 전환된다.
③ 도덕적 계몽으로 사회에서 집단 갈등 자체를 소멸시킬 수 없다.
④ 집단 간 정의 실현에 집단 이기심의 상호 투쟁이 개입될 수 있다.
⑤ 강제력만으로 국가를 보존하고 통합을 유지하는 것은 불가능하다.

Tip

제시문은 도덕 문제가 집단 간 갈등으로 옮겨갈 경우 이기적 충동이 더 득세한다는 점, 집단 간 갈등을 해결하려면 강제력이 동원되어야 한다고 본 점을 통해 사회 윤리학자 니부어의 주장임을 알 수 있다.

풀이

① 니부어는 집단 이기심을 개인의 양심이나 합리성만으로는 해결하기 어렵다고 보고 사회 갈등을 해소하는 민주적 과정에는 강제력이 병행되어야 실효성 있게 견제될 수 있다고 주장하였다. ② 니부어는 도덕적인 사람도 집단에 속하면 이기적 충동이 득세하여 비도덕적으로 되기 쉽다고 하였다. 이는 자기 보존의 욕구가 세력 강화의 욕구, 즉 집단 안에서의 집단 이기주의로 강하게 표출될 수 있음을 뜻한다. ③ 니부어는 이성과 같은 도덕적 계몽만으로는 집단 간 갈등을 소멸시키기 어렵다고 보았다. ④ 니부어는 한 집단의 이기심은 이에 맞서는 다른 집단의 이기심에 의해서만 견제될 수 있다고 보았다. ⑤ 니부어는 사회 갈등을 해결하는 데 강제력이 병행될 필요가 있으며, 이때 강제력은 선의지의 지도를 받아야 한다고 보았다. 선의지의 지배를 받지 않은 강제력은 더 큰 부정의를 초래할 수 있기 때문이다. 즉, 강제력만으로 국가의 보존과 유지는 불가능하다.

답 ①

응용 04-1

다음을 주장한 사상가의 입장만을 〈보기〉에서 있는 대로 고른 것은?

> 집단은 개인과 비교할 때 충동을 억제할 수 있는 이성과 자기 극복 능력, 그리고 다른 사람들의 욕구를 수용하는 능력이 훨씬 결여되어 있습니다. 그리하여 개인 간의 관계에 나타나는 것보다 심한 비도덕성이 집단 간의 관계에 나타난다. 따라서 집단 간의 평등과 사회 정의는 투쟁에 의해 실현될 수 있습니다.

보기
ㄱ. 집단 간의 관계는 정치적인 힘의 비율에 의해 수립된다.
ㄴ. 집단의 도덕성은 집단 내 구성원들의 도덕성에 비례한다.
ㄷ. 집단 간 세력 불균형은 사회 갈등과 부정의를 지속시킨다.
ㄹ. 올바른 정치적 도덕성은 합리적인 사회 강제력을 권고한다.

① ㄱ, ㄴ　② ㄴ, ㄷ　③ ㄷ, ㄹ
④ ㄱ, ㄴ, ㄹ　⑤ ㄱ, ㄷ, ㄹ

응용 04-2

다음 사상가의 입장으로 옳지 않은 것은?

> 개인적 차원에서 집단적 차원으로 이행할수록 이기적 충동에 비해 합리성이나 선의지의 비중이 줄어든다. 따라서 이러한 충동적 경향이 심각하게 확대될 경우 이에 대항할 수 있는 사회적 억제력이 반드시 필요하다.

① 애국심은 개인의 이타심을 국가 이기주의로 전환시킨다.
② 최소한의 강제력으로 정의를 실현하는 것이 합리적이다.
③ 개인은 타인의 이익을 존중할 수 있는 도덕성을 갖고 있다.
④ 개인 간의 도덕적 관계 수립은 설득과 조정으로는 불가능하다.
⑤ 집단의 구조와 제도는 개인 행위의 도덕성을 결정할 수 있다.

필수 예제 05

학평 기출

다음 강연자의 입장만을 | 보기 |에서 고른 것은?

보기
ㄱ. 각 사람의 필요에 따른 분배가 정의로운 분배이다.
ㄴ. 공동체의 법규를 잘 지키는 것은 정의로운 행위이다.
ㄷ. 교정적 정의는 이익과 손해의 동등함을 회복하는 것이다.
ㄹ. 분배적 정의는 만인에게 재화를 동일하게 분배하는 것이다.

① ㄱ, ㄴ ② ㄱ, ㄷ ③ ㄴ, ㄷ ④ ㄴ, ㄹ ⑤ ㄷ, ㄹ

Tip

그림의 강연자는 정의를 일반적 정의와 특수적 정의, 다시 특수적 정의를 분배적 정의와 교정적 정의로 구분하는 것을 통해 아리스토텔레스임을 알 수 있다.

풀이

ㄱ. 필요에 따른 분배를 정의롭다고 주장한 것은 마르크스이다. ㄴ. 아리스토텔레스가 제시한 일반적 정의는 시민들이 공정한 법을 준수하는 상태를 의미한다. ㄷ. 아리스토텔레스가 제시한 교정적 정의는 교섭에서 잘못된 부분을 바로잡아 이익과 손해의 동등함을 회복시키는 것이다. ㄹ. 아리스토텔레스가 말한 분배적 정의는 재화의 동일한 분배가 아니라 각자 마땅히 받아야 할 몫을 받게 하는 것이다.

답 ③

응용 05-1

그림은 서술형 평가와 학생 답안이다. 학생 답안의 ㉠~㉤ 중 옳지 않은 것은?

서술형 평가

◎ 문제 : 아리스토텔레스의 정의론에 대해 서술하시오.

◎ 학생 답안

아리스토텔레스의 정의론을 살펴보면, ㉠ 보편적 정의가 공동선과 덕을 장려하는 법을 지킴으로써 성립되는 정의라면, 특수적 정의는 각자에게 공정한 몫이 돌아갈 때 성립되는 정의이다. 특수적 정의 중에서 ㉡ 교정적 정의는 산술적 비례의 동등함을 추구하는 것이다. 즉, ㉢ 다른 사람에게 해를 끼친 경우 그만큼 보상해 주어야 정의롭고, 다른 사람에게 이익을 준 경우 그만큼 받아야 정의롭다는 것이다. 한편, ㉣ 분배적 정의는 시민들 사이에 분배되는 권력, 명예, 재화와 관련된 것으로 각자의 가치에 따라 권력, 명예, 재화가 분배되어야 한다는 것이다. 즉, ㉤ 분배 결과에 있어 절대적 평등이 이루어졌을 때 분배 정의가 실현되었다고 보는 것이다.

① ㉠ ② ㉡ ③ ㉢ ④ ㉣ ⑤ ㉤

응용 05-2

갑, 을 사상가의 입장으로 적절한 것만을 | 보기 |에서 고른 것은?

갑

서로 동등한 사람들이 동등하지 않은 몫을, 혹은 서로 동등하지 않은 사람들이 동등한 몫을 분배받게 되면, 바로 거기서 싸움과 불평이 생겨난다. 왜냐하면 정의로운 분배는 각자의 가치에 따라 이루어져야 하기 때문이다.

을

개인의 타고난 능력이 불평등하다는 점, 따라서 생산 능력도 타고난 특권임을 승인하는 것은 부당하다. 생산은 각자의 능력에 따라, 분배는 각자의 필요에 따라 이루어져야 한다.

보기
ㄱ. 갑 : 정의로운 분배는 비례적인 것이라고 본다.
ㄴ. 을 : 분배의 결과는 절대적으로 평등해야 한다고 본다.
ㄷ. 갑, 을 : 재화의 균등 분배를 정의롭지 않다고 본다.
ㄹ. 갑, 을 : 각자의 능력에 비례한 분배가 정의롭다고 본다.

① ㄱ, ㄴ ② ㄱ, ㄷ ③ ㄴ, ㄷ ④ ㄴ, ㄹ ⑤ ㄷ, ㄹ

필수 체크 전략 ②

3강_직업과 청렴의 윤리 ~ 사회 정의와 윤리 ①

1 갑, 을 사상가들의 입장으로 옳은 것은?

갑

성왕(聖王)은 예(禮)를 제정하여 인간의 본성을 교화하고자 하였습니다. 또 사람의 덕(德)을 논하여 각자의 위치를 정하고 그 능력을 헤아려 관직을 부여했습니다. 그 연후에 사람들이 예에 따라 각자 직무를 수행하여 마땅한 바를 얻게 했습니다.

을

왕도 정치가 구현된 사회에서 농부와 목수와 기술자는 각자 생산물이나 재능을 교환함으로써 사회에 기여합니다. 힘을 쓰는 노력자(勞力者)와 마음을 쓰는 노심자(勞心者) 역시 각자의 수고로움으로 서로 기여합니다.

① 갑 : 군자는 도를 익혀야만 자신의 일을 완수할 수 있다.
② 갑 : 예를 기준으로 삼아 자유로운 역할 교환이 이루어져야 한다.
③ 을 : 직업 선택의 기준에서 경제적 보상을 가장 중시해야 한다.
④ 을 : 몸을 쓰는 사람은 항산(恒産)에 앞서 항심(恒心)을 지녀야 한다.
⑤ 갑, 을 : 덕으로 백성을 교화한 후에 그들의 생계를 보장해야 한다.

Tip

순자는 각자의 적성과 능력에 따라 ❶ [ ] 을/를 분담하는 ❷ [ ] 에 따를 것을 강조하였다.

답 ❶ 사회적 역할 ❷ 예

2 다음을 주장한 사상가의 입장으로 가장 적절한 것은?

- 신은 우리 모든 사람이 자기의 소명에 관심을 둘 것을 요구하신다. 신은 각 사람에게 그 독특한 생활 양식에 따라 각자의 위치를 지정하셨다.
- 신의 소명에 따라 행하지 않는 사람은 정도(正道)를 따라 신 앞에 의무를 다한다고 할 수 없을 것이다.

① 자발적 노동으로 인간의 본질을 실현해야 한다.
② 노동의 분업을 통해 인간 소외를 극복해야 한다.
③ 직업을 통한 부(富)의 축적을 죄악으로 여겨야 한다.
④ 일하지 않고 명상에만 몰두하는 것은 바람직하지 않다.
⑤ 사회를 이루는 각 계층이 조화를 이룰 때 정의로운 국가가 실현된다.

Tip

칼뱅은 ❶ [ ] (으)로서의 직업에 충실히 임하는 것이 신의 ❷ [ ] 에 따르는 것이라고 이해하였다.

답 ❶ 소명 ❷ 명령

3 갑, 을 모두가 긍정의 대답을 할 질문으로 옳은 것은?

갑 : 기업에게 유일하게 한 가지 사회적 책임만 있는데, 그것은 속임수나 부정행위 없이 누구에게나 개방된 자유 경쟁이라는 규칙 한도 내에서 자신의 자원을 이용하여 자신의 이익을 늘리기 위해 마련된 행동을 하는 것이다.

을 : 기업은 시장 경쟁력 강화를 위한 경영 전략 차원에서 공익 증진이라는 사회적 책임에 힘써야 한다. 그러한 기업은 소비자 불매운동을 예방하고, 직원들의 헌신과 소비자들의 신뢰를 얻는 데 훨씬 유리하기 때문이다.

① 기업은 모든 사회적 책임으로부터 자유로워야 하는가?
② 기업은 공익의 증진을 본질적 목적으로 삼아야 하는가?
③ 기업은 자유 시장 경제 원리에 따라 경영되어야 하는가?
④ 기업은 기업 이익 증진을 위해 공익을 추구해야 하는가?
⑤ 기업은 이윤 추구에 앞서 사회에 봉사해야 할 직접적 책임이 있는가?

Tip

프리드먼에 따르면, 기업은 ❶ [ ] 창출을 위해 존재하므로 ❷ [ ] 사회적 책임을 강요하면 안 된다.

답 ❶ 이익 ❷ 적극적인

4 다음 사상가의 관점에만 모두 '✓'를 표시한 학생은?

> 자연의 질서에 속하면서도 이성의 지배를 받지 않는 요소를 파악해야 한다. 집단의 도덕은 자연적 충동에 버금갈 만한 사회 세력을 형성하기 어렵기 때문에 개인의 도덕에 비해 열등하다.

관점 \ 학생	갑	을	병	정	무
정의 실현을 위해서는 힘의 논리를 배제해야 한다.	✓	✓		✓	
진정한 정의 실현을 위해 강제력은 도덕성의 통제를 받아야 한다.	✓		✓		✓
인간은 본성상 이기적 충동과 이타적 충동을 함께 갖고 태어난다.		✓		✓	✓
집단이 크면 클수록 그 집단은 전체적인 인간 집단에서 스스로를 이기적으로 표현한다.			✓	✓	✓

① 갑 ② 을 ③ 병 ④ 정 ⑤ 무

Tip

니부어는 개인과 개인이 모인 집단의 ❶ [ ] 을/를 구분하며, 집단이 개인에 비해 ❷ [ ] 을/를 조절하고 억제하는 힘이 현저히 떨어진다고 주장하였다.

답 ❶ 도덕성 ❷ 이기심

5 갑, 을, 병이 서로에게 제시할 비판으로 가장 적절한 것은?

① 갑이 을에게 : 인간 존엄성을 침해할 우려가 있음을 간과한다.
② 갑이 병에게 : 능력의 획득에 선천적 요소가 개입되지 않음을 간과한다.
③ 을이 갑에게 : 서로 다른 종류의 업적에 대한 양과 질을 평가하기 어려움을 간과한다.
④ 을이 병에게 : 생산 의욕을 부추겨 경쟁을 심화시킬 수 있음을 간과한다.
⑤ 병이 갑에게 : 업적에 대한 객관적 평가가 불가능함을 간과한다.

Tip

절대적 평등에 따른 분배는 개인의 ❶ [ ] 약화를 초래할 수 있으며, 필요에 따른 분배는 모든 사람의 필요를 충족시키기 어렵다는 단점이 있다. 그리고 능력에 따른 분배는 능력 평가 기준이 모호하며, 업적에 따른 분배는 ❷ [ ] 을/를 배려하기 어렵다는 단점이 있다.

답 ❶ 책임 의식 ❷ 사회적 약자

6 다음 서양 사상가의 입장으로 옳지 <u>않은</u> 것은?

> 올바름은 법을 지키는 것이고 또 공정한 것일 것이며, 올바르지 않음은 법을 지키지 않는 것이고 또 공정하지 않은 것일 것이다. …(중략)… 부분적 정의의 하나의 유형은 정치적 체제를 함께하는 공동체의 구성원들 간에 나눌 수 있는 명예나 부(富) 혹은 다른 어떤 것들의 분배에서 찾아지는 것이다.

① 불공정한 행위는 법을 어기는 것이다.
② 분배적 정의와 교정적 정의는 공정함을 추구한다.
③ 재화의 분배는 기하학적 비례에 따를 때 올바르다.
④ 각자의 가치에 따라 명예와 재화를 분배하는 것이 옳다.
⑤ 상대방이 입은 피해에 대한 보상은 크면 클수록 바람직하다.

Tip

아리스토텔레스는 일반적 정의를 실현하기 위해 돈이나 명예의 ❶ [ ] 상황, 잘못의 교정 상황, 물건의 교환 상황에 적용되는 ❷ [ ] 이/가 필요하다고 말했다.

답 ❶ 분배 ❷ 부분적 정의

WEEK 2 DAY 3

필수 체크 전략 ①

4강_사회 정의와 윤리 ② ~ 국가와 시민의 윤리

필수 예제 01

수능 기출

(가)의 갑, 을 사상가들의 입장을 (나) 그림으로 탐구하고자 할 때, A~C에 들어갈 적절한 질문만을 | 보기 |에서 고른 것은?

(가)

갑 : 소유 권리의 정당성은 취득과 이전, 교정의 과정에 의해 결정되며, 개인의 소유 권리가 정당하다면 그 사회의 분배도 정의롭다. 그런데 공리주의는 분배 결과에만 관심을 두어 소유 권리의 역사성을 간과한다.

을 : 사회 기본 구조는 정의 원칙들의 순서에 따라 평등한 자유에 위배되지 않게 부의 불평등을 배정해야 한다. 그런데 공리주의를 사회 기본 구조의 최우선 원칙으로 삼으면 후속하는 다른 기준들은 불필요하게 된다.

(나)

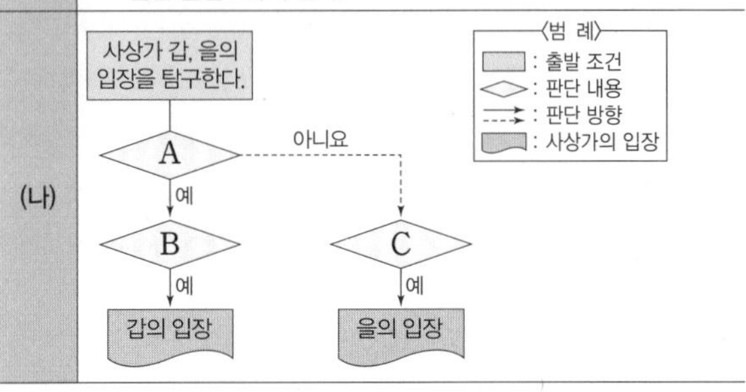

| 보기 |

ㄱ. A : 자신의 노동이 투입되지 않은 결과물에 대해서도 소유할 권리가 허용될 수 있는가?

ㄴ. B : 분배받는 사람의 도덕적 공과(功過)를 기준으로 삼는 분배는 정의의 원리에 위배되는가?

ㄷ. C : 공리의 원리는 구성원 일부에게만 이익이 되는 불평등을 정당화시킬 위험이 있는가?

ㄹ. C : 정의로운 사회 실현을 위해 최소 수혜자의 이익 극대화는 조건 없이 보장되어야 하는가?

① ㄱ, ㄴ ② ㄱ, ㄷ ③ ㄴ, ㄷ ④ ㄴ, ㄹ ⑤ ㄷ, ㄹ

Tip

(가)의 갑은 소유권으로서의 정의를 주장한 노직, 을은 공정으로서의 정의를 주장한 롤스이다.

풀이

ㄱ. 노직, 롤스 모두 긍정의 대답을 할 질문이다. ㄴ. 노직에 따르면, 도덕적 공과에 따른 분배는 타인의 소유 권리를 침해하기 때문에 부정의하다. ㄷ. 롤스에 따르면, 정의의 원칙이 아닌 공리의 원리는 '최대 다수의 최대 행복'을 추구하므로 구성원 일부에게만 이익이 되는 불평등을 정당화할 위험이 있다. ㄹ. 롤스에 따르면, 정의로운 사회 실현을 위해 최소 수혜자의 이익 극대화는 정의의 원칙에 근거하여 보장되어야 한다.

답 ③

응용 01-1

갑, 을 사상가들의 입장으로 옳은 설명만을 | 보기 |에서 있는 대로 고른 것은?

갑 : 부와 소득의 분배 그리고 권한 있고 책임 있는 직위와 직책은 기본적 자유 및 기회의 평등 모두와 양립 가능해야 한다. 사회적 가치들은 그것의 불평등한 분배가 모든 사람에게 이익이 되지 않는 한 평등하게 분배되어야 한다.

을 : 소유물에서의 정의의 이론의 일반적인 개요를 말하자면, 이는 한 사람의 소유물은 취득과 이전에서의 정의의 원리 또는 불의의 교정의 원리에 의해 그가 그 소유물에 대한 권리를 부여받았으면 정당한 것이다.

| 보기 |

ㄱ. 갑은 정의의 일차적 주제는 권리와 의무를 정하는 기본 구조라고 본다.

ㄴ. 갑은 천부적 재능의 불균등한 분포는 부정의하기에 보상되어야 한다고 본다.

ㄷ. 을은 최초의 취득이 정당했던 재화도 교정의 대상이 될 수 있다고 본다.

ㄹ. 갑, 을은 사회적 불평등의 시정을 위한 기본권의 제한은 부당하다고 본다.

① ㄱ, ㄷ ② ㄴ, ㄷ ③ ㄴ, ㄹ

④ ㄱ, ㄴ, ㄹ ⑤ ㄱ, ㄷ, ㄹ

응용 01-2

왈처가 롤스에게 제기할 수 있는 반론으로 가장 적절한 것은?

① 능력에 따라 일하고 필요에 따라 분배되어야 함을 간과한다.

② 실질적 필요의 충족을 통해 인간다운 삶을 보장해야 함을 간과한다.

③ 사회적 가치를 분배하는 다양한 분배 원칙이 있을 수 있음을 간과한다.

④ 정의로운 사회에서 사회적·경제적 불평등이 용인될 수 있음을 간과한다.

⑤ 사회적 약자의 처지 개선을 위해 사회적 재화가 분배될 수 있음을 간과한다.

필수 예제 02

수능 기출

(가)의 갑, 을, 병 사상가들의 입장에서 서로에게 제기할 수 있는 비판을 (나) 그림으로 표현할 때, A~F에 해당하는 내용으로 적절하지 않은 것은?

(가)
갑 : 형벌은 범죄자가 처벌받을 행위를 의욕했기 때문에 가해져야 하며, 결코 어떤 다른 선을 촉진하기 위한 수단으로서 가해질 수 없다.
을 : 형벌은 범죄를 억제하기에 충분한 정도의 강도만을 지녀야 한다. 따라서 사형보다 고통이 길게 유지되어 오랫동안 본보기로 기능하는 형벌이 필요하다.
병 : 사형은 죄인을 시민이 아닌 적으로서 처벌하는 것이다. 그 판결은 그가 사회 계약을 파기하여 이미 국가의 구성원이 아니라는 증명이자 선언이다.

(나)
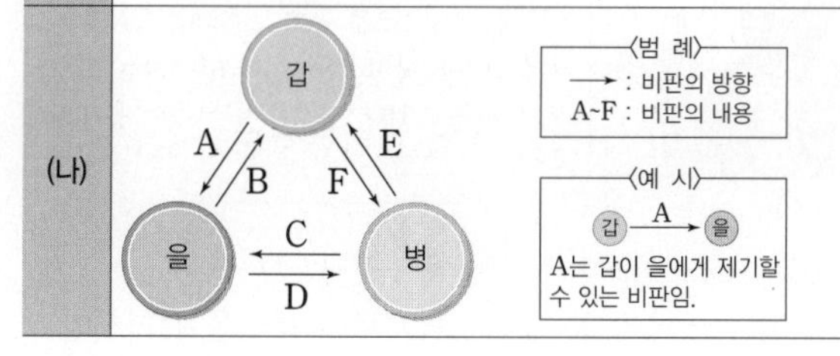

① A : 형벌의 질과 양은 동해(同害) 보복법에 의해서 결정되어야 함을 간과한다.
② B, D : 형벌은 국가 존립을 위한 수단으로 집행될 수 있음을 간과한다.
③ C : 사회 계약은 살인범을 사형에 처할 수 있는 근거가 됨을 간과한다.
④ E : 사형은 일반 시민들의 안전을 지키기 위해 실행되어야 함을 간과한다.
⑤ F : 사형 선고를 받은 사람도 목적적 존재로 대우받아야 함을 간과한다.

Tip

(가)의 갑은 범죄자가 처벌받을 행위를 하였기 때문에 형벌을 가해야 한다고 본 점을 통해 칸트, 을은 사형보다 종신 노역형이 더 필요하다고 본 점을 통해 베카리아, 병은 사형 판결이 그와의 사회 계약을 파기하여 더 이상 구성원이 아님을 선언하는 것이라고 본 점을 통해 루소임을 알 수 있다.

풀이

② 베카리아는 다른 범죄를 억제하기에 충분한 정도의 강도로, 즉 국가 존립을 위한 수단으로서 형벌이 가해져야 한다고 보았다. 이 입장에서 볼 때, 범죄자가 범죄, 즉 처벌받을 행위를 했기 때문에 수단이 아닌 목적으로 대우하여 형벌을 가해야 한다고 주장한 칸트에 대해 ②의 비판을 제기할 수 있다. 하지만 사회 질서 유지를 위해 형벌이 가해지는 것이라고 본 루소에 대해서는 ②의 비판을 제기할 수 없다.

답 ②

응용 02-1

칸트, 베카리아 모두 부정의 대답을 할 질문으로 가장 적절한 것은?

① 사형은 사적 차원의 보복이 아닌 공적 차원의 형벌인가?
② 사형은 살인범의 인간으로서의 존엄성을 지켜주는 형벌인가?
③ 형벌로 얻는 공공 이익은 형벌이 초래할 해악보다 커야 하는가?
④ 형벌의 목적은 범죄자 교화가 아닌 타인의 범죄 예방에 국한되는가?
⑤ 사형보다 종신 노역형이 범죄 예방과 사회 전체의 이익 증진에 부합하는가?

응용 02-2

갑, 을 사상가들의 입장으로 옳은 설명만을 보기 에서 있는 대로 고른 것은?

갑

을

보기
ㄱ. 갑 : 범죄 억제력 측면에서 사형보다 우월한 형벌이 존재한다.
ㄴ. 을 : 사형 그 자체는 악이지만 동해보복을 위한 필요악이다.
ㄷ. 을 : 형벌로 인한 범죄자의 고통이 위법 행위의 이득보다 커야 한다.
ㄹ. 갑, 을 : 형벌은 최대 다수의 최대 행복을 위해 집행되어야 한다.

① ㄱ, ㄷ ② ㄴ, ㄷ ③ ㄴ, ㄹ
④ ㄱ, ㄴ, ㄹ ⑤ ㄱ, ㄷ, ㄹ

필수 체크 전략 ①

필수 예제 03 학평 기출

다음 사상가의 관점에만 모두 '✓'를 표시한 학생은?

> 사람들은 그들이 자연 상태에서 가졌던 평등, 자유 및 집행권을 사회의 선이 요구하는 바에 따라 입법부가 처리할 수 있도록 사회의 수중에 양도한다. 입법부의 권력은 자연 상태를 불안하게 하는 결함을 제거함으로써 시민들의 기본권을 보호해야 하며, 시민들의 안전 및 공공선이 아닌 다른 목적을 위해 행사되어서는 안 된다.

관점 \ 학생	갑	을	병	정	무
국가에 대한 정치적 의무는 시민들의 동의에 의해 발생한다.	✓	✓		✓	
국가는 시민들의 생명과 재산을 보호해야 할 의무를 지닌다.	✓			✓	✓
국가 권력에 대해 시민들은 어떤 경우에도 저항할 수 없다.		✓	✓		✓
국가는 인간의 정치적 본성에 의해 형성된 자연적 산물이다.			✓	✓	✓

① 갑 ② 을 ③ 병 ④ 정 ⑤ 무

Tip

제시문은 사람들이 자연 상태에서의 평등, 자유 등의 권리를 사회 계약을 통해 입법부에 양도한다고 본 점을 통해 로크의 주장임을 알 수 있다.

풀이

로크는 사람들이 자발적 동의와 계약으로 국가를 형성하였으므로 계약을 준수해야 하는 정치적 의무가 발생한다고 보았다(첫 번째 관점). 그리고 국가는 계약에 따라 사람들의 생명, 재산 등을 보호할 의무가 있다고 보았다(두 번째 관점). 로크에 따르면, 권리를 양도하여 형성한 국가가 제 역할을 하지 못한다면 시민들은 국가 권력에 저항할 수 있다(세 번째 관점). 네 번째 관점은 아리스토텔레스의 주장이다.

답 ①

응용 03-1

로크의 주장으로 옳은 것만을 보기에서 있는 대로 고른 것은?

보기
ㄱ. 인간이 지닌 자연권은 양도될 수 있다.
ㄴ. 인간의 모든 권리는 국가에 의해 부여된다.
ㄷ. 국가는 자연 발생하는 공동체의 한 형태이다.
ㄹ. 국가는 개인의 생명과 이익을 보장할 때 정당화된다.

① ㄱ, ㄷ ② ㄱ, ㄹ ③ ㄴ, ㄹ
④ ㄱ, ㄴ, ㄷ ⑤ ㄴ, ㄷ, ㄹ

필수 예제 04 모평 기출

갑, 을 사상가들의 입장으로 적절한 것만을 보기에서 있는 대로 고른 것은?

갑

일정한 생업[恒産]이 없는 백성은 변함없는 마음[恒心]을 잃게 됩니다. 그러므로 군주는 백성이 부모를 봉양하고 처자식을 부양하기에 부족함이 없게 해 주어야 합니다. 그런 후에 백성을 선한 데로 나아가게 인도해야 합니다.

을

완전한 공동체인 국가는 자연의 산물이며, 인간은 본성적으로 국가 공동체를 구성하는 동물입니다. 국가 없이 살아가는 자는 인간보다 하등하거나 인간을 뛰어넘는 존재입니다.

보기
ㄱ. 갑 : 국가의 통치자는 덕으로써 백성을 감화시켜야 한다.
ㄴ. 갑 : 백성들의 도덕성을 유지하는 데 경제적 안정이 중요하다.
ㄷ. 을 : 정치 공동체인 국가에서 인간은 선을 실현할 수 있다.
ㄹ. 갑, 을 : 국가는 자연 상태에서 벗어나려는 인간들의 계약으로 수립된다.

① ㄱ, ㄷ ② ㄱ, ㄹ ③ ㄴ, ㄹ
④ ㄱ, ㄴ, ㄷ ⑤ ㄴ, ㄷ, ㄹ

Tip

갑은 일정한 생업이 없는 백성은 변함없는 마음을 갖기 어렵다고 본 점을 통해 맹자, 을은 인간이 본성적으로 국가 공동체를 구성하는 동물, 즉 정치적 존재라고 본 점을 통해 아리스토텔레스임을 알 수 있다.

풀이

ㄱ. 맹자는 왕도 정치를 강조하여 국가의 통치자가 힘이 아닌 덕을 통해 통치하고 백성들을 감화해야 한다고 주장하였다. ㄴ. 맹자는 백성들이 일정한 직업을 통해 생계를 안정적으로 유지할 수 있어야 변함없는 도덕적인 생각과 행동을 할 수 있다고 주장하였다. ㄷ. 아리스토텔레스는 인간이 본성적으로 정치적 존재이므로 정치 공동체인 국가에서 선을 실현할 수 있다고 보았다. ㄹ. 사회 계약론의 국가관이다.

답 ④

필수 예제 05

수능 기출

갑, 을 사상가들의 입장으로 적절하지 않은 것은?

특정한 법에 불복종하기 전에 효용성을 따져 보아야 합니다. 불복종이 목표 달성에 실패하여 다른 수단으로 성공할 가능성을 감소시킬 위험도 고려해야 합니다.

갑

특정한 법이 다수의 정의관을 현저하게 위반하면 이에 대한 불복종은 정당화됩니다. 정의관의 기본 원칙을 오래도록 의도적으로 위반하는 법은 굴종이나 반항을 초래합니다.

을

① 갑 : 시민 불복종은 성패에 따르는 비용과 편익을 고려해야 한다.
② 갑 : 시민 불복종이 정당하더라도 법에 대한 복종심을 감소시킬 수 있다.
③ 을 : 시민 불복종은 정의감에 의해 상당히 규제되는 사회에서만 성립한다.
④ 을 : 다수가 믿는 종교적 가르침은 시민 불복종을 정당화하는 근거이다.
⑤ 갑, 을 : 시민 불복종은 위법 행위이지만 사회 정의를 추구한다.

Tip

갑은 시민 불복종을 실천하기 전에 효용성을 따져 보아야 한다고 본 점을 통해 싱어, 을은 다수의 정의관에 근거하여 시민 불복종을 판단해야 한다고 본 점을 통해 롤스임을 알 수 있다.

풀이

① 싱어에 따르면, 시민 불복종은 그것이 산출할 이익과 손해, 불복종 행위의 성공 가능성 등을 고려해야 한다. ② 싱어에 따르면, 정당하게 이루어진 시민 불복종이라고 하더라도 법에 대한 복종심을 감소시킬 수 있다. ③ 롤스에 따르면, 시민 불복종은 정의감에 의해 상당히 규제되는 사회, 즉 거의 정의로운 사회에서만 가능하다. ④ 롤스가 제시한 시민 불복종의 판단 기준은 다수에 의해 공유된 정의관이다. 특정 집단의 이익, 종교적 가르침은 공유된 정의관에 해당되지 않는다. ⑤ 싱어와 롤스 모두 시민 불복종이 위법 행위라는 점, 하지만 그것이 정의를 추구하는 행위임에 동의하였다.

답 ④

응용 05-1

다음 사상가의 입장으로 옳지 않은 것은?

> 시민 불복종은 그것이 정치권력을 쥐고 있는 다수자에게 제시된다는 의미에서뿐만 아니라 그것이 정치적 원칙, 즉 헌법과 사회 제도 일반을 규제하는 정의의 원칙들에 의해 지도되고 정당화되는 행위라는 의미에서 정치적 행위이다. 시민 불복종은 정치적인 질서의 바탕에 깔려 있는 공유하고 있는 정의관에 의거한다.

① 시민 불복종은 신중하고 양심적인 신념의 표현이어야 한다.
② 시민 불복종은 국가 체제의 합법성을 인정하는 위법 행위이다.
③ 정의 원칙에 기초한 헌법 하에서는 부정의한 법이 제정되지 않는다.
④ 시민 불복종의 정당화 여부는 법이 부정의한 정도에 따라 달라진다.
⑤ 시민 불복종은 '법에 대한 충실성'의 한계 내에서 법에 대한 불복종을 표현한다.

응용 05-2

시민 불복종에 대한 싱어의 주장으로 옳지 않은 것은?

① 다수의 정의관에 부합하는 시민 불복종만이 정당화될 수 있다.
② 시민 불복종이 산출할 사회적 이익과 해악이 모두 고려되어야 한다.
③ 부정의를 해결할 수 있는 합법적 방법이 우선적으로 고려되어야 한다.
④ 시민 불복종은 합법적인 수단이 실패했을 경우 사용할 수 있는 적합한 수단이다.
⑤ 중단시키려고 하는 악의 크기와 불복종이 가져올 법과 민주주의에 대한 존중의 심각한 감소 정도를 저울질해 보아야 한다.

필수 체크 전략 ②

4강_사회 정의와 윤리 ② ~ 국가와 시민의 윤리

1 다음 사상가의 주장으로 옳은 것은?

> 정의의 원칙을 도출하기 위해 순수한 가상적 상황을 설정하는 것이 필요하다. 이 상황에서 당사자들은 자신의 지위나 계층, 천부적 자산과 능력 등을 모른다고 가정된다. 그래서 각자는 이 상황에서 결과적으로 모든 사람을 위한 선택을 할 수밖에 없다.

① 결과의 공정성은 절차의 공정성에 의해 보장되지 않는다.
② 가상적 상황의 사람들은 오로지 자기 이익만을 고려한다.
③ 기본적 자유의 제한은 공동선의 증진을 위해서만 허용된다.
④ 정의로운 사회에는 사회적·경제적 불평등이 존재하지 않는다.
⑤ 원초적 입장의 사람들은 최선의 결과를 위해 위험을 감수한다.

Tip
원초적 입장은 상호 무관심한 사람들이 ❶ [　　] 을/를 쓴 상태에서 ❷ [　　] 을/를 통해 정의의 원칙을 도출하는 가상적 상황이다.

답 ❶ 무지의 베일 ❷ 합의

2 (가)의 갑, 을, 병 사상가들의 입장을 (나) 그림으로 표현할 때, A~D에 해당하는 적절한 진술만을 <보기>에서 있는 대로 고른 것은?

(가)	갑 : 정의는 본성상 정치적 동물인 사람들 사이에서 같은 것은 같게, 다른 것은 다르게 분배할 것을 요구한다. 을 : 정의는 도덕과 입법의 원리인 최대 다수의 최대 행복을 위해 유용성을 극대화할 것을 요구한다. 병 : 정의는 최소 수혜자를 포함한 모든 사람에게 이익이 되도록 절차적 공정성을 보장할 것을 요구한다.
(나)	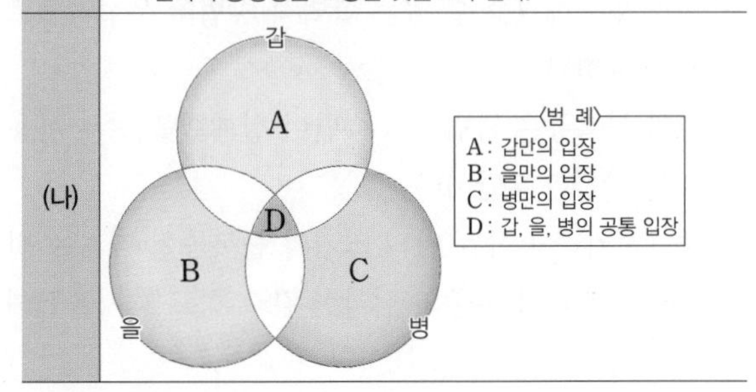

보기
ㄱ. A : 분배 정의는 기하학적 비례의 동등함을 추구하는 것이다.
ㄴ. B : 분배의 옳고 그름은 쾌락과 고통의 총합에 의해 결정된다.
ㄷ. C : 누구에게도 이익이 되지 않는 분배는 정의롭지 않다.
ㄹ. D : 사회적·경제적 불평등을 허용해도 분배 정의는 실현 가능하다.

① ㄱ, ㄴ ② ㄱ, ㄷ ③ ㄷ, ㄹ
④ ㄱ, ㄴ, ㄹ ⑤ ㄴ, ㄷ, ㄹ

Tip
아리스토텔레스는 분배적 정의를 ❶ [　　] 에 따른 ❷ [　　] 을/를 추구하는 것이라고 주장하였다.

답 ❶ 기하학적 비례 ❷ 동등함

3 갑, 을 사상가들의 입장으로 가장 적절한 것은?

갑

형벌은 사회의 최대 행복을 저해하는 경향에 비례하여 가해져야 합니다. 형벌의 목적은 범죄의 예방과 일반인에 대한 경고에 있습니다.

을

벌은 단지 범죄자가 범죄를 저질렀기 때문에 부과되어야 합니다. 인간의 생득적 인격성은 그가 시민적 인격성을 상실할 선고를 받아도 물건으로 취급되지 않도록 보호됩니다.

① 갑 : 형벌은 범죄 의지를 억제시키려는 수단이다.
② 갑 : 사형은 살인범의 인격에 대한 존중을 전제한다.
③ 을 : 사형은 사회 계약에 근거하여 정당화할 수 있다.
④ 을 : 형벌은 일반인에게 본보기로, 범죄자에게 교화로 작용해야 한다.
⑤ 갑, 을 : 형벌이 방지할 해악이 형벌의 해악보다 크다면 형벌은 정당하다.

Tip
칸트는 형벌의 본질이 ❶ [　　] 에 있으며, 이에 근거한 형벌은 인간을 다른 목적을 위한 ❷ [　　] (으)로 취급하지 않는다고 보았다.

답 ❶ 응보 ❷ 수단

4 갑, 을 사상가들의 입장으로 가장 적절한 것은?

갑

인간은 자연스럽게 가족과 마을을 형성하고, 마지막으로 최종적이고 완전한 결사체에 도달하게 되는데, 그것이 바로 국가입니다. 그러므로 인간은 본성적으로 국가에 속하도록 되어 있습니다.

을

정부는 시민에게 유용하지 않았다면 나타나지 않았을 것입니다. 정치적 복종의 동기는 구성원들이 정부를 통해 평화와 질서를 가져올 수 있다고 느끼는 이익 관념에 기초합니다.

① 갑 : 정치적 의무는 최선의 삶을 구현하려는 인간의 본성에 근거한다.
② 갑 : 국가가 인권을 보장해주기 때문에 시민은 국가에 복종해야 한다.
③ 을 : 국민이 정부에 복종하는 것은 사회 질서의 유지와 무관하다.
④ 을 : 국가에 거주하는 이유만으로도 항구적인 복종의 의무가 부과된다.
⑤ 갑, 을 : 정부가 제공하는 공공재와 혜택을 향유함으로써 시민의 정치적 의무가 발생한다.

Tip

흄은 국가가 ❶ [   ]을/를 제공하며, 공동의 이익을 위해 만들어진 각종 제도나 법률 등 관행의 ❷ [   ]을/를 제공하기 때문에 시민은 국가에 복종해야 한다고 보았다.

답 ❶ 공공재 ❷ 혜택

5 갑, 을의 입장에 대한 옳은 설명을 | 보기 |에서 고른 것은?

갑 : 큰 나라가 작은 나라를 공격하고, 다수가 소수를 폭압하며, 지혜로운 자가 어리석은 자를 속이는 것이 천하의 큰 폐해이다.
을 : 인간의 이기적인 이해관계를 조정하는 것이 정치이다. 인간은 상을 좋아하고 벌을 싫어하므로 이를 통해 이해관계를 조정해야 한다.

| 보기 |
ㄱ. 갑 : 군주는 백성과 상호 이익을 나누어야 한다.
ㄴ. 갑 : 백성에게 은혜롭지 않은 군주는 구성원의 안정된 삶을 위협할 수 있다.
ㄷ. 을 : 군주는 인간의 선한 본성이 발현될 수 있도록 도와야 한다.
ㄹ. 갑, 을 : 군주는 하늘의 뜻인 사랑을 바탕으로 통치해야 한다.

① ㄱ, ㄴ ② ㄱ, ㄷ ③ ㄴ, ㄷ ④ ㄴ, ㄹ ⑤ ㄷ, ㄹ

Tip

한비자에 따르면, 인간은 ❶ [   ] 존재이므로 엄격한 ❷ [   ]에 따라 통치해야 한다.

답 ❶ 이기적 ❷ 법

6 갑, 을 사상가들 중 한 명 이상이 긍정의 대답을 할 질문만을 | 보기 |에서 있는 대로 고른 것은?

갑 : 사회의 기본 구조가 합당하게 정의로운 것인 경우, 그 부정의가 지나치지만 않으면 부정의한 법도 구속력이 있음을 인정해야 한다. 시민 불복종은 법에 대한 충실성의 한계 내에서 법에 대한 불복종을 나타내는 것이어야 한다.
을 : 우리는 먼저 인간이어야 하고, 그 다음에 국민이어야 한다고 나는 생각한다. 법에 대한 존경심보다는 먼저 정의에 대한 존경심을 기르는 것이 바람직하다.

| 보기 |
ㄱ. 개인의 양심이 준법의 의무보다 우선하는가?
ㄴ. 시민 불복종의 목적은 사회 정의의 실현인가?
ㄷ. 시민 불복종의 대상이 되지 않는 부정의가 존재할 수 있는가?
ㄹ. 시민 불복종은 사적 이익 실현을 위한 정당한 위법 행위인가?

① ㄱ, ㄴ ② ㄴ, ㄹ ③ ㄷ, ㄹ
④ ㄱ, ㄴ, ㄷ ⑤ ㄱ, ㄷ, ㄹ

Tip

소로는 부정의한 법이나 제도에 ❶ [   ]해야 하며, 이는 개인의 ❷ [   ]에 근거하는 것이라고 보았다.

답 ❶ 불복종 ❷ 양심

WEEK 2

누구나 합격 전략

동서양의 직업관

1 갑, 을 사상가들의 입장으로 옳지 않은 것은?

> **갑 :** 누구나 본성적으로 이익만 좋아하기에 쉬운 일만을 원하고, 힘든 일을 싫어한다. 그래서 도(道)에 정통한 군자는 사람들마다 가볍고 무거움을 나누어[別] 서로 어울리게 한다.
> **을 :** 인간은 구원을 예정해 놓은 신의 부르심[召命]에 노동을 통해 응답해야 한다. 왜냐하면 신은 여러 삶의 양식(樣式)들을 구분해 놓음으로써 각 개인이 해야 할 일을 정해 두었기 때문이다.

① 갑은 재화에 대한 욕망을 인정하는 동시에 절제할 것을 강조한다.
② 을은 금욕적인 생활 태도를 바탕으로 한 직업 생활을 강조한다.
③ 갑은 을과 달리 인위적 규범에 따른 직분의 구별을 주장한다.
④ 을은 갑과 달리 부의 축적이 직업의 궁극적 목적이라고 주장한다.
⑤ 갑, 을은 각자의 직분에 충실할 때 사회 질서가 유지됨을 주장한다.

기업의 사회적 책임

2 다음 주장에 대한 반론으로 가장 적절한 것은?

> 기업의 경영자가 주주들을 위해 돈을 많이 버는 것 말고 다른 사회적 책임을 수용하는 현상보다 자유 사회의 근간을 허무는 경향은 드물다. 기업의 사회적 책임은 오직 시장의 규칙을 지키면서 기업 이익의 극대화를 위해 자유로운 경쟁에 전념하는 것이다.

① 기업은 기업 이익 증진을 위해 공익을 추구할 수 있다.
② 기업 경영자는 주주에 대해서만 직접적 책임을 져야 한다.
③ 기업은 이윤 창출을 위한 경제적 책임을 도외시해서는 안 된다.
④ 기업은 법의 울타리 안에서 이윤을 창출하는 노력을 기울여야 한다.
⑤ 기업은 시민과 공동체의 이익에 기여함으로써 사회에 봉사할 직접적 책임을 지고 있다.

사회 윤리

3 (가) 사상가의 입장에서 (나)의 입장에 대해 제기할 반론으로 옳지 않은 것은?

> (가) 어떤 집단적 힘이 약자를 착취할 때, 대항 세력이 견제하지 않는 한 그 힘은 사라지지 않을 것이다. 집단 간의 관계는 지극히 정치적이므로 항상 윤리적인 것은 아니다.
> (나) 개인적 차원과 집단적 차원에서 모두 합리성과 선의지는 이기적 충동을 항상 억제할 수 있으며 결국 모든 집단들이 조화를 이룰 것이다.

① 집단 간 힘 차이가 사회 부정의의 원인임을 간과한다.
② 개인과 사회의 최고의 도덕적 이상이 동일함을 간과한다.
③ 도덕적인 사회를 실현하기 위한 정치적 방법을 간과한다.
④ 개인 양심과 집단의 요구 간에 모순이 지속됨을 간과한다.
⑤ 사회 문제를 해결하기 위해 강제력이 필요함을 간과한다.

사회 정의

4 다음 사상가의 입장에 대한 옳은 설명만을 〈보기〉에서 있는 대로 고른 것은?

> 당사자들이 동등함에도 동등하지 않은 몫을, 혹은 동등하지 않은 사람들이 동등한 몫을 분배받아 갖게 되면, 싸움과 불평이 생겨난다. 이것은 가치(공적)에 따라 분배해야 한다는 생각을 중심으로 고려해 보더라도 분명하다.

> 보기
> ㄱ. 시민은 법 앞에 동등하게 대우받아야 한다.
> ㄴ. 각 사람의 가치에 따라 재화가 분배되어야 한다.
> ㄷ. 잘못에 대한 시정은 그 이상의 대가를 지불해야 한다.
> ㄹ. 분배적 정의는 기하학적 비례의 균등을 회복하는 것이다.

① ㄱ, ㄴ ② ㄱ, ㄷ ③ ㄷ, ㄹ
④ ㄱ, ㄴ, ㄹ ⑤ ㄴ, ㄷ, ㄹ

분배적 정의

5 **(가)의 갑, 을, 병 사상가들의 입장을 (나) 그림으로 탐구하고자 할 때, A~D에 들어갈 질문으로 옳지 <u>않은</u> 것은?**

(가)	갑 : 분배는 모든 사람이 자신의 소유물에 대한 소유 권리가 있을 경우 정의롭다. 최소 국가만이 이러한 소유 권리를 보장한다. 을 : 분배는 개인들이 공정한 조건에서 합의한 원칙에 따를 때 정의롭다. 이러한 원칙 중에서 차등의 원칙은 최소 수혜자에게 최대 이익이 돌아가도록 하는 것이다. 병 : 분배적 정의와 관련된 모든 가치는 사회적 가치이다. 가치는 사회적 맥락과 무관하게 평가되지 않으며, 상이한 사회에서는 상이한 의미를 갖는다.
(나)	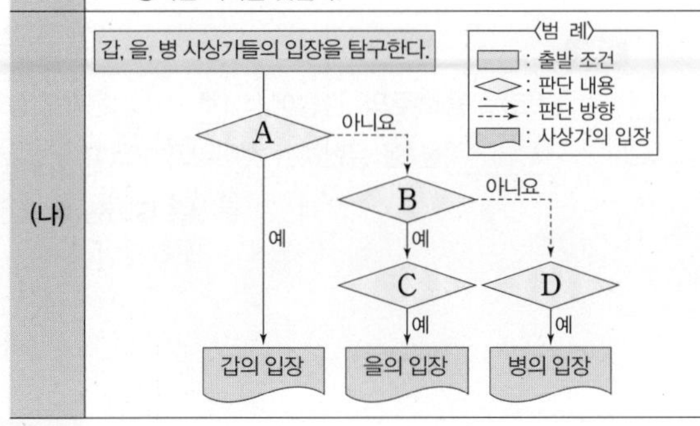

① A : 천부적 재능 자체는 공동 자산으로 간주될 대상이 아닌가?
② B : 정의의 원칙은 가상적 상황에서 고안되어야 하는가?
③ C : 자본주의 복지국가는 정의의 원칙을 충분히 실현할 수 없는가?
④ D : 모든 사회적 가치들은 문화적·역사적 맥락에서 의미가 부여되는가?
⑤ D : 필요에 따라 복지 자원을 분배하는 것은 정의로운 분배가 될 수 있는가?

교정적 정의

6 **갑, 을 사상가들의 입장으로 옳지 <u>않은</u> 것은?**

형벌은 정언 명령입니다. 살인자는 사형에 처해져야 합니다. 사형의 불법성을 주장하는 것은 법의 왜곡입니다.

갑

형벌이 지속적 효과를 가질 때 범죄를 더 잘 예방할 수 있습니다. 종신 노역형이 사형보다 범죄 억제에 효과적입니다.

을

① 갑 : 인도적 동정심에서 사형의 부당성을 주장하면 안 된다.
② 갑 : 보복법만이 형벌의 양과 질을 명확히 제시할 수 있다.
③ 을 : 과도한 형벌은 효용 원리와 사회 계약 모두에 위배된다.
④ 을 : 범죄 억제 효과를 넘어서는 과도한 형벌을 부과하지 말아야 한다.
⑤ 갑, 을 : 사형 집행의 정당성 여부는 사회 계약에 근거해 판단해야 한다.

동서양에서의 국가의 역할

7 **갑, 을, 병 사상가들이 서로에게 제기할 수 있는 비판으로 가장 적절한 것은?**

> **갑** : 나라를 다스리는 자는 진실로 그 자신을 바르게 해야 정치에 문제가 없을 것이다. 자신을 바르게 하지 못하면서 남을 바르게 하기 어렵다.
> **을** : 나라를 다스릴 적에는 명확한 법을 설정하고 엄격한 형벌을 제시하여 장차 그것으로 모든 사람의 혼란을 구하고 천하의 재앙을 물리쳐야 한다.
> **병** : 자연 상태에서 인간은 전쟁 상태에 놓여 있는 것과 같으므로, 사람들은 자신을 방어하기 위해 힘과 권력을 한 인간 또는 한 합의체에 부여한다.

① 갑이 을에게 : 통치자는 형벌로써 백성을 다스려야 함을 모르고 있다.
② 갑이 병에게 : 통치자는 내면적인 덕을 갖추고 덕으로 다스려야 함을 간과하고 있다.
③ 을이 갑에게 : 가족 윤리를 국가 윤리로 확장시켜야 함을 모르고 있다.
④ 병이 을에게 : 국가는 국민의 생명과 안전을 보장해 주어야 함을 모르고 있다.
⑤ 을, 병이 갑에게 : 통치자는 피치자의 이타적인 본성을 다스려야 함을 간과하고 있다.

창의·융합·코딩 전략

다양한 직업관

01 다음 글은 신문 칼럼이다. ㉠에 들어갈 내용으로 옳지 않은 것은?

> ○○ 신문 ○○○○년 ○○월 ○○일
>
> 기업가직한 자세
>
> 천민 자본주의 문제를 해결하려면 서양의 어느 사상가가 주장한 '자본주의 정신'을 떠올려야 한다. '자본주의 정신'은 칼뱅의 예정설 등을 중심으로 하는 프로테스탄티즘에 기원을 둔다. 따라서 '자본주의 정신'을 본받아 기업가들은 [㉠]
>
> …(후략)…

① 검소와 절제를 실천해야 한다.
② 정직한 방식으로 기업을 운영해야 한다.
③ 물질적 욕구를 줄여 부의 축적을 금해야 한다.
④ 소명 의식에 근거하여 맡은 바 직분에 충실해야 한다.
⑤ 신성한 사명감에 따라 정당하게 이윤을 추구해야 한다.

Tip
직업적 성공을 통한 부의 축적을 신의 ❶ (이)라고 본 칼뱅의 관점은 ❷ 을/를 추구하는 경제 활동의 정당화에 기여하였다.

답 ❶ 축복 ❷ 이익

교정적 정의

02 갑, 을 모두 부정의 대답을 할 질문으로 옳은 것은?

① 사형은 살인범의 인간 존엄성을 존중하는 형벌인가?
② 사형은 종신 노역형에 비해 범죄 억제력이 열등한가?
③ 사형은 사회 계약에 부합하지 않는 부당한 형벌인가?
④ 살인범에 대한 사형 선고에 동의하는 것은 정당한가?
⑤ 사형제는 보다 효과적인 형벌 제도가 있으므로 폐지되어야 하는가?

Tip
칸트는 응보주의 관점에서 ❶ 은/는 살인자의 ❷ 을/를 실현하는 것이라고 보았다.

답 ❶ 사형 ❷ 인간 존엄성

분배적 정의

03 다음은 가상 편지이다. 글의 내용에서 추론할 수 있는 사상가의 입장으로 옳지 않은 것은?

> ○○ 군에게
>
> 자네가 나의 정의의 원칙에 관심을 가져줘서 고맙네. 자네가 말했듯이, 정의로운 사회는 모든 사회 구성원들의 동의가 전제되어야 형성될 수 있을 걸세. 그래서 나는 정의의 원칙을 도출하기 위해 사회적·자연적 우연성을 제거할 수 있는 원초적 입장을 설정할 필요가 있다고 생각하네. … (후략) …

① 원초적 입장의 인간은 이기적이지만 합리적인 존재이다.
② 인간의 기본적 자유는 공동선을 위해서도 침해될 수 없다.
③ 공정한 절차를 준수해 나타난 결과는 불평등해도 인정된다.
④ 사회적·경제적 불평등이 정의로운 사회에 존재함을 인정한다.
⑤ 각자의 필요에 따른 차등적 분배를 정의로운 것으로 평가한다.

Tip
롤스는 ❶ 을/를 우연적인 것으로 보고 누구도 자신이 어떤 소질이나 능력을 타고났는지를 모르는 상황에서 ❷ 이/가 도출되어야 한다고 하였다.

답 ❶ 천부적 재능 ❷ 정의의 원칙

국가 권위의 정당성

04 (가)의 갑, 을, 병 사상가들의 입장에서 서로에게 제기할 수 있는 비판을 (나) 그림으로 표현할 때, A~F에 해당하는 내용으로 가장 적절한 것은?

(가)
갑 : 국가는 하나의 인격체이다. 이 인격체를 이끌고 있는 이가 통치자이며 통치권을 가지고 있다고 말한다. 그 밖의 모든 사람은 그의 신민이라고 부른다. 통치자의 권력은 상상할 수 있는 한 최대한으로 강해야 한다. 이 무한한 권력으로 인해 많은 나쁜 결과가 발생할 수 있다고 생각할 수도 있다. 하지만, 통치권이 없기 때문에 오는 결과, 즉 만인에 대한 만인의 끊임없는 투쟁 상태가 훨씬 더 나쁘다.
을 : 국가는 자유롭고 평등한 개인들 간의 계약에 의해 성립된다. 개인들은 자연권을 확실히 보장받기 위해 자연권의 일부를 국가에 양도하는 계약에 동의한다. 이 자발적 동의에 의한 계약이 국가에 복종할 의무와 저항할 권리의 근거가 된다.
병 : 공동의 힘을 다해 각 회합원의 인격과 재산을 지키고 보호하며, 각자가 모두와 결합함에도 오직 자기 자신에게만 복종하기에 전만큼 자유로운 회합 형식을 찾는 것, 바로 이것이 사회 계약으로 해결하려고 하는 근본 문제이다. 사회 계약에서 우리 각자는 자신의 인격과 모든 힘을 일반 의지의 최고 지도 아래 둔다. 그리고 우리는 단체로서 각 구성원을 분리 불가능한 부분으로 받아들인다.

(나)
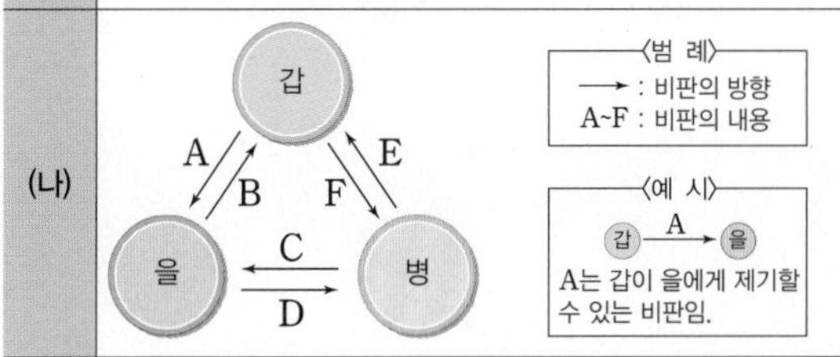

① A, F : 개인의 자기 보존 욕구가 계약 체결에 영향을 미침을 부정한다.
② B : 권력 분할보다 집중이 재산권을 보장하는 최선책임을 부정한다.
③ C : 입법권은 국민이 선출한 대표자에게 위임될 수 있음을 간과한다.
④ D : 계약 이후에는 국가만 시민에 대한 형벌권을 소유함을 간과한다.
⑤ E : 법률에 복종하는 시민이 법률의 제정자가 되어야 함을 간과한다.

Tip
로크는 사람들이 ❶ [ ] 에서 해결하기 힘든 분쟁을 해결하기 위해 공정한 ❷ [ ] 이자 집행관으로서 국가를 만들었다고 보았다.
답 ❶ 자연 상태 ❷ 재판관

시민 불복종

05 (가)의 사상가 갑, 을의 입장을 (나) 그림으로 탐구하고자 할 때, A~C에 들어갈 적절한 질문만을 〈보기〉에서 있는 대로 고른 것은?

(가)
갑 : 우리는 시민 불복종을 통해 우리 입장을 호소할 권리를 갖는다. 우리가 저항하는 부정의는 시민의 평등한 자유와 공정한 기회균등을 분명히 위반한 것이다. 거의 정의로운 국가에서는 합당한 저항에 대한 보복적 억압은 없지만 우리 행위가 효과적인 호소가 되도록 계획해야 한다. 그리고 그 행위는 목적을 달성할 수 있게 합리적으로 이루어져야 한다.
을 : 시민 불복종은 정부의 정책이나 법이 진실로 다수의 의견을 반영하고 있지 않거나, 다수의 입장이라 하더라도 그 내용이 완전히 그릇된 것일 때 가능하다. 다만 우리가 중단시키려는 악의 크기와 우리의 행위가 가져올 법과 민주주의에 대한 존중의 심각한 감소 가능성을 저울질해 봐야 한다. 또한 우리의 행위가 목표 달성에 실패하여 불러일으킬 수 있는 반작용에 대해서도 고려해 보아야 한다.

(나)
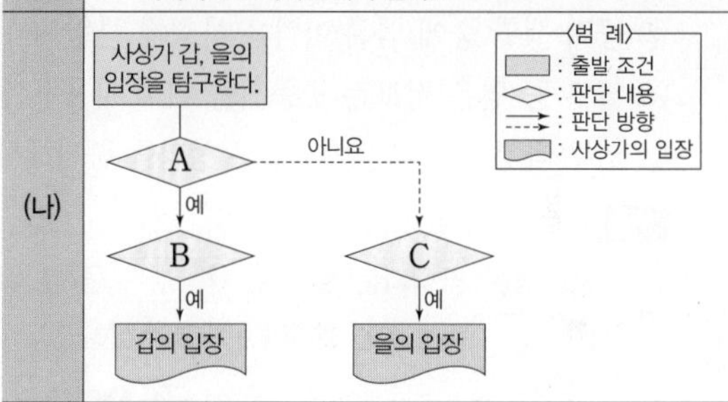

보기
ㄱ. A : 시민 불복종은 합법적인 수단이 실패했을 때 행해져야 정당성을 얻는가?
ㄴ. B : 시민들의 공유된 정의관 자체를 바꾸기 위한 시민 불복종도 정당화될 수 있는가?
ㄷ. B : 개인적 도덕 원칙이나 종교적 교설의 호소는 시민 불복종의 근거가 될 수 없는가?
ㄹ. C : 시민 불복종의 결과가 가져올 이익과 손해를 계산해 보아야 하는가?

① ㄱ, ㄴ ② ㄴ, ㄷ ③ ㄷ, ㄹ
④ ㄱ, ㄴ, ㄹ ⑤ ㄱ, ㄷ, ㄹ

Tip
싱어는 ❶ [ ] 입장에서 시민 불복종의 결과가 가져올 이익과 ❷ [ ] 을/를 따져 봐야 한다고 주장하였다.
답 ❶ 공리주의 ❷ 손해

공직자 윤리

06 (가)의 입장에서 (나)의 A에게 할 조언으로 가장 적절한 것은?

> (가) 목민관은 자애로워야 하고 자애로우려면 청렴해야 하고, 청렴해지려면 절용(節用)해야 한다.
> (나) 공무원 A는 ○○ 지역 재개발 업무를 담당하면서 관련 사업 내용을 미리 알게 되었다. 그는 이 내용을 친인척에게 제공하여 돈을 벌게 해주고 싶은 마음이 들어 고민하고 있다.

① 공직 수행에서 효율성을 우선시해야 한다.
② 어려움에 처한 친인척을 우선 도와야 한다.
③ 공직 생활 중에 얻은 이익은 사회에 환원해야 한다.
④ 업무 중 얻은 정보는 공동선을 위해 사용해야 한다.
⑤ 업무 과정의 도덕성보다 업무 성과를 중시해야 한다.

Tip
정약용은 공직자는 절용과 ❶ [　　] 을/를 실천하고 ❷ [　　] 하는 삶을 살아야 한다고 주장하였다.

답 ❶ 청렴 ❷ 근검절약

사회 윤리

07 (가) 사상가의 입장에서 (나) 그림의 ㉠에 들어갈 진술로 가장 적절한 것은?

(가)	집단들 간의 관계는 도덕적이고 합리적인 판단이 아니라 각 집단이 가지고 있는 힘의 비율에 따라 형성된다. 왜냐하면 개인과는 달리 집단 속에서는 개인들의 이기적 충동들이 합쳐져 훨씬 더 강력한 형태인 집단적 이기심으로 나타나기 때문이다. 집단들 간의 관계는 항상 도덕적이기보다는 지극히 정치적이다. 따라서 개인이 도덕적이라고 할지라도 그 개인이 속한 집단은 비도덕적일 수 있다.
(나)	

① 개인의 이기성이 집단의 이기성보다 강하기 때문입니다.
② 도덕적 정당성을 갖는 사회 제도만이 사회적 갈등을 해결할 수 있기 때문입니다.
③ 물리적 힘을 통해서만 힘의 불균형으로 인한 부정의를 해결할 수 있기 때문입니다.
④ 개인의 도덕성이 추구하는 가치와 사회의 도덕성이 추구하는 가치가 일치하기 때문입니다.
⑤ 도덕성 함양을 통해서만 사회 세력들 간의 불균형으로 인한 갈등을 극복할 수 있기 때문입니다.

Tip
니부어는 사회 정의를 실현하기 위해서는 ❶ [　　] 의 통제를 받는 비합리적인 수단, 즉 ❷ [　　] 이/가 필요하다고 주장하였다.

답 ❶ 선의지 ❷ 강제력

사형 제도에 대한 논쟁

08 (가)의 입장을 지지할 사람만을 그림 (나)에서 있는 대로 고른 것은?

(가)	• 사형은 법의 이름으로 자행되는 또 다른 살인 행위이다. • 사형 대신 가석방 없는 무기 징역 혹은 종신형을 내릴 수 있다.
(나)	

① 갑, 병　　② 을, 병　　③ 을, 정
④ 갑, 을, 병　　⑤ 갑, 병, 정

Tip
사형 제도를 ❶ [　　] 하는 입장에서는 사형이 ❷ [　　] 형벌이며 범죄 예방 효과가 적으며 정적 제거 수단으로 악용될 수 있다고 지적한다.

답 ❶ 반대 ❷ 비인도적

대의 민주주의

09 그림은 어떤 학생이 작성한 노트 필기이다. ㉠~㉤ 중 가장 적절한 것은?

Ⅰ. 대의 민주주의와 시민 참여의 필요성
(1) 대의 민주주의
① 의미
• 국민들이 대표를 뽑아 정치를 대신하는 간접 민주 정치
• 국민이 직접 정부나 의회를 구성함 ………… ㉠
② 한계
• 국민의 의견이 정확히 정책에 반영될 수 있음 ‥ ㉡
• 선출된 대표자의 직무에 대한 전문성을 검증하기 어려움 ……………………………………… ㉢
(2) 시민 참여의 필요성
① 간접 참여로 민주주의의 본질을 실현함 …… ㉣
② 정책 결정 과정에서 단일한 의견이 제시되므로 효율적 국정 운영을 가능하게 함 …………… ㉤

① ㉠ ② ㉡ ③ ㉢ ④ ㉣ ⑤ ㉤

Tip
대의 민주주의는 ❶ [ ] 을/를 통해 대표를 선출하고, 선출된 대표자가 ❷ [ ] 을/를 대신하여 국가를 운영해 나가는 제도이다.
답 ❶ 선거 ❷ 국민

사회 정의

10 그림은 어느 책의 일부를 발췌한 것이다. ㉠, ㉡에 대한 저자의 입장만을 보기에서 있는 대로 고른 것은?

제3장 ㉠ ○○○ 정의
동등한 사람들이 동등하지 않은 몫을 받게 되거나, 동등하지 않은 사람들이 동등한 몫을 차지하게 되는 경우 분쟁과 불평이 생긴다. 분배에서의 정의는 어떤 가치 기준에 따라야 한다는 데는 누구나 동의한다. 그러나 누구나 다 같은 종류의 가치를 염두에 두는 것은 아니다. 민주정체 지지자들은 자유민으로 태어난 것이, 과두정체 지지자들은 부나 좋은 가문이, 귀족정체 지지자들은 미덕이 가치 판단의 기준이라고 보기 때문이다. 따라서 정의는 일종의 비례이다. ……(후략).
제4장 ㉡ △△△ 정의
나머지 한 종류는 조정적인 정의인데, 이것은 자발적인 거래와 비자발적인 거래 모두에서 발견된다. 누가 악을 행하고 누가 악행을 당했건, 또 누가 해악을 끼치고 누가 그 해악을 당했건, 법은 다만 그 해악의 뚜렷한 성격만을 문제 삼으며, 그 당사자들을 동등하게 취급한다. 그래서 이런 종류의 불의는 동등하지 않은 것이기에 재판관은 이를 동등하게 만들려고 노력한다. ……(후략).

보기
ㄱ. ㉠ : 각 사람의 가치에 따라 분배하는 것이다.
ㄴ. ㉠ : 교섭에 있어 잘못된 것을 올바르게 바로잡는 것이다.
ㄷ. ㉡ : 타인에게 손해를 끼친 사람은 그만큼 배상해야 한다.
ㄹ. ㉠, ㉡ : 정의로운 것은 동등함이고, 부정의한 것은 동등하지 않음이다.

① ㄱ, ㄴ ② ㄱ, ㄹ ③ ㄴ, ㄷ
④ ㄱ, ㄷ, ㄹ ⑤ ㄴ, ㄷ, ㄹ

Tip
아리스토텔레스의 교정적 정의는 ❶ [ ] 에서 잘못된 부분을 바로잡아 이익과 손해의 ❷ [ ] 을/를 회복시키는 것이다.
답 ❶ 교섭 ❷ 동등함

전편 마무리 전략

핵심 한눈에 보기

현대 윤리 문제에 대한 접근

생명과 관련된 윤리적 쟁점

분배적 정의와 교정적 정의

시민 불복종

신유형·신경향 전략

신유형 전략

01 다양한 윤리적 접근

서양 사상가 갑, 을의 입장에서 | 사례 | 속 A에게 제시할 답변으로 가장 적절한 것은?

> 갑 : 인간은 분명 신성하지 않으나, 그의 인격 속의 인간성은 그에게 신성한 것이 아닐 수 없다. 오직 인간만이 목적 그 자체이다. 그의 자유가 가지는 자율성 때문에 그는 신성한 도덕 법칙의 주체가 된다.
> 을 : 인간의 도덕적 발달은 유전자에서 그 씨앗이 발원하여 진화적 이타성을 거쳐 심리적 이타성으로 진행한다. 최종적으로 심리적 이타성과 문화와의 상호 관계에 의한 진화를 통해 비로소 도덕성이 성립한다.

사례

① 갑 : 자연적 경향성에 따라 이타적 행위를 하면 행복해지기 때문입니다.
② 갑 : 인간은 도덕 법칙을 따르려는 선의지를 형성하려는 존재이기 때문입니다.
③ 을 : 이타적 행위가 궁극적으로 타인의 생존에 도움을 주기 때문입니다.
④ 을 : 인간은 자연 선택을 통한 진화의 결과로 이타성이 형성되었기 때문입니다.
⑤ 갑, 을 : 이타적 행위를 반복적으로 실천하면 유덕한 품성을 가질 수 있기 때문입니다.

Tip
칸트는 인간이 고유한 도덕 법칙을 따르려는 ❶ [ ] 을/를 지닌 존재라고 보았다. 진화 윤리학은 이타적 행동이 자연 선택을 통한 ❷ [ ] 의 결과라고 본다.
답 ❶ 선의지 ❷ 진화

02 자살에 대한 관점

(가)를 주장한 사상가의 입장에서 (나)와 관련하여 제시할 견해로 가장 적절한 것은?

(가)	자연법이란 인간의 합리적인 본성에 의존하는 법으로서 영원법에 참여할 수 있는 능력을 말한다. 자연법의 명령은 자연적 성향의 질서에 상응하는 계층적인 질서로 설정된다.
(나)	자살을 예방하기 위해 우리가 가져야 할 자세는 무엇일까?

① 자살은 자기 보존의 의무를 위반하는 것임을 알아야 한다.
② 신이 아닌 자신이 삶의 주인이 되어야 함을 알아야 한다.
③ 자살은 인간이 본성적으로 지니는 자연적 성향에 의한 것임을 알아야 한다.
④ 인간은 영원법의 궁극적 근거인 자연법에 따라 살아야 함을 알아야 한다.
⑤ 자살은 인격을 목적으로 대우하라는 정언 명령에 어긋나는 것임을 알아야 한다.

Tip
아퀴나스는 인간이 본성적으로 지닌 ❶ [ ] (으)로, 종족 보존, ❷ [ ] 보존, 신과 사회에 대한 진리 파악을 주장하였다.
답 ❶ 자연적 성향 ❷ 자기

03 동물 권리에 대한 입장

다음을 주장한 사상가의 입장만을 | 보기 |에서 고른 것은?

> 동물과 동등하거나 더 낮은 감성, 의식, 감수성 등을 갖는 인간을 실험에 사용하는 것이 정당화될 수 없는 경우에 동물에게 실험을 하는 것은 언제나 자기 종족의 선호라는 편견을 드러내는 것이다.

보기
ㄱ. 동물은 인간과 동일한 도덕적 지위를 지닌다.
ㄴ. 동물을 실험 대상으로 이용하는 것은 옳지 않다.
ㄷ. 이성적 능력이 없는 존재는 실험 대상이 될 수 있다.
ㄹ. 동물과 인간의 이익은 평등한 대우를 받아야 한다.

① ㄱ, ㄴ ② ㄱ, ㄷ ③ ㄴ, ㄷ ④ ㄴ, ㄹ ⑤ ㄷ, ㄹ

Tip
싱어는 ❶ [ ] 을/를 지닌 존재의 ❷ [ ] 을/를 평등하게 고려해야 한다고 보았다.
답 ❶ 쾌고 감수 능력 ❷ 이익 관심

04 동서양의 직업관

그림은 서술형 평가 문제와 학생 답안이다. 학생 답안의 ㉠~㉤ 중 옳지 않은 것은?

서술형 평가

◎ **문제** : 사상가 갑, 을의 직업 노동에 대한 입장을 비교하여 서술하시오.

갑

자본주의에서 노동은 노동 주체의 의지와 무관하게 자본을 위해 수행될 뿐입니다. …(중략)… 노동자는 생산에 필요한 정신적 능력 이외의 다른 모든 정신적 능력들을 잃어버렸습니다.

을

사람의 몸에는 백공(百工)이 만드는 것이 다 필요한데, 만일 모든 것을 손수 만들어 사용해야 한다면 이는 모든 이를 지쳐 떨어지게 하는 것입니다. 따라서 대인은 마음을 쓰고 소인은 힘을 써야 합니다.

◎ **학생 답안**

사상가 갑, 을의 직업 노동에 대한 입장을 비교해 보면, 갑은 ㉠ 노동자는 생산 수단이 없으므로 생계를 위해 자본가에게 예속된다고 보며, ㉡ 노동자는 노동을 통해 자아를 실현하고 행복을 누릴 수 있어야 한다고 주장한다. 이에 비해 을은 ㉢ 직업에는 대인과 소인의 역할 구분이 있으므로 각자의 역할에 충실해야 한다고 보며, ㉣ 직업을 통해 백성의 생활 기반이 마련되어야 한다고 주장한다. 한편 갑, 을은 모두 ㉤ 인간은 분업에 참여함으로써 인간다움을 실현해야 한다고 주장한다.

① ㉠ ② ㉡ ③ ㉢ ④ ㉣ ⑤ ㉤

Tip

마르크스는 자본주의 체제에서의 ❶ [ ] 된 노동으로 인해 ❷ [ ] 현상이 심화된다고 주장하였다.

답 ❶ 분업화 ❷ 인간 소외

05 사형 제도에 대한 관점

(가)를 주장한 사상가의 입장에서 볼 때, (나)의 퍼즐 속 세로 낱말 (C)에 대한 옳은 설명만을 보기 에서 고른 것은?

(가)

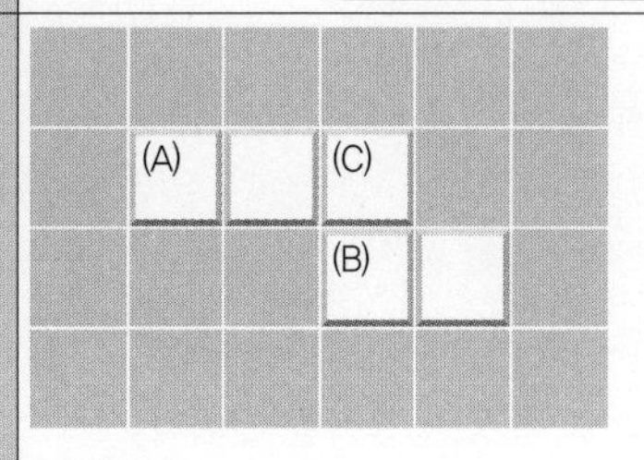

(나)

	(A)		(C)		
			(B)		

[가로 열쇠]
(A) : 심장과 폐의 기능이 영구히 상실되어 죽음에 이른 상태
(B) : 어떤 행위가 처벌되고 그 처벌은 어느 정도이며 어떤 종류의 것인가를 규정한 법률
[세로 열쇠]
(C) : …… 개념

보기

ㄱ. 인류의 정신에 유해한 비인도적 형벌이다.
ㄴ. 범죄자의 교화를 위해 요구되는 형벌이다.
ㄷ. 종신형에 비해 범죄 예방력이 약한 형벌이다.
ㄹ. 동등성의 원리에 따라 시행되어야 할 형벌이다.

① ㄱ, ㄴ ② ㄱ, ㄷ ③ ㄴ, ㄷ ④ ㄴ, ㄹ ⑤ ㄷ, ㄹ

Tip

베카리아는 ❶ [ ] 관점에서 사형보다 ❷ [ ] 이/가 범죄 예방과 사회 전체 이익 증진에 부합한다고 보았다.

답 ❶ 공리주의 ❷ 종신 노역형

06 신경 윤리학

다음 신문 칼럼의 입장으로 가장 적절한 것은?

> ○○ 신문 ○○○○년 ○○월 ○○일
>
> **칼럼**
>
> 신경 과학은 뇌의 작동 방식을 탐구하여 인간의 욕구와 행동을 조절하는 능력이 무엇인지, 또 어떻게 그 조절 능력을 잃게 되는지를 밝혀 줄 수 있으며, 이를 바탕으로 도덕적 행위의 핵심 요소들을 설명해 줄 수 있다. 그 요소들이란 자유의지, 자신의 마음을 아는 능력, 도덕성의 실체 등이다. 이러한 신경 과학의 학문적 지식을 바탕으로 새롭게 등장한 학문 분야가 신경 윤리학이다. 신경 윤리학은 도덕 판단 과정에서 이성과 정서의 역할, 자유와 선택, 그리고 도덕성에 대한 새로운 이해와 조정의 가능성을 제공해 주는 전환점을 마련해 줄 수 있다. …(후략).

① 도덕성은 과학적으로 측정 불가능한 것이다.
② 신경 과학 기술의 활용은 도덕적 갈등과 위기 상황을 초래한다.
③ 도덕 판단 과정에서 이성의 역할을 과학적으로 입증해서는 안 된다.
④ 인간의 도덕성과 윤리적 문제를 과학에 근거하여 탐구해서는 안 된다.
⑤ 도덕적 행위의 핵심 요소를 이해하려면 뇌 관련 지식을 활용해야 한다.

Tip

신경 윤리학은 ❶ ☐ 의 작동 방식을 탐구하는 신경 과학의 지식을 토대로 도덕 판단 과정에서 이성과 정서의 역할, 공감 능력 여부 등을 ❷ ☐ 적 측정 방법으로 입증하고자 한다.

답 ❶ 뇌 ❷ 과학

07 다양한 윤리적 접근

갑, 을의 입장으로 옳지 <u>않은</u> 것은?

> 갑 : 도(道)가 있으면 예악(禮樂)이나 정벌(征伐)이 천자에게서 나오고, 도가 없으면 제후로부터 나온다.
> 을 : 사람은 땅을 본받고, 땅은 하늘을 본받고, 하늘은 도를 본받고, 도는 자연을 본받는다.

① 갑 : 군주가 덕으로 다스려야 백성들이 바르게 된다.
② 갑 : 탁월한 기질을 타고난 사람만이 성인(聖人)이 된다.
③ 을 : 도는 우주 만물의 근원이자 변화 법칙이다.
④ 을 : 무지(無知)와 무욕(無欲)의 덕을 갖추어야 한다.
⑤ 을 : 인위적인 규범은 인간의 타고난 본성을 해친다.

Tip

유교 윤리는 인의(仁義)와 같은 규범을 추구한 반면 도가 윤리는 ❶ ☐ 규범이 인간의 타고난 ❷ ☐ 을/를 해치고 사회를 혼란스럽게 한다고 본다.

답 ❶ 인위적인 ❷ 본성

신경향 전략

08 인간 복제의 윤리적 쟁점

(가)의 갑, 을의 입장에서 (나)에 대해 제시할 견해로 가장 적절한 것은?

(가)	갑 : 인간 복제와 같은 생명 공학 기술은 인간 종의 인격성에 근간하지 않고 시대에 따라 좋음을 재규정한 윤리적 자기 이해에 근간하게 된다. 이러한 좋음의 윤리적 자기 이해에서 외면되는 것은 출생에 근간한 자유와 평등이다. 을 : 인간 개체를 복제하는 것은 그 목적이나 과정, 결과 모두 인간의 존엄성을 훼손하는 것이므로 허용되어서는 안 된다. 그러나 배아는 인간 개체와 다르므로 질병 치료를 주목적으로 하여 실시되는 배아 복제는 허용되어야 한다.
(나)	최근 과학 기술이 발달함에 따라 인간 복제, 즉 배아 복제나 개체 복제가 가능하게 되자 이에 대한 윤리적 논쟁이 지속되고 있다. 특히 줄기 세포를 활용하는 배아 복제의 경우 난치성 질병 치료에 기여할 수 있기 때문에 세계 여러 나라에서 연구가 활발하게 이루어지고 있는데 동시에 배아의 지위에 대한 논란도 크게 일어나고 있다.

① 갑 : 인간 종의 자연 발생적 조건에 구속되어서는 안 된다.
② 갑 : 배아는 단순한 세포 덩어리이므로 인간으로서의 지위를 갖지 않는다.
③ 을 : 생명을 살리려는 치료 목적의 배아 복제 실험은 필요하다.
④ 을 : 배아 복제는 개체 복제로 나아가기 위한 자연스러운 과정이다.
⑤ 갑, 을 : 배아는 점진적인 발달을 하는 주체적인 인간 실체이다.

Tip

배아 복제는 인체 조직과 장기 복구, ❶ ☐ 등에 활용되므로 세계 여러 나라에서 허용하고 있지만, 개체 복제는 인간의 ❷ ☐ 을/를 위협한다는 이유로 금지되고 있다.

답 ❶ 질병 치료 ❷ 고유성

09 국가에 대한 정치적 의무의 도덕적 근거

(가)의 갑, 을의 입장을 (나) 그림으로 표현할 때, A~C에 해당하는 적절한 진술만을 〈보기〉에서 있는 대로 고른 것은?

(가)	갑 : 인간은 자연 상태의 평화로움과 온갖 특권에도 불구하고 상호 간 다툼을 해결할 법률과 공평한 재판관 및 집행 권력의 부재라는 열악한 상황에 처하게 된다. 이로부터 정치 사회뿐 아니라 입법권과 행정권의 기원을 찾을 수 있다. 을 : 거의 정의로운 사회에서 구성원에게 요구되는 가장 중대한 자연적 의무는 체제의 안정에 기여하는 것이다. 이를 위해 구성원들은 체제의 불가피한 결함을 똑같이 분담해야 한다. 물론 사회의 부정의가 구성원에게 주는 부담이 과도해서는 안 된다.
(나)	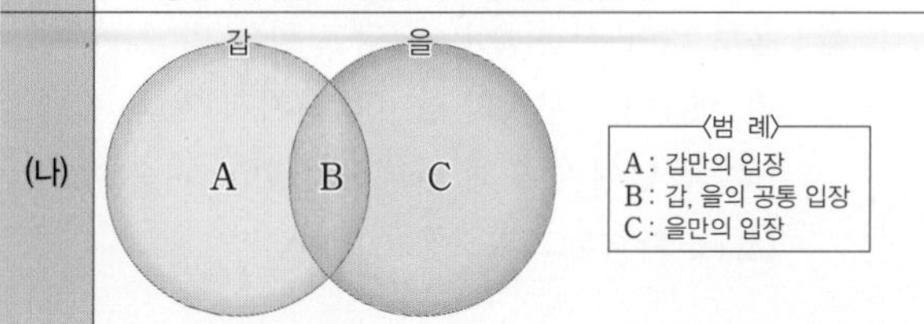

보기
ㄱ. A : 정치적 의무는 국가의 혜택이 아니라 동의에 근거한다.
ㄴ. A : 자발적이고 명시적인 동의만 정치적 의무의 근거가 될 수 있다.
ㄷ. B : 다수의 의사에 의해 정해진 법에 대해서는 무조건 복종해야 한다.
ㄹ. C : 정치적 의무는 자연적 의무로부터 도출되며 동의 없이도 성립될 수 있다.

① ㄱ, ㄷ ② ㄱ, ㄹ ③ ㄴ, ㄹ
④ ㄱ, ㄴ, ㄷ ⑤ ㄴ, ㄷ, ㄹ

Tip

로크는 국가가 ❶ [ ](으)로 양도받은 권력으로 개인의 자유를 오히려 침해할 경우 인간은 양도한 권리를 다시 되찾아올 수 있다는 ❷ [ ]을/를 주장하였다.

답 ❶ 사회 계약 ❷ 저항권

10 죽음에 대한 관점

갑, 을의 입장으로 적절한 것만을 〈보기〉에서 고른 것은?

갑 : 죽음은 산 사람이나 죽은 사람 모두와 아무런 상관이 없다. 산 사람에게는 아직 죽음이 오지 않았고, 죽은 사람은 이미 존재하지 않기 때문이다.
을 : 철인(哲人)은 영혼과 더불어 순수하게 되기를 원한다. 그들의 소원이 성취되어 사후 세계에 도착하면 이 세상에서 바라던 지혜를 얻게 될 희망이 있다.

보기
ㄱ. 갑 : 죽음은 인간을 구성하던 원자가 흩어지는 것이다.
ㄴ. 을 : 죽음은 영혼으로부터 해방되는 것이다.
ㄷ. 을 : 육체는 순수한 인식을 방해하는 감옥과 같다.
ㄹ. 갑, 을 : 죽음 앞으로 미리 달려가 봄으로써 삶을 가치 있게 살 수 있다.

① ㄱ, ㄴ ② ㄱ, ㄷ ③ ㄴ, ㄷ ④ ㄴ, ㄹ ⑤ ㄷ, ㄹ

Tip

하이데거는 ❶ [ ]인 인간만이 죽음을 ❷ [ ]할 수 있다고 보았다.

답 ❶ 현존재 ❷ 자각

11 분배적 정의

(가)를 주장한 사상가가 (나)의 상황 S1~S4에 대해 제시할 주장으로 옳지 않은 것은?

(가)	 최초의 정당한 취득 행위에 이어 자발적인 교환 행위로 재산의 정당한 이전(移轉)이 잇따르게 된다면, 사람들이 정확히 자신의 것만을 소유하게 되는 정당한 결과가 나옵니다. 하지만 현실의 역사는 강자가 약자의 소유물을 빼앗아 온 역사이기도 합니다. 따라서 그간 부당하게 발생한 이전들을 보상함으로써 교정이 이루어지게 해야 합니다.
(나)	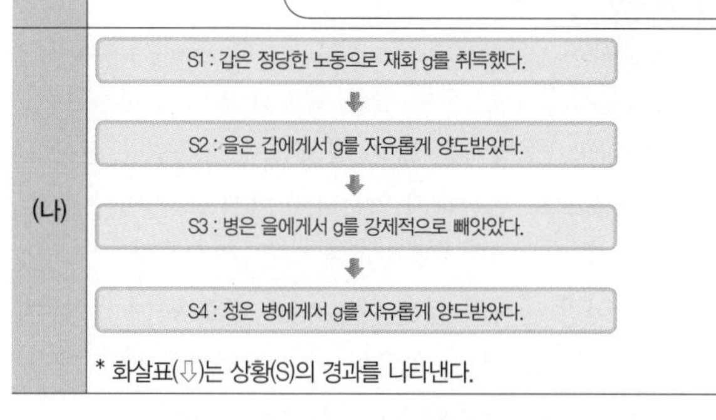

* 화살표(⇩)는 상황(S)의 경과를 나타낸다.

① S1에서 갑은 g에 대한 소유 권리를 지닌다.
② S1이 정의로운 분배 상황이면 S2도 그렇다.
③ S3에서 을은 g에 대한 소유 권리를 지닌다.
④ S4는 S3과 달리 정의로운 분배 상황이다.
⑤ S4에서 정은 g에 대한 소유 권리가 없다.

Tip

노직에 따르면, 개인 간의 자유로운 ❶ [ ]을/를 통해 재화를 타인으로부터 이전 또는 양도받았다면 그 재화에 대해서 정당한 ❷ [ ]을/를 갖는다.

답 ❶ 교환 ❷ 소유권

1·2등급 확보 전략 1회

빈출도 ● > ● > ●

1강_현대의 삶과 실천 윤리

01 ㉠에 들어갈 진술로 가장 적절한 것은?

> 나는 윤리학이 도덕적 개념이나 도덕적 언어의 분석에 중점을 두어야 한다고 생각한다. 다시 말해 옳음 혹은 좋음이 어떤 방식으로 존재하는지를 탐구해야 한다고 생각한다. 그런데 어떤 사람들은 윤리학이 다양한 윤리 문제에 대한 도덕적인 해결책을 모색하는 것에 주력해야 한다고 주장한다. 나는 이러한 주장이 [㉠]고 생각한다.

① 도덕 추론의 타당성 검토가 핵심 과제임을 간과한다
② 도덕 현상에 대한 객관적 서술에 주력해야 함을 간과한다
③ 도덕 문제 해결을 위한 학제적 접근이 필요함을 간과한다
④ 도덕 문제의 인과 관계 설명에 중점을 두어야 함을 간과한다
⑤ 도덕 판단의 기준이 되는 도덕 법칙의 정립에 힘써야 함을 간과한다

02 다음을 주장한 한국 사상가의 입장만을 | 보기 |에서 고른 것은?

> 마음의 발함은 터럭 끝을 살피기 어려운 것처럼 미미하고, 구덩이를 밟는 것처럼 위태로우니 진실로 경(敬)으로 일관하지 않는다면 어찌 그 기미를 바르게 하여 용(用)에 통달하게 하겠는가? 군자의 학문은 아직 발하지 않을 때는 경을 주로 하여 존양(存養) 공부를 하고, 마음이 이미 발하였을 때도 경을 주로 하여 성찰(省察) 공부를 하는 것이다.

| 보기 |

ㄱ. 시비(是非)에 대한 분별에서 벗어나야 한다.
ㄴ. 단정한 몸가짐과 엄숙한 태도를 유지해야 한다.
ㄷ. 정(定)과 혜(慧)를 함께 닦아 나쁜 습관을 제거해야 한다.
ㄹ. 마음을 한 군데에 집중하여 흐트러짐[適]이 없게 해야 한다.

① ㄱ, ㄴ ② ㄱ, ㄷ ③ ㄴ, ㄷ ④ ㄴ, ㄹ ⑤ ㄷ, ㄹ

⁂ 1등급 킬러

03 동양 사상가 갑, 을의 입장에서 〈문제 상황〉 속 A에게 해 줄 수 있는 조언으로 가장 적절한 것은?

> 갑 : 예의(禮義)를 비난하는 사람은 스스로를 해치는 자이고, 자신이 어질고 의로울 수 없다고 하는 사람은 스스로를 버리는 자이다. 인(仁)은 사람의 마음이고, 의(義)는 사람의 길이다.
>
> 을 : 홀로 앉아 선정(禪定)을 닦고 항상 법(法)에 따라 행동하며 무소의 뿔처럼 혼자서 가라. 갈애[愛]를 없애기 위해 나태하지 말고 마음 챙김[念]을 확립하고 가르침을 헤아려라.
>
> 〈문제 상황〉
>
> 공직자 A는 토지 개발 관련 공적 정보를 이용하여 돈을 벌고 싶은 유혹 때문에 고민하고 있다.

① 갑 : 집의(集義)를 통해 호연지기를 기르세요.
② 갑 : 예(禮)를 배워 악한 본성을 변화시키세요.
③ 을 : 탐욕과 집착을 버리고 무명(無明)에 이르세요.
④ 을 : 중도(中道)를 닦아 불성(佛性)을 형성하세요.
⑤ 갑, 을 : 무지(無知)와 무욕(無欲)의 덕을 갖추세요.

04 다음을 주장한 사상가의 입장에서 | 사례 | 속 학생에게 해 줄 수 있는 조언으로 가장 적절한 것은?

> 너의 뜻을 하나로 통일하여 기(氣)로 들어라. 기는 텅 비움으로써 바깥 사물을 있는 그대로 맞아들인다. 도(道)는 오로지 텅 비우는 곳에 모이는 법이다.

| 사례 |

① 만물의 위계질서를 파악하여 가치를 구별해야 한다.
② 외물(外物)에 얽매이지 않고 자유롭게 노닐어야 한다.
③ 주체적으로 삼학(三學)을 수행하여 깨달음을 얻어야 한다.
④ 오감(五感)을 통해 옳고 그름을 분별할 줄 알아야 한다.
⑤ 사물의 미추(美醜)를 구별하기 위해 선입견을 버려야 한다.

05 (가)의 근대 서양 사상가 갑, 을의 입장을 (나) 그림으로 표현할 때, A~C에 들어갈 적절한 진술만을 보기 에서 고른 것은?

(가)	갑 : 행복은 이성의 이상(理想)이 아니라 경험에 근거한 상상력의 이상이다. 이성의 사명은 선의지를 낳은 것이다. 을 : 공동체의 행복을 증진시키는 경향이 감소시키는 경향보다 더 클 때 유용성의 원리에 부합한다고 할 수 있다.
(나)	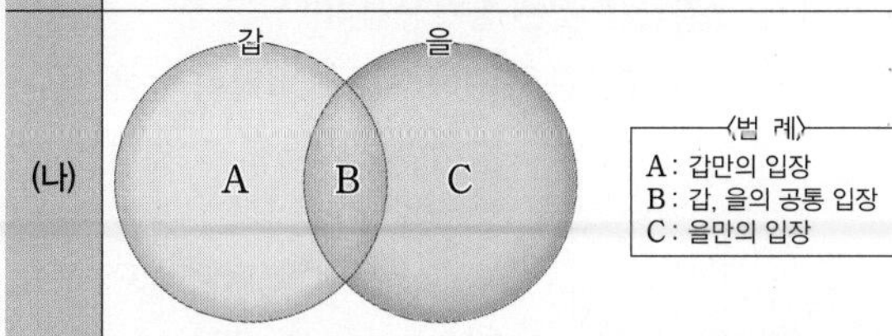

보기
ㄱ. A : 준칙에 따르는 모든 명령은 무조건적 의무이다.
ㄴ. B : 도덕 원리는 개인의 행복과 항상 일치한다.
ㄷ. B : 보편적 도덕 원리를 따라야 도덕적 행위이다.
ㄹ. C : 도덕은 행복한 삶을 실현하기 위한 수단이다.

① ㄱ, ㄴ ② ㄱ, ㄷ ③ ㄴ, ㄷ ④ ㄴ, ㄹ ⑤ ㄷ, ㄹ

2강_생명과 윤리

06 다음을 주장한 사상가의 입장만을 보기 에서 고른 것은?

유전적 소질 강화 프로그램은 미래 인격체의 의지와 무관하게 오직 제3자의 선호에 따라 이루어진 것으로, 인간의 '기술화'라는 형식을 지닌 유전적 간섭입니다. 치료적 간섭과는 달리 소질을 변화시키는 유전적 간섭은 적극적 우생학의 조건을 충족시키게 됩니다.

보기
ㄱ. 미래 인격체는 현 세대의 의지를 따라야 한다.
ㄴ. 인격체의 존엄성을 위협하는 기술은 옳지 않다.
ㄷ. 유전자에 대한 치료적 개입은 적극적 우생학의 조건을 충족한다.
ㄹ. 유전적 개입으로 태어난 인간은 공론장의 동등한 구성원이 되기 어렵다.

① ㄱ, ㄴ ② ㄱ, ㄷ ③ㄴ, ㄷ ④ ㄴ, ㄹ ⑤ ㄷ, ㄹ

⁂ 1등급 킬러

07 서양 사상가 갑, 을의 입장을 보기 에서 고른 것은?

갑 : 영혼은 육체와 함께 있는 동안에는 결코 순수한 지식을 가질 수 없다. 영혼이 육체에서 벗어나 오직 참된 존재만을 갈망할 때 최상의 사유를 할 수 있다.
을 : 죽음은 현존재를 단순히 '속해 있기만' 하는 존재가 아니라 '개별적' 현존재로 만든다. 죽음의 몰교섭적인 특성은 현존재가 본래적 자기 자신으로 존재할 수 있게 한다.

보기
ㄱ. 갑 : 죽음을 통해 영혼은 참된 진리를 얻을 수 있다.
ㄴ. 을 : 인간은 죽음 이전에는 절망을 극복할 수 없다.
ㄷ. 을 : 죽음에 대한 숙고는 실존의 회복으로 이어진다.
ㄹ. 갑, 을 : 죽음을 두려워해야 삶을 의미 있게 살 수 있다.

① ㄱ, ㄴ ② ㄱ, ㄷ ③ ㄴ, ㄷ ④ ㄴ, ㄹ ⑤ ㄷ, ㄹ

08 갑은 긍정, 을은 부정의 대답을 할 질문으로 옳은 것은?

갑 : 인종 차별주의는 인간의 인종 집단 사이에 어떤 도덕적으로 중요한 차이가 없기 때문에 사악한 것이다. 그러나 종간의 도덕적 차이에 따라 동물을 차별하는 것을 옹호하는 종 차별주의는 정당하다.
을 : 고통을 느낄 수 있는 모든 존재는 평등한 이익 고려의 범주에 포함된다. 그리고 그 고통의 결과는 동등하게 고려되는 것이므로 특정 종, 즉 인간만의 고통을 중시하는 차별주의적 태도는 거부되어야 한다.

① 동물은 윤리 규범의 고안 능력이 있는가?
② 동물은 도덕적 행위의 주체가 될 수 있는가?
③ 자연의 모든 생명은 그 자체로 가치를 지니는가?
④ 종 차별주의는 도덕적으로 정당화될 수 있는가?
⑤ 인간은 동물의 도덕적 권리를 침해하면 안 되는가?

3강_직업과 청렴의 윤리 ~ 사회 정의와 윤리 ①

09 (가) 사상가의 입장에서 (나)의 ㉠, ㉡에 대해 제시할 내용으로 옳지 않은 것은?

(가)	최근 사회 과학자들은 '사회적 자본'이라는 개념을 통해 미국 사회의 성격 변화를 분석하는 틀을 만들었다. 개인적 생산성을 향상시키는 도구와 훈련이라는 의미의 물리적 자본과 인적 자본에 비유해서 설명하자면, 사회적 자본 이론의 핵심은 사회적 네트워크가 중요한 가치를 갖고 있다는 생각이다.
(나)	• ㉠ : 기업체를 설립, 조직, 관리하고 내포된 위험을 감수하며 기업의 경영을 담당하는 사람 • ㉡ : 타인에게 고용되어 근로를 제공하고 그 대가로 임금을 받는 사람

① ㉠은 신뢰 구축과 의사소통의 활성화를 위해 노력해야 한다.
② ㉡의 개인적 덕성은 생산의 효율성을 높이는 데 기여한다.
③ ㉠과 ㉡이 협조할 때 공동체 전체의 이익도 커질 것이다.
④ ㉠과 ㉡의 호혜적 관계가 강화되면 사회적 자본은 약화된다.
⑤ ㉠과 ㉡이 상호 이익을 위해 협력할 때 사회적 자본을 형성할 수 있다.

10 다음 사상가의 주장으로 옳은 설명만을 보기 에서 있는 대로 고른 것은?

집단과 집단 사이의 관계는 항상 윤리적이기보다는 지극히 정치적입니다. 모든 도덕주의자들은 인간의 집단행동이 지닌 야수적 성격과 모든 집단적 관계들에 있는 집단적 이기주의의 힘에 대한 이해를 결여하고 있습니다. 그들은 사회적 갈등이 인류 역사에서 불가피한 것임을 제대로 인식하지 못합니다.

보기
ㄱ. 집단 간 관계는 각 집단이 갖는 힘의 비율에 따라 수립된다.
ㄴ. 선의지는 정의 실현을 위한 비합리적인 수단을 통제해야 한다.
ㄷ. 집단 내 개인들 간의 갈등을 도덕적 방법으로 해결하는 것은 불가능하다.
ㄹ. 정의 실현을 위해서는 도덕성이 높은 사람이 허용하지 않을 강제력도 사용될 수 있다.

① ㄱ, ㄴ ② ㄱ, ㄷ ③ ㄷ, ㄹ
④ ㄱ, ㄴ, ㄹ ⑤ ㄴ, ㄷ, ㄹ

4강_사회 정의와 윤리 ② ~ 국가와 시민의 윤리

⁂ 1등급 킬러

11 갑, 을 사상가들의 입장을 보기 에서 고른 것은?

갑 : 자본주의 사회에서 노동은 자아를 실현하는 활동이 아니라 생계를 위한 어쩔 수 없는 강제적인 활동이 된다. 이것을 극복하기 위해서는 자본주의의 사적 소유를 없애고 공동 생산, 공동 분배의 공산주의를 건설해야 한다.
을 : 분배적 정의는 중립적인 개념이 아니다. 중립적인 개념은 '개인의 소유물'이다. 각자가 자신의 소유물에 대해 소유 권리를 갖는 것이 정의이다.

보기

		생산 수단에 대한 개인의 정당한 소유권은 배타적으로 보장되어야 하는가?	
		예	아니오
정의로운 사회는 사회적 불평등이 사라진 사회인가?	예	A	B
	아니오	C	D

	갑	을
①	A	B
②	A	C
③	B	C
④	B	D
⑤	C	D

12 다음 사상가의 입장으로 적절한 내용만을 | 보기 |에서 고른 것은?

> 시민 불복종은 거의 정의로운 사회에서 그 체제의 합법성을 인정하는 시민들에 의해서만 생겨난다. 그 것은 개인이나 집단의 이익이 아니라 다수의 정의감에 근거해야 한다.

보기

ㄱ. 평등한 자유의 원칙은 시민 불복종의 대상에서 제외된다.
ㄴ. 시민 불복종은 신중한 신념을 표현하는 비공개적인 행위이다.
ㄷ. 시민 불복종은 그 행위로 인한 법적 처벌의 감수까지 포함한다.
ㄹ. 개인의 양심에 어긋나는 모든 법에 대해 시민 불복종을 할 수 있다.

① ㄱ, ㄴ ② ㄱ, ㄷ ③ ㄴ, ㄷ ④ ㄴ, ㄹ ⑤ ㄷ, ㄹ

13 갑, 을 사상가들의 입장으로 적절한 것만을 | 보기 |에서 고른 것은?

갑: 정의의 원칙들이 공정한 합의나 약정의 결과가 되는 것은 원초적 입장에서 무지의 베일을 쓴 당사자들 모두가 유사한 상황 속에 처하게 되기 때문입니다.

을: 분배가 정의로울 조건은 그 분배 하에서 모든 사람이 자신들이 소유하고 있는 것에 대한 소유 권리를 갖는 것입니다. 소유물의 분배 정의는 역사적입니다.

보기

ㄱ. 갑 : 사유 재산권은 차등의 원칙에 의해서만 제한될 수 있다.
ㄴ. 을 : 분배 정의의 정형적 원리는 필연적으로 재분배를 요구한다.
ㄷ. 을 : 자신의 노동에 의한 결과에만 정당한 소유권이 부여된다.
ㄹ. 갑, 을 : 개인은 정당한 소유물에 대한 배타적 사용권을 지닌다.

① ㄱ, ㄴ ② ㄱ, ㄷ ③ ㄴ, ㄷ ④ ㄴ, ㄹ ⑤ ㄷ, ㄹ

⁂ 1등급 킬러

14 (가)의 갑, 을, 병 사상가의 입장을 (나) 그림으로 표현할 때, A~E에 들어갈 진술로 옳은 것은?

(가)
갑 : 살인자는 누구든 사형에 처해지지 않으면 안 된다. 이것은 정언 명령이자 사법권의 이념으로서 정의가 선험적으로 근거된 법칙들에 따라 의욕하는 바이다.
을 : 타인의 희생으로 자기의 생명을 보존하려고 하는 사람은 타인을 위해 자신도 희생해야 한다는 데 동의해야 한다. 그는 일반의지로부터 규정된 법을 따라야 한다.
병 : 사형은 한 사람의 시민에 대한 국가의 전쟁이다. 인간은 자신을 죽일 권리가 없는 이상, 그 권리를 타인이나 일반 사회에 양도하는 것 역시 불가능한 것이다.

(나)

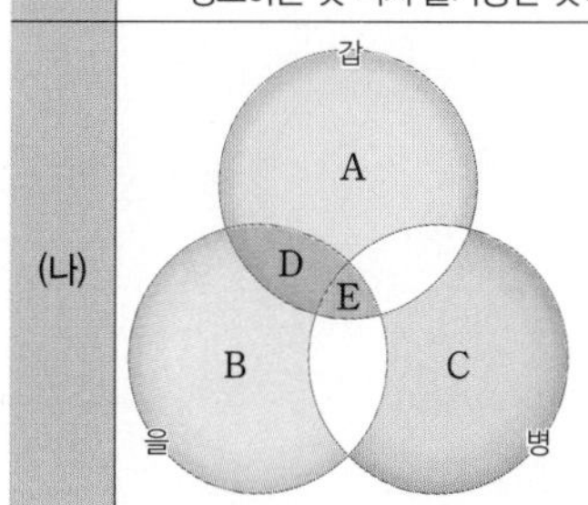

〈범 례〉
A : 갑만의 입장
B : 을만의 입장
C : 병만의 입장
D : 갑, 을만의 입장
E : 갑, 을, 병의 공통 입장

① A : 형벌의 목적은 응분의 보복이 아니라 범죄의 예방에 있다.
② B : 국가는 살인자의 생명을 박탈할 정당한 권리를 지닌다.
③ C : 범죄를 예방하기 위해서 사형 제도는 존치되어야 한다.
④ D : 시민의 생명권을 보장하기 위해 사형 제도는 폐지되어야 한다.
⑤ E : 사형 제도의 정당성을 판단할 때 인간 생명의 가치를 고려해야 한다.

1·2등급 확보 전략 2회

빈출도 ● > ● > ●

1강_현대의 삶과 실천 윤리

01 ㉠, ㉡에 들어갈 말로 가장 적절한 것은?

●

> (가) 윤리학은 성품이나 제도, 행동 등을 이론적으로 분석하여 윤리 문제를 해결할 수 있는 이론적 근거를 제시해야 하며, 도덕 판단의 기준을 명확히 설정하는 것을 목적으로 삼아야 한다. 따라서 윤리학은 [㉠]에 주력해야 한다.
> (나) 윤리학은 개인의 도덕적 의식이나 문화권 내에 존재하는 도덕적 관행에 초점을 두고, 개인의 생활과 사회 구조 속에 존재하는 도덕 현상에 대한 경험적 지식을 기술하는 것에 주력해야 한다. 따라서 윤리학은 [㉡]에 주력해야 한다.

① ㉠ : 도덕 현상의 가치 중립적 서술
② ㉠ : 도덕적 언어의 의미론적 구조 분석
③ ㉡ : 도덕적 행위의 인과 관계에 대한 객관적 설명
④ ㉡ : 학문적 성립 가능성을 탐구하기 위한 도덕적 언어 분석
⑤ ㉠, ㉡ : 학제적 접근을 통한 삶의 도덕 문제의 해결

02 다음을 주장한 동양 사상가의 입장만을 〈보기〉에서 고른 것은?

●

사람들은 자연스러운 본성을 버리고 각기 제 마음만을 따르며 서로의 마음속을 엿보아 천하를 안정시킬 수가 없게 되었습니다. 그런 뒤에 문화라는 장식을 달고 학문이라는 박식(博識)을 덧붙였으나 그런 장식은 소박한 본질을 잃게 하고 박식은 사람들의 마음을 혼란에 빠지게 하였습니다.

보기
ㄱ. 마음을 비우고 깨끗이 해야[心齋] 한다.
ㄴ. 옳고 그름에 대한 분별적 지식을 쌓아야 한다.
ㄷ. 소요유(逍遙遊)를 이상적 경지로 보아야 한다.
ㄹ. 오감(五感)을 통해 아름다움과 추함을 가려야 한다.

① ㄱ, ㄴ ② ㄱ, ㄷ ③ ㄴ, ㄷ ④ ㄴ, ㄹ ⑤ ㄷ, ㄹ

⁂ 1등급 킬러

03 (가)의 갑, 을, 병 사상가들의 입장에서 서로에게 제기할 수 있는 비판을 (나) 그림으로 표현할 때, A~F에 해당하는 내용으로 옳은 것은?

●

(가)	갑 : 우리가 성품이라고 일컫는 천부적 재능이나 기질은 그것을 사용하는 의지가 선하지 못하면 악하거나 해로울 수도 있다. 선의지는 오직 그렇게 하기로 마음을 먹은 일 자체로 선하다. 을 : 우리가 어떤 종류의 쾌락들이 다른 것들에 비해 더욱 바람직하다고 인정하는 것은 유용성의 원리와 얼마든지 양립 가능하다. 쾌락을 평가할 때는 양은 물론이고 질도 고려되어야 한다. 병 : 우리가 어떤 종류의 사람이 되어야 하는지가 도덕적 삶의 핵심이다. 도덕적 개인은 무조건 규칙에 따르는 자가 아니라 훌륭한 개인, 훌륭한 시민으로서의 특성을 지니고 있는 사람이다.
(나)	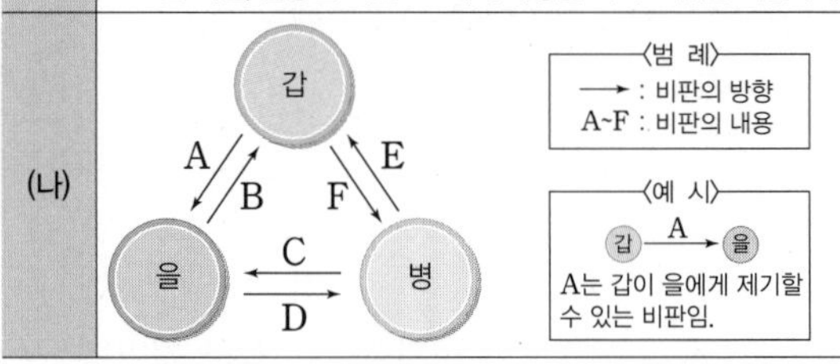

① A : 보편적 도덕 원리에 따라 행위를 해야 함을 간과하고 있다.
② B : 도덕성을 판단할 때 행위의 결과보다 동기를 중시해야 함을 간과하고 있다.
③ D : 사회적 이익보다는 공동체의 전통을 중시해야 함을 간과하고 있다.
④ C, E : 도덕 원리의 정립보다 행위자의 품성이 중요함을 간과하고 있다.
⑤ D, F : 도덕적 행위는 자연적 감정과 동기가 중요함을 간과하고 있다.

2강_생명과 윤리

1등급 킬러

04 갑, 을의 입장으로 가장 적절한 것은?

> **갑** : 우리는 인간으로서 존엄을 유지하면서 죽음을 맞이할 권리를 지닌다. 따라서 소생 불가능한 환자들에게 무의미한 연명 치료를 중단해야 한다. 하지만 환자가 원한다고 해서 환자에게 약물을 주입하여 죽음에 이르게 하는 것은 살인이므로 허용해서는 안 된다.
>
> **을** : 우리가 원하는 순간과 조건에서 자신의 죽음을 선택한다는 것은 인간의 권리도 아니고 인간의 자유를 증가시키는 일도 아니다. 안락사는 존엄한 인간 생명을 보존해야 한다는 윤리적 의무를 포기하는 일이므로 안락사를 허용해서는 안 된다.

① 갑 : 의사는 환자 치료를 결코 중단해서는 안 된다.
② 갑 : 환자가 동의한 적극적 안락사를 허용해야 한다.
③ 을 : 인간은 죽음의 방법을 스스로 선택해야 한다.
④ 을 : 연명 치료는 사회적 이익에 부합하지 않는다.
⑤ 갑, 을 : 인간의 존엄성 존중 원칙을 지켜야 한다.

05 다음 토론의 핵심 쟁점으로 가장 적절한 것은?

① 체세포 유전자 치료를 허용해야 하는가?
② 생식 세포 유전자 치료는 병의 유전을 막는가?
③ 체세포 유전자 치료는 질병 치료의 효과가 있는가?
④ 유전자 치료는 인간의 수명을 연장시킬 수 있는가?
⑤ 후세대에게 영향을 주는 유전자 치료는 바람직한가?

3강_직업과 청렴의 윤리 ~ 사회 정의와 윤리 ①

1등급 킬러

06 갑, 을 사상가들의 입장만을 보기 에서 있는 대로 고른 것은?

> **갑** : 노동은 인간이 자신의 자연적인 힘을 사용하여 자연과 관계를 맺는 하나의 과정이다. 그러나 자본주의에서는 노동자가 생산 수단을 사용하는 것이 아니라 생산 수단이 노동자를 사용하는 왜곡이 일어난다.
>
> **을** : 사람들은 각 사람마다 자기에게 맞는 일을 하도록 창조되었다. 우리는 각 사람이 자신의 소명(召命)에 따라서 부지런히 일하여 많은 사람들에게 유익을 끼치는 삶을 사는 것보다 신을 더 기쁘게 해 드리는 일이 없다는 것을 알고 있다.

보기
ㄱ. 갑은 인간 소외의 극복을 위해 사회적 분업을 강조한다.
ㄴ. 을은 노동을 통하여 이웃 사랑을 실천할 것을 강조한다.
ㄷ. 갑은 을과 달리 노동을 통한 사유 재산 축적을 중시한다.
ㄹ. 갑, 을은 노동이 가진 생계 수단 이상의 가치를 중시한다.

① ㄱ, ㄴ　② ㄱ, ㄷ　③ ㄴ, ㄹ
④ ㄱ, ㄷ, ㄹ　⑤ ㄴ, ㄷ, ㄹ

07 다음 사상가가 부정의 대답을 할 질문으로 가장 적절한 것은?

> 프로테스탄트에게 노동은 신이 부여한 소명으로, 신의 은총을 확신하기 위한 최선의 수단이 됨으로써 노동자의 금욕적 자세를 심화시켰다. 자본주의 정신의 토대는 이러한 금욕적 노동이 영리 추구와 결합하여 발생한다.

① 프로테스탄트는 직업적 성공이 구원의 징표라고 보는가?
② 프로테스탄트는 직업을 신으로부터 부름 받은 것으로 보는가?
③ 금욕주의 직업 윤리는 자본주의 정신 형성에 기여할 수 있는가?
④ 프로테스탄트는 직업이 정신적 가치와 무관하지 않다고 보는가?
⑤ 프로테스탄트는 노동을 통한 부의 추구를 영혼의 타락으로 보는가?

08 갑, 을 사상가들의 입장으로 가장 적절한 것은?

> **갑** : 사회의 기본 구조에 대한 정의의 원칙들이 원초적 합의의 대상이다. 이것은 자신의 이익 증진에 관심을 가진 자유롭고 합리적인 사람들이 평등한 최초의 입장에서 그들 조직체의 기본 조건을 규정하는 것으로 채택하게 될 원칙이다.
>
> **을** : 각 개인은 자기 소유물을 합법적 수단으로 취득할 경우 그에 대한 소유 권리를 갖는다. 따라서 정당한 획득과 정당한 이전(移轉), 그리고 부정의의 교정의 원칙에 따른 부와 소득의 분배만이 정당성을 갖는다.

① 갑 : 최소 국가가 개인의 권리를 가장 잘 보호할 수 있다.
② 갑 : 사적 소유권은 인간의 기본적인 권리로 승인될 수 없다.
③ 을 : 부의 소유와 거래 및 교정에 대한 국가의 개입은 배제된다.
④ 을 : 공정으로서의 정의관으로서 사회는 상호 이익을 위한 협동 체제이다.
⑤ 갑, 을 : 개인은 자신의 유리한 천부적 자산을 소유할 권한을 갖는다.

1등급 킬러

09 (가)의 갑, 을, 병 사상가들의 입장을 (나) 그림으로 탐구할 때, A~D에 해당하는 옳은 질문만을 | 보기 |에서 있는 대로 고른 것은?

(가)	갑 : 개인들은 원초적 상황에서 합리적 선택을 통해 공정으로서의 정의관에 기초한 원칙들에 합의하게 된다. 을 : 개인이 정당한 노동으로 취득한 소득에는 침해할 수 없는 소유권이 인정된다. 병 : 더 많은 사람에게 더 많은 행복을 가져다주는 행위가 옳은 행위이다.
(나)	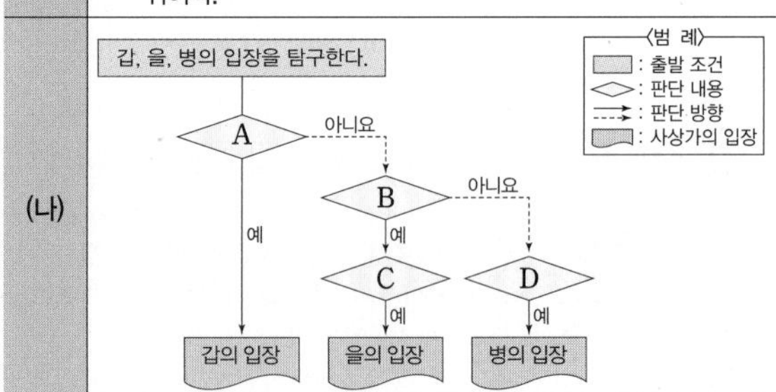

| 보기 |

ㄱ. A : 절차가 공정하면 결과도 공정한 것으로 보아야 하는가?
ㄴ. B : 업적을 단일 기준으로 하는 분배가 정의로운 분배인가?
ㄷ. C : 도덕적 공과(功過)에 따른 분배는 부정의한가?
ㄹ. D : 사회 전체의 효용을 극대화하는 정책을 세워야 하는가?

① ㄱ, ㄴ ② ㄴ, ㄷ ③ ㄷ, ㄹ
④ ㄱ, ㄴ, ㄹ ⑤ ㄱ, ㄷ, ㄹ

4강_사회 정의와 윤리 ② ~ 국가와 시민의 윤리

10 갑, 을 사상가의 입장으로 가장 적절한 것은?

① 갑 : 살인죄에 대하여 사형을 대체할 다른 처벌이 존재한다.
② 갑 : 형벌은 공적 정의 실현을 위해 보복법에 따라 부과되어야 한다.
③ 을 : 사형은 살인범의 인격을 존중하기 위해 실시해야 한다.
④ 을 : 사형은 생명 보존의 계약을 위반한 사람에 대한 정당한 처벌이다.
⑤ 갑, 을 : 형벌의 크기는 범죄가 사회에 미치는 영향과 무관하게 정해져야 한다.

11 다음 사상가의 입장으로 옳지 않은 것은?

① 국가의 구성원은 모두 정치적 의무를 지닌다.
② 묵시적 동의만으로도 정치적 의무가 성립한다.
③ 정치적 의무의 성립 근거는 개인의 동의에 있다.
④ 국가의 보호를 받는 자는 모두 그 국가의 구성원이다.
⑤ 국가의 영토 일부를 소유하는 것 자체가 일종의 동의이다.

⁂ 1등급 킬러

12 (가)의 갑, 을 사상가들의 입장을 (나) 그림으로 탐구하고자 할 때, A~C에 들어갈 적절한 질문만을 보기 에서 있는 대로 고른 것은?

(가)

(나)

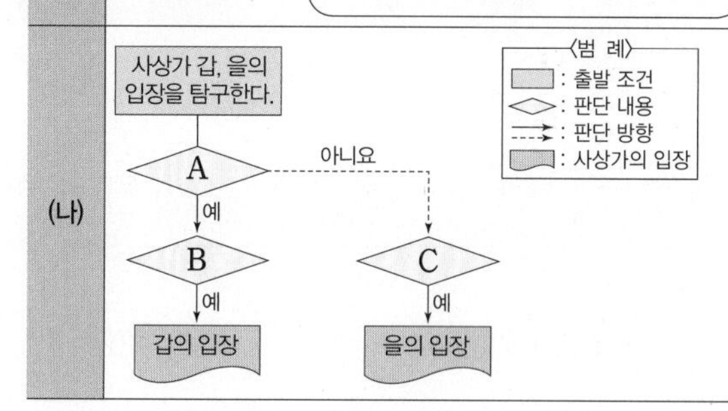

보기
ㄱ. A : 시민 불복종 참여자는 위법 행위에 대한 처벌을 감수해야 하는가?
ㄴ. B : 국민의 기본권을 현저하게 침해하는 국가에 대해서는 시민 불복종이 아닌 무력을 사용한 혁명의 시도가 가능한가?
ㄷ. C : 시민 불복종은 개인의 양심에 어긋나는 정책에 대해 이루어져야 하는가?
ㄹ. C : 시민 불복종은 민주주의적인 의사 결정을 좌절시킨다기보다 복원하려는 시도인가?

① ㄱ, ㄴ ② ㄱ, ㄷ ③ ㄴ, ㄹ
④ ㄱ, ㄷ, ㄹ ⑤ ㄴ, ㄷ, ㄹ

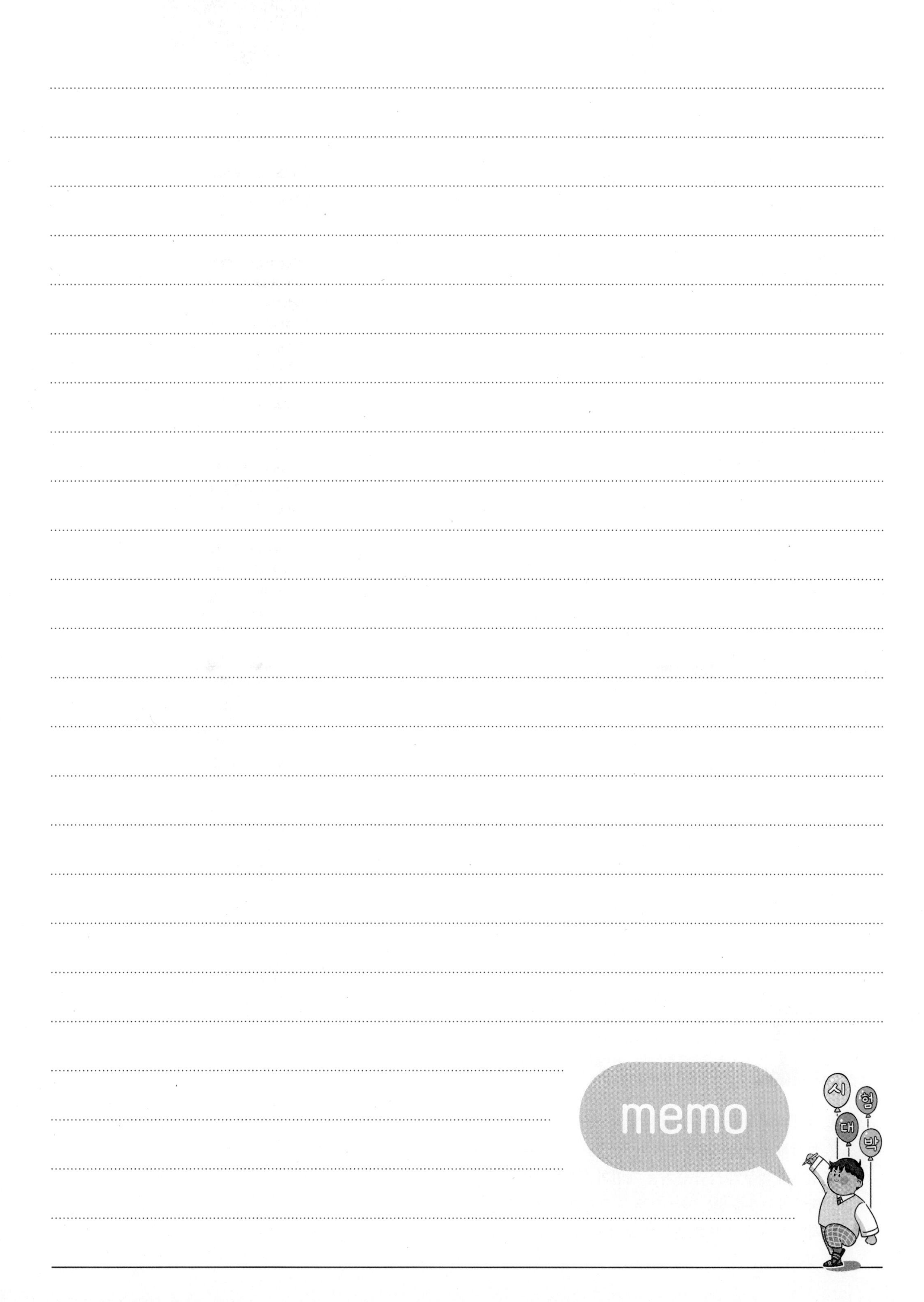
memo
시
험
대
박

book.chunjae.co.kr

교재 내용 문의 ······························ 교재 홈페이지 ▸ 고등 ▸ 교재상담
교재 내용 외 문의 ························· 교재 홈페이지 ▸ 고객센터 ▸ 1:1문의
발간 후 발견되는 오류 ················ 교재 홈페이지 ▸ 고등 ▸ 학습지원 ▸ 학습자료실

수능공략 필승학습!
단기간에 끝장내자!

BOOK 2

사탐영역 생활과 윤리

실 전 에 강 한

수능전략

생활과 윤리

수능전략

사·회·탐·구·영·역

생활과 윤리

BOOK 2

이 책의 구성과 활용

본책인 BOOK 1과 BOOK2의 구성은 다음과 같습니다.

BOOK 1
1주, 2주

BOOK 2
1주, 2주

BOOK 3
정답과 해설

주 도입

본격적인 학습에 앞서, 재미있는 만화를 살펴보며 이번 주에 학습할 내용을 확인해 봅니다.

1일

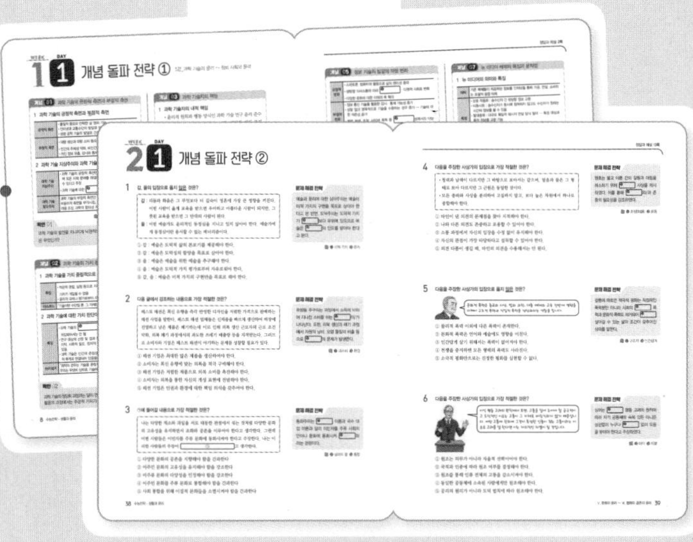

개념 돌파 전략

수능을 대비하기 위해 꼭 알아야 할 핵심 개념을 익힌 뒤, 간단한 문제를 풀며 개념을 잘 이해했는지 확인해 봅니다.

2일, 3일

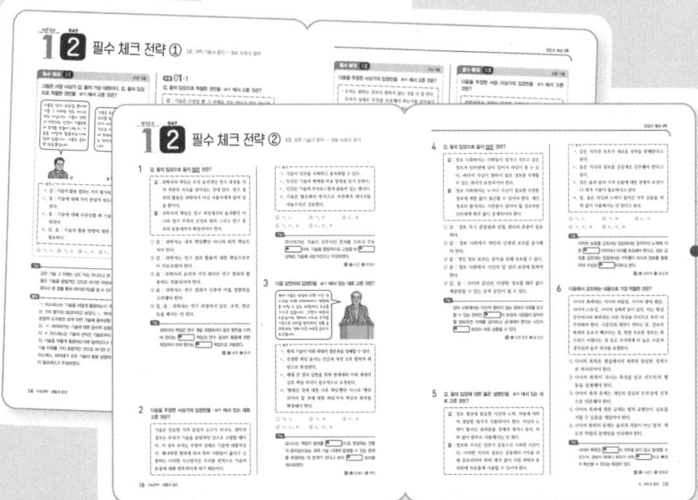

필수 체크 전략

기출문제에서 선별한 대표 유형 문제와 응용 문제를 함께 풀어 보며 문제에 접근하는 과정과 해결 전략을 체계적으로 익혀 봅니다.

부록 수능에 꼭 나오는 필수 유형 ZIP

본 책에서 다룬 대표 유형과 그 해결 전략을 집중적으로 연습할 수 있도록 권두 부록을 구성했습니다. 부록을 뜯으면 미니북으로 활용할 수 있습니다.

주 마무리 코너

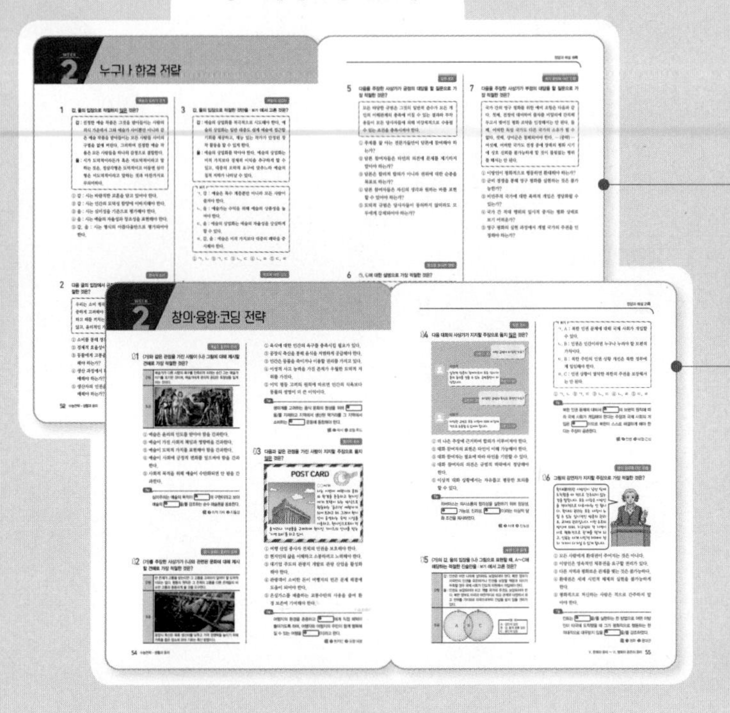

누구나 합격 전략
수능 유형에 맞춘 기초 연습 문제를 풀어 보며 학습에 자신감을 높일 수 있습니다.

창의·융합·코딩 전략
수능에서 요구하는 융·복합적 사고력과 문제 해결력을 기를 수 있습니다.

권 마무리 코너

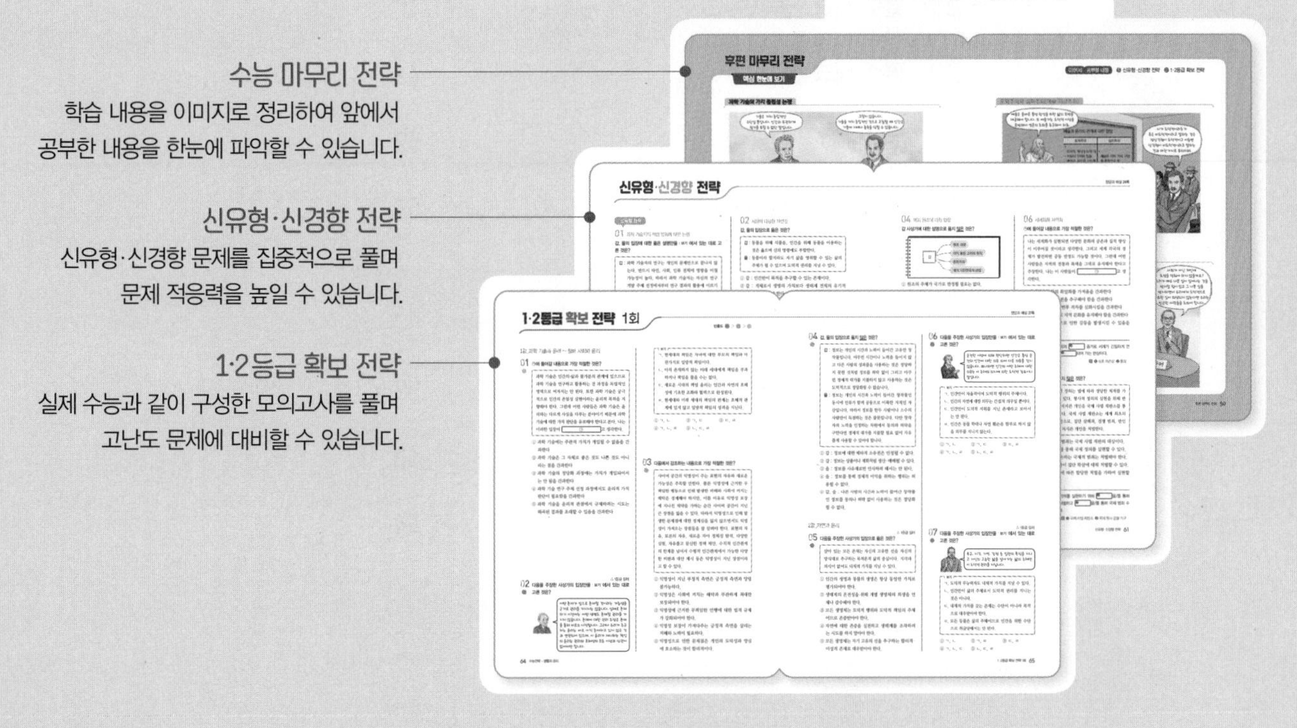

수능 마무리 전략
학습 내용을 이미지로 정리하여 앞에서 공부한 내용을 한눈에 파악할 수 있습니다.

신유형·신경향 전략
신유형·신경향 문제를 집중적으로 풀며 문제 적응력을 높일 수 있습니다.

1·2등급 확보 전략
실제 수능과 같이 구성한 모의고사를 풀며 고난도 문제에 대비할 수 있습니다.

이 책의 차례

BOOK 1

WEEK 1

WEEK 2

BOOK 2

WEEK 1

WEEK 2

WEEK

1 Ⅳ. 과학과 윤리

1강_과학 기술과 윤리 ~ 정보 사회와 윤리

학습할 내용 **1강** ❶ 과학 기술의 가치 중립성 논쟁 ❷ 과학 기술자의 책임과 책임 윤리 ❸ 정보 기술 발달과 정보 윤리 ❹ 정보 사회의 매체 윤리

2강 ❶ 서양의 자연관 – 인간 중심주의, 동물 중심주의, 생명 중심주의, 생태 중심주의 ❷ 동양의 자연관 ❸ 환경 문제 및 지속 가능한 발전 ❹ 기후 변화 문제 및 미래 세대에 대한 책임

2강_자연과 윤리

WEEK 1 DAY 1

개념 돌파 전략 ①

1강_과학 기술과 윤리 ~ 정보 사회와 윤리

개념 01 과학 기술의 긍정적 측면과 부정적 측면

1 과학 기술의 긍정적 측면과 부정적 측면

긍정적 측면	• 물질적 풍요와 안락한 삶 영위 가능 • 인터넷과 교통수단의 발달로 인한 시공간적 제약의 극복 • 생명 공학 기술의 발달로 건강 증진, 생명 연장
부정적 측면	• 대량 생산과 대량 소비 등으로 ❶ ______ 발생 • 인간의 주체성 약화, 비인간화 현상 초래 • 개인 정보 유출, 감시와 통제 등으로 인권과 사생활 침해

2 과학 기술 지상주의와 과학 기술 혐오주의

과학 기술 지상주의	• 과학 기술의 긍정적 측면만 강조 → 과학 기술을 활용하여 모든 사회 문제를 해결하고 무한한 행복과 부를 누릴 수 있다고 주장 • 과학 기술에 대한 ❷ ______, 반성적 숙고 등 방해
과학 기술 혐오주의	과학 기술의 부정적 측면만 강조 → 과학 기술의 비인간적, 비윤리적 측면을 부각시킴, 과학 기술에 대한 근거 없는 두려움 조장, 과학의 합리성 자체를 문제 삼음

답 ❶ 환경 문제 ❷ 비판적 성찰

확인 01

과학 기술의 발전을 지나치게 낙관적으로 보는 관점을 일컫는 말은 무엇인가?

개념 02 과학 기술의 가치 중립성 논쟁

1 과학 기술을 가치 중립적으로 보는 입장

특징	• 객관적 관찰, 실험 등으로 지식을 획득하므로 ❶ ______ 가치가 개입될 수 없음 • 윤리적 규제나 평가로부터 자유로워야 함
야스퍼스	"기술이란 수단일 뿐, 그 자체는 선도 악도 아니다."

2 과학 기술에 대한 가치 판단이 필요하다는 입장

특징	• 과학 기술의 ❷ ______ 과정 : 연구자의 주관적 가치가 개입되어서는 안 됨 • 연구 대상의 선정 및 결과 활용 과정 : 개인의 가치관, 기업의 이익, 사회적 필요, 정치적 목적 등 다양한 가치가 개입될 수 있음 • 과학 기술은 인간의 존엄성 구현과 삶의 질 향상이라는 윤리적 목적과 연결되어 있음을 강조함
하이데거	"최악의 경우는 기술을 중립적인 것으로 고찰할 때이며, 이 경우 우리는 무방비 상태로 기술에 내맡겨진다."

답 ❶ 주관적 ❷ 정당화

확인 02

과학 기술의 정당화 과정과는 달리 연구 대상의 선정 및 ______ 활용의 과정에서는 주관적 가치가 개입된다.

개념 03 과학 기술자의 책임

1 과학 기술자의 내적 책임

- 윤리적 원칙과 행동 양식인 과학 기술 연구 윤리 준수
- 연구 과정에서 위조, 변조, 표절, 부당한 저자 표기 등의 비윤리적 행위 금지
- 실험 대상을 ❶ ______(으)로 대우하고 연구 결과를 공표해야 함

2 과학 기술자의 외적(사회적) 책임

- 연구 결과가 사회에 미칠 영향에 대해 책임져야 함
- 연구 결과물의 부정적 영향력이나 위험에 대해 검토하여 이에 대한 ❷ ______ 조치를 해야 함
- 선한 의도로 시작한 연구라고 해도 해로운 결과가 예상되면 연구를 중단해야 함

답 ❶ 윤리적 ❷ 예방적

확인 03

연구 결과가 사회에 미치는 영향력에 대한 고려는 과학 기술자의 (내적 , 외적) 책임과 관련된다.

개념 04 요나스의 책임 윤리

1 책임 윤리의 필요성

- 전통적 윤리관이 책임의 범위를 ❶ ______(으)로 한정한 한계를 극복하기 위해 미래 세대를 포함할 것을 주장함
- 전통적 윤리관의 '행해진 것에 대한 사후 책임' 부과와 달리 '행위되어야 할 것에 대한 책임'을 부과함

2 인류 존속에 대한 현세대의 책임 강조

- 인류가 존재해야 한다는 당위적 요청을 근거로 인류 존속에 대한 현세대의 책임을 강조함
- 칸트의 정언 명령을 변형한 새로운 ❷ ______ 정언 명령 제시 → '너의 행위의 결과가 미래에 지구상에서 인간이 살아갈 수 있는 가능성을 파괴하지 않도록 행위 하라.'

답 ❶ 현세대 ❷ 생태학적

확인 04

요나스는 인류가 존재해야 한다는 ______ 요청을 근거로 인류 존속에 대한 현세대의 책임을 강조하였다.

개념 05 정보 기술의 발달에 따른 변화

긍정적 변화	• 스마트폰, 컴퓨터의 활용으로 삶의 편리성 증대 • 쌍방향 의사소통에 따라 ❶ [　　] · 다원적 사회로 변화 • 다양한 문화에 대한 이해의 폭 확대
부정적 변화	• 정보 통신 기술을 활용한 감시 · 통제 가능성 증가 • 성찰 없이 맹목적으로 기술을 수용하는 경우 증가 → 기술에 대한 의존성 증가 • 불법 복제, 표절, 사이버 폭력 등 ❷ [　　] 상에서의 다양한 범죄 발생

답 ❶ 수평적 ❷ 사이버

확인 05

정보 통신 기술의 발달은 (수직적 , 수평적)이면서도 (획일적 , 다원적)인 사회로 변화시킨다.

잊힐 권리에 대한 알 권리의 우선 보장이 정당성을 가지려면 공공 목적의 개인 정보 공개여야 해.

개념 06 정보 기술의 발달에 따른 윤리적 문제

1 사생활 침해 문제

- 개인 정보가 쉽게 노출되고 도용되기도 함
- 정보 유통 과정 전체에서 자기 정보의 결정·통제 권한을 가져야 한다는 ❶ [　　] 이/가 강조됨
- 잊힐 권리에 대한 논의 전개

2 저작권 문제

저작권 보호	• 정보 생산에 필요한 시간, 노력 등에 대해 정당한 대가를 지불해야 함 • 창작자의 노력에 대한 이익 보장 → 창작 의욕 고취
정보 공유	• 모든 저작물은 인류가 생산한 정보를 활용하여 구성된 공공재 → ❷ [　　] 을/를 위한 사용 강조 • 과도한 저작권 보호로 정보 격차에 따른 불평등 초래 우려

3 사이버 폭력의 문제

- 시공간의 제약을 받지 않고 발생할 수 있음
- 정보의 복제, 유포가 쉬워 광범위하고 빠르게 확산

4 표현의 자유 문제

- 사이버 공간에서도 보장되어야 함
- 타인의 인권을 침해하지 않고, 사회 질서를 어지럽히지 않는 범위 내에서 표현의 자유를 허용해야 함

답 ❶ 정보 자기 결정권 ❷ 공익

확인 06

정보 공유를 주장하는 입장에서는 인류가 생산한 정보와 지식을 (사유재 , 공공재)로 간주한다.

개념 07 뉴 미디어 매체의 특징과 문제점

1 뉴 미디어의 의미와 특징

의미	기존 매체들이 제공하던 정보를 인터넷을 통해 가공, 전달, 소비하는 포괄적 융합 매체
특징	• 상호 작용화 : 송수신자 간 쌍방향 정보 교환 • 비동시화 : 송수신자가 동시에 참여하지 않고도 수신자가 원하는 시간에 정보를 볼 수 있음 • 탈대중화 : 대규모 획일적 메시지 전달 방식 탈피 → 특정 대상과 특정 정보를 교환 가능 • 능동화 : 사용자가 능동적으로 정보를 취합, 공개, 전달 가능 • 종합화 : 개별 매체들이 하나의 정보망으로 통합되어 멀티미디어화됨

2 뉴 미디어의 문제점

- 정보의 객관성 문제 : ❶ [　　] 이/가 검증되지 않은 정보가 많아 신뢰하기 어려움
- 책임 분산으로 인한 문제 : 정보 분산으로 책임도 분산되고 윤리적 ❷ [　　] 의식도 약화될 수 있음
- 사적 정보의 노출 문제 : 정보 처리 교환 과정에서 사적 정보가 자주 노출됨

답 ❶ 전문성 ❷ 책임

확인 07

뉴 미디어는 정보의 객관성 문제, 책임의 [　　] (으)로 인한 문제, 사적 정보 노출의 문제 등을 갖고 있다.

개념 08 뉴 미디어 시대의 매체 윤리

1 개인 정보의 신중한 처리

- 개인 정보 공개는 사람들의 알 권리를 충족시키지만 동시에 인격권의 침해로 이어질 가능성이 있음
- 개인의 명예, 사생활, ❶ [　　] 을/를 침해하지 않도록 개인 정보를 신중히 다루어야 함

2 표절 금지

표절 행위는 기사 작성자의 권리와 재산 침해, 언론에 대한 신뢰를 무너뜨림

3 소통과 시민 의식 함양

- 공동으로 체험, 협력할 수 있는 능력과 자세
- 규범 준수, 사회 참여, 시민 의식 함양 등

4 매체 이해력

매체 내용을 비판적으로 해석하고 올바르게 표현하는 능력으로, ❷ [　　] (이)라고도 함

답 ❶ 인격권 ❷ 미디어 리터러시

확인 08

뉴 미디어를 통한 개인 정보 공개가 시민들의 (알 권리 , 잊힐 권리)를 충족시킬 수 있지만, 인격권의 침해로 이어질 수도 있다.

개념 돌파 전략 ①

2강_자연과 윤리

개념 01 서양의 자연관 – 인간 중심주의

1 **인간 중심주의의 주요 특징** 인간만이 도덕적 지위를 지니며, 자연은 인간의 이익과 욕구 충족을 위한 ❶ [ ] → 도구적 자연관

2 **인간 중심주의의 긍정적 측면과 부정적 측면**

긍정적 측면	과학 기술을 발전시켜 인간 삶을 풍요롭게 함
부정적 측면	자연에 대한 인간의 착취 정당화 → 환경 문제 야기

3 **인간 중심주의의 주요 사상가**

베이컨	인간의 힘은 자연을 관찰, 분석하여 얻은 지식을 통해 생겨남 → 자연에 관한 지식 활용 강조
데카르트	자연을 단순한 물질 또는 기계로 파악
칸트	• 인간의 도덕적 감수성 증진에 자연이 이바지함 → 인간이 자연을 함부로 대하면 안 됨 • 동물을 폭력적으로, 잔학하게 다루는 것은 인간의 자기 자신에 대한 ❷ [ ]에 배치됨

답 ❶ 수단 ❷ 의무

확인 01

"아는 것이 힘이다."라는 말을 통해 자연에 대한 인간의 지배와 지식 활용을 강조한 사상가는 누구인가?

개념 02 서양의 자연관 – 동물 중심주의

1 **동물 중심주의의 주요 특징** 도덕적 고려의 범위를 동물까지 확대함

2 **동물 중심주의의 긍정적 측면과 부정적 측면**

긍정적 측면	동물 학대, ❶ [ ] 등 동물에 대한 비도덕적 관행에 대한 반성의 계기 제공
부정적 측면	인간과 동물의 이익 충돌 시 현실적 대안 제공의 어려움

3 **동물 중심주의의 주요 사상가**

싱어	• 도덕적 고려의 기준을 쾌고 감수 능력의 소유 여부로 파악 • 이익 평등 고려의 원칙에 근거하여 동물의 고통을 무시하는 행위를 일종의 ❷ [ ](이)라고 비판함
레건	• 의무론적 관점에 근거하여 내재적 가치를 갖는 대상은 수단이 아닌 목적으로 대우해야 한다고 봄 • 일부 동물은 자기 삶을 영위할 수 있는 삶의 주체로서 내재적 가치를 지니므로 도덕적으로 존중받을 권리가 있다고 봄

답 ❶ 동물 실험 ❷ 종 차별주의

확인 02

일부 동물은 도덕적 무능력자이지만 삶의 주체로서 도덕적 지위를 지닌다고 주장한 사상가는 누구인가?

개념 03 서양의 자연관 – 생명 중심주의

1 **생명 중심주의의 주요 특징** 도덕적 고려의 범위를 모든 생명체로 확대할 것 주장

2 **생명 중심주의의 긍정적 측면과 부정적 측면**

긍정적 측면	모든 생명체의 고유한 가치를 일깨움
부정적 측면	모든 생명체를 존중하는 것은 현실적인 실천 가능성이 낮음

3 **생명 중심주의의 주요 사상가**

슈바이처	• 생명 외경 사상 : 모든 생명은 살고자 하는 ❶ [ ]을/를 지니며, 그 자체로 신성함 • '생명의 유지와 고양은 선, 파괴와 억압은 악'이라고 봄 • 모든 생명은 동등한 가치를 지니지만 불가피하게 생명을 해칠 경우 그 선택에 도덕적 책임을 느낄 것을 주장
테일러	모든 생명체는 고유한 선을 지닌 존재이자 ❷ [ ]적 삶의 중심임

답 ❶ 의지 ❷ 목적론

확인 03

'모든 생명체는 각기 고유한 방식으로 자신의 생존, 성장 등의 목적을 지향하는 존재'라고 정의한 사상가는 누구인가?

개념 04 서양의 자연관 – 생태 중심주의

1 **생태 중심주의의 주요 특징** 도덕적 고려의 범위를 생태계 전체로 확대 → 전체론 혹은 ❶ [ ]적 입장

2 **생태 중심주의의 긍정적 측면과 부정적 측면**

긍정적 측면	생태계에 대한 포괄적 시각 → 환경 문제 해결에 기여
부정적 측면	환경 파시즘 우려, 환경 문제 해결을 위해 불특정 다수에 과도한 책임을 부과하는 한계 발생

3 **생태 중심주의의 주요 사상가**

레오폴드	• 대지 윤리 : 도덕 공동체의 범위를 토양, 물, 동식물 등을 포함한 대지까지 확대해야 함 • 생태계 전체의 ❷ [ ] 관계와 균형 중시
네스	• 심층 생태주의 : 세계관과 생활 양식 자체를 생태 중심적으로 바꿀 것 주장 • 자신을 상호 연관 속에서 존재하는 것으로 이해하는 '큰 자아 실현', 모든 생명체를 상호 연결된 전체의 평등한 구성원으로 보는 '생명 중심적 평등' 강조

답 ❶ 전일론 ❷ 유기적

확인 04

네스는 세계관과 생활 양식 자체를 생태 중심적으로 바꿔야 한다는 [ ]을/를 주장하였다.

개념 05 동양의 자연관

유교	• 인간과 자연이 조화를 이루는 ❶ ___ 의 경지 지향 • 자연의 생명력을 도덕적으로 해석하여 인간이 다른 존재와 타인에게 사랑을 실천해야 한다고 강조함
불교	• 모든 존재가 원인과 조건으로 연결되어 있다는 ❷ ___ 을/를 바탕으로 만물의 상호 의존성 강조 • 불살생(不殺生)의 계율, 생명 존중 사상, 무소유의 가르침
도가	• 자연은 무위(無爲)의 체계, 무목적의 질서를 담고 있음 • 무위자연(無爲自然) 추구, 자연의 가치와 아름다움 중시

답 ❶ 천인합일 ❷ 연기설

확인 05

자연은 아무런 목적이 없는 무위의 체계이며 무위자연의 삶을 살아갈 것을 강조한 동양 사상은 무엇인가?

개념 06 환경 문제와 기후 변화 문제

1 환경 문제의 원인과 특징

원인	• 근본적 원인 : 도구적 자연관 • 산업화와 도시화, 무분별한 개발과 남획 등
특징	• 지구의 자정 능력 범위를 넘어서는 수준의 환경 문제 발생 • 전 지구적으로 영향을 미치는 ❶ ___ 성격 • 다양한 원인으로 책임 소재를 명확히 가리기 어려움 • 미래 세대에까지 영향을 미침

2 기후 변화 문제

• 기후 변화 : 자연적 요인 또는 인간 활동의 결과로 장기적으로 기후가 변하는 현상(예 지구 온난화)

• 기후 변화의 원인과 문제점

원인	화석 연료 사용의 증가, 산림 파괴 등 → 온실가스 급증으로 인한 지구 온난화 가속
문제점	빈번한 자연재해 발생, 식량난 가중, 생태계 교란으로 인한 새로운 질병 유행, 해수면 상승으로 인한 저지대 거주민의 삶 위협

• 기후 정의의 의미와 실현 방안

의미	기후 변화에 따른 불평등을 해소함으로써 실현되는 정의
문제	기후 변화의 피해는 선진국보다 ❷ ___ 와/과 경제적 약자에게 훨씬 크게 나타남
실현 방안	• 기후 변화로 고통받는 국가에 대한 지원 확대 • 취약 계층이 받는 영향을 최소화하기 위한 노력

답 ❶ 초국가적 ❷ 개발 도상국

확인 06

기후 변화의 피해는 개발 도상국이나 경제적 약자에게 더 크게 나타난다는 점에서 ___ 의 문제가 있다.

개념 07 미래 세대에 대한 책임

1 환경 문제와 미래 세대의 생존

• 환경 문제는 미래 세대의 ❶ ___ 및 삶의 질 문제와 직결됨

• 인류는 하나의 도덕 공동체로, 어느 세대도 자신의 이익을 위해 전 인류의 공동 자산인 자연환경을 남용할 권리를 가지고 있지 않음 → 현세대는 온전한 자연을 물려주기 위해 환경 보진의 의무를 다해야 함

2 미래 세대에 대한 책임과 배려 윤리

요나스의 책임 윤리	'현세대가 가진 책임은 일차적으로 미래 세대의 존재를 보장하는 것이며, 이차적으로는 그들의 ❷ ___ 을/를 배려하는 것' → 인류 존속에 대한 현세대의 책임 강조
나딩스의 배려 윤리	환경 보호 행위는 미래 세대에게 이익을 주는 가치 있는 행동으로 배려 윤리를 실현하는 것임

답 ❶ 생존 ❷ 삶의 질

확인 07

요나스는 '우리의 책임은 일차적으로 ___ 의 존재를 보장하고 이차적으로는 그들의 삶의 질을 배려하는 것이다.'라고 하였다.

환경 보전과 개발에 대한 논쟁은 보전론과 개발론으로 구분할 수 있어.

개념 08 환경적으로 건전하고 지속 가능한 발전

1 환경 보전과 개발에 대한 논쟁

보전론	자연은 ❶ ___ 을/를 지님, 자연 보전이 장기적으로 큰 이익이라는 점에 근거하여 자연 보전 주장
개발론	자연의 도구적 가치 강조 → 환경 문제는 경제 성장과 기술 개발로 해결 가능하다고 보아 자연 개발 주장

2 환경적으로 건전하고 지속 가능한 발전

의미	미래 세대가 그들의 필요를 충족할 수 있는 범위에서 현세대의 필요를 충족하는 개발 방식
특징	환경 개발을 ❷ ___ 의 범위 내에서 추구하여 인간과 자연의 공존, 개발과 보전의 균형을 도모함

답 ❶ 내재적 가치 ❷ 생태 지속 가능성

확인 08

환경적으로 ___ 발전을 실현하기 위해 개인적으로는 친환경적 소비, 국가적으로는 신재생 에너지 개발의 제도적 지원 실시, 국제적으로는 탄소 배출권 거래 제도, 녹색 기후 기금 등의 제도로 협력을 이끌어 내야 한다.

개념 돌파 전략 ②

1 (가), (나)의 입장으로 옳지 않은 것은?

(가) 인류는 과학 기술을 이용하여 사회의 모든 문제를 해결하고 무한한 행복과 부를 누릴 것이다. 과학 기술은 인류에게 무한한 진보를 가져다줄 것이다.
(나) 인류는 과학 기술로 인해 환경 파괴, 비인간화, 인권 침해, 생명의 존엄성 훼손 등을 경험해 왔다. 과학 기술의 해악성에 대해 심각하게 고려해야 한다.

① (가) : 과학 기술은 인류에게 많은 혜택과 이익을 제공한다.
② (가) : 과학 기술의 발달로 인류는 물질적 풍요를 누리고 있다.
③ (나) : 과학 기술은 인간 생명을 수단으로 취급할 수 있다.
④ (나) : 과학 기술의 발달로 인한 문제는 과학 기술의 진보를 통해 극복할 수 있다.
⑤ (가), (나) : 과학 기술은 인류의 삶과 행복 추구에 큰 영향을 미칠 수 있다.

문제 해결 전략

과학 기술의 부정적 측면을 강조하는 입장에서는 무분별한 자연 개발과 활용으로 인한 ❶ ____, 인간의 주체성 약화와 비인간화 현상 초래, 사생활 침해, 생명의 ❷ ____ 훼손 등을 제시한다. 반면 과학 기술의 긍정적 측면을 강조하는 입장에서는 이러한 문제점들은 물론 사회 문제들도 과학 기술을 활용하면 해결할 수 있다고 본다.

답 ❶ 환경 파괴 ❷ 존엄성

2 과학 기술자의 내적 책임을 강조하는 입장에 대한 설명만을 보기 에서 고른 것은?

보기
ㄱ. 과학 기술자는 연구 과정에서의 윤리만을 지키면 된다.
ㄴ. 과학 기술자는 자신의 연구 성과의 사회적 영향력을 고려해야 한다.
ㄷ. 과학 기술자는 과학 기술의 사용으로 인한 결과에 대한 책임으로부터 자유로워야 한다.
ㄹ. 과학 기술자는 자신의 연구 활동이 인간 존엄성 실현, 삶의 질 향상을 위한 것인지 책임 의식을 지녀야 한다.

① ㄱ, ㄴ ② ㄱ, ㄷ ③ ㄴ, ㄷ ④ ㄴ, ㄹ ⑤ ㄷ, ㄹ

문제 해결 전략

과학 기술자의 ❶ ____ 책임을 강조하는 입장에서는 '과학 기술자는 연구 과정에서 비윤리적 행위를 해서는 안 된다.'라는 점을 강조한다. 한편, 과학 기술자의 ❷ ____ 책임을 강조하는 입장에서는 '과학 기술자는 자신의 연구 결과가 사회에 미칠 영향에 대해 책임져야 한다.'라고 주장한다.

답 ❶ 내적 ❷ 외적

3 저작권 보호를 주장하는 입장으로 옳지 않은 것은?

① 창작자의 노력에 대한 경제적 이익을 보장해야 한다.
② 창작자의 노력에 대한 보상은 창작 의욕을 높일 수 있다.
③ 모든 저작물은 인류가 공동으로 생산한 공공재일 뿐이다.
④ 창작자에게 정보에 대한 배타적 독점권을 부여할 수 있다.
⑤ 지식과 정보는 개인의 시간과 노력이 들어간 지적 산물이다.

문제 해결 전략

저작권 보호를 주장하는 입장에서는 주로 지식과 정보를 개인의 ❶ ____(으)로 보지만 정보 공유를 주장하는 입장에서는 지식과 정보를 모든 인류의 공동 자산이자 ❷ ____(으)로 보려는 경향이 있다.

답 ❶ 소유물(사유재) ❷ 공공재

4 (가), (나)의 입장으로 옳지 않은 것은?

(가) 정보 사회에서는 사람들은 자신이 잊고 싶거나 지우고 싶은 정보가 인터넷에서 남아 있지 않도록 즉, 원치 않는 정보를 삭제할 수 있어야 한다.
(나) 정보 사회에서는 개개인의 정보가 공개되지 않을 권리보다 공익을 위해 시민들이 필요한 정보에 자유롭게 접근하고 알 권리가 보장되어야 한다.

① (가) : 정보 사회에서 개인 정보는 보호될 필요가 있다.
② (가) : 정보 사회에서는 자신에 대한 정보를 통제할 수 있어야 한다.
③ (나) : 정보 사회에서는 시민들의 알 권리를 존중해야 한다.
④ (나) : 정보 사회에서는 공익을 위한 것이더라도 개인 정보를 침해할 수 없다.
⑤ (가), (나) : 정보 사회에서 시민들은 자신의 정보가 함부로 남용되지 않도록 할 권리가 있다.

문제 해결 전략

정보 사회에서 자신이 원치 않는 민감한 자기 정보들이 다른 사람들에게 공개되지 않도록 정보를 통제할 수 있는 ❶ [ ] 이/가 보장되어야 한다는 주장이 있다. 동시에 누구나 자유롭게 정보에 접근할 수 있어야 하며, 사람들이 알아야 할 정보라면 삭제를 금지할 수 있어야 한다는 시민의 ❷ [ ] 보장도 필요하다는 주장이 있다.

답 ❶ 잊힐 권리 ❷ 알 권리

5 자연을 바라보는 인간 중심주의 입장만을 보기 에서 고른 것은?

보기
ㄱ. 인간과 자연은 동등하고 대등한 관계를 유지해야 한다.
ㄴ. 자연은 인간의 이익에 이바지하는 한에서 가치가 있다.
ㄷ. 인간과 마찬가지로 자연도 내재적 가치를 지닌 존재이다.
ㄹ. 인간 이외의 모든 존재는 인간의 목적을 이루기 위한 수단이다.

① ㄱ, ㄴ ② ㄱ, ㄷ ③ ㄴ, ㄷ ④ ㄴ, ㄹ ⑤ ㄷ, ㄹ

문제 해결 전략

인간 중심주의는 인간만이 도덕적 지위를 지니며, 그 외의 존재는 인간의 ❶ [ ] 을/를 이루기 위한 수단이라고 본다. 이는 자연에 대한 인간의 지배와 착취를 정당화하여 ❷ [ ] 의 원인이 되었다는 한계를 지닌다.

답 ❶ 목적 ❷ 환경 문제

6 다음 사상가의 입장으로 옳지 않은 것은?

생명체가 목적론적 삶의 중심이라고 하는 것은 생명체의 내적 기능과 외적 활동들이 모두 목적 지향적으로서 자신의 유기체적 존재를 지속시키려는 일관된 경향을 가지며, 그래서 그 종을 재생산하고 부단히 변화하는 환경 조건과 사건에 적응하도록 하는 그러한 생물학적 기능들을 성공적으로 수행합니다.

① 모든 생명체는 목적론적 삶의 중심이다.
② 인간이 다른 생명체보다 근본적으로 우월한 것은 아니다.
③ 모든 생명체는 고유한 방식으로 자신의 목적을 지향한다.
④ 인간은 고유한 선을 지니는 생명체를 도덕적으로 고려해야 한다.
⑤ 모든 생명체는 유용성의 유무에 따라 고유한 가치를 부여받는다.

문제 해결 전략

생명 중심주의자 테일러에 따르면, 모든 생명체는 생존, 성장, 발전, 번식이라는 ❶ [ ] 을/를 지향하는 존재이기 때문에 목적론적 삶의 중심으로서 ❷ [ ] 가치를 지닌 존재이며, 고유한 선을 지닌 존재이다.

답 ❶ 목적 ❷ 내재적

필수 체크 전략 ①

필수 예제 01

모평 기출

그림은 서양 사상가 갑, 을의 가상 대화이다. 갑, 을의 입장으로 적절한 것만을 | 보기 |에서 고른 것은?

| 보기 |

ㄱ. 갑 : 기술의 활용 결과는 가치 평가의 대상이 아니다.
ㄴ. 을 : 기술에 대해 가치 중립적 태도를 가져서는 안 된다.
ㄷ. 을 : 기술에 대해 무관심할 때 기술로부터 자유로워진다.
ㄹ. 갑, 을 : 기술의 활용 방향에 대한 윤리적 성찰이 필요하다.

① ㄱ, ㄴ ② ㄱ, ㄷ ③ ㄴ, ㄷ ④ ㄴ, ㄹ ⑤ ㄷ, ㄹ

Tip

갑은 기술 그 자체는 선도 악도 아니라고 본 점을 통해 야스퍼스, 을은 기술을 중립적인 것으로 여기면 무방비 상태로 내맡겨지게 된다고 본 점을 통해 하이데거임을 알 수 있다.

풀이

ㄱ. 야스퍼스는 '기술을 어떻게 활용하는지' 즉, 기술의 활용 결과는 가치 평가의 대상이라고 보았다. ㄴ. 하이데거는 기술을 가치 중립적 도구로만 보게 되면 기술에 종속당할 것이라고 주장하였다. ㄷ. 하이데거는 기술에 대한 윤리적 성찰이 필요하다고 보았다. ㄹ. 야스퍼스는 기술의 선악은 기술로부터 무엇을 만들어 내는지, 기술을 어떻게 활용하는지에 달려 있다고 보았다. 하이데거는 기술 자체를 가치 중립적인 것으로 여기면 안 된다고 보았다. 즉, 야스퍼스, 하이데거 모두 기술의 활용 방향에 대한 윤리적 성찰이 필요하다고 주장하였다.

답 ④

응용 01-1

갑, 을의 입장으로 적절한 것만을 | 보기 |에서 고른 것은?

| 보기 |

ㄱ. 갑 : 기술은 인간을 직접 지배하는 실체이다.
ㄴ. 갑 : 기술 그 자체는 가치와 무관한 사실의 영역이다.
ㄷ. 을 : 기술에 대한 반성적 성찰이 필수적이다.
ㄹ. 갑, 을 : 기술을 가치 중립적으로 고찰할 때 기술로부터 자유로워진다.

① ㄱ, ㄴ ② ㄱ, ㄷ ③ ㄴ, ㄷ ④ ㄴ, ㄹ ⑤ ㄷ, ㄹ

응용 01-2

다음 사상가가 부정의 대답을 할 질문으로 가장 적절한 것은?

우리가 기술을 열정적으로 긍정하건 부정하건 관계없이 우리는 어디서나 부자유스럽게 기술에 붙들려 있는 셈이다. 그러나 최악의 경우는 기술을 중립적인 것으로 고찰하여 우리와 무관한 것으로 볼 때이며, 이 경우 우리는 무방비 상태로 기술에 내맡겨진다.

① 기술에 의해 인간이 종속당할 수 있는가?
② 기술은 인간 삶을 좌우할 힘을 지니고 있는가?
③ 기술을 가치 중립적인 것으로 보아서는 안 되는가?
④ 기술은 일종의 공허한 힘이며 목적에 대한 수단인가?
⑤ 기술은 감추어진 존재의 모습을 드러내 주는 수단인가?

필수 예제 02

수능 기출

다음을 주장한 사상가의 입장만을 <보기>에서 고른 것은?

- 우리는 원하는 것보다 원하지 않는 것을 더 잘 안다. 우리가 실제로 무엇을 보호해야 하는가를 알아내기 위해서 새로운 윤리학은 희망보다는 두려움을 논의 대상으로 삼아야 한다.
- 행해야 할 것과 관련된 책임 개념에 따르면, 현재의 행위로 인해 발생할 사태에 대해 책임져야 한다. 사태의 의존자인 미래 세대는 명령자가 되고, 권력자인 현세대는 의무자가 된다.

보기

ㄱ. 선의 탐구에서 악의 인식보다 선의 인식이 더 효과적이다.
ㄴ. '할 수 있다'는 능력에 근거해서 '해야 한다'는 책임이 발생한다.
ㄷ. 인간의 힘이 자연으로 확장될수록 자연 파괴의 가능성도 높아진다.
ㄹ. 현세대와 미래 세대는 삶의 지속을 위해 상호 간에 의무를 가진다.

① ㄱ, ㄴ ② ㄱ, ㄷ ③ ㄴ, ㄷ ④ ㄴ, ㄹ ⑤ ㄷ, ㄹ

Tip

제시문은 새로운 윤리학은 희망보다는 두려움을 논의 대상으로 삼아야 한다고 본 점, 현재의 행위로 인해 발생할 사태에 대해 책임져야 한다고 본 점을 통해 요나스의 주장임을 알 수 있다.

풀이

ㄱ. 요나스에 따르면, 선은 눈에 띄지 않게 존재하여서 반성을 하지 않으면 인식될 수 없지만 악의 현존은 우리에게 인식을 강요한다. 이는 선을 탐구하는 데 선의 인식보다 악의 인식이 효과적임을 뜻한다. ㄴ. 요나스는 책임질 수 있는 능력은 책임져야 한다는 당위와 의무의 발생으로 이어진다고 보았다. ㄷ. 요나스는 인간의 힘이 확장될수록 환경 파괴, 자연 파괴의 가능성이 높아지므로 겸손한 태도로 검소와 절제의 삶을 살아야 한다고 주장하였다. ㄹ. 요나스는 현세대의 미래 세대에 대한 일방적 책임을 주장하였다.

답 ③

필수 예제 03

모평 기출

다음을 주장한 서양 사상가의 입장만을 <보기>에서 고른 것은?

과학자들은 과학이 일정한 규칙하에 인과적 필연성을 검증하는 순수 이론의 영역에 속한다고 보았다. 과학은 인식 대상을 가치 중립적으로 관찰해야 하고, 자연은 오직 인과적 필연성의 지배를 받는다고 보았다. 그러나 오늘날에는 기술적 응용이 과학 연구의 방향을 결정하고 있다. 거대한 권력으로 작용하는 과학 기술은 자연을 파괴하고 인류의 생존마저 위협하고 있다. 이제 우리는 공포의 발견술을 통해 의심스러울 때는 좋은 말보다 나쁜 말에 귀 기울여 책임을 새롭게 정립해야 한다.

보기

ㄱ. 과학 기술 연구의 자유는 무제한으로 허용되어서는 안 된다.
ㄴ. 과학 기술자는 연구의 장기적 결과에 대해 숙고해야 한다.
ㄷ. 과학 기술자는 기술적 응용에서 가치 중립적이어야 한다.
ㄹ. 과학 기술자는 사회적 책임보다 내적 책임을 중시해야 한다.

① ㄱ, ㄴ ② ㄱ, ㄷ ③ ㄴ, ㄷ ④ ㄴ, ㄹ ⑤ ㄷ, ㄹ

Tip

제시문은 공포의 발견술을 통해 책임을 새롭게 정립해야 한다고 본 점을 통해 요나스의 주장임을 알 수 있다. 요나스는 과학 기술로 발생할 수 있는 위험을 미리 예상하고 윤리적 원칙들을 제시해야 한다고 강조하였다.

풀이

ㄱ. 요나스는 과학 기술자에게 연구의 자유가 제한 없이 허용되어서는 안 된다고 보았다. ㄴ. 요나스는 과학 기술자의 사회적 책임을 강조하여 과학 기술자가 연구의 장기적 결과에 대해 숙고해야 한다고 보았다. ㄷ. 요나스는 과거와 달리, 과학 기술자는 과학 기술의 응용에서 가치 중립적 태도를 가져서는 안 된다고 보았다. ㄹ. 요나스는 과학 기술자가 내적 책임뿐만 아니라 사회적 책임도 중시해야 한다고 보았다.

답 ①

필수 예제 04 모평 기출

다음은 신문 칼럼이다. ㉠에 들어갈 내용으로 가장 적절한 것은?

> ○○ 신문 ○○○○년 ○○월 ○○일
>
> 인터넷에서 익명성에 기대어 악성 댓글을 다는 것은 심각한 문제이지만, 표현의 자유를 강제적으로 제한해서는 안 된다. 이러한 제한은 인터넷 이용자의 표현의 자유와 사회 문제에 대한 비판을 위축시킬 수 있으므로 바람직하지 않다. 따라서 각 개인이 양심과 도덕성에 따라 표현을 스스로 규제할 수 있도록 하면 이러한 문제는 해결될 수 있다. 그런데 어떤 사람들은 악성 댓글이 표현의 자유를 남용한 일탈 행위로서 해당 개인과 집단에 심각한 해악을 끼치므로, 이를 규제할 수 있는 제도적 장치만이 이 문제를 바람직하게 해결할 수 있다고 주장한다. 나는 이러한 주장이 [㉠]고 생각한다.

① 익명성으로 인해 비도덕적으로 행동할 수 있음을 간과한다
② 제도적 규제보다 자율적 규제가 적절한 해결책임을 간과한다
③ 표현의 자유보다 해악 금지 원칙이 우선되어야 함을 간과한다
④ 타인의 피해를 방지하기 위한 법적 규제가 필요함을 간과한다
⑤ 표현의 자유를 강제적으로 제한하여 악성 댓글이 예방될 수 있음을 간과한다

Tip

'나'는 인터넷상에서 각 개인의 양심과 도덕성에 따른 노력으로 악성 댓글 문제를 해결할 수 있다고 본다. 반면, '어떤 사람들'은 인터넷상에서의 일탈 문제를 해결하려면 제도적 장치를 통한 규제만이 필요하다고 본다. 따라서 ㉠에는 제도적 규제보다 자율적 규제가 더 적절하다는 주장이 들어가야 한다.

풀이

③ '어떤 사람들'은 표현의 자유를 남용하여 발생한 집단과 개인에 대한 해악을 규제해야 한다고 본다. 즉, 해악 금지의 원칙이 우선되어야 함을 강조한다. ⑤ '어떤 사람들'은 표현의 자유를 제도적 장치를 통해 강제적으로 제한해야 악성 댓글이 예방될 수 있음을 강조한다.

답 ②

응용 04-1

다음 글에서 강조하는 내용으로 가장 적절한 것은?

> 표현의 자유는 민주주의를 실현하는 기초이며, 국민의 알 권리를 충족시키기 위하여 현실 공간과 사이버 공간에서 모두 보장되어야 한다. 그런데 표현의 자유를 지나치게 강조할 경우 개인의 인격권이 침해되는 문제가 발생될 수 있으므로 인권 침해가 일어나지 않는 범위 내에서 그리고 타인에게 피해를 주거나 사회 질서를 어지럽히지 않는 범위 내에서 표현의 자유를 누릴 수 있어야 한다.

① 표현의 자유에 제한을 가하는 것은 심각한 인권 침해로 민주주의 사회에서 용납될 수 없다.
② 표현의 자유는 해악 금지의 원칙과 사회 질서를 유지하는 가운데 보장될 수 있다.
③ 표현의 자유는 질서 유지나 공익을 위한다는 이유로도 제한될 수 없다.
④ 표현의 자유는 인간의 기본적 권리로 제한 없이 보장될 필요가 있다.
⑤ 표현의 자유는 사이버 공간에서는 보장될 수 없는 권리이다.

응용 04-2

다음 글에서 강조하는 내용으로 가장 적절한 것은?

> 사이버 공간에서 표현의 자유가 무제한적으로 보장될 수는 없다. 표현의 자유로 인해 많은 사람이, 나아가 사회 전체적으로도 많은 해악을 겪고 있기 때문이다. 이러한 표현의 자유를 각 개인의 자발적인 도덕성이나 양심에 맡기기에는 너무 많은 사각지대가 존재하므로 표현의 자유에 대한 제재는 제도적이고 기술적인 방법과 아울러 법적 규제도 필수적이다.

① 표현의 자유에 대한 규제는 사회에 악을 초래한다.
② 표현의 자유에 제약을 가하는 것은 인권 침해이다.
③ 표현의 자유는 자율적 규제만으로도 통제될 수 있다.
④ 표현의 자유에 대한 법적·제도적·기술적 규제가 필요하다.
⑤ 표현의 자유는 어떤 상황에서도 보장되어야 하는 보편적 가치이다.

필수 예제 05

모평 기출

다음 신문 칼럼의 입장으로 가장 적절한 것은?

> ○○ 신문　　○○○○년 ○○월 ○○일
>
> 오늘날 정보 사회에서는 누구든지 타인의 정보를 조사하고 그 정보를 불특정 다수에게 전달할 수 있어 개인 정보가 침해되는 경우가 증가하고 있다. 타인에게 알려지고 싶지 않은 개인의 민감한 정보가 당사자의 의사에 반해 인터넷에서 검색되거나, 기업이 적법하게 수집한 개인 정보를 기업의 이익을 위해 활용하는 과정에서 유출하는 경우가 대표적이다. 언론 역시 국민의 알 권리를 위한다는 명분하에 본인의 동의 없이 개인 정보를 수집하고 이를 보도함으로써 사생활을 침해하기도 한다. 이러한 문제를 해결하기 위해서는 개인이 자신의 개인 정보를 누구에게, 어떤 범위까지, 얼마 동안, 어떤 형식으로 공개할 것인지에 대해 정당한 처리를 요구할 수 있어야 한다.

① 사이버 공간에서 표현의 자유가 제한되어서는 안 된다.
② 적법하게 수집된 개인 정보의 활용을 제한해서는 안 된다.
③ 잊힐 권리보다 알 권리를 중시하여 공익을 증진해야 한다.
④ 모든 정보에 누구나 자유롭게 접근할 수 있도록 허용해야 한다.
⑤ 인권 보호를 위해 개인 정보에 대한 자기 결정권을 보장해야 한다.

Tip

칼럼은 개인 정보가 침해되는 사례가 증가하고 있음을 지적하면서 자신의 정보에 대한 공개 기간, 범위, 형식 등을 스스로 결정하고 처리할 수 있는 권리가 필요함을 강조한다. 다시 말해, 정보 자기 결정권의 필요성을 주장한다.

풀이

① 칼럼은 표현의 자유가 제한될 수 있다고 본다. ② 칼럼은 개인 정보의 침해 사례를 제시하면서 적법하게 수집된 개인 정보도 활용 과정에서 유출될 수 있으니 제한이 필요하다고 본다. ③ 칼럼은 알 권리의 보장이라는 명분으로 개인 정보를 침해하는 사례를 제시하면서 알 권리보다 잊힐 권리를 강조하고 있다. ④ 칼럼은 시민의 알 권리보다 정보 자기 결정권과 잊힐 권리를 강조하고 있다. ⑤ 칼럼은 인권의 보호를 위해 자기 정보의 공개에 관해 스스로 결정할 수 있는 정보 자기 결정권이 보장되어야 한다고 본다.

답 ⑤

필수 예제 06

모평 기출

다음은 신문 칼럼이다. ㉠에 들어갈 제목으로 가장 적절한 것은?

> ○○ 신문　　○○○○년 ○○월 ○○일
>
> ㉠
>
> 뉴 미디어가 등장한 이후 유통되는 정보의 양은 기하급수적으로 늘어나고 유통의 구조도 다양화되고 있다. 이에 따라 우리는 원하는 정보에 손쉽고 빠르게 접근할 수 있게 되었고 보다 효율적인 의사소통이 가능해졌다. 반면, 검증되지 않은 정보가 광범위하게 확산되거나, 다양한 정보가 임의적으로 조합되어 실체가 없는 거짓 정보가 양산되는 등 심각한 사회 문제가 생겨났다. 단순히 수용적인 태도로 미디어가 보여 주는 정보에 접근한다면 편견에 사로잡혀 세상을 객관적으로 보지 못할 수 있다. 이것이 바로 뉴 미디어 시대의 새로운 시민성으로 미디어 리터러시(media literacy)가 요청되는 이유이다.

① 뉴 미디어 시대, 쌍방향 의사소통이 가능해진다.
② 뉴 미디어 시대, 빅 데이터 처리 기술이 요청된다.
③ 뉴 미디어 시대, 계층 간 정보 격차를 줄여야 한다.
④ 뉴 미디어 시대, 정보에 대한 접근이 더 용이해진다.
⑤ 뉴 미디어 시대, 정보에 대한 비판적 사고력이 필요하다.

Tip

칼럼은 뉴 미디어 시대에서는 단순한 수용적 태도가 아니라 비판적 사고 능력이 필요함을 강조하고 있다.

풀이

①, ②, ③, ④ 쌍방향 의사소통 가능, 빅 데이터 처리 기술 요청, 계층 간 정보 격차를 줄여야 한다는 것, 정보에 대한 접근이 용이해진다는 것 등은 뉴 미디어 시대의 특징지만 칼럼에서 강조하는 내용은 아니다. ⑤ 칼럼에서는 뉴 미디어 시대에 미디어 리터러시를 갖추어야 한다고 강조하는데, 이는 정보를 올바르게 이해, 사용, 표현, 전달할 수 있는 비판적 사고 능력이다.

답 ⑤

필수 체크 전략 ②

1강_과학 기술과 윤리 ~ 정보 사회와 윤리

1 갑, 을의 입장으로 옳지 않은 것은?

① 갑 : 과학자는 내적 책임뿐만 아니라 외적 책임도 져야 한다.
② 갑 : 과학자는 연구 결과 활용에 대한 책임으로부터 자유로워야 한다.
③ 을 : 과학자의 윤리적 가치 판단은 연구 결과의 활용에도 적용되어야 한다.
④ 을 : 과학자는 연구 결과가 인류에 미칠 영향력을 고려해야 한다.
⑤ 갑, 을 : 과학자는 연구 과정에서 날조, 조작, 변조 등을 해서는 안 된다.

Tip

과학자의 책임은 연구 개발 과정에서의 윤리 원칙을 지켜야 한다는 ❶ [ ] 책임과 연구 결과의 활용에 대한 책임까지 져야 한다는 ❷ [ ] 책임으로 구분된다.

답 ❶ 내적 ❷ 외적

2 다음을 주장한 사상가의 입장만을 보기 에서 있는 대로 고른 것은?

> 기술은 단순한 가치 중립적 도구가 아니다. 최악의 경우는 우리가 기술을 중립적인 것으로 고찰할 때이다. 이 경우 우리는 무방비 상태로 기술에 내맡겨진다. 왜냐하면 현대에 와서 특히 사람들이 옳다고 신봉하는 이러한 사고방식은 우리를 전적으로 기술의 본질에 대해 맹목적이게 하기 때문이다.

보기
ㄱ. 기술이 인간을 지배하고 종속화할 수 있다.
ㄴ. 인간은 기술의 폐해를 막을 방법을 알지 못한다.
ㄷ. 인간은 기술에 부자유스럽게 붙들려 있는 셈이다.
ㄹ. 기술은 탈은폐의 방식으로 자연에게 에너지를 내놓으라고 강요한다.

① ㄱ, ㄴ ② ㄱ, ㄷ ③ ㄴ, ㄹ
④ ㄱ, ㄷ, ㄹ ⑤ ㄴ, ㄷ, ㄹ

Tip

하이데거는 기술이 감추어진 존재를 드러내 주는 ❶ [ ]이며, 기술을 중립적으로 고찰할 때 ❷ [ ] 상태로 기술에 내맡겨진다고 주장하였다.

답 ❶ 수단 ❷ 무방비

3 다음 강연자의 입장만을 보기 에서 있는 대로 고른 것은?

보기
ㄱ. 현대 기술이 미래 세대의 생존권을 침해할 수 있다.
ㄴ. 진정한 책임 윤리는 인간과 자연의 상호 협력과 책임으로 완성된다.
ㄷ. 세대 간 정의 실현을 위해 현세대와 미래 세대의 상호 책임 의식이 필수적으로 요청된다.
ㄹ. '행해진 것에 대한 사후 책임'뿐만 아니라 '행위되어야 할 것에 대한 책임'까지 책임의 범위를 확장해야 한다.

① ㄱ, ㄴ ② ㄱ, ㄹ ③ ㄷ, ㄹ
④ ㄱ, ㄴ, ㄷ ⑤ ㄴ, ㄷ, ㄹ

Tip

요나스는 책임의 범위를 ❶ [ ](으)로 한정하는 전통적 윤리관으로는 과학 기술 시대에 발생할 수 있는 문제를 해결하는 데 한계가 있다고 보아 ❷ [ ] 윤리를 제시하였다.

답 ❶ 현세대 ❷ 책임

4 갑, 을의 입장으로 옳지 않은 것은?

> 갑 : 정보 사회에서는 사람들이 잊거나 지우고 싶은 정보가 인터넷에 남아 있어서 타인이 볼 수 있다. 따라서 자신이 원하지 않은 정보를 삭제할 수 있는 권리가 보장되어야 한다.
> 을 : 정보 사회에서는 누구나 자신이 필요한 다양한 정보에 제한 없이 접근할 수 있어야 한다. 개인 정보라 할지라도 시민들이 알아야 할 정보라면 인터넷에 왜곡 없이 공개되어야 한다.

① 갑 : 정보 자기 결정권과 잊힐 권리의 존중이 필요하다.
② 갑 : 정보 사회에서 개인의 인격권 보호를 중시해야 한다.
③ 을 : 개인 정보 보호는 공익을 위해 유보될 수 없다.
④ 을 : 정보 사회에서 시민의 알 권리 보장에 힘써야 한다.
⑤ 갑, 을 : 사이버 공간은 다양한 정보를 왜곡 없이 제공받을 수 있는 공적 공간이 될 수 있다.

Tip
정보 사회에서는 자신이 원하지 않는 정보의 삭제를 요구할 수 있는 권리인 ❶ [   ]의 보장과 사람들이 알아야 할 정보라면 삭제를 금지하고 공개해야 한다는 시민의 ❷ [   ] 보장이 서로 상충할 수 있다.

답 ❶ 잊힐 권리 ❷ 알 권리

5 갑, 을의 입장에 대한 옳은 설명만을 〈보기〉에서 있는 대로 고른 것은?

> 정보 생산에 필요한 시간과 노력, 비용에 대하여 정당한 대가가 지불되어야 해. 타인의 노력이 들어간 결과물을 경제적 대가나 동의, 허락 없이 함부로 사용해서는 안 되지.

> 정보와 지식은 인류가 공동으로 이룩한 자산이야. 이러한 지식과 정보는 공동체의 이익을 위해 공유되어야 하며 대가 없이 다만 허락과 동의하에 자유롭게 사용할 수 있어야 해.

> 보기
> ㄱ. 갑은 저작권 보호가 새로운 창작을 방해한다고 본다.
> ㄴ. 을은 지식과 정보를 공공재로 간주해야 한다고 본다.
> ㄷ. 갑은 을과 달리 지적 산물에 대한 경제적 보상이나 대가 지불이 필요하다고 본다.
> ㄹ. 갑, 을은 타인의 노력이 들어간 지적 산물을 허락 없이 사용해서는 안 된다고 본다.

① ㄱ, ㄴ ② ㄱ, ㄹ ③ ㄴ, ㄷ
④ ㄱ, ㄷ, ㄹ ⑤ ㄴ, ㄷ, ㄹ

Tip
저작권 보호를 강조하는 입장에서는 창작자의 노력에 대한 ❶ [   ] 이익이나 대가를 보장해야 한다고, 정보 공유를 강조하는 입장에서는 저작물이 지식과 정보를 활용하여 구성된 ❷ [   ](이)라고 본다.

답 ❶ 경제적 ❷ 공공재

6 다음에서 강조하는 내용으로 가장 적절한 것은?

> 사이버 폭력에는 사이버 따돌림, 사이버 명예 훼손, 사이버 스토킹, 사이버 성폭력 등이 있다. 이는 현실 공간에서의 폭력과는 다른 특성을 가지므로 특히 더 주의해야 한다. 시공간의 제약이 적다는 점, 정보의 복제와 유포가 빠르다는 점, 한번 유포된 정보는 회수되기 어렵다는 점 등은 우리에게 더 높은 수준의 경각심과 윤리 의식을 요청한다.

① 사이버 폭력은 현실에서의 폭력과 동일한 성격으로 처리되어야 한다.
② 사이버 폭력이 지니는 특징을 알고 비도덕적 행동을 경계해야 한다.
③ 사이버 폭력 문제는 개인의 양심과 도덕성에 전적으로 의존해야 한다.
④ 사이버 폭력에 대한 규제는 법적 규제만이 실효를 거둘 수 있음을 깨달아야 한다.
⑤ 사이버 폭력의 문제는 윤리적 차원이 아닌 법적·제도적 차원의 문제임을 인식해야 한다.

Tip
사이버 폭력은 ❶ [   ]의 제약을 받지 않고 발생할 수 있으며, 정보의 복제나 유포가 쉬워 ❷ [   ]하고 빠르게 확산될 수 있다는 특징이 있다.

답 ❶ 시공간 ❷ 광범위

필수 체크 전략 ① 2강_자연과 윤리

필수 예제 01 모평 기출

(가)의 갑, 을, 병 사상가들의 입장을 (나) 그림으로 표현할 때, A~D에 해당하는 적절한 진술만을 |보기|에서 고른 것은?

(가)

갑 : 인간은 통상 인간에 대한 의무 외에 다른 의무는 갖지 않는다. 늙은 말이 수행한 봉사에 대한 감사마저도 직접적으로 볼 때는 인간 자신에 대한 의무이다.

을 : 인간만이 아니라 일부 동물도 삶의 주체이다. 왜냐하면 그들도 다른 존재의 이익과는 독립적으로 개별적 복지를 갖는 것과 같은 특징을 지니기 때문이다.

병 : 인간은 생명 공동체의 한 구성원에 지나지 않는다. 인간의 활동으로만 설명되어 온 많은 역사적 사건들은 실제로는 인간과 대지의 생명적 상호 작용이었다.

(나)

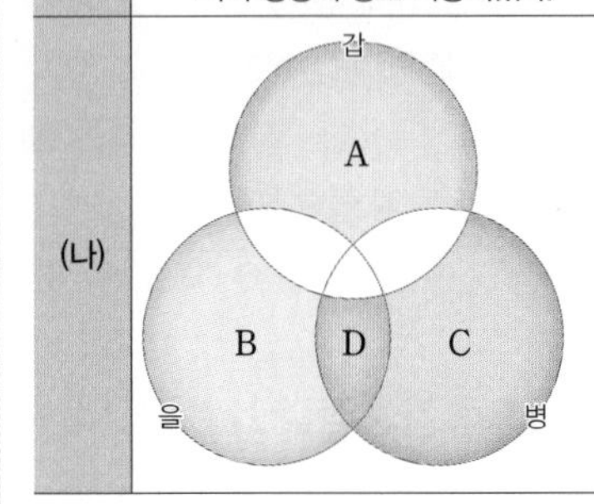

〈범 례〉
A : 갑만의 입장
B : 을만의 입장
C : 병만의 입장
D : 을과 병만의 공통 입장

|보기|

ㄱ. A : 인간 이외의 존재에게는 어떠한 가치도 부여되지 않는다.

ㄴ. B : 인간은 동물 종(種)에 대한 직접적 의무를 실천해야 한다.

ㄷ. C : 인간은 살아 있는 모든 존재를 도덕적으로 존중해야 한다.

ㄹ. D : 인간만이 아니라 동물도 권리를 지닌 존재일 수 있다.

① ㄱ, ㄴ ② ㄱ, ㄷ ③ ㄴ, ㄷ ④ ㄴ, ㄹ ⑤ ㄷ, ㄹ

Tip

(가)의 갑은 칸트, 을은 레건, 병은 레오폴드이다.

풀이

ㄱ. 칸트는 인간 이외의 존재에게는 도구적 가치가 부여될 수 있다고 보았다. ㄴ. 레건은 동물 종이 아니라 개별 동물이 직접적인 도덕적 의무의 대상이 될 수 있다고 보았다. ㄷ. 레오폴드만의 주장이다. 칸트는 인간만을, 레건은 인간과 일부 동물만을 도덕적 존중의 대상으로 보았다. ㄹ. 레건과 레오폴드만의 주장이다. 칸트는 인간만이 권리를 지닌다고 보았다. 반면, 레건은 동물이 내재적 가치를 지닌 존재로서 도덕적 권리를 지닐 수 있다고 보았다. 레오폴드도 동물이 자연 상태 그대로 생존할 권리를 보장해야 한다고 주장하였다.

답 ⑤

응용 01-1

(가)의 갑, 을, 병 사상가들의 입장을 (나) 그림으로 표현할 때, A~D에 해당하는 적절한 진술만을 |보기|에서 있는 대로 고른 것은?

(가)

갑 : 인간은 이익 평등 고려의 원칙에 따라 쾌고 감수 능력이 있는 모든 존재의 이익을 고려해야 한다.

을 : 인간은 목적론적 삶의 중심인 모든 생명체가 지닌 내재적 가치를 인정하고 자연에 대한 존중을 실천해야 한다.

병 : 인간은 생명 공동체의 지배자가 아니라 동료 구성원일 뿐이다. 대지 윤리는 인류를 공동체의 구성원이자 시민으로 변화시킨다.

(나)

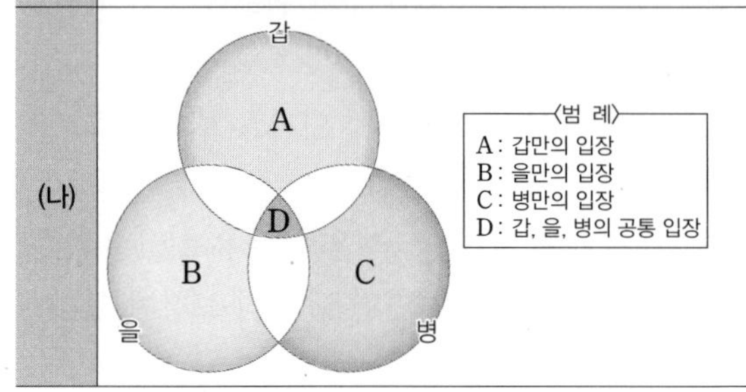

|보기|

ㄱ. A : 인간 중심주의 시각에서 벗어나야 한다.

ㄴ. B : 지각과 의식이 없어도 내재적 가치를 지닐 수 있다.

ㄷ. C : 물, 흙 등의 무생물도 도덕적으로 고려해야 한다.

ㄹ. D : 쾌고 감수 능력을 지닌 존재를 도덕적 고려의 대상에 포함시켜야 한다.

① ㄱ, ㄴ ② ㄱ, ㄷ ③ ㄷ, ㄹ

④ ㄱ, ㄴ, ㄹ ⑤ ㄴ, ㄷ, ㄹ

응용 01-2

다음 강령을 제시한 사상의 입장으로 옳지 않은 것은?

지구상의 인간과 인간 이외의 생명의 안녕과 번영은 그 자체로서 가치를 지닌다. 이 가치들은 자연계가 인간의 목적을 위해 얼마나 유용한가 하는 문제와는 독립해 있다.

① 인간은 생명체의 다양성을 함부로 훼손해서는 안 된다.

② 세계관과 생활 양식 자체를 생태 중심적으로 바꾸어야 한다.

③ 모든 생명체를 상호 연결된 전체의 평등한 구성원으로 보아야 한다.

④ 자신을 자연과의 상호 연관 속에서 존재하는 것으로 이해해야 한다.

⑤ 인류의 이익과 번영을 보장하는 범위 내에서 생태계는 참된 가치를 지닐 수 있다.

필수 예제 02

모평 기출

(가)의 갑, 을, 병 사상가들의 입장을 (나) 그림으로 표현할 때, A~D에 해당하는 진술로 적절한 것만을 보기 에서 있는 대로 고른 것은?

(가)
갑 : 동물을 잔학하게 다루는 것은 인간 자신에 대한 의무에 어긋난다. 왜냐하면 타인과의 관계에서 도덕성에 도움이 되는 자연적 소질을 약화시키기 때문이다.
을 : 고통과 즐거움을 느낄 수 있는 존재에 대해 우리는 이익 평등 고려 원칙을 적용해야 한다. 동물의 고통을 무시하는 행위는 일종의 종 차별주의적 태도이다.
병 : 개인은 상호 의존적으로 이루어진 공동체의 구성원이다. 우리는 대지 윤리를 통해 이 공동체의 범위를 흙, 물, 동식물을 포함하도록 확장해야 한다.

(나)
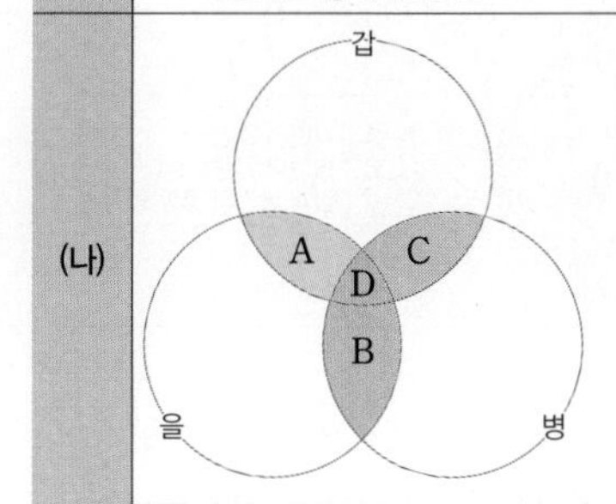

〈범 례〉
A : 갑과 을만의 공통 입장
B : 을과 병만의 공통 입장
C : 갑과 병만의 공통 입장
D : 갑, 을, 병의 공통 입장

보기
ㄱ. A : 자연을 경제적 관점에서 이용하는 것이 허용될 수 있다.
ㄴ. B : 이성적 능력을 기준으로 도덕적 지위가 결정되지는 않는다.
ㄷ. C : 고통을 느끼는 모든 존재가 존속할 권리를 갖는 것은 아니다.
ㄹ. D : 동물에게 해를 끼치는 행위가 정당화되는 경우가 있다.

① ㄱ, ㄴ ② ㄱ, ㄷ ③ ㄴ, ㄹ
④ ㄱ, ㄷ, ㄹ ⑤ ㄴ, ㄷ, ㄹ

Tip

(가)의 갑은 칸트, 을은 싱어, 병은 레오폴드이다.

풀이

ㄱ. 칸트는 인간에게 이익이 된다면, 싱어는 최대 행복의 원리를 실현할 수 있다면 경제적 관점에서의 자연 이용을 허용할 수 있다고 보았다. 레오폴드는 경제적 관점에서 자연을 이용하는 것을 허용할 수 있으나, 도덕적·심미적 관점에서도 검토되어야 한다고 덧붙였다. ㄴ. 싱어와 레오폴드만의 주장이다. ㄷ. 레오폴드는 고통을 느끼는 모든 존재를 비롯한 대지 공동체의 구성원들이 존속할 권리를 지닌다고 보았다. ㄹ. 칸트는 인간에게 이익을 줄 수 있다면, 싱어는 최대 다수의 최대 행복을 실현할 수 있다면, 레오폴드는 전일론적 관점에서 생태계 전체에 긍정적 영향을 줄 수 있다면 동물에게 해를 끼치는 행위가 정당화될 수도 있다고 보았다.

답 ③

응용 02-1

(가)의 갑, 을, 병 사상가의 입장을 (나) 그림으로 표현할 때, A~D에 해당하는 적절한 진술만을 보기 에서 있는 대로 고른 것은?

(가)
갑 : 한 존재가 고통을 느낄 수 없다면, 또는 즐거움이나 행복을 누릴 수 없다면 거기에서 고려해야 할 바는 아무것도 없다.
을 : 생명체가 목적론적 삶의 중심이라는 것은 그것의 외적 활동뿐 아니라 내적 작용이 목적 지향적이라는 것이다.
병 : 대지 윤리는 단순히 이 공동체의 범위를 흙, 물, 식물과 동물, 곧 포괄하여 대지를 포함하도록 확장하는 것이다.

(나)
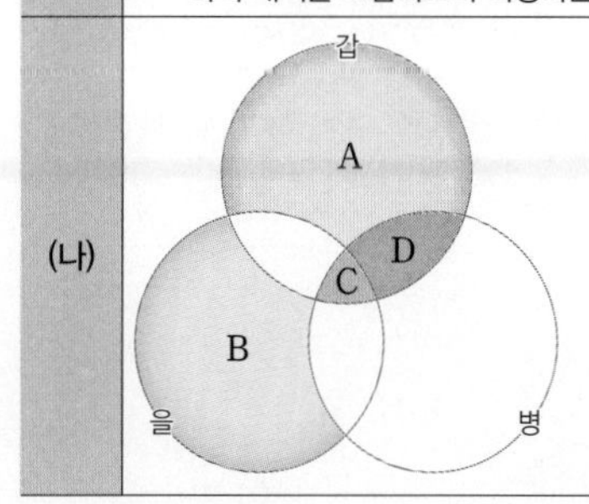

〈범 례〉
A : 갑만의 입장
B : 을만의 입장
C : 갑, 을, 병의 공통 입장
D : 갑과 병만의 공통 입장

보기
ㄱ. A : 쾌고 감수 능력은 어떤 존재를 도덕적으로 고려하기 위한 필요충분조건이다.
ㄴ. B : 생명체뿐만 아니라 생태계도 도덕적 고려의 대상이다.
ㄷ. C : 이성의 유무가 도덕적 지위를 결정하는 기준이 아니다.
ㄹ. D : 인간만이 존중받을 만한 이익 관심을 지니는 것은 아니다.

① ㄱ, ㄴ ② ㄱ, ㄷ ③ ㄴ, ㄹ
④ ㄱ, ㄷ, ㄹ ⑤ ㄴ, ㄷ, ㄹ

응용 02-2

갑 사상가의 입장에서 을 사상가에게 제기할 비판 내용으로 가장 적절한 것은?

갑

대지 윤리는 인류의 동료 구성원에 대한 존중 및 공동체 자체에 대한 존중을 필연적으로 수반합니다.

을

모든 생명체는 유용성에 관계없이 고유한 선을 지니며 목적 지향적 활동의 단일화된 체계입니다.

① 인간이 자연의 지배자가 아님을 간과한다.
② 생명체가 내재적 가치를 지닐 수 있음을 간과한다.
③ 인간만이 도덕적 지위를 지닌 존재가 아님을 간과한다.
④ 모든 생명체는 고유한 방식으로 자신의 목적을 지향함을 간과한다.
⑤ 생태계 전체의 보전을 위해 개별 생명체의 희생이 불가피함을 간과한다.

필수 체크 전략 ①

필수 예제 03

수능 기출

(가)의 갑, 을, 병 사상가들의 입장을 (나) 그림으로 표현할 때, A~D에 해당하는 적절한 진술만을 | 보기 |에서 있는 대로 고른 것은?

(가)

갑 : 쾌고를 느낄 수 있는 능력은 어떤 존재가 이익 관심을 갖기 위한 필요충분조건이다. 만약 한 존재가 쾌고를 겪을 수 없다면, 고려해야 할 것은 아무것도 없다.

을 : 자연의 아름다움을 무자비하게 파괴하려는 성향은 인간 자신에 대한 의무를 거스른다. 왜냐하면 그것은 도덕성에 기여하는 감정을 약화시키기 때문이다.

병 : 개인은 상호 의존적인 대지 공동체의 구성원이다. 개인의 본능은 공동체 내에서 경쟁할 것을 촉구하지만 그의 윤리는 협동도 하라고 촉구한다.

(나)

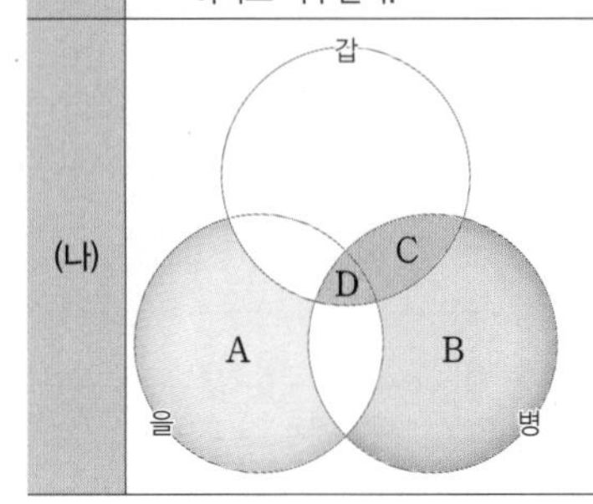

〈범 례〉
A : 을만의 입장
B : 병만의 입장
C : 갑과 병만의 공통 입장
D : 갑, 을, 병의 공통 입장

| 보기 |

ㄱ. A : 공리의 원리는 동물을 도덕적으로 고려해야 할 근거가 아니다.

ㄴ. B : 인간에 대해서뿐만 아니라 자연과 관련해서도 인간의 의무가 발생한다.

ㄷ. C : 직접적인 도덕적 의무의 대상은 인간에만 한정되지 않는다.

ㄹ. D : 도덕적 지위를 지닌 존재의 범위를 모든 생명체로 설정하는 것은 부적절하다.

① ㄱ, ㄴ ② ㄱ, ㄷ ③ ㄷ, ㄹ
④ ㄱ, ㄴ, ㄹ ⑤ ㄴ, ㄷ, ㄹ

Tip

(가)의 갑은 싱어, 을은 칸트, 병은 레오폴드이다.

풀이

ㄱ. 칸트뿐만 아니라 레오폴드의 입장이기도 하다. ㄴ. 싱어, 칸트, 레오폴드 모두 동의하는 내용이다. 칸트는 인간에 대해서는 직접적 의무를, 자연에 대해서는 간접적 의무를 지닌다고 보았다. ㄷ. 칸트는 직접적 의무의 대상을 인간으로 한정하지만 싱어와 레오폴드는 인간 이외의 존재에 대해서도 직접적인 도덕적 의무를 지닌다고 본다. ㄹ. 칸트, 싱어, 레오폴드 모두 도덕적 지위를 지닌 존재의 범위를 모든 생명체로 설정하지 않았다. 칸트는 인간, 싱어는 쾌고 감수 능력을 가진 존재, 레오폴드는 생명체뿐만 아니라 무생물, 생태계 전체로 보았다.

답 ③

응용 03-1

(가)의 갑, 을, 병 사상가들의 입장을 (나) 그림으로 표현할 때, A~D에 해당하는 적절한 진술만을 | 보기 |에서 있는 대로 고른 것은?

(가)

갑 : 인간은 자연의 해석자이자 이용자이다. 자연을 사냥해 인간의 이익에 봉사하도록 해야 한다.

을 : 인간은 자연에 대한 존중을 실천해야 한다. 인간은 목적론적 활동의 중심인 모든 생명체를 존중해야 한다.

병 : 인간은 대지 공동체의 지배자가 아니라 구성원일 뿐이다. 인간은 대지를 경제적 가치로만 보아서는 안 된다.

(나)

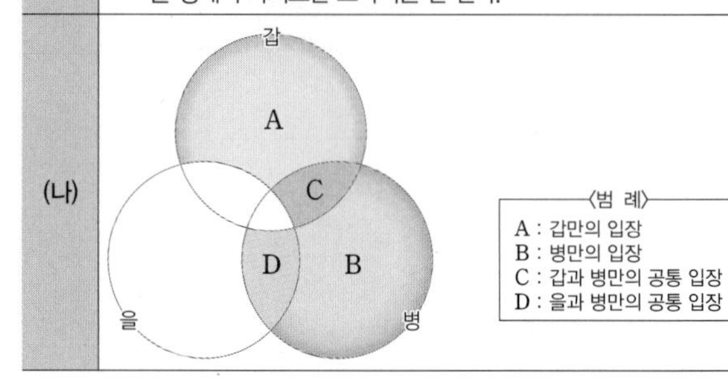

| 보기 |

ㄱ. A : 동식물은 인간을 위한 자원으로 사용할 수 있다.

ㄴ. B : 전일론적 관점에서 생태계의 보전에 힘써야 한다.

ㄷ. C : 자연은 인간의 이익에 봉사할 때만 가치를 지닌다.

ㄹ. D : 인간만이 도덕적 지위를 지닌다는 생각에서 벗어나야 한다.

① ㄱ, ㄴ ② ㄱ, ㄷ ③ ㄴ, ㄹ
④ ㄱ, ㄷ, ㄹ ⑤ ㄴ, ㄷ, ㄹ

응용 03-2

갑, 을 사상가의 입장으로 가장 적절한 것은?

갑 : 쾌고 감수 능력이야말로 한 존재가 이익 관심을 갖기 위한 필요조건이자 충분조건이다.

을 : 인간과 인간이 아닌 삶의 주체는 존중받을 도덕적 권리를 지닌다. 삶의 주체는 내재적 가치를 갖는다.

① 갑 : 생명을 유지하는 것은 선이고 파괴하는 것은 악이다.
② 갑 : 인간과 동일한 이익 관심을 갖는 동물을 차별해서는 안 된다.
③ 을 : 도덕적 무능력자는 삶의 주체가 될 수 없다.
④ 을 : 자연은 단순한 물질로서 도덕적 고려의 대상이 아니다.
⑤ 갑, 을 : 쾌고 감수 능력이 없는 존재는 도덕적 고려의 대상으로 보기 어렵다.

필수 예제 04 모평 기출

(가)의 갑, 을, 병 사상가들의 입장을 (나) 그림으로 표현할 때, A~D에 해당하는 적절한 진술만을 보기 에서 있는 대로 고른 것은?

(가)	갑 : 이 세상에는 육체와 영혼이라는 두 가지 실체가 있다. 물질적 육체와 비물질적 영혼의 혼합체인 인간과 달리, 동물은 의식이 없는 기계일 뿐이다. 을 : 일부 포유동물은 삶의 주체가 될 수 있다. 그들은 자신의 미래에 대한 감각 등을 바탕으로 자신의 욕망과 목적을 추구하기 위해 행위할 능력을 갖추었기 때문이다. 병 : 대지의 이용을 경제적 관점만이 아니라 윤리적 관점에서도 고찰해야 한다. 어떤 것이 생명 공동체의 온전성, 안정성, 아름다움의 보전에 기여한다면 그것은 옳고, 그렇지 않다면 그르다.
(나)	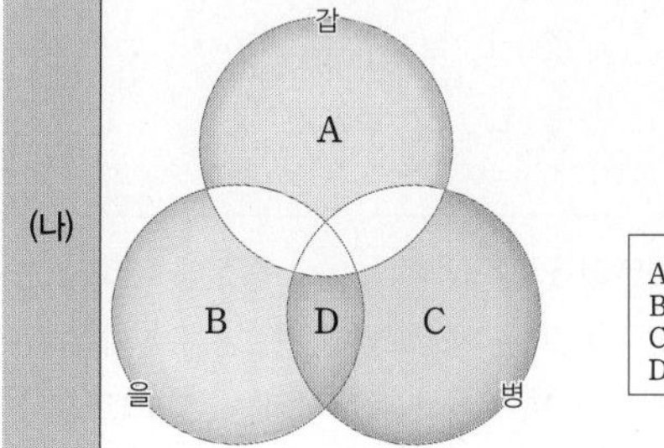 〈범 례〉 A : 갑만의 입장 B : 을만의 입장 C : 병만의 입장 D : 을과 병만의 공통 입장

보기

ㄱ. A : 동물을 자원으로 사용하는 것이 금지되지는 않는다.

ㄴ. B : 사유 능력 여부로 어떤 존재의 도덕적 지위가 결정되지 않는다.

ㄷ. C : 살아 있는 모든 개체는 도덕적 고려 대상인 공동체의 일원이다.

ㄹ. D : 생명에 대한 권리는 인간에게 한정된 특수한 권리가 아니다.

① ㄱ, ㄴ ② ㄱ, ㄷ ③ ㄷ, ㄹ ④ ㄱ, ㄴ, ㄹ ⑤ ㄴ, ㄷ, ㄹ

Tip

(가)의 갑은 동물을 의식이 없는 기계라고 본 점에서 데카르트, 을은 일부 포유동물이 삶의 주체라고 본 점에서 레건, 병은 대지 윤리를 제시한 점에서 레오폴드이다.

풀이

ㄱ. 데카르트, 레오폴드가 동의할 내용이다. ㄴ. 레건, 레오폴드가 동의할 내용이다. ㄷ. 데카르트는 인간만을, 레건은 인간과 동물을 도덕적 고려의 대상으로 본 반면, 레오폴드는 공동체 자체를 도덕적 고려 대상으로 간주하였고, 살아 있는 모든 존재가 공동체의 평등한 구성원이라고 보았다. ㄹ. 데카르트는 생명에 대한 권리를 인간만이 가진다고 본 반면, 레건과 레오폴드는 인간이 아닌 존재도 생명에 대한 권리를 지닌다고 보았다. 답 ③

응용 04-1

(가)의 갑, 을, 병 사상가들의 입장을 (나) 그림으로 표현할 때, A~D에 해당하는 적절한 진술만을 보기 에서 있는 대로 고른 것은?

(가)	갑 : 생명이 없더라도 아름다운 것을 파괴하는 것은 인간의 자기 자신에 대한 의무에 어긋난다. 을 : 동물도 삶의 주체로서 자신의 삶을 영위할 권리가 있으므로 동물의 도덕적 지위를 인정해야 한다. 병 : 생명체는 모두 고유의 선을 가지며 내재적 가치를 지닌 동등한 목적론적 삶의 중심이다.
(나)	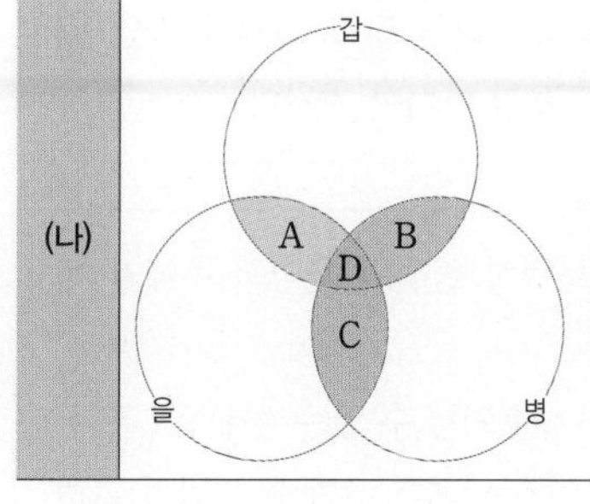 〈범 례〉 A : 갑과 을만의 공통 입장 B : 갑과 병만의 공통 입장 C : 을과 병만의 공통 입장 D : 갑, 을, 병의 공통 입장

보기

ㄱ. A : 지각과 의식이 없다면 도덕적 존중의 대상이 아니다.

ㄴ. B : 생태계는 생명체와 달리 도덕적 지위를 갖지 않는다.

ㄷ. C : 사유 능력을 기준으로 어떤 존재의 도덕적 지위를 결정해서는 안 된다.

ㄹ. D : 동물을 학대하거나 자연을 함부로 훼손하는 것은 인간의 의무에 위배된다.

① ㄱ, ㄴ ② ㄱ, ㄷ ③ ㄴ, ㄹ ④ ㄱ, ㄷ, ㄹ ⑤ ㄴ, ㄷ, ㄹ

응용 04-2

갑, 을 사상가들의 입장으로 옳지 않은 것은?

어떤 존재가 고통을 느낄 수 없다면, 거기에서 고려해야 할 바는 아무것도 없습니다.

어떤 존재가 쾌락과 고통을 느끼며 욕구, 지각, 정체성, 목표 등을 갖는다면 그 개체는 삶의 주체입니다.

① 갑 : 인간과 동물의 이익 관심은 동일하지 않다.

② 갑 : 이익 평등 고려의 원칙에 따라 동물의 이익 관심을 고려해야 한다.

③ 을 : 삶의 주체는 수단이 아닌 목적으로 대우받아야 한다.

④ 을 : 동물에 대한 실험과 사냥 행위는 비윤리적 행위이다.

⑤ 갑, 을 : 쾌고 감수 능력을 지닌 모든 존재는 도덕적 권리를 지닌다.

필수 체크 전략 ②

2강_자연과 윤리

1

갑, 을 사상가들의 입장에 대한 옳은 설명만을 |보기|에서 있는 대로 고른 것은?

> 갑 : 어떤 것이 생명 공동체의 온전성, 안정성, 아름다움의 보전에 이바지한다면 그것은 옳다.
> 을 : 모든 이성적 존재자는 목적 자체로서 존재한다. 만일 어떤 존재가 이성을 갖고 있지 않다면 그 존재는 수단으로서의 가치만 지닌다.

보기
ㄱ. 갑은 인간만이 도덕적 행위와 책임의 주체가 될 수 있다고 본다.
ㄴ. 을은 인간만이 가치를 지닐 수 있는 존재라고 본다.
ㄷ. 갑은 을과 달리 인간 이외의 존재도 도덕적 고려의 대상이라고 본다.
ㄹ. 을은 갑과 달리 이성의 유무가 도덕적 고려를 위한 기준이라고 본다.

① ㄱ, ㄴ ② ㄱ, ㄹ ③ ㄴ, ㄷ
④ ㄱ, ㄷ, ㄹ ⑤ ㄴ, ㄷ, ㄹ

Tip

레오폴드는 도덕 공동체의 범위를 동식물, 생명체, 나아가 ❶ [ ]까지 확대하는 ❷ [ ] 윤리를 주장하였다.

답 ❶ 무생물 ❷ 대지

2

(가)의 갑, 을, 병 사상가들의 입장을 (나) 그림으로 표현할 때, A~D에 해당하는 적절한 진술만을 |보기|에서 있는 대로 고른 것은?

(가)
갑 : 동물에 대한 인간의 잔인한 학대는 인간 자신의 의무에 반하는 행위이다.
을 : 모든 생명체는 목적론적 삶의 중심으로 내재적 가치를 지닌 존엄한 존재이다.
병 : 대지 윤리는 공동체의 범위를 흙, 물, 동식물, 곧 포괄하여 대지를 포함하도록 확장하는 것이다.

(나)
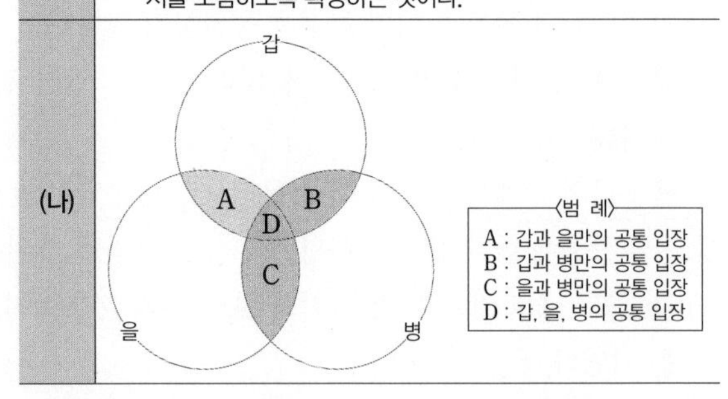

보기
ㄱ. A : 무생물에까지 도덕적 지위를 부여할 수는 없다.
ㄴ. B : 인간은 이성적 존재인 인간에 대해서만 직접적 의무를 진다.
ㄷ. C : 생태계는 생명체를 살게 해 주는 서식처이기 때문에 내재적 가치를 지닌다.
ㄹ. D : 자연을 함부로 훼손하는 행위는 도덕적으로 정당화될 수 없다.

① ㄱ, ㄴ ② ㄱ, ㄹ ③ ㄴ, ㄷ
④ ㄱ, ㄷ, ㄹ ⑤ ㄴ, ㄷ, ㄹ

Tip

칸트는 자연이 인간의 ❶ [ ] 증진에 이바지하므로 함부로 대하면 안 된다고 보았다. 또, 동물을 학대하는 것은 인간 자신의 ❷ [ ]에 배치되는 것이라고 보았다.

답 ❶ 도덕적 감수성 ❷ 의무

3

갑, 을 사상가들의 입장에 대한 설명만을 |보기|에서 고른 것은?

> 갑 : 인간의 지식이 곧 힘이다. 인간은 자연의 해석자로 경험하고 관찰한 것만큼 알 수 있다.
> 을 : 쾌고 감수 능력은 이익 관심을 갖기 위한 필요충분조건이다. 우리는 종 차별주의에서 벗어나야 한다.

보기
ㄱ. 갑은 자연이 내재적 가치와 수단적 가치를 모두 지닐 수 있다고 본다.
ㄴ. 을은 종(種)이 다르다는 이유로 동물의 이익 관심을 무시해서는 안 된다고 본다.
ㄷ. 갑은 을과 달리 인간만이 도덕적 존중의 대상이라고 본다.
ㄹ. 을은 갑과 달리 쾌고 감수 능력이 없는 존재는 도덕적 고려의 대상이 아니라고 본다.

① ㄱ, ㄴ ② ㄱ, ㄷ ③ ㄴ, ㄷ ④ ㄴ, ㄹ ⑤ ㄷ, ㄹ

Tip

싱어는 종이 다르다는 이유로 어떤 존재의 ❶ [ ]을/를 차별하는 사고방식을 ❷ [ ](이)라고 비판하였다.

답 ❶ 이익 관심 ❷ 종 차별주의

4 갑, 을 사상가들의 입장에 대한 설명만을 | 보기 |에서 고른 것은?

> 갑 : 모든 생명을 상호 연결된 전체의 평등한 구성원으로 보는 '생명 중심적 평등'을 지향해야 한다.
> 을 : 모든 생명은 각기 고유한 방식으로 생존, 성장, 발전, 번식이라는 목적을 지향하는 단일화된 체계이다.

보기

ㄱ. 갑은 인간은 '큰 자아실현'을 추구해야 한다고 본다.
ㄴ. 을은 인간의 즐거움을 위해 동물에 대한 기만 행위를 해서는 안 된다고 본다.
ㄷ. 갑은 을과 달리 인간이 생명체의 다양성과 풍부함을 해치려 해서는 안 된다고 본다.
ㄹ. 을은 갑과 달리 인간이 함부로 생태계를 조작, 통제하려 해서는 안 된다고 본다.

① ㄱ, ㄴ ② ㄱ, ㄷ ③ ㄴ, ㄷ ④ ㄴ, ㄹ ⑤ ㄷ, ㄹ

Tip

네스는 자신을 자연과의 상호 연관 속에서 존재하는 것으로 이해하는 ❶ [　　], 모든 생명체를 상호 연결된 전체의 평등한 구성원으로 보는 ❷ [　　]을/를 제시했다.

답 ❶ 큰 자아실현 ❷ 생명 중심적 평등

5 (가)의 갑, 을, 병 사상가들의 입장을 (나) 그림으로 탐구할 때, A~D에 해당하는 적절한 질문만을 | 보기 |에서 있는 대로 고른 것은?

(가)	갑 : 생명 공동체가 살아남으려면 대지 윤리 외에 다른 길이 없다. 을 : 동물은 신이 창조한 기계에 불과하다. 인간은 자연과 달리 이성을 지닌 존재이다. 병 : 모든 생명체는 목적 지향적 활동의 중심이며 도덕적 존중의 대상이다.
(나)	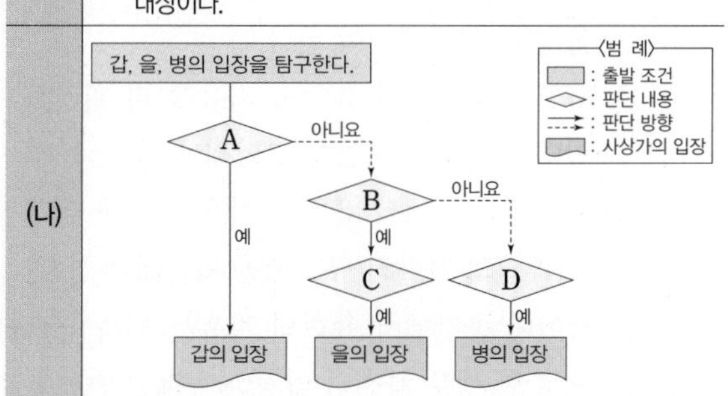

보기

ㄱ. A : 무생물도 도덕적 고려의 대상에 포함시켜야 하는가?
ㄴ. B : 동물은 인간을 위해 존재하지만 내재적 가치를 지니는가?
ㄷ. C : 인간이 동물을 이용하는 것이 신의 뜻에 어긋나지 않는가?
ㄹ. D : 인간을 위한 자원이 될 수 있는 비이성적 존재가 있는가?

① ㄱ, ㄴ ② ㄱ, ㄹ ③ ㄴ, ㄷ
④ ㄱ, ㄷ, ㄹ ⑤ ㄴ, ㄷ, ㄹ

Tip

레오폴드는 무생물도 도덕적 ❶ [　　]의 대상에 포함시켜야 한다고 보았다. 데카르트는 인간과 달리 동물은 신이 창조한 ❷ [　　]일 뿐이라고 주장하였다.

답 ❶ 고려 ❷ 기계

6 다음을 주장한 사상가의 입장만을 | 보기 |에서 있는 대로 고른 것은?

나는 대지에 대한 우리의 윤리 관계가 그것에 대한 사랑과 존중 그리고 흠모 없이, 또 그것의 가치에 대한 높은 평가 없이 형성될 수 있다고 생각하지 않습니다.

보기

ㄱ. 개별 생명체보다 생태 공동체의 안정이 우선이다.
ㄴ. 바람직한 대지 이용을 경제적 문제로만 생각해서는 안 된다.
ㄷ. 대지 윤리는 인류의 역할을 대지 공동체의 정복자에서 주인으로 변화시킨다.
ㄹ. 대지는 단순한 흙이 아니라 토양, 식물 및 동물이라는 회로를 통해 흐르는 에너지가 솟아나는 샘이다.

① ㄱ, ㄴ ② ㄱ, ㄷ ③ ㄷ, ㄹ
④ ㄱ, ㄴ, ㄹ ⑤ ㄴ, ㄷ, ㄹ

Tip

레오폴드에 따르면, 대지 윤리는 인류의 역할을 대지 공동체의 ❶ [　　]에서 그것의 평범한 ❷ [　　]이자 시민으로 변화시킨다.

답 ❶ 정복자 ❷ 구성원

과학 기술의 가치 중립성 논쟁

1 갑, 을 사상가들의 입장에 대한 옳은 설명만을 보기 에서 있는 대로 고른 것은?

기술은 어디까지나 인간 행위의 결과이며 인간 생존을 위한 수단일 뿐입니다. 기술은 스스로 어떠한 목표를 설정하지 않기 때문에 선과 악을 초월해 있는 것입니다. 기술 그 자체는 행복과 불행에 대해 중립적입니다.

기술은 주어진 사물들을 생산, 가공하는 역할을 하지만 이러한 과정 속에서 인간의 삶의 방식 그리고 자연과 인간의 관계 자체를 변형시킬 수 있기 때문에 기술의 본질 속에는 인간의 삶의 방식을 변형시킬 수 있는 위험이 깃들어 있습니다.

보기

ㄱ. 갑은 기술이 인간 사회와 무관하게 그 자체의 발전 논리를 가지고 있다고 본다.
ㄴ. 을은 기술의 종속으로부터 자유로워지기 위해 기술을 중립적인 것으로 고찰해야 한다고 본다.
ㄷ. 갑은 을과 달리 인간이 기술을 어떻게 사용하느냐에 따라 긍정적 혹은 부정적 효과가 나타날 수 있다고 본다.
ㄹ. 을은 갑과 달리 기술이 인간을 지배하고 종속화할 위험을 지닌 존재라고 본다.

① ㄱ, ㄴ ② ㄱ, ㄹ ③ ㄴ, ㄷ
④ ㄱ, ㄷ, ㄹ ⑤ ㄴ, ㄷ, ㄹ

책임 윤리

2 다음을 주장한 사상가의 입장만을 보기 에서 고른 것은?

하나의 생명체로 존재하는 것이 비로소 대상에 있어서 책임의 전제 조건이 된다. 그렇지만 인간만이 오직 책임을 질 수 있다는 특성은 동시에 인간이 자기와 동등한 다른 사람들을 위해서도 책임을 가져야 하고 이런 저런 관계에서 항상 책임을 가지고 있다는 것을 의미한다.

보기

ㄱ. 책임질 수 있는 능력은 책임져야 한다는 당위로 연결된다.
ㄴ. 현세대와 미래 세대 간의 호혜적 의무와 협력 관계 구축이 필수적이다.
ㄷ. 전통적 윤리학으로는 새로운 과학 기술 시대의 문제를 온전히 해결할 수 없다.
ㄹ. 인류의 존속이라는 당위적 요청은 인간과 모든 생명체에게 책임의 의무를 부과한다.

① ㄱ, ㄴ ② ㄱ, ㄷ ③ ㄴ, ㄷ ④ ㄴ, ㄹ ⑤ ㄷ, ㄹ

표현의 자유와 인터넷 실명제

3 다음에서 강조하는 내용으로 가장 적절한 것은?

인터넷에서의 표현의 자유는 보장되어야 마땅하다. 그러나 이러한 인터넷에서의 표현의 자유가 다른 사람의 인권을 침해하고 타인에게 해악을 끼치며 사회에 악영향을 미친다면 당연히 규제되어야 할 것이다. 지금 현재 인터넷에서의 의사 표현이나 댓글 등은 정상적이고 상식적인 범위를 넘어서 일탈과 파괴로 치닫고 있다. 사실 확인도 없이 자기가 아는 대로 아무렇게나 글을 쓰거나 댓글을 달고 있으며 자기와 생각이 다르거나 자기 마음에 들지 않는 사람을 공격하기 일쑤다. 이는 개인적 차원을 넘어서 정부가 강력한 규제를 시행해야 하며 그 일환으로 인터넷 실명제에 대한 논의를 진행할 필요가 있다.

① 사이버 공간에서 표현의 자유는 제한 없이 보장되어야 한다.
② 사이버 공간에서 표현의 자유는 해악 금지의 원칙을 넘어 보장되어야 한다.
③ 사이버 공간에서 표현의 자유를 더 확장하기 위해 인터넷 실명제 도입을 고려해야 한다.
④ 사이버 공간에서 표현의 자유로 인한 문제점 해결은 개인의 자발적 규제에만 의존해야 한다.
⑤ 사이버 공간에서 표현의 자유는 법과 제도를 바탕으로 한 정부 차원의 일정한 규제를 받아야 한다.

생태 중심주의

4 다음을 주장한 사상가의 입장만을 보기 에서 있는 대로 고른 것은?

생명 공동체의 범위를 대지까지 확장하기 위해서는 생태계를 경제적 관점뿐만 아니라 윤리적·심미적 관점으로도 살펴보아야 한다. 대지 윤리는 도덕 공동체의 범위를 흙, 물, 식물과 동물, 곧 포괄하여 대지를 포함하도록 확장하는 것이다.

보기
ㄱ. 대지 또한 인간을 위한 자원으로 사용될 수 있다.
ㄴ. 대지의 가치는 경제적 관점으로만 평가되어야 한다.
ㄷ. 대지 윤리는 인류의 역할을 도덕 공동체의 평범한 시민으로 전환시킨다.
ㄹ. 개별 생명체의 가치뿐만 아니라 생태 공동체의 조화와 균형도 중시해야 한다.

① ㄱ, ㄴ ② ㄱ, ㄷ ③ ㄴ, ㄹ
④ ㄱ, ㄷ, ㄹ ⑤ ㄴ, ㄷ, ㄹ

동물 중심주의

5 다음을 주장한 사상가의 입장만을 보기 에서 고른 것은?

고통이나 즐거움을 느낄 수 있는 능력은 적어도 이익 관심을 갖기 위한 전제 조건이다. 예를 들어 돌멩이는 이익 관심을 갖지 않는다. 왜냐하면 고통을 느끼지 못하기 때문이다. 하지만 쥐는 차여서 길에 굴러다니지 않을 이익 관심을 분명 갖고 있다. 왜냐하면 쥐는 차이게 될 경우 고통을 느낄 것이기 때문이다.

보기
ㄱ. 동물의 이익 관심을 무시해서는 안 된다.
ㄴ. 인간의 작은 이익을 위해 동물의 본질적 이익을 침해해서는 안 된다.
ㄷ. 인간과 동일한 이익 관심을 갖는 동물을 차별적으로 대우해서는 안 된다.
ㄹ. 쾌고 감수 능력, 지각과 의식이 없어도 도덕적 고려의 대상이 될 수 있다.

① ㄱ, ㄴ ② ㄱ, ㄷ ③ ㄴ, ㄷ ④ ㄴ, ㄹ ⑤ ㄷ, ㄹ

생명 중심주의

6 갑, 을 사상가들에 대한 입장만을 보기 에서 고른 것은?

갑

인간은 자기를 도와주는 모든 생명을 도와줄 필요성을 존중하고, 살아 있는 어떤 것에도 해를 끼치는 것을 부끄러워 할 때만 진정으로 윤리적입니다. 생명을 고양하는 것이 선이요, 생명을 억압하는 것은 악입니다.

을

인간은 모든 생명체가 목적론적 삶의 중심이라는 점을 알고 이를 존중해야 합니다. 생명체가 목적론적 활동의 중심이 되게끔 하는 것은 자신의 선을 실현하도록 방향 지워진 유기체의 작용이 갖는 일관성과 통일성입니다.

보기
ㄱ. 갑은 부득이하게 생명체를 해칠 때에도 도덕적 책임을 느껴야 한다고 본다.
ㄴ. 을은 생태계를 함부로 조작, 통제, 개조하려는 시도를 해서는 안 된다고 본다.
ㄷ. 갑은 을과 달리 인간이 불간섭의 의무, 성실의 의무를 이행해야 한다고 본다.
ㄹ. 을은 갑과 달리 생명체가 지니는 내재적 가치를 인정해야 한다고 본다.

① ㄱ, ㄴ ② ㄱ, ㄷ ③ ㄴ, ㄷ ④ ㄴ, ㄹ ⑤ ㄷ, ㄹ

동서양의 자연관

7 (가), (나)의 입장으로 옳지 <u>않은</u> 것은?

(가) 인간은 자연의 사용자 및 해석자로 자연의 질서에 대해 실제로 관찰하고 고찰한 것만큼 무엇인가를 할 수 있으며 이해할 수 있다.
(나) 인간은 인위가 더해지지 않은 자연 그대로의 상태[無爲自然]를 지향해야 한다. 만물의 근원인 도(道)에 따르며 살아야 한다.

① (가) : 자연은 인간을 위한 도구가 될 수 있다.
② (가) : 자연은 인간과 동등한 가치를 지니지 않는다.
③ (나) : 자연의 흐름을 거스르지 않아야 한다.
④ (나) : 자연은 무목적의 질서를 가진 체계이다.
⑤ (가), (나) : 자연의 가치는 인간의 이익에 봉사하는 정도에 따라 달라진다.

과학 기술의 가치 중립성 논쟁

01 갑의 입장에 비해 을의 입장이 갖는 상대적 특징을 그림의 ㉠~㉤ 중에서 고른 것은?

> 갑 : 기술은 인간의 행복과 불행에 어떤 역할을 할 수 있다. 하지만 기술 그 자체는 행복과 불행에 대해 중립적이다. 다시 말해, 기술이란 수단일 뿐이지 그 자체는 선도 악도 아니다.
>
> 을 : 기술의 본질은 결코 기술적인 어떤 것이 아니다. 우리가 기술을 중립적인 것으로 고찰할 경우 최악의 경우가 될 것이며 이럴 때 우리는 무방비 상태로 기술에 내맡겨지게 된다.

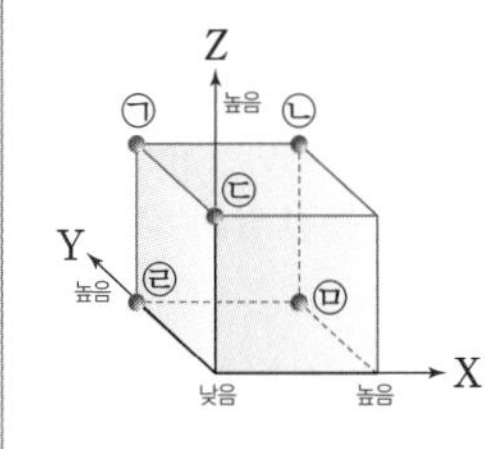

- X: 기술 자체가 중립적인 도구일 뿐이라고 보는 정도
- Y: 기술 자체가 인간을 종속하고 지배할 위험성을 지닌 것이라고 보는 정도
- Z: 기술이 감추어져 있는 존재의 모습을 드러내 주는 수단이라고 보는 정도

① ㉠　② ㉡　③ ㉢　④ ㉣　⑤ ㉤

Tip

하이데거는 기술을 ❶ ☐ 도구가 아니라 ❷ ☐ 존재의 모습을 드러내 주는 수단이라고 보았다.

답 ❶ 가치 중립적 ❷ 감추어진

시민의 알 권리 보장 문제

02 다음에서 강조하는 내용으로 가장 적절한 것은?

> 공적인 임무를 수행하고 있거나 사람들에게 많은 영향을 미치는 사람인 공인(公人)인 경우에는 당사자가 원하지 않는 과거의 정보라 할지라도 공익을 위해 시민의 알 권리와 올바른 선택 및 판단을 위해 그에 대한 정보는 공개되어야 한다. 개인의 인격권 보호도 중요한 가치인 것은 분명하지만 공인으로서 자신의 잘못된 과거나 대중으로부터 올바른 비판을 받아야 할 부분까지 개인의 인격권 보호라는 명분하에 숨겨져서는 안 된다.

① 시민의 알 권리와 개인의 인격권 보호는 양립 불가능하다.
② 개인의 인격권 보장에는 사인(私人)과 공인의 구분이 없어야 한다.
③ 공인의 경우 개인의 인격권 보호는 시민의 알 권리에 의해 유보될 수 있다.
④ 공인이라 할지라도 정보 자기 결정권과 잊힐 권리는 절대적으로 보장되어야 한다.
⑤ 공인의 경우 시민의 알 권리 보호를 위해 개인의 모든 사생활까지도 공개해야 한다.

Tip

시민의 알 권리는 정보 사회에서 누구나 ❶ ☐ 정보에 접근할 수 있어야 하며 사람들이 알아야 할 정보라면 ❷ ☐ 을/를 금지할 수 있는 권리이다.

답 ❶ 자유롭게 ❷ 삭제

과학자의 책임 범위에 대한 논쟁

03 갑, 을의 입장으로 옳지 않은 것은?

> 갑 : 과학자는 자신의 연구 과정에서 윤리적 원칙을 지키며 객관적 지식을 얻는 책임만을 지면 된다.
>
> 을 : 과학자는 연구 과정에서의 윤리적 원칙을 지키고 연구 결과가 사회나 인류에 미치는 영향을 예측하고 그에 대한 책임 의식까지 가져야 한다.

① 갑 : 과학자는 연구 결과 활용에 대한 책임으로부터 자유로워야 한다.
② 갑 : 과학자는 정직하고 성실한 태도로 책임 있는 연구를 수행해야 한다.
③ 을 : 과학자는 외적 책임에만 충실해야 한다.
④ 을 : 과학자는 연구 주제 선정에서부터 윤리적 가치 판단을 내려야 한다.
⑤ 갑, 을 : 과학자는 연구 과정에서 위조, 변조, 표절 등의 부당한 행위를 해서는 안 된다.

Tip

과학자의 ❶ ☐ 책임은 연구 과정에서 위조, 변조, 왜곡 등의 ❷ ☐ 행위를 해서는 안 된다는 것이다.

답 ❶ 내적 ❷ 비윤리적

책임 윤리

04 다음을 주장한 사상가의 입장으로 옳지 않은 것은?

> 아직 존재하지 않지만 실존할 것으로 기대되는 미래 세대의 권리는 우리에게 응답의 의무를 부과한다는 점을 수용해야 한다. 이런 의무는 우리에게 그들에 대한 정언적 책임을 요청한다. 또한 우리는 목적 자체로 인정하는 영역을 인간을 넘어서까지 확장해야 하며 이들에 대한 염려를 인간이 가지고 있는 선(善) 개념에 포함시켜야 한다.

① 인류의 존속은 무조건적 명령으로 인식되어야 한다.
② 자연은 책임의 대상이지 책임의 주체가 될 수 없다.
③ 현세대의 미래 세대에 대한 책임은 일방적인 것이다.
④ 미리 사유된 위험으로부터 새로운 윤리의 토대를 마련해야 한다.
⑤ 책임질 수 있는 능력과 책임져야 하는 당위는 별개로 간주되어야 한다.

Tip

요나스는 미래 세대의 생존과 ❶ [ ] 보장을 위해 미래 세대에 대한 현세대의 ❷ [ ]인 책임을 강조하였다.

답 ❶ 삶의 질 ❷ 일방적

저작권 문제에 대한 논쟁

05 다음 글의 입장에서 지지할 내용으로 가장 적절한 것은?

> 정보 사회의 다양성과 풍부함은 인간 삶을 풍요롭게 하며 사회 경쟁력을 키워줄 수 있다. 이러한 새로운 지식과 정보가 창출되는 정보의 생산력 향상을 위해서 창작자의 소유권을 인정하고 창작자에게 충분한 경제적 대가와 보상을 보장하는 것이 필수적이다.

① 모든 저작물은 인류가 공동으로 이룩한 산물이다.
② 정보 공유는 진정한 정보의 풍요로움에 기여한다.
③ 창작자의 의욕 고취가 정보 사회 발전의 밑거름이다.
④ 정보를 공공재로 볼 때 정보 사회 정의가 실현된다.
⑤ 정보에 경제적 가치를 부과하는 것은 정보 사회를 왜곡하는 것이다.

Tip

저작권 보호를 강조하는 입장은 창작자의 ❶ [ ]을/를 고취할 때 정보의 ❷ [ ](으)로 이어진다고 본다.

답 ❶ 창작 의욕 ❷ 다양성

사이버 공간에서 표현의 자유에 대한 논쟁

06 갑, 을의 입장에 대한 옳은 설명만을 보기 에서 있는 대로 고른 것은?

> **갑** : 인간은 스스로의 잘못을 반성하고 돌이킬 수 있는 윤리적 존재이자 합리적 이성을 가지고 판단하는 인격적 존재이다. 사이버 공간에서 자신의 견해를 자유롭게 표현하고 그로 인해 발생하는 문제들을 해결하는 데 있어서도 인간에 대한 신뢰가 그 바탕이 되어야 한다. 사이버 공간에서 표현의 자유에 따른 문제 해결은 개인의 자율적 규제에 전적으로 맡겨야 한다.
>
> **을** : 인간은 윤리적이고 인격적 존재이기도 하지만 충동과 욕구를 지닌 이기적 존재이기도 하다. 특히 사이버 공간은 이성을 발휘하고 성찰하기보다는 충동과 욕구를 표출하기 쉬운 공간이다. 사이버 공간에서 표현의 자유에 따른 문제를 개인의 자율적 규제에만 맡겨 두어서는 안 되며, 법적, 제도적 규제가 동원될 때 비로소 문제 해결이 가능하다.

보기

ㄱ. 갑은 사이버 공간에서 인간이 이성을 바탕으로 자율적으로 행동을 통제할 수 있다고 본다.
ㄴ. 을은 사이버 공간에서 표현의 자유를 규제하는 것은 도덕적으로 정당화될 수 없다고 본다.
ㄷ. 갑은 을에 비해 인간 본성을 신뢰할 만하며 인간이 자율적으로 도덕규범을 지킬 수 있다고 본다.
ㄹ. 을은 갑과 달리 사이버 공간에서 인간의 자율적 규제는 아무런 효과를 가져오지 못한다고 본다.

① ㄱ, ㄷ ② ㄱ, ㄹ ③ ㄴ, ㄷ
④ ㄱ, ㄴ, ㄹ ⑤ ㄴ, ㄷ, ㄹ

Tip

사이버 공간에서의 표현의 자유에 따르는 문제 해결을 위한 ❶ [ ] 규제를 강조하는 입장에서는 인간을 이성적 존재, 윤리적 존재로 보려는 경향이 강하다. 한편, ❷ [ ]·제도적 규제가 반드시 필요하다는 입장에서는 인간을 충동과 욕구를 지닌 존재로 보려는 경향이 강하다.

답 ❶ 자율적 ❷ 법적

정보 격차 문제 해결 방안

07 갑, 을의 입장으로 옳은 것은?

> 갑 : 정보 격차는 어디서나 불가피한 현상일 뿐이다. 처음에는 경제적 차이에 따라 정보 격차가 심각해 보이지만 정보 통신 기술의 발달과 장비의 보급은 매우 빠르기 때문에 정보 격차 문제는 대부분의 사회에서 자연스럽게 해결된다.
> 을 : 정보 격차는 경제적 형편에 따라 큰 차이를 드러낼 수밖에 없다. 정보 통신 기술의 발달이나 장비의 보급이 아무리 빠르더라도 경제 형편에 따라 지불할 수 있는 능력이 다르기 때문에 정보 격차 문제는 쉽게 해결되기 어렵다. 따라서 정보 격차 문제 해소를 위해 국가 차원에서 정보 소외 계층 지원을 확장해야 한다.

① 갑 : 정보 격차 해소를 위한 법적 규제가 필수적이다.
② 갑 : 정보 격차 해소는 사실상 해결 불가능한 과제이다.
③ 을 : 정보 격차는 시장의 원리에 의해 저절로 해결된다.
④ 을 : 정보 격차 해소를 위한 국가의 개입은 오히려 부작용을 가져온다.
⑤ 갑, 을 : 정보 통신 기술의 발달은 정보 격차를 완화시키는 데 도움을 줄 수 있다.

Tip

정보 격차에는 도시 지역과 농어촌 지역 간 발생하는 ❶ [ ] 정보 격차, 경제적 형편에 따라 달라지는 ❷ [ ] 정보 격차, 젊은 세대와 노년층 세대 사이에서 나타나는 세대 간 정보 격차 등이 있다.

답 ❶ 지역 간 ❷ 계층 간

생명 중심주의

08 다음을 주장한 사상가의 입장만을 | 보기 |에서 있는 대로 고른 것은?

> 인간은 자신을 공격하는 동물을 죽일 수 있다. 그러나 모든 생명체는 목적론적 삶의 중심이므로 이러한 행동은 정당방위처럼 최후의 수단이어야 한다.

| 보기 |

ㄱ. 생명체와 그것이 존재하는 생태계는 내재적 가치를 갖는다.
ㄴ. 지각의 유무 여부로 도덕적 지위를 결정해서는 안 된다.
ㄷ. 인간은 다른 생명체보다 본질적으로 우월하지 않다.
ㄹ. 인간은 비이성적 생명체를 함부로 대하면 안 된다.

① ㄱ, ㄴ ② ㄱ, ㄷ ③ ㄷ, ㄹ
④ ㄱ, ㄴ, ㄹ ⑤ ㄴ, ㄷ, ㄹ

Tip

테일러는 ❶ [ ] 중심주의자로서 생태계가 아니라 ❷ [ ]이/가 내재적 가치를 지닌다고 보았다.

답 ❶ 생명 ❷ 개별 생명체

동물 중심주의

09 다음을 주장한 사상가의 입장만을 | 보기 |에서 있는 대로 고른 것은?

> 적어도 일부 포유동물은 삶의 주체가 될 수 있습니다. 그들은 자신의 미래에 대한 감각 등을 바탕으로 자신의 욕구와 목적을 추구하기 위해 행위할 능력을 갖추었기 때문입니다.

| 보기 |

ㄱ. 비이성적 존재도 내재적 가치를 지닐 수 있다.
ㄴ. 도덕적 무능력자는 삶의 주체로 인정받을 수 없다.
ㄷ. 지각과 의식이 없어도 내재적 가치를 지닐 수 있다.
ㄹ. 사유 능력 여부가 어떤 존재의 도덕적 지위를 결정하는 것은 아니다.

① ㄱ, ㄷ ② ㄱ, ㄹ ③ ㄴ, ㄹ
④ ㄱ, ㄴ, ㄷ ⑤ ㄴ, ㄷ, ㄹ

Tip

레건은 인간이 아닌 성장한 ❶ [ ]은/는 도덕적 ❷ [ ](이)지만 감정적 생활을 할 뿐만 아니라 삶의 주체이기 때문에 도덕적 지위를 지닌다고 보았다.

답 ❶ 포유동물 ❷ 무능력자

서양의 다양한 자연관

10

(가)의 갑, 을, 병 사상가들의 입장을 (나) 그림으로 탐구할 때, A~D에 해당하는 적절한 질문만을 ｜보기｜에서 있는 대로 고른 것은?

(가)

갑

식물은 동물을 위해 존재합니다. 그리고 동물은 인간을 위해 존재합니다. 자연은 특별히 인간을 위해 모든 것을 만들어 냈음에 틀림없습니다.

을

만약 어떤 존재가 고통을 느낀다면, 그와 같은 고통을 고려하지 않으려는 것은 도덕적으로 정당화될 수 없습니다. 평등의 원리는 한 존재의 고통을 다른 존재의 동일한 고통과 동등하게 취급할 것을 요구합니다.

병

일부 동물들은 삶의 주체로서 존중받을 도덕적 권리를 갖습니다. 우리가 생명 공동체를 구성하는 개체들의 권리를 존중한다면 그 공동체는 보존될 것입니다.

(나)

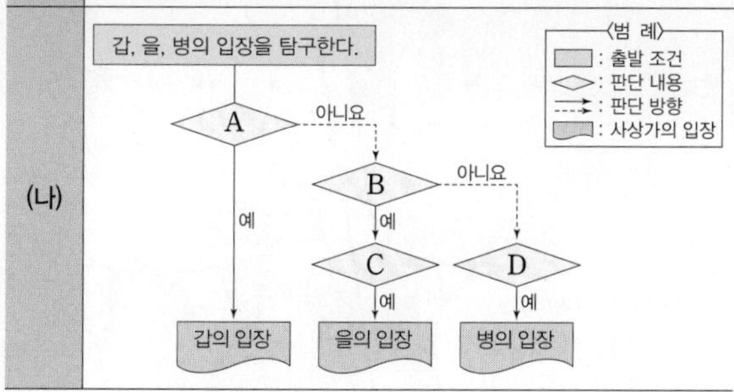

｜보기｜

ㄱ. A : 이성이 없는 존재는 도덕적으로 고려될 필요가 없는가?

ㄴ. B : 쾌고 감수 능력은 어떤 존재를 도덕적으로 고려하기 위한 필요충분조건인가?

ㄷ. C : 인간의 이익 관심과 동물의 이익 관심은 동일하며 차별하지 말아야 하는가?

ㄹ. D : 내재적 가치를 지닌 존재는 다른 것들을 위한 자원인 것처럼 대우받아서는 안 되는가?

① ㄱ, ㄴ　② ㄱ, ㄷ　③ ㄷ, ㄹ
④ ㄱ, ㄴ, ㄹ　⑤ ㄴ, ㄷ, ㄹ

Tip

싱어는 어떤 존재가 도덕적 고려의 대상이 되기 위한 [❶　　] (으)로 쾌고 감수 능력을 제시한 반면, 레건은 욕구, 지각 등 여러 조건 중 하나로 쾌고 감수 능력을 제시하였으므로 [❷　　] 이다.

답 ❶ 필요충분조건 ❷ 필요조건

서양의 다양한 자연관

11

(가)의 갑, 을, 병 사상가들의 입장을 (나) 그림으로 탐구할 때, A~D에 해당하는 적절한 질문만을 ｜보기｜에서 있는 대로 고른 것은?

(가)

갑 : 이 세상에는 육체와 영혼이라는 두 가지 실체가 있다. 물질적 육체와 비물질적 영혼의 혼합체인 인간과 달리, 동물은 의식이 없는 기계일 뿐이다.

을 : 도덕적 의무를 질 수 있는 인간에 대한 의무 외에 다른 존재에 대한 의무는 없다. 물론 동물이 수행한 봉사에 대한 감사는 간접적으로 인간의 의무에 속한다.

병 : 흙, 물, 식물, 동물, 인간을 포함하는 생명 공동체는 생명적 성질을 지닌다. 인간은 생명 공동체의 지배자가 아니며, 대지 위의 모든 존재는 평등한 구성원이다.

(나)

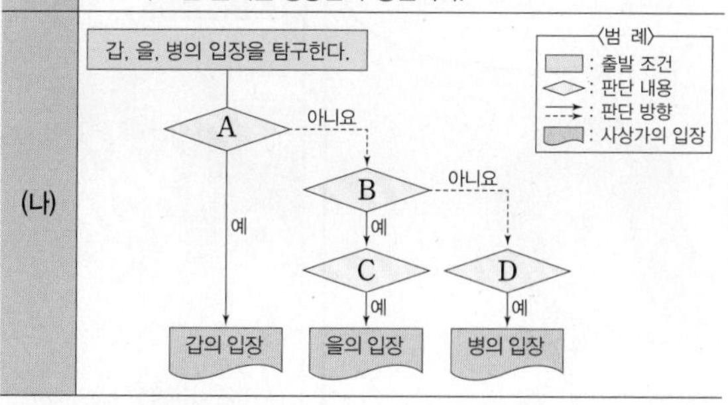

｜보기｜

ㄱ. A : 인간만이 이성적 존재이며 도덕적 지위를 지니는가?

ㄴ. B : 인간에게는 동물을 함부로 학대하지 말아야 할 의무가 있는가?

ㄷ. C : 인간은 이성적 존재인 인간에 대해서만 직접적인 의무를 지니는가?

ㄹ. D : 인간은 대지 공동체의 다른 구성원들에 대한 존중의 태도를 지녀야 하는가?

① ㄱ, ㄴ　② ㄱ, ㄷ　③ ㄷ, ㄹ
④ ㄱ, ㄴ, ㄹ　⑤ ㄴ, ㄷ, ㄹ

Tip

칸트에 따르면, 인간은 인간에 대해 [❶　　] 의무를, 자연과 동물에 대해 [❷　　] 의무를 가진다.

답 ❶ 직접적 ❷ 간접적

Ⅴ. 문화와 윤리 ~ Ⅵ. 평화와 공존의 윤리

3강_문화와 윤리

학습할 내용 **3강** ❶ 예술과 윤리 ❷ 대중문화의 윤리적 문제 ❸ 의식주 윤리 ❹ 다문화 사회 윤리
4강 ❶ 소통의 윤리 ❷ 민족 통합의 윤리 ❸ 국제 분쟁의 해결과 평화 ❹ 해외 원조에 대한 다양한 입장

4강_평화와 공존의 윤리

WEEK 2 DAY 1

개념 돌파 전략 ①

3강_문화와 윤리

개념 01 예술과 윤리의 관계

1 **예술** 미적 가치를 표현하고 창조하는 일에 목적을 둔 모든 인간 활동과 그 산물

2 **예술과 윤리의 관계**

도덕주의	• 예술은 올바른 품성을 기르고 도덕적 교훈이나 모범을 제공해야 함 → ❶ ( ) 와/과 관계됨 • 도덕적 가치가 미적 가치보다 우위에 있음 → 예술은 윤리의 인도를 받아야 함 • 문제점 : 예술에서의 미적 가치 경시, 자유로운 창작 제한 • 대표자 : 플라톤, 톨스토이 등
심미주의 (예술 지상주의)	• 예술이 도덕적 선의 추구나 도덕을 위해 존재할 필요 없음 → 예술은 미적 가치를 구현할 뿐임 • '예술을 위한 예술' 주장 → 예술의 ❷ ( ) 보장 강조, 순수 예술론 지지 • 문제점 : 예술과 현실의 분리로 예술의 사회적 영향력 간과 • 대표자 : 와일드, 스핑건 등

3 **예술과 윤리의 바람직한 관계** 예술의 자율성을 인정하면서도 윤리와의 상호 관련성을 고려하여 예술과 윤리의 조화로운 관계를 추구해야 함

답 ❶ 참여 예술론 ❷ 자율성

확인 01

예술의 사회적·교육적 기능을 강조하는 입장을 지칭하는 말은 무엇인가?

개념 02 예술의 상업화

1 **예술의 상업화** 상품을 사고팔아 ❶ ( ) 을/를 얻는 일이 예술 작품에도 적용되는 현상

2 **예술의 상업화의 두 가지 측면**

긍정적 측면	• 대중이 쉽게 예술에 접근할 수 있는 계기를 제공함 • 예술가가 ❷ ( ) 을/를 얻을 수 있게 함 • 창작 활동의 활성화에 기여
부정적 측면	• 경제적 이익을 추구하기 위한 작품을 만들게 되어 예술의 본래 목적과 자율성을 상실할 수 있음 → 예술 작품의 미적 가치, 윤리적 가치 간과 우려 • 예술 작품이 부의 축적 수단으로 전락할 수 있음 • 예술 작품이 대중의 오락적 요구에 맞추는 데 집중하여 예술의 질적 저하가 나타날 수 있음

답 ❶ 이윤 ❷ 경제적 이익

확인 02

예술의 상품성을 높이려는 시도는 미적 가치를 구현하고자 하는 예술의 목적과 ( ) 을/를 상실하게 할 수 있다.

개념 03 대중문화의 특징과 효과

1 **대중문화의 특징**

- 방송, 인터넷 등 ❶ ( ) 에 의한 생산 및 확산
- 상업적 특징 : 시장을 통해 유통되면서 이윤 창출
- 일상과 긴밀하게 연관되어 있어 대중의 감수성, 취향 등 행동 양식 전반에 영향을 미침

2 **대중문화의 긍정적 효과**

- 다양한 문화를 저렴하게 공급하여 많은 사람이 문화를 향유할 수 있게 함
- 대중문화는 현실의 불합리하고 부정적 측면을 고발함 → 대중의 사회에 대한 관심 및 ❷ ( ) 기회 제공

답 ❶ 대중 매체 ❷ 참여

확인 03

대중 매체는 동일한 내용의 문화적 산물을 공급하여 대량 소비를 (가능하게 , 불가능하게) 한다.

개념 04 대중문화와 관련된 윤리적 문제

1 **대중문화의 윤리적 문제**

지나친 상업성	대중문화가 이윤을 창출하는 단순한 상품으로 전락할 수 있음
자본 종속	• 대중문화는 대규모의 ❶ ( ) 이/가 필요함 • 자본을 소유한 소수의 집단이 대중문화 전반을 독점 혹은 과점할 수 있음 • 작품 선정에 상업적 이익을 우선할 수 있음 → 대중문화의 획일화 우려
폭력성과 선정성	대중의 관심이나 수익성만을 지나치게 추구할 경우 폭력적이고 선정적인 표현을 과도하게 사용할 수 있음

2 **대중문화에 대한 윤리적 규제에 대한 입장**

찬성	• 성의 상품화 예방을 위해 윤리적 규제 필요 • 미풍양속과 청소년 보호를 위해 유해 요소에 대한 윤리적 규제 필요
반대	• 대중문화의 자율성 및 ❷ ( ) 억압 우려 • 윤리적 규제는 문화를 향유할 권리를 제한할 수 있음

답 ❶ 자본 ❷ 표현의 자유

확인 04

아도르노에 따르면, 현대 예술은 자본에 종속되어 ( ) 된 상품으로 전락하고 있다.

개념 05 의식주 문화와 윤리적 문제

1 의복 문화와 윤리적 문제

- 유행 추구 현상과 관련된 과소비와 환경 오염
- 명품 선호 현상과 관련된 ❶ [　　] 소비와 사치

2 음식 문화와 윤리적 문제

- 육류 생산 과정에서 발생하는 환경 오염과 동물에 대한 비윤리적 대우
- 유전자 변형 식품, 농약 및 화학 물질 등의 사용으로 인한 안전성 문제와 생명권 침해

3 주거 문화와 윤리적 문제

- 주거를 경제적 측면으로 바라봄 → 주거의 본질적 가치 상실
- 아파트 등 주거 형태의 획일화 → 개성 상실, 폐쇄성으로 인한 이웃 간의 ❷ [　　] 단절

답 ❶ 과시적 ❷ 소통

확인 05

오늘날 [　　]의 보편화에 따라 공장식 축산과 동물 학대 등 동물에 대한 비윤리적 대우 문제가 발생하고 있다.

개념 06 윤리적 소비

1 오늘날 소비의 특징과 문제점

구분	내용
특징	• 자본주의의 대량 소비 문화 확산 • 소유의 자유 보장으로 개별화된 소비 생활 가능 • 소비자가 소비를 통해 생산자 및 관련 집단에 영향력을 발휘할 수 있게 됨
문제점	• 대량 소비와 과소비 문제 → 환경 문제 발생 • 사회적 욕구나 자아실현의 욕구를 충족하려는 과시적 소비, 충동 소비 등장 → 계층 간 위화감 조성, 근로 의욕 약화 초래

2 합리적 소비와 윤리적 소비

구분	내용
합리적 소비	• 소득 범위 내에서 경제적으로 ❶ [　　]의 비용으로 자신의 욕구를 최대한 충족하려는 소비 • 인권 침해, 불공정한 분배, 자원 개발로 인한 환경 오염 등의 문제 발생 우려
윤리적 소비	• 재화나 서비스를 구매·사용하고 처리하는 데 ❷ [　　]을/를 따르는 소비 • 개인의 욕구 충족뿐만 아니라 타인과 사회를 고려하여 소비함 → 평화, 인권, 사회 정의, 환경 등 인류 보편의 가치를 중시한 소비 지향 (예 녹색 소비, 착한 소비)

답 ❶ 최소한 ❷ 도덕적 가치

확인 06

지역에서 생산된 농산물을 그 지역에서 소비하는 '로컬푸드 운동'은 (합리적 , 윤리적) 소비의 사례이다.

개념 07 문화 다양성과 존중

1 다문화 사회와 다문화 정책 모형

구분	내용
동화주의	• 이민자의 문화와 같은 소수 문화를 주류 사회의 언어나 문화에 동화시켜 통합하려는 입장 • 이민자가 출신국의 문화를 포기하고 주류 사회의 일원이 되도록 주류 문화로 편입시키려는 입장
샐러드 볼 이론 (다문화주의)	다양한 채소와 과일을 서로 섞는 샐러드처럼 각각의 문화의 고유성을 유지하면서 서로 ❶ [　　] 조화와 공존을 이루려는 입장
국수 대접 이론 (문화 다원주의)	주재료인 면 위에 부재료인 고명을 얹어 국수의 맛을 내듯이 주류 문화를 중심으로 비주류 문화를 조화해야 한다는 입장

2 관용의 필요성과 한계

구분	내용
필요성	• 다양한 문화를 가진 사람들의 공존 가능 • 문화적 풍요로움의 혜택을 누릴 수 있음 • 인간의 자율성 보장 및 인간 존중 실현 가능
한계	• 관용의 역설 : ❷ [　　]은/는 인권 침해와 사회 혼란 초래 가능 • 관용의 한계 : 인류 보편적 가치를 훼손하거나 사회의 기본 질서를 훼손하는 것까지 허용할 수는 없음

답 ❶ 평등하게 ❷ 무제한적 관용

확인 07

이주민이 출신국의 언어 · 문화 등을 포기하고 이민국의 일원이 되어야 한다고 보는 다문화 정책 모형은 무엇인가?

모든 종교는 보편적인 윤리를 포함하고 있어.

개념 08 종교와 관련된 윤리적 문제

1 종교와 윤리의 상관성

구분	내용
공통점	인간 존엄성 중시, 사회 정의 실현에 관심
차이점	• 종교 : 초월적 문제 탐구, 신에 대한 의존 강조 • 윤리 : 도덕규범이나 그 근거를 탐구, 이성이나 양심 등을 근거로 도덕적 행위 실천에 관심
바람직한 관계	종교는 윤리적 삶을 고양하는 데, 윤리는 종교가 올바른 방향으로 나아가는 데 도움을 줄 수 있음

2 종교 간 갈등 문제

- 종교 간 갈등의 원인 : 타 종교에 대한 무지와 편견, ❶ [　　] 태도
- 종교 간 갈등의 해결 : 종교의 자유 인정과 타 종교에 대한 ❷ [　　]의 태도, 종교 간 대화와 협력

답 ❶ 배타적 ❷ 관용

확인 08

종교 간의 [　　]을/를 통해 서로를 이해하는 것은 종교 간의 갈등을 해소하는 데 도움이 된다.

WEEK 2 DAY 1

개념 돌파 전략 ①

4강_평화와 공존의 윤리

개념 01 사회 갈등과 사회 통합

1 사회 갈등의 의미와 원인

- 의미 : 개인이나 집단 사이에 목표나 이해관계가 달라 화합하지 못하거나 적대시함(예 지역 갈등, 세대 갈등, 이념 갈등)
- 원인 : 생각이나 ❶ [ ] 의 차이, 이해관계의 대립, 원활한 소통의 부재, 사회적 가치의 희소성 등

2 사회 통합의 필요성과 실현 방안

필요성	개인의 행복한 삶, 사회 발전, 국가 경쟁력 강화를 위해 필요
실현 방안	• 상호 존중과 신뢰에 바탕을 둔 ❷ [ ] • 개인의 이익과 공동선의 조화 • 사회 통합을 위한 제도와 정책 마련

답 ❶ 가치관 ❷ 소통

확인 01

사회 변화에 빠르게 적응하는 젊은 세대와 상대적으로 그렇지 못한 기성세대와의 갈등을 일컫는 말은 무엇인가?

개념 02 소통과 담론의 윤리

1 소통과 담론의 필요성과 바람직한 태도

필요성	• 사회 구성원의 자발적 · 적극적인 참여로 사회 통합 실현 • 도덕적 권위를 갖춘 합의 도출 가능
바람직한 태도	• 사회적 · 경제적 지위 등을 이유로 담론 참여의 권리를 침해해서는 안 됨 • 대화 상대방에 대한 존중, 진실한 대화를 위한 노력, 오류 가능성을 인정하는 겸허한 태도

2 동서양의 소통과 담론의 윤리

원효	• 불교 이론 간 대립 해소를 위해 ❶ [ ] 사상 제시 • 모든 종파와 사상을 분리시켜 고집하지 말고 더 높은 차원에서 하나로 종합할 것 강조
하버마스	• 상호 간 논증적 토론 과정을 통해 보편적 합의에 도달하는 의사소통의 합리성 강조 → 합의 결과를 수용하고 의무로 받아들이기 위해 필요함 • 이상적 담화 상황 : 모든 사람이 ❷ [ ] 논의에 참여하고 자유롭게 의견을 제시할 수 있어야 하며, 논의에 참여한 사람들이 진실성을 갖고 발언해야 함 • 이상적 담화 상황의 조건 : 이해 가능성, 정당성, 진리성, 진실성

답 ❶ 화쟁(和諍) ❷ 평등하게

확인 02

하버마스는 이상적 담화 상황의 조건으로 이해 가능성, 정당성, 진리성, [ ] 을/를 제시하였다.

개념 03 통일 문제를 둘러싼 쟁점

1 통일에 관한 찬성과 반대 문제

찬성	이산가족의 고통 해소, 민족 동질성 회복, ❶ [ ] 의 공포 해소, 민족의 경제적 번영 등
반대	문화적 이질감, 막대한 통일 비용, 사회적 혼란과 갈등 가능성, 정치적 · 군사적 혼란 발생 가능성

2 통일 관련 비용 문제

분단 비용	• 분단으로 인해 남북한이 부담하는 유 · 무형의 모든 비용(예 국방비, 외교적 경쟁 비용 등) • 분단 기간 동안 영구적으로 발생하는 소모적 성격의 비용
통일 비용	• 통일 과정과 통일 이후 남북한 간 격차를 해소하고 이질적 요소를 통합하는 데 필요한 비용 • 투자적 성격의 생산적 비용 • 통일 이후 ❷ [ ] (으)로 발생
통일 편익	통일에 따른 보상과 혜택 → 통일 이후 지속적으로 발생함

3 북한 인권 상황에 대한 국제 사회 개입 문제

- 찬성 : 인권 보호를 위해 국제 사회 개입 가능
- 반대 : 인권은 내정 문제로 스스로 해결해야 함

답 ❶ 전쟁 ❷ 한시적

확인 03

분단 비용은 소모적 비용인 반면 [ ] 은/는 통일 한국을 건설하기 위한 생산적 투자 비용이다.

남북한 간에는 상호 간의 다름을 이해하고, 공존의 관점에서 통일 문제를 이해해야 해.

개념 04 통일이 지향해야 할 가치

1 통일 한국이 지향해야 할 가치

평화, 자유, ❶ [ ], 정의를 보장하는 국가

2 남북 화해 및 평화 실현을 위한 노력

개인적 차원	• 열린 마음으로 소통하고 배려를 실천함 • 북한이 경계의 대상이자 동반자라는 ❷ [ ] 인식 필요
국가적 차원	• 안보 기반의 구축과 신뢰 형성을 위한 노력 병행 • 평화적 통일을 위한 체계적인 준비 • 국제 사회와의 협력 강화

답 ❶ 인권 ❷ 균형적

확인 04

통일은 여러 나라의 이해관계나 안보 문제가 결부된 국제적인 성격을 지닌다. (○ , ×)

개념 05 국제 관계를 설명하는 이론

1 현실주의의 특징과 한계점

구분	내용
특징	• 국가는 이기적 인간으로 구성됨 → 세계는 자국의 이익을 추구하는 국가로 구성됨 • 국제 관계는 무정부적 상태임 • 국가의 목표는 자국의 안보와 생존 • 국가 간 갈등은 힘으로 해결 가능 → 평화는 ❶ ( )(으)로 전쟁을 예방 또는 억지하는 것
한계점	• 군비 경쟁 유발 우려 • 국제기구, 비정부 기구 등의 영향력을 간과하여 국제 관계의 협력을 잘 설명하지 못함

2 이상주의의 특징과 한계점

구분	내용
특징	• 인간은 이성적 존재 → 국가는 이성적 · 합리적임 • 국가 간 갈등은 상대방에 대한 무지나 오해, 잘못된 제도로 인해 발생함 • 갈등 해결 방안 : ❷ ( )뿐만 아니라 개인, 국제기구, 비정부 기구 등 여러 행위 주체의 노력을 요구함 • 평화 : 국가 간 이성적 대화와 협력을 바탕으로 도덕, 여론, 법률, 제도를 통해 실현할 수 있음
한계점	• 현실에서의 국가 간 경쟁, 갈등을 설명하기 힘듦 • 국제 관계를 통제할 실효성 있는 제재 어려움

답 ❶ 세력 균형 ❷ 국가

확인 05

현실주의는 국가가 (이기적 , 이타적) 인간들로 구성된다고 본다.

지구촌 평화의 윤리와 관련해서는 국제 평화에 대한 칸트와 갈퉁의 입장의 비교할 수 있어야 해.

개념 06 국제 평화의 중요성

1 칸트의 영구 평화론

구분	내용
특징	• 평화 유지를 위해 모든 국가가 자유로운 국가들 간의 연맹에 참여할 것 주장 • 연맹 참여 국가는 평화를 요구하는 시민들에 의해 쉽게 전쟁을 일으킬 수 없게 됨
확정 조항	• 모든 국가의 시민적 정치 체제는 ❶ ( )(이)어야 한다. • 국제법은 자유로운 국가들의 연방 체제에 기초해야 한다. • 세계 시민법은 보편적 우호의 추구를 목표로 삼아야 한다.

2 갈퉁의 적극적 평화

구분	내용
소극적 평화	직접적 폭력과 전쟁, 테러, 범죄 등으로부터 해방된 상태
적극적 평화	직접적 폭력뿐만 아니라 억압, 착취 등의 ❷ ( ) 폭력, 나아가 문화적 폭력이 제거된 상태 → 인간답게 살아갈 수 있는 삶의 조건이 갖추어진 상태

답 ❶ 공화 정체 ❷ 구조적

확인 06

종교 · 언어 · 예술 등을 통해 직접적 폭력과 구조적 폭력을 정당화하고 합법화하는 폭력을 일컫는 말은 무엇인가?

개념 07 세계화에 대한 입장

1 세계화 국제 사회의 상호 의존성이 증가하고 긴밀한 사회 체계로 통합되는 현상

2 세계화에 대한 입장

구분	내용
긍정적 입장	• 생산자의 제품 판매 시장 확대, 소비자의 다양한 상품 선택 가능 • 기업들의 국제적 경쟁력 확보를 위한 노력으로 경제 발전에 도움 • 세계적 문제 해결을 위한 ❶ ( ) • 여러 나라의 다양한 문화 교류 확대
부정적 입장	• 선진국이 경쟁에서 유리 → 국가 간 ❷ ( ) 격차 심화 • 국가 간 상호 의존도가 높아져 국내 경제의 세계 경제 의존도가 높아짐 • 각 나라의 고유 정체성 약화, 문화 획일화 현상 발생

답 ❶ 국제 협력 ❷ 빈부

확인 07

세계화로 인해 다양한 문화의 교류가 확대되기도 하지만 상업화 · ( )된 선진국 중심의 문화가 전 세계적으로 확대되기도 한다.

개념 08 국제 정의와 해외 원조

1 국제 정의의 필요성과 종류

구분	내용
필요성	세계화로 인해 국가 간 상호 의존도가 높아져 국제 정의를 실현할 필요성이 높아짐
종류	• 형사적 정의 : 범죄에 대한 정당한 처벌을 통해 실현되는 정의 → 국제 형사 재판소, 국제 형사 경찰 기구 등을 통한 실현 • 분배적 정의 : 재화의 공정한 분배를 통해 실현되는 정의 → 공적 개발 원조를 통한 실현

2 해외 원조에 대한 관점

구분		내용
자선 (노직)		• 해외 원조는 ❶ ( )을/를 베푸는 자유로운 선택의 문제 • 자유 지상주의의 관점에서 정당한 과정을 거쳐 취득한 재산은 국가를 포함한 누구도 침해할 수 없다고 봄 → 해외 원조에 대한 의무는 존재하지 않음
의무	롤스	'고통받는 사회'를 '질서 정연한 사회'로 이행할 수 있도록 돕는 것은 윤리적 의무 → 질서 정연한 사회가 구현되면 원조를 ❷ ( )해야 함
	싱어	• 이익 평등 고려의 원칙에 따라 누구나 차별 없이 도움을 받아야 함 • 공리주의 관점 : 해외 원조는 인류 전체의 고통을 감소시키므로 절대 빈곤에 빠진 사람을 돕는 것은 윤리적 의무임 • 세계 시민주의적 관점에서 지구적 차원의 원조 강조

답 ❶ 선의 ❷ 중단

확인 08

싱어는 해외 원조의 대상을 자신이 속한 공동체로 한정하지 말고 지구촌 전체로 확대해야 한다고 보았다. (○ , ×)

WEEK 2 DAY 1 개념 돌파 전략 ②

1 갑, 을의 입장으로 옳지 않은 것은?

> **갑** : 리듬과 화음은 그 무엇보다 더 깊숙이 영혼에 가장 큰 영향을 끼친다. 어떤 사람이 옳게 교육을 받으면 우아하고 아름다운 사람이 되지만, 그릇된 교육을 받으면 그 반대의 사람이 된다.
> **을** : 어떤 예술가도 윤리적인 동정심을 지니고 있지 않아야 한다. 예술가에게 동정심이란 용서할 수 없는 매너리즘이다.

① 갑 : 예술은 도덕적 삶의 본보기를 제공해야 한다.
② 갑 : 예술은 도덕성의 함양을 목표로 삼아야 한다.
③ 을 : 예술은 예술을 위한 예술을 추구해야 한다.
④ 을 : 예술은 도덕적 가치 평가로부터 자유로워야 한다.
⑤ 갑, 을 : 예술은 미적 가치의 구현만을 목표로 해야 한다.

문제 해결 전략

예술과 윤리에 대한 심미주의는 예술이 미적 가치의 구현을 목표로 삼아야 한다고 본 반면, 도덕주의는 도덕적 가치가 ❶(   )보다 우위에 있으므로 예술은 ❷(   )의 인도를 받아야 한다고 본다.

답 ❶ 미적 가치 ❷ 윤리

2 다음 글에서 강조하는 내용으로 가장 적절한 것은?

> 패스트 패션은 최신 유행을 즉각 반영한 디자인을 저렴한 가격으로 판매하는 패션 사업을 말한다. 패스트 패션 업체들은 신제품을 빠르게 생산하여 매장에 진열하고 남은 제품은 폐기하는데 이로 인해 의복 생산 근로자의 근로 조건 악화, 의복 폐기 과정에서의 과도한 쓰레기 배출량 등을 지적받는다. 그러므로 소비자와 기업은 패스트 패션이 야기하는 문제를 성찰할 필요가 있다.

① 패션 기업은 최대한 많은 제품을 생산하여야 한다.
② 소비자는 최신 유행에 맞는 의복을 적극 구매해야 한다.
③ 패션 기업은 저렴한 제품으로 의복 소비를 촉진해야 한다.
④ 소비자는 의복을 통한 자신의 개성 표현에 전념해야 한다.
⑤ 패션 기업은 인권과 환경에 대한 책임 의식을 갖추어야 한다.

문제 해결 전략

유행을 추구하는 과정에서 소득에 비하여 지나친 소비를 하는 ❶(   )이/가 나타난다. 또한, 의복 생산과 폐기 과정에서 자원의 낭비, 오염 물질의 배출 등으로 ❷(   )의 문제가 발생한다.

답 ❶ 과소비 ❷ 환경

3 ㉠에 들어갈 내용으로 가장 적절한 것은?

> 나는 다양한 채소와 과일을 서로 대등한 관점에서 섞는 것처럼 다양한 문화의 고유성을 유지하면서 조화와 공존을 이루어야 한다고 생각한다. 그런데 어떤 사람들은 이민자를 주류 문화에 동화시켜야 한다고 주장한다. 나는 이러한 사람들의 주장이 [㉠   ]고 생각한다.

① 다양한 문화의 공존을 지향해야 함을 간과한다
② 이주민 문화의 고유성을 유지해야 함을 강조한다
③ 비주류 문화의 다양성을 인정해야 함을 강조한다
④ 이주민 문화를 주류 문화로 통합해야 함을 간과한다
⑤ 사회 통합을 위해 이질적 문화들을 소멸시켜야 함을 간과한다

문제 해결 전략

동화주의는 ❶(   ) 이론과 국수 대접 이론과 달리 이민자를 주류 사회의 언어나 문화에 동화시켜 ❷(   )하려는 관점이다.

답 ❶ 샐러드 볼 ❷ 통합

4 다음을 주장한 사상가의 입장으로 가장 적절한 것은?

> • 청색과 남색이 다르지만 그 바탕으로 보아서는 같으며, 얼음과 물은 그 형태로 보아 다르지만 그 근원은 동일한 것이다.
> • 모든 종파와 사상을 분리하여 고집하지 말고, 보다 높은 차원에서 하나로 종합해야 한다.

① 타인이 낸 의견의 문제점을 찾아 지적해야 한다.
② 나와 다른 의견도 존중하고 포용할 수 있어야 한다.
③ 소통 과정에서 자신의 입장을 수정 없이 유지해야 한다.
④ 자신의 관점이 가장 타당하다고 설득할 수 있어야 한다.
⑤ 의견 다툼이 생길 때, 타인의 의견을 수용해서는 안 된다.

문제 해결 전략

원효는 불교 이론 간의 갈등과 대립을 해소하기 위해 ❶ [ ] 사상을 제시하였다. 이를 통해 ❷ [ ]와/과 존중의 필요성을 강조하였다.

답 ❶ 화쟁(和諍) ❷ 포용

5 다음을 주장한 사상가의 입장으로 옳지 않은 것은?

문화적 폭력은 종교와 사상, 법과 과학, 대중 매체와 교육 전반에 영향을 미쳐서 구조적 폭력과 직접적 폭력을 정당화하는 역할을 합니다.

① 물리적 폭력 이외에 다른 폭력이 존재한다.
② 문화적 폭력은 언어와 예술에도 영향을 미친다.
③ 인간답게 살기 위해서는 폭력이 없어져야 한다.
④ 전쟁을 중지하면 모든 형태의 폭력도 사라진다.
⑤ 소극적 평화만으로는 진정한 평화를 실현할 수 없다.

문제 해결 전략

갈퉁에 따르면 적극적 평화는 직접적인 폭력뿐만 아니라 사회의 ❶ [ ] 폭력과 문화적 폭력도 제거되어 ❷ [ ] 살아갈 수 있는 삶의 조건이 갖추어진 상태를 말한다.

답 ❶ 구조적 ❷ 인간답게

6 다음을 주장한 사상가의 입장으로 가장 적절한 것은?

이익 평등 고려의 원칙에서 보면, 고통을 덜어 주어야 할 궁극적이고 도덕적인 이유는 고통이 그 자체로 바람직하지 않기 때문입니다. 어떤 고통에 관하여 그것이 특정한 인종이 겪는 고통이라는 이유로 고려를 덜 한다면 이는 자의적인 차별이 될 것입니다.

① 원조는 의무가 아니라 자율적 선택이어야 한다.
② 국적과 인종에 따라 원조 여부를 결정해야 한다.
③ 원조를 통해 인류 전체의 고통을 감소시켜야 한다.
④ 동일한 공동체에 소속된 사람에게만 원조해야 한다.
⑤ 공리의 원리가 아니라 도덕 법칙에 따라 원조해야 한다.

문제 해결 전략

싱어는 ❶ [ ] 평등 고려의 원칙에 따라 자기 공동체에 속해 있든 아니든 상관없이 누구나 ❷ [ ] 없이 도움을 받아야 한다고 주장하였다.

답 ❶ 이익 ❷ 차별

WEEK 2 DAY 2

필수 체크 전략 ①

3강_문화와 윤리

필수 예제 01

수능 기출

그림은 서술형 평가 문제와 학생 답안이다. 학생 답안의 ㉠~㉤ 중 옳지 않은 것은?

서술형 평가

◎ 문제 : 예술에 대한 갑, 을 사상가들의 입장을 비교하여 서술하시오.

갑 : 아름다운 리듬과 화음은 영혼에 들어가 우아함을 심어 주고, 미추(美醜) 감각을 키워 준다. 품위 없는 리듬과 화음은 나쁜 말씨나 고약한 성질과 연결되니, 작품 속에 선(善)의 원형을 표현하지 않는 사람은 추방해야 한다.

을 : 미적인 것은 윤리적으로 선한 것의 상징이다. 이런 관점에서만 미적인 것은 다른 모든 사람들의 동의를 요구한다. 이때 우리의 마음은 감각적 쾌락을 넘어서 순화되고 고양된 고귀함을 느낀다.

◎ 학생 답안

갑, 을의 예술에 대한 입장을 비교해 보면, 갑은 ㉠ 예술가의 창작 행위를 떠나서는 아름다움의 원형이 존재할 수 없고, ㉡ 예술가는 미적 가치를 통해 영혼의 조화를 추구해야 한다고 본다. 을은 ㉢ 예술을 통해 타인과 감정을 공유할 수 있고, ㉣ 예술은 도덕성 증진에 기여할 수 있다고 본다. 한편, 갑, 을은 모두 ㉤ 예술은 미적 가치를 다루는 활동이라고 본다.

① ㉠ ② ㉡ ③ ㉢ ④ ㉣ ⑤ ㉤

Tip

갑은 아름다운 리듬과 화음이 우아함을 심어 준다고 본 점을 통해 플라톤임을, 을은 미(美)는 선(善)의 상징이라고 본 점을 통해 칸트임을 알 수 있다.

풀이

① 플라톤은 예술가의 창작 행위와는 상관없이 아름다움의 원형, 즉 이데아가 존재한다고 보았다. 그래서 예술가는 이데아를 모방하여 영혼의 조화를 추구할 것을 주장하였다. ③ 칸트에 따르면, 인간은 예술을 통해 하나의 공통감을 느낄 수 있다. ④ 칸트에 따르면, 아름다움은 도덕성의 상징이며 더 나아가 아름다움은 도덕성의 실현에 기여할 수 있다.

답 ①

응용 01-1

갑, 을의 입장만을 보기 에서 고른 것은?

보기

ㄱ. 갑 : 예술의 영역과 도덕의 영역은 분리되어 있다.

ㄴ. 을 : 예술은 공동체의 규범으로부터 자유로워야 한다.

ㄷ. 을 : 예술은 올바른 품성 함양을 위한 모범을 제공해야 한다.

ㄹ. 갑, 을 : 예술은 예술 그 자체를 목적으로 지향해야 한다.

① ㄱ, ㄴ ② ㄱ, ㄷ ③ ㄴ, ㄷ ④ ㄴ, ㄹ ⑤ ㄷ, ㄹ

응용 01-2

다음을 주장한 사상가의 입장만을 보기 에서 고른 것은?

보기

ㄱ. 음악은 이로움이 없으므로 금지해야 한다.

ㄴ. 음악을 통해서만 인간다움이 완성될 수 있다.

ㄷ. 음악을 즐기면 재물을 낭비하여 민생을 위협한다.

ㄹ. 음악을 연주하는 활동은 생산 활동에 도움이 된다.

① ㄱ, ㄴ ② ㄱ, ㄷ ③ ㄴ, ㄷ ④ ㄴ, ㄹ ⑤ ㄷ, ㄹ

필수 예제 02

수능 기출

갑, 을의 입장으로 가장 적절한 것은?

갑 : 예술은 사회에 저항하는 힘을 가져야 한다. 그렇지 않으면 예술은 단순한 상품으로 전락한다. 고급 예술은 상품화되었다 하더라도 자율성을 주장하지만, 대중문화는 산업을 자처하며 대중을 기만하고 그들의 의식을 속박한다.

을 : 예술은 삶의 일부를 형성한다. 경험으로서 예술 작품은 우리의 삶 속에 존재한다. 오늘날 미적인 것은 모든 삶의 영역 속으로 빨려 들어가고 있다. 삶 속에서도 대중 예술에서도 미적인 것의 구현은 가능하다.

① 갑 : 문화 산업은 기존 질서를 옹호하고 사회를 몰개성화한다.
② 갑 : 예술 본연의 목적은 일상적 삶의 고통을 잊게 하는 것이다.
③ 을 : 대중 예술은 예술과 삶을 통합시키기보다는 분리시킨다.
④ 을 : 예술 작품은 삶 속에서 기능하지 않아야 미적 가치를 지닌다.
⑤ 갑, 을 : 대중 예술은 감상자를 사유의 주체가 되도록 독려한다.

Tip

갑은 대중 문화가 산업을 자처하며 대중을 기만하고 그 의식을 속박한다고 본 점을 통해 아도르노, 을은 삶 속에서도 대중 예술에서도 미적인 것의 구현이 가능하다고 본 점을 통해 슈스터만임을 알 수 있다.

풀이

① 아도르노에 따르면, 예술은 사회에 저항하는 힘을 가져야 하는데, 자본주의 사회에서의 문화 산업은 소비자들의 의식을 속박하여 적극적으로 사유하는 것을 불가능하게 만든다. 즉, 문화 산업이 기존 질서의 옹호, 사회의 몰개성화를 초래한다는 것이다. ② 아도르노에 따르면, 예술 본연의 목적은 삶의 고통을 드러내어 사회에 저항하도록 하는 것이다. ③ 슈스터만에 따르면, 예술은 삶 속에 통합되어 존재한다. ④ 슈스터만에 따르면, 예술 작품이 삶 속에서 기능하더라도 미적 가치를 지닌다. ⑤ 아도르노가 반대할 내용이다. 아도르노에 따르면, 대중 예술은 감상자의 의식을 속박하여 사유의 주체가 되지 못하게 만든다. 답 ①

필수 예제 03

수능 기출

다음 서양 사상가의 입장으로 가장 적절한 것은?

우리 시대의 인간은 고향을 잃고 지구상 어떤 곳에도 매여 있지 않은 영원한 망명자이다. 하지만 집은 이러한 위험과 희생의 공간인 외부 공간과 구분되는 안정과 평화의 공간이다. 인간은 자신의 중심점인 집을 스스로 만들어 그곳에 뿌리내리고 살 때 진정한 거주를 실현한다. 인간은 이러한 거주의 실현을 통해 단순히 공간을 점유하는 것이 아닌 거주자가 됨으로써 자신의 본질을 실현하고 온전한 의미에서 인간이 될 수 있다.

① 진정한 거주는 단순히 공간을 점유하는 행위로 국한된다.
② 인간은 진정한 거주를 실현하지 못하면 영원한 망명자이다.
③ 인간은 거주자가 됨으로써 자신의 본질을 실현할 수 없다.
④ 외부 공간은 위험과 희생이 아닌 안정과 평화의 공간이다.
⑤ 진정한 삶의 실현을 위해 거주 공간이 필요한 것은 아니다.

Tip

제시문은 영원한 망명자인 인간에게 집은 안정과 평화의 공간이 된다고 본 점을 통해 볼노브의 주장임을 알 수 있다.

풀이

① 볼노브는 진정한 거주의 실현이 거주자가 되어 자기 본질을 실현하는 것이라고 보았다. ② 볼노브에 따르면, 인간은 진정한 거주를 함으로써 영원한 망명자가 아닌 자기 본질을 실현하고 온전한 의미의 인간이 될 수 있다. ⑤ 볼노브에 따르면, 온전한 의미에서의 인간이 되고 진정한 삶을 실현하려면 거주 공간은 반드시 필요하다. 답 ②

응용 03-1

볼노브의 주거에 대한 주장만을 보기 에서 골라 쓰시오.

보기

ㄱ. 집은 가족과 함께 더불어 살아가는 공간이다.
ㄴ. 인간은 낯선 사람들과 집을 공유하며 살아간다.
ㄷ. 집은 외부 침입을 막아 내는 안전한 공간이어야 한다.
ㄹ. 인간은 집이 아닌 외부 공간에서 휴식을 취할 수 있다.

필수 체크 전략 ①

필수 예제 04

수능 기출

그림의 강연자가 긍정의 대답을 할 질문으로 가장 적절한 것은?

① 과시 소비로부터 자유로운 사회 계층이 존재하는가?
② 타인과의 비교 성향이 인간의 허영심을 제한하는가?
③ 자본을 축적하는 것만으로도 타인의 존경을 얻을 수 있는가?
④ 과시 소비는 자신의 지위를 드러내기 위한 방편으로 행해지는가?
⑤ 경쟁적인 비교 성향은 자기 보존 본능보다 강력한 경제적 동기인가?

Tip

그림의 강연자는 사회의 대다수 계층이 관례적인 과시 소비를 한다고 본 점을 통해 베블런임을 알 수 있다.

풀이

① 베블런은 극빈층을 포함하여 사회의 모든 계층이 과시 소비를 한다고 보았다. ② 베블런은 타인과의 비교 성향이 인간의 허영심을 부추긴다고 보았다. ③ 베블런에 따르면, 부나 권력의 축적만으로는 타인의 존경을 얻고 유지하기 어렵다. ④ 베블런은 자본주의 사회에서 거의 모든 계층이 자신의 사회적 지위를 드러내기 위한 방편으로 과시 소비를 한다고 보았다. ⑤ 베블런은 경쟁적인 비교 성향이 강력한 경제적 동기라고 보았지만 자기 보존 본능보다는 강하지 않다고 보았다.

답 ④

필수 예제 05

수능 기출

㉠에 들어갈 내용으로 적절한 것만을 〈보기〉에서 고른 것은?

이제까지 우리는 자기 욕구를 정확하게 파악하고 상품 정보를 충분히 알아본 뒤, 소득 범위 내에서 가장 적은 비용으로 만족도가 높은 제품을 구매하는 것이 바람직한 소비라고 생각했다. 그러나 오늘날 더 절실히 요구되는 소비는 생산, 유통, 구매 그리고 사용 이후의 처리와 재생에 이르기까지 사회, 환경, 미래 세대 등을 배려하는 데서부터 시작한다. 이를 위해 소비할 때 우리는 [㉠]

보기

ㄱ. 생산 노동자의 권리가 보장되는지 고려해야 한다.
ㄴ. 공동선을 추구하는 기업의 제품을 선택해야 한다.
ㄷ. 지속 가능한 소비보다는 현세대의 이익을 추구해야 한다.
ㄹ. 비용 대비 편익의 극대화를 최우선적 기준으로 삼아야 한다.

① ㄱ, ㄴ ② ㄱ, ㄷ ③ ㄴ, ㄷ ④ ㄴ, ㄹ ⑤ ㄷ, ㄹ

Tip

제시문은 과거의 합리적 소비와 달리, 오늘날에는 윤리적 소비가 요청된다는 내용이다.

풀이

ㄱ, ㄴ. 윤리적 소비는 소비자가 윤리적 가치 판단과 신념에 따라 환경, 인권, 노동, 빈곤 등 각종 사회 문제에 접근하여 상품을 선택하는 소비 행위이므로 노동자의 권리 보장 여부, 기업의 공동선 추구 여부 등이 상품 선택의 기준이 될 수 있다. ㄷ. 윤리적 소비는 지속 가능성에 기여하는 소비를 실천하는 것이다. ㄹ. 합리적 소비의 특징이다.

답 ①

응용 05-1

윤리적 소비와 관련된 내용을 〈보기〉에서 고른 것은?

보기

ㄱ. 상품이 주는 효용성만을 고려하여 소비해야 한다.
ㄴ. 상품의 가격과 품질을 우선 고려하여 소비해야 한다.
ㄷ. 상품 배송에 사용된 탄소량을 고려하여 소비해야 한다.
ㄹ. 상품을 생산한 노동자의 인권을 고려하여 소비해야 한다.

① ㄱ, ㄴ ② ㄱ, ㄷ ③ ㄴ, ㄷ ④ ㄴ, ㄹ ⑤ ㄷ, ㄹ

필수 예제 06 수능 기출

(가)의 입장에 비해 (나)의 입장이 갖는 상대적 특징을 그림의 ㉠~㉤ 중에서 고른 것은?

(가) 국가는 이주민이 자신의 문화를 포기하고 새로운 사회의 지배적 가치관과 문화에 동화될 수 있도록 하는 정책을 시행해야 한다. 그렇게 한다면 주류 문화를 중심으로 문화 정체성이 형성되고, 이주민은 주류 문화의 일원으로 거듭날 수 있다.

(나) 국가는 이주민의 문화를 평등하게 인정하고 각기 다른 문화가 조화를 이룰 수 있도록 하는 정책을 시행해야 한다. 그렇게 한다면 다양한 문화의 고유성이 유지되면서 이주민의 사회 통합이 이루어질 수 있다.

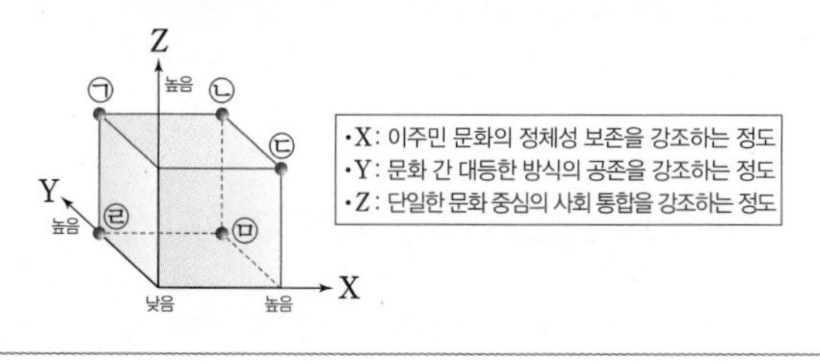

① ㉠ ② ㉡ ③ ㉢ ④ ㉣ ⑤ ㉤

Tip

(가)는 동화주의 입장, (나)는 샐러드 볼 이론 입장이다. ⑤ 동화주의는 이주민 문화의 정체성을 포기하고 새로운 사회의 주류 문화에 동화되어야 한다고 보며, 이를 통해 단일한 문화 중심의 사회 통합을 추구한다. 샐러드 볼 이론은 이주민 문화의 정체성을 보존하면서 다양한 문화의 대등한 공존을 추구한다. 따라서 (가)에 비해 (나)는 X, Y는 높고, Z는 낮다.

답 ⑤

응용 06-1

국수 대접 이론에 대한 적절한 설명만을 〈보기〉에서 있는 대로 고른 것은?

보기

ㄱ. 다양한 문화의 정체성을 유지시키고자 한다.
ㄴ. 주류 문화를 중심으로 한 단일한 문화를 만들고자 한다.
ㄷ. 주류 문화의 우위를 바탕으로 이주민 문화를 인정한다.
ㄹ. 타 문화에 대한 관용을 통해 문화의 다양성을 실현하고자 한다.

① ㄱ, ㄴ ② ㄱ, ㄷ ③ ㄴ, ㄹ
④ ㄱ, ㄷ, ㄹ ⑤ ㄴ, ㄷ, ㄹ

필수 예제 07 수능 기출

다음 사상가의 입장으로 가장 적절한 것은?

우리가 관심을 가지는 것은 거룩한 것의 총체입니다. 종교의 역사는 성현(聖顯)으로 구성되어 있습니다. 종교적 인간은 우리의 세상에 속하지 않은 어떤 실재가 자연의 대상 속에서 현현(顯現)되는 사건에 마주칠 때, 예컨대 한 그루 나무를 우주적 생명의 이미지로서 접할 때 최고의 정신성에 도달하게 됩니다. 이와 달리 비종교적 인간은 초월을 거부하는 인간 실존의 탈신성화 과정의 결과입니다.

① 비종교적 인간도 세계를 성(聖)의 드러남으로 인정한다.
② 성(聖)이 현현되는 이 세계는 초월적 존재 그 자체이다.
③ 인간은 체험이 아니라 상상을 통해서 성(聖)을 만나게 된다.
④ 어떤 인간도 현실의 삶 속에서 최고의 정신성에 도달할 수 없다.
⑤ 인간이 성(聖)을 알 수 있는 것은 자연물에 성이 드러나기 때문이다.

Tip

제시문은 종교와 종교적 인간에 대한 엘리아데의 주장이다.

풀이

① 엘리아데는 종교적인 인간은 세계를 성현(聖顯)으로 보지만 비종교적 인간은 초월을 거부하고 인간과 세계를 탈신성화한다고 보았다. 이는 비종교적 인간은 세계를 성현으로 보지 않음을 뜻한다. ② 엘리아데에 따르면, 초월적 존재는 세계를 초월해 있으면서 세계 속에 자신을 현현(顯現)시키는 존재이다. ③ 엘리아데는 인간이 일상에서 성스러움이 현현하는 사건을 체험할 수 있다고 보았다. ④ 엘리아데에 따르면 종교적 인간은 현실의 삶 속에서 성현에 마주칠 때 최고의 정신성에 도달할 수 있다. ⑤ 엘리아데에 의하면, 인간은 자연의 대상 속에서 성(聖)이 드러나는 사건에 마주치는데 이때 성을 알 수 있다.

답 ⑤

WEEK 2 DAY 2

필수 체크 전략 ②

3강_문화와 윤리

1 갑, 을의 입장으로 적절한 것만을 <보기>에서 있는 대로 고른 것은?

갑

예(禮)와 악(樂)은 잠시라도 몸에서 떠나서는 안 됩니다. 음악을 일으키지 않으면 교화도 끝내 시행할 수 없고 풍속도 끝내 변화시킬 수 없어서 천지의 화기(和氣)에 끝내 이르게 할 수가 없는 것입니다.

을

미(美)는 도덕성의 상징입니다. 바로 이 점에서 아름다움은 만족을 주며, 다른 모든 사람에게 동의를 요구하는 것입니다. 이때 우리의 마음은 사람들의 비슷한 준칙에 따라서 다른 모든 것들의 가치를 판단합니다.

보기

ㄱ. 갑 : 음악은 사회적 화합을 위한 수단이 아니다.
ㄴ. 을 : 미적 체험은 개인의 이기적 욕구에서 벗어나 있다.
ㄷ. 을 : 미적 판단과 도덕적 판단은 각기 고유성을 지닌다.
ㄹ. 갑, 을 : 예술은 인간의 도덕성 함양에 기여한다.

① ㄱ, ㄴ ② ㄱ, ㄹ ③ ㄷ, ㄹ
④ ㄱ, ㄴ, ㄷ ⑤ ㄴ, ㄷ, ㄹ

Tip

칸트는 미적 체험과 도덕적 행위가 특정 ❶ ______ 을/를 추구하는 것이 아니라는 점에서 미와 도덕성은 유사성을 지니며 서로 ❷ ______ 관계에 있다고 보았다.

답 ❶ 이익 ❷ 상징

2 다음을 주장한 사상가의 입장으로 옳지 않은 것은?

문화 산업의 생산물은 여가 시간에조차 소비가 활발히 이루어지는 것을 노린다. 개개의 문화 생산물은 모든 사람들을 일하는 시간과 마찬가지로 휴식 시간에도 잡아 놓는 거대한 경제 메커니즘의 일환이다. 어떤 영화나 방송이건 언뜻 보면 임의적인 것처럼 보이지만 사실은 사회 속에 있는 사람이면 누구나 벗어날 수 없는 작용을 사람들에게 주려 한다. 문화 산업은 하자 없는 규격품을 만들 듯이 인간을 재생산하려 든다.

① 문화 산업은 예술을 경제적 가치로만 평가한다.
② 여가 시간은 획일적인 문화 상품으로 채워진다.
③ 문화 산업은 관객의 적극적인 사유를 방해한다.
④ 대중 매체는 경제적 이윤을 위한 사업으로 전락하였다.
⑤ 문화 산업의 생산물들은 소비자의 자발성을 증진시킨다.

Tip

아도르노는 상업화된 대중문화로서 ❶ ______ 이/가 대중의 ❷ ______ 사고를 방해한다고 지적하였다.

답 ❶ 문화 산업 ❷ 비판적

3 (가), (나)의 입장으로 가장 적절한 것은?

(가) 국가는 이민자가 국민이 되는 것을 전제로 조속히 동화될 수 있도록 지원해야 한다. 이민자가 출신국의 언어, 문화 특성을 완전히 포기하고 주류 사회의 일원이 되기 위해 노력해야 한다.
(나) 국가는 주류 문화와 이민자 문화의 가치를 동등하게 인정하고 보호해야 한다. 이민자는 주류 문화에 동화되기보다 자기 언어와 문화의 특성을 유지하면서 조화되도록 노력해야 한다.

① (가) : 이민자 문화의 존재를 인정하고 공존을 추구해야 한다.
② (가) : 사회적 유대 강화를 위해 단일한 문화를 유지해야 한다.
③ (나) : 이민자 문화는 사회 통합을 저해하고 분열을 초래한다.
④ (나) : 주류 문화의 우월성을 전제로 이민자 문화의 특수성을 보장해야 한다.
⑤ (가), (나) : 이민자 문화의 고유한 정체성을 보존해야 한다.

Tip

샐러드 볼 이론은 다양한 문화가 서로 ❶ ______ 공존해야 한다고 본 반면, ❷ ______ 은/는 주류 문화를 중심으로 비주류 문화를 조화하고자 한다.

답 ❶ 대등하게 ❷ 국수 대접 이론

4 다음을 주장한 사상가의 입장으로 가장 적절한 것은?

> 명문가의 생활 태도나 양식은 과시적 유한(有閑)과 과시적 소비의 규범에 동조하는 것들이다. 값비싼 상품의 과시적 소비는 유한계급들에 대한 존경을 일으키는 수단이다. 이러한 생활 양식은 전 사회 구조에 스며들고 있다. 각 계급의 성원들은 바로 위 계층의 생활 방식을 우아함의 이상적 형태로 간주하고 그 이상에 도달하고자 온갖 힘을 다 기울이게 된다.

① 유한계급은 자신의 경제적 지위를 감추려 한다.
② 과시 소비를 원하지 않는 사회 계층도 존재한다.
③ 유한계급 이외의 계급들은 합리적 소비만을 한다.
④ 상류층의 생활 양식은 다른 계층의 비판 대상이 된다.
⑤ 재화를 과시 소비하는 것은 명성을 획득하는 방법이다.

Tip

베블런은 ❶ [ ] 인 부자들은 강자로서 존경을 받고 자신의 사회적 지위를 드러내기 위해 ❷ [ ] 을/를 한다고 주장하였다.

답 ❶ 유한계급 ❷ 과시 소비

5 다음을 주장한 사상가의 입장만을 | 보기 |에서 있는 대로 고른 것은?

> • 땅과 하늘, 신적인 것들과 죽을 자들이 하나로 포개짐을 우리는 사방(四方)이라 명명한다. 죽을 자들은 거주하고 있기에 사방 안에 존재한다. 죽을 자들은 사방을 소중히 보살피는 방식으로 거주해야 한다.
> • 사람들은 주택 부족으로 인한 곤경을 주택 공급으로 극복하려 한다. 그러나 거주함의 본래적인 곤경은 주택이 모자란다는 사실에서 존립하는 것이 아니다. 거주함의 본래적 곤경은 죽을 자들이 거주함을 배워야만 한다는 사실에 있다. 인간이 이 사실을 숙고하지 않을 때 고향 상실이 일어난다.

| 보기 |

ㄱ. 거주함의 근본 특성은 소중히 보살피는 것이다.
ㄴ. 거주를 통해 신적인 것들과 죽을 자들을 엄격히 분리한다.
ㄷ. 사방 세계에서 벗어나는 것이 거주함의 목표가 되어야 한다.
ㄹ. 거주함의 진정한 의미를 인식하지 못하면 고향 상실을 경험하게 된다.

① ㄱ, ㄴ ② ㄱ, ㄹ ③ ㄷ, ㄹ
④ ㄱ, ㄴ, ㄷ ⑤ ㄴ, ㄷ, ㄹ

Tip

하이데거는 주거를 심리적 ❶ [ ] 와/과 평화를 주는 곳으로 보았고 "인간은 집에서 비로소 ❷ [ ] 을/를 누리게 된다."라고 하였다.

답 ❶ 안정 ❷ 평화

6 갑, 을 사상가들의 입장으로 가장 적절한 것은?

> **갑** : 종교적 인간에게는 모든 자연이 성현(聖顯)이 된다. 종교적 인간에게 자연은 항상 그것을 초월하는 무엇인가를 표현하고 있기 때문이다.
> **을** : 자연적이고 물리적인 세계 너머에는 아무것도 없고 관찰 가능한 자연의 배후에 숨어 있는 초자연적인 창조적 지성은 없다.

① 갑 : 인간은 명상과 상상을 통해 성(聖)을 만나게 된다.
② 갑 : 인간은 현실의 삶에서 최고의 정신성에 도달할 수 없다.
③ 을 : 과학은 인간의 윤리적 행위의 원인을 설명할 수 있다.
④ 을 : 자연 현상을 설명하려면 세계를 창조한 초월적 존재를 인정해야 한다.
⑤ 갑, 을 : 신은 인간의 심리적인 필요에 의해 만들어졌다.

Tip

엘리아데는 인간을 ❶ [ ] 존재로 보았으며 일상의 삶 속에서 성스러움의 드러남, 즉 ❷ [ ] 을/를 체험할 수 있다고 보았다.

답 ❶ 종교적 ❷ 성현

필수 체크 전략 ①

4강_평화와 공존의 윤리

필수 예제 01

수능 기출

다음 강연자의 입장으로 가장 적절한 것은?

① 점진적 평화 통일이 급진적 통일보다 더 많은 비용을 초래한다.
② 통일을 위해 비정치적 협력보다 정치적 통합을 우선해야 한다.
③ 인도적 측면이 아니라 경제적 관점에서 통일을 성취해야 한다.
④ 통일은 이유와 방식을 불문하고 성취해야 할 민족적 과업이다.
⑤ 통일은 민족의 번영과 인류의 보편적 가치 구현에 기여해야 한다.

Tip

그림의 강연자는 통일의 필요성을 강조하면서도 통일 지상주의의 추구는 반대한다. 또한 통일은 급진적 방식이 아니라 단계적 방식으로 추진되어야 한다고 본다. ⑤ 강연자는 통일이 민족의 공동 번영과 이산 가족의 고통 해소, 자유와 평등 신장에 기여할 것이라고 주장한다.

풀이

① 강연자는 급진적 방식의 통일이 더 많은 사회적 갈등과 비용을 초래할 것이라고 지적한다. ② 강연자는 비교적 합의하기 쉬운 분야인 비정치적 분야부터 교류를 시작해야 한다고 본다. ③ 강연자는 이산가족의 고통 해소와 같은 인도적 측면을 강조한다. ④ 강연자는 통일 지상주의에 반대한다. 답 ⑤

응용 01-1

갑, 을의 입장으로 적절한 것을 보기에서 고른 것은?

갑: 남북한의 통일을 위해서 가장 중요한 것은 정치·군사적 결단입니다. 정치·군사 분야에서 일괄적 타결이 선행하면 다른 분야의 문제도 자동으로 해결됩니다.

을: 서로 다른 체제를 합치려면 비교적 쉬운 사회·경제·문화 분야부터 교류와 협력을 해 나가야 합니다. 비정치적 분야의 교류를 확산하면 정치 분야의 통합으로 이어질 수 있습니다.

보기

ㄱ. 갑 : 정치 분야의 통합이 사회·경제적 통합의 선결 조건이다.
ㄴ. 을 : 합의하기 쉬운 분야부터 남북 교류를 확대해야 한다.
ㄷ. 을 : 군사적 결단 없이 경제 분야 교류를 하는 것은 위험하다.
ㄹ. 갑, 을 : 정치적 통합을 바탕으로 비정치적 교류를 해야 한다.

① ㄱ, ㄴ ② ㄱ, ㄷ ③ ㄴ, ㄷ ④ ㄴ, ㄹ ⑤ ㄷ, ㄹ

응용 01-2

㉠, ㉡에 대한 설명으로 적절한 것만을 보기에서 고른 것은?

통일과 관련된 비용 중 (㉠)은/는 분단에 따른 대립과 갈등으로 인해 지불하는 유·무형의 비용이며, (㉡)은/는 통일 이후에 제도의 통합, 화폐의 통합 등을 위해 통일 한국이 지불하는 비용이다.

보기

ㄱ. ㉠에는 군사 대결 비용과 외교적 경쟁 비용이 있다.
ㄴ. ㉡은 통일 이후에도 지속적으로 소모되는 비용이다.
ㄷ. ㉡은 남북한 간의 격차를 해소하고 이질적 요소를 통합하는 비용이다.
ㄹ. ㉠은 통일 편익을 기대할 수 있지만 ㉡은 통일 편익을 기대할 수 없다.

① ㄱ, ㄴ ② ㄱ, ㄷ ③ ㄴ, ㄷ ④ ㄴ, ㄹ ⑤ ㄷ, ㄹ

필수 예제 02 수능 기출

(가), (나)의 입장으로 적절한 것만을 보기 에서 고른 것은?

(가) 인간의 본성은 이기적이므로 국가도 이기적일 수밖에 없다. 국제 관계는 만인에 대한 만인의 투쟁 상태와 유사하다. 그러므로 권력의 극대화를 추구하는 과정에서 국제 분쟁이 발생한다.

(나) 인간이 이성적으로 행동하듯 국가도 이성적으로 행동하는 경향이 있으므로 국가 간 상호 협력이 가능하다. 하지만 상대방에 대한 무지나 오해, 동맹이나 비밀 외교 등으로 인해 국제 분쟁이 발생한다.

보기

ㄱ. (가) : 국제 관계에서 평화를 유지하기 위한 정책은 없다.

ㄴ. (가) : 국제 관계에서 국가의 권력을 견제할 수 있는 것은 다른 국가의 권력이다.

ㄷ. (나) : 국제 정치의 불완전한 제도는 전쟁의 원인이 될 수 있다.

ㄹ. (가), (나) : 국제 분쟁은 각국의 도덕성 증진으로 해결해야 한다.

① ㄱ, ㄴ ② ㄱ, ㄷ ③ ㄴ, ㄷ ④ ㄴ, ㄹ ⑤ ㄷ, ㄹ

Tip

(가)는 국가를 이기적으로 보고, 권력 극대화 과정에서 국제 분쟁이 발생한다고 본 점에서 국제 관계에 대한 현실주의 입장이고, (나)는 국가를 이성적으로 보고, 상대방에 대한 무지나 오해 등으로 국제 분쟁이 발생한다고 본 점에서 국제 관계에 대한 이상주의 입장이다.

풀이

ㄱ. 현실주의에서는 세력 균형을 통해 평화 상태를 얻을 수 있다고 본다. ㄴ. 현실주의에서는 세력 균형을 통해 전쟁을 예방할 수 있다고 본다. 따라서 국제 관계에서 한 국가의 권력은 다른 국가의 권력을 견제할 수 있다. ㄷ. 이상주의는 상대방에 대한 무지나 오해, 잘못된 제도 등으로 인해 전쟁과 같은 국가 간 갈등이 발생한다고 본다. ㄹ. 이상주의만의 입장이다. 답 ③

응용 02-1

㉠에 들어갈 말로 적절한 것만을 보기 에서 고른 것은?

나는 인간이 근본적으로 도덕적이며 이성적인 존재이듯이 국가도 이성적이고 합리적인 존재이기 때문에 국제 관계에서 상호 원조와 협력이 가능하다고 생각한다. 따라서 우리는 [㉠]

보기

ㄱ. 국민의 안전과 자국의 이익만을 추구해야 한다.

ㄴ. 힘의 균형을 통해서만 국제 분쟁을 해결할 수 있다.

ㄷ. 국제법과 도덕 규범을 바탕으로 평화를 실현할 수 있다.

ㄹ. 국제 관계에서 자유, 평등과 같은 보편적 가치를 추구해야 한다.

① ㄱ, ㄴ ② ㄱ, ㄷ ③ ㄴ, ㄷ ④ ㄴ, ㄹ ⑤ ㄷ, ㄹ

응용 02-2

다음 글에서 추론할 수 있는 국제 관계 이론의 입장에 대한 설명으로 가장 적절한 것은?

- 국가의 목표는 국익과 생존이며, 타국은 자국의 생존을 위협하는 잠재적 위협 요소이다. 국제 관계에서는 오직 국익에 도움이 되는지 아닌지로 외교 정책의 좋고 나쁨을 판별할 수 있다.
- 싸우는 것이 이익이 될 것이라 생각하기 때문에 공포심이 들어도 전쟁을 피하지 않는 것이다. 국가는 전쟁을 통한 이익이 전쟁에 따른 손실보다 크다고 생각할 경우에는 전쟁의 위험을 기꺼이 감수한다.

① 국제 분쟁은 상대방에 대한 오해에서 발생한다.
② 국익과 도덕성이 상충할 때는 국익을 추구해야 한다.
③ 전쟁은 도덕 문제이므로 협상을 통해 해결할 수 있다.
④ 국가는 이성적 인간으로 구성되므로 국가도 이성적·합리적이다.
⑤ 강제력을 가진 세계 정부를 수립함으로써 분쟁을 해결할 수 있다.

필수 체크 전략 ①

필수 예제 03

수능 기출

다음을 주장한 사상가의 입장으로 가장 적절한 것은?

> 의사소통의 합리성은 강제 없이 상호 간의 논증적 대화를 통해 보편적 합의에 도달하는 경험에 호소한다. 이를 통해 담론 참여자는 주관적 견해를 극복하고, 이성적 동기에 근거한 공동의 신념으로 인해 상호 주관성을 확인하게 된다.

① 담론 참여자는 논의 주제에 정통한 전문가들로만 구성해야 한다.
② 담론 참여자는 자신의 개인적 선호나 욕구를 발언해서는 안 된다.
③ 담론 참여자는 다른 사람의 주장에 이의를 제기해서는 안 된다.
④ 담론 참여자는 정당한 담론의 결과와 그 부작용까지 수용해야 한다.
⑤ 담론 참여자는 이해관계의 조정 수단으로만 담론을 활용해야 한다.

Tip

제시문은 의사소통의 합리성을 강조하므로 하버마스의 주장이다.

풀이

① 하버마스가 제시한 이상적 담화 상황의 규칙에 따르면, 언어 능력과 행위 능력을 가지는 모든 주체는 담론에 참여할 수 있어야 한다. ② 하버마스에 따르면 자신의 생각과 원하는 바를 표현할 수 있어야 한다. ③ 하버마스에 따르면 누구나 어떤 주장에 대해서도 문제를 제기할 수 있고 어떤 주장이라도 담론에 부칠 수 있다. ④ 하버마스에 따르면, 상호 간 정당한 담론 과정을 통해 도출된 결과를 타당한 것으로 수용해야 하며, 그것이 일으킬 부작용도 수용해야 한다. ⑤ 하버마스에 따르면, 담론은 이해관계의 조정 수단이자 가치와 규범에 의해 이루어지는 사회 통합적 동의이다.

답 ④

응용 03-1

하버마스의 입장만을 | 보기 |에서 있는 대로 골라 쓰시오.

보기
ㄱ. 모든 사람은 자유롭게 의견을 제시할 수 있어야 한다.
ㄴ. 담론 참여자는 서로 이해할 수 있는 말을 해야 한다.
ㄷ. 개인의 주관적 판단에 따라 도덕 규범을 정당화해야 한다.
ㄹ. 이성적 논의 능력을 지닌 시민이 사회 문제 해결의 주체이다.

필수 예제 04

수능 기출

다음 서양 사상가의 주장으로 옳지 않은 것은?

> 사회 계약에 기초하여 하나의 국가가 건립되듯이, 국제 관계도 국가들이 자발적으로 결성한 연맹 체제에 기초한 국제법을 통해 평화 상태에 들어설 수 있다. 이 상태에서만 국민의 모든 권리나 국가들의 소유가 확정적인 것으로 인정되고 참된 평화 상태가 될 수 있다. 이러한 연맹의 이념은 모든 국가로 확산되어야 하며, 영원한 평화로의 지속적인 접근은 인간 및 국가의 의무로서, 그리고 권리에 기초한 과제로서 성립될 수 있다.

① 국제적 사회 계약을 통해 연맹 체제를 단일 국가로 전환해야 한다.
② 개별 국가의 시민적 정치 체제는 공화적 체제를 갖추어야 한다.
③ 연맹 체제의 단계에서도 개별 국가의 주권은 인정되어야 한다.
④ 세계 시민법은 인류의 평화적인 교류 조건에 한정되어야 한다.
⑤ 연맹의 확산을 통해 국제 사회는 자연 상태를 벗어나야 한다.

Tip

제시문은 칸트가 제시한 영구 평화론에 대한 내용이다.

풀이

① 칸트는 전 세계 국가를 단일 국가로 통합하는 것이 아니라 각국이 자발적으로 결성하는 국제 연맹을 만들어야 한다고 보았다. ② 칸트가 제시한 영구 평화를 위한 확정 조항에 따르면, 모든 국가의 시민적 정치 체제는 공화 정체이어야 한다. ③ 칸트는 전 세계 국가들 간의 국제 연맹을 만들어야 하는데, 이 단계에서도 개별 국가는 주권을 보유해야 한다고 보았다. ④ 칸트에 따르면 세계 시민법은 보편적 우호의 조건들에 국한되어야 한다. ⑤ 칸트에 따르면 이러한 연맹의 확산을 통해 국제 사회는 무정부적인 자연 상태에서 벗어날 수 있다고 보았다.

답 ①

필수 예제 05 수능 기출

갑, 을 사상가들의 입장으로 적절한 것만을 〈보기〉에서 있는 대로 고른 것은?

갑

원조의 목적은 고통받는 사회를 질서 정연한 사회가 되도록 하는 데 있다. 어떤 사회가 합당하게 합리적으로 통치된다면, 자원이 부족해도 질서 정연한 사회가 될 수 있다.

을

원조는 극단적 빈곤을 방지하기 위해 이루어져야 한다. 이 경우 원조는 이익 평등 고려의 원칙에 따라 인종과 국적의 구분 없이 시행되어야 한다.

보기

ㄱ. 갑 : 사회 제도 개선을 목표로 한 원조는 빈곤 해소에 도움이 될 수 있다.
ㄴ. 갑 : 원조하는 나라는 원조받는 나라의 인권 개선을 위해 강제력을 행사할 수 있다.
ㄷ. 을 : 원조 주체의 경제력에 대한 고려 없이 원조가 실행되어서는 안 된다.
ㄹ. 갑, 을 : 다른 나라에 빈곤한 사람들이 있다는 사실은 필연적으로 원조의 의무를 정당화한다.

① ㄱ, ㄴ ② ㄱ, ㄷ ③ ㄴ, ㄹ
④ ㄱ, ㄷ, ㄹ ⑤ ㄴ, ㄷ, ㄹ

Tip

갑은 고통받는 사회를 질서 정연한 사회가 되도록 하는 것이 원조의 목적이라고 본 점을 통해 롤스, 을은 이익 평등 고려의 원칙에 따라 원조가 이루어져야 한다고 본 점을 통해 싱어임을 알 수 있다.

풀이

ㄱ. 롤스에 따르면 원조의 목표는 고통받는 사회가 정치적·사회적 제도가 개선되고 인권이 확립된 질서 정연한 사회가 되는 것이다. 그리고 이러한 목표를 가진 원조는 고통받는 사회의 빈곤 문제를 해결하는 데 도움이 될 수 있다. ㄴ. 롤스에 따르면 원조받는 나라의 인권 개선을 목표로 하더라도 강제력을 행사해서는 안 된다. ㄷ. 싱어는 자신의 기본적 욕구를 충족하고도 남는 소득이 있으면서 원조와 같은 도덕적으로 중요한 일을 하지 않는 것은 옳지 않다고 보고 원조할 수 있는 경제력을 가진 사람은 누구나 기부해야 한다고 주장하였다. 즉, 원조 주체의 경제력을 고려해야 한다고 보았다. ㄹ. 싱어만의 주장이다. 롤스는 빈곤한 사람들이 있다고 하더라도 그들이 속한 사회가 질서 정연한 사회라면 원조의 대상이 아니라고 보았다. 답 ②

응용 05-1

다음을 주장한 사상가의 입장으로 적절한 것만을 〈보기〉에서 고른 것은?

만인은 정의롭거나 적정 수준의 정치 체제와 사회 체제의 유지를 저해하는 불리한 조건에 사는 다른 만민을 원조할 의무가 있다. 따라서 '고통받는 사회'가 '질서 정연한 사회'가 되도록 지원해야 한다.

보기

ㄱ. 원조는 선의를 베푸는 것이지만 의무가 될 수는 없다.
ㄴ. 해외 원조를 결정할 때 차등의 원칙은 적용되지 않는다.
ㄷ. 이익 평등 고려의 원칙이 원조의 대상을 결정하는 근거이다.
ㄹ. 고통받는 사회에 자유와 평등을 확립하는 것이 원조의 목표이다.

① ㄱ, ㄴ ② ㄱ, ㄷ ③ ㄴ, ㄷ ④ ㄴ, ㄹ ⑤ ㄷ, ㄹ

응용 05-2

갑, 을, 병 사상가의 입장으로 옳지 않은 것은?

갑 : 우리는 누군가에게 매우 나쁜 일이 일어나는 것을 방지할 수 있다면 그렇게 해야 한다. 이익 평등 고려의 원칙에 따라 빈곤으로 고통받는 모든 사람들에게 원조를 해야 한다.
을 : 개인이 정당하게 취득한 재산의 배타적 소유권을 타인의 삶과 행복을 위해 침해해서는 안 된다. 원조는 개인의 자유로운 선택의 영역이다.
병 : 정치 문화는 한 사회의 부와 복지 수준을 결정하는 주된 요인이므로 자원과 부가 빈약한 사회라 할지라도 그 사회는 질서 정연한 사회가 될 수 있다. 이를 유념하여 만민은 고통을 겪는 사회들을 원조해야 한다.

① 갑 : 개인적 친소(親疏)를 고려하지 않고 원조해야 한다.
② 을 : 해외 원조를 실천해야 할 윤리적 의무는 없다.
③ 병 : 정의의 원칙이 확립된 사회의 시민은 원조의 대상이 아니다.
④ 병 : 해외 원조에서 개인들의 복지보다 사회 정의의 실현이 중요하다.
⑤ 을, 병 : 인류 전체의 공리 증진을 위해 빈민을 도와야 한다.

필수 체크 전략 ②

4강_평화와 공존의 윤리

1 다음을 주장한 사상가의 입장으로 가장 적절한 것은?

우리는 합리적 담론에서 이상적 조건들을 충족시키는 대화 상황을 전제합니다. 이 조건들에는 접근의 공공성, 동등한 권한을 가진 참여, 참여자들의 진실성, 입장 표명의 비강제성 등이 속합니다. 그러나 특정한 참여자들이 허용되지 않고, 특정한 주제들과 기여들이 억압되고, 제재의 암시 또는 협박을 통해 입장 표명이 강요되면 담론에서 추정된 논증은 진정한 논증이 아닙니다.

① 자신의 생각과 욕구에 대해 발언하지 말아야 한다.
② 타인의 주장에 대해서는 문제를 제기하지 말아야 한다.
③ 논의에 참여한 사람은 진실성을 가지고 발언해야 한다.
④ 모두가 동의하지 않더라도 타당한 규범으로 인정해야 한다.
⑤ 담론 참여자는 대화 주제와 관련된 전문가로 한정되어야 한다.

Tip
하버마스는 ❶ ( ) 윤리를 통해 서로를 이해하여 합의를 이루는 과정을 강조하고, 일상생활에서 ❷ ( ) 의 합리성이 작용하고 있다고 주장하였다.

답 ❶ 담론 ❷ 의사소통

2 다음 강연자의 입장으로 적절하지 않은 것은?

우리가 지향하는 통일은 한반도에 인간 존엄성과 평화라는 인류의 보편적 가치를 구현하는 것입니다. 따라서 통일 한국은 인간 존엄성을 최고의 가치로 여기며, 자유와 평등, 인권 등 기본적 권리를 보장하는 민주적 국가를 지향해야 합니다. 그리고 전쟁의 위협으로부터 벗어난 평화의 공동체를 건설하여 국제 사회의 평화와 번영에 적극적으로 기여해야 합니다. 이를 위해 통일 한국은 배타적인 폐쇄적 민족주의가 아니라 여러 민족과 공존할 수 있는 열린 민족주의를 추구할 것입니다.

① 통일 한국은 인권과 기본적 권리를 존중해야 한다.
② 통일은 국제 사회의 평화와 번영에 도움이 되어야 한다.
③ 통일 후에는 우리 민족의 이익만을 최우선으로 추구해야 한다.
④ 통일 한국은 전쟁 위험을 줄이고 한반도의 평화를 이룩해야 한다.
⑤ 통일을 통해 자유와 평등이 보장되는 민주주의를 실현할 수 있다.

Tip
통일 한국은 전쟁의 공포가 사라진 ❶ ( ) 국가와 모든 사람의 존엄과 가치가 존중되는 ❷ ( ) 국가를 지향해야 한다.

답 ❶ 평화로운 ❷ 인권

3 (가), (나)의 입장으로 적절한 것만을 보기 에서 고른 것은?

(가) 인간이 이성을 올바르게 쓰면 올바르게 행동할 수 있다. 국제 관계에서도 보편적인 선과 도덕을 추구해야 한다.
(나) 인간과 인간의 갈등, 국제 분쟁은 모두 인간의 이기적 욕구에서 유래하는 불가피한 투쟁이다. 국제 관계에서도 국익의 추구는 필연적이다.

보기
ㄱ. (가) : 국제 관계에는 국가 이외의 행위 주체가 존재한다.
ㄴ. (가) : 국가 간의 힘의 균형이 국제기구 설립의 전제이다.
ㄷ. (나) : 국가의 목표는 국익과 생존이며 타국은 위협 요소이다.
ㄹ. (가), (나) : 보편적인 국제 규범으로 평화를 실현해야 한다.

① ㄱ, ㄴ ② ㄱ, ㄷ ③ ㄴ, ㄷ ④ ㄴ, ㄹ ⑤ ㄷ, ㄹ

Tip
이상주의는 평화를 국가 간 ❶ ( ) 대화와 협력을 바탕으로 한 도덕, 제도 등을 통해, 현실주의는 ❷ ( ) 을/를 통해 실현할 수 있다고 본다.

답 ❶ 이성적 ❷ 세력 균형

4 다음을 주장한 사상가의 입장으로 옳지 않은 것은?

① 평화는 평화적 수단으로 실현되어야 한다.
② 언어적 폭력은 직접적 폭력에 해당하지 않는다.
③ 구조적 폭력이 존재하면 진정한 평화 상태가 아니다.
④ 문화적 폭력은 직접적 폭력과 구조적 폭력으로 이어진다.
⑤ 직접적 폭력과 구조적 폭력을 정당화하는 예술도 폭력이다.

Tip

갈퉁은 평화를 물리적 폭력은 물론 폭력을 자행하게 만드는 ❶ [ ] 폭력과 이를 뒷받침하는 ❷ [ ] 폭력까지 없는 상태로 정의하였다. 답 ❶ 구조적 ❷ 문화적

5 다음을 주장한 사상가의 입장으로 가장 적절한 것은?

나는 어떤 사회가 합리적으로 조직되고 통치된다면, 자원이 너무 부족하다고 해서 그 사회가 질서 정연한 사회가 될 수 없는 경우는 세계 어디에도 없다고 추측한다. 역사적인 예들은 자원 빈국들이 잘 운영되고 있는 반면에, 자원 부국들이 심각한 어려움을 겪고 있음을 보여 준다. 그 차이를 만드는 결정적 요소는 정치 문화, 정치적 덕목, 그 국가의 시민 사회 등이다.

① 질서 정연한 사회의 빈민은 원조의 대상이다.
② 사회 간의 부와 복지 수준의 조정이 원조의 목표이다.
③ 정의로운 제도의 확립에 막대한 부가 반드시 필요하지는 않다.
④ 자원이 부족한 빈곤국은 정의의 원칙을 확립한 사회가 될 수 없다.
⑤ 고통받는 사회의 정치 문화를 바꾸려면 강제력의 사용이 필요하다.

Tip

롤스에 따르면 만민이 불리한 여건으로 ❶ [ ] 사회를 ❷ [ ] 사회가 되도록 도와야 한다.

답 ❶ 고통받는 ❷ 질서 정연한

6 갑, 을의 입장으로 가장 적절한 것은?

갑 : 기아와 질병으로 전 세계 많은 이들이 고통을 받고 있다는 사실에서 그들에 대한 우리의 원조 의무가 도출된다. 도덕적으로 중요한 어떤 것을 희생하지 않는다면 우리는 원조해야 한다.
을 : 만민은 불리한 조건 하에 살고 있는 다른 만민을 원조할 의무가 있다. 고통받는 사회들이 스스로의 일을 적절하고 합리적으로 처리할 수 있도록 하는 것을 원조의 목표로 삼아야 한다.

① 갑 : 원조의 직접적 목적은 사회 구조의 개선이다.
② 갑 : 원조 대상자의 국적과 원조 여부는 무관하다.
③ 을 : 해외 원조에는 차등의 원칙을 적용해야 한다.
④ 을 : 인권에 대한 강조가 무능한 정체를 변화시키지는 못한다.
⑤ 갑, 을 : 원조를 통해 전 세계 국가의 경제적 평등을 실현해야 한다.

Tip

싱어는 ❶ [ ]의 관점에서 고통을 감소시키고 쾌락을 증진하는 것은 인류의 ❷ [ ](이)라고 주장하였다.

답 ❶ 공리주의 ❷ 의무

7 다음을 주장한 사상가가 지지할 견해에만 모두 '✓'를 표시한 학생은?

전쟁의 완전 종식과 영구 평화는 도덕적 입법의 최고 자리에 위치한 이성이 명령하는 의무입니다. 영구 평화를 실현하기 위해 모든 전쟁 수단의 금지와 국가 간 연맹의 확장이 필요합니다.

견해 \ 학생	갑	을	병	정	무
국제법은 자유로운 국가들의 연방 체제에 기초해야 한다.			✓	✓	✓
세계 시민법은 보편적 우호의 조건들에 국한되어야 한다.	✓	✓		✓	
모든 국가의 시민적 정치 체제는 공화 정체이어야 한다.		✓		✓	✓
개별 국가들은 지도자의 결단을 통해 단일 국가로 통합해야 한다.	✓		✓		✓

① 갑 ② 을 ③ 병 ④ 정 ⑤ 무

Tip

칸트는 영구 평화를 위해 모든 국가의 시민적 정치 체제는 ❶ [ ] 정체이어야 하며, 국제법은 자유로운 국가들의 ❷ [ ] 체제에 기초해야 한다고 보았다.

답 ❶ 공화 ❷ 연방(연맹)

누구나 합격 전략

예술과 윤리의 관계

1 갑, 을의 입장으로 적절하지 않은 것은?

> 갑 : 진정한 예술 작품은 그것을 받아들이는 사람의 의식 가운데서 그와 예술가 사이뿐만 아니라 같은 예술 작품을 받아들이는 모든 사람들 사이의 구별을 없애 버린다. 그리하며 진정한 예술 작품은 모든 사람들을 하나의 감정으로 결합한다.
> 을 : 시가 도덕적이라든가 혹은 비도덕적이라고 말하는 것은, 정삼각형은 도덕적이고 이등변 삼각형은 비도덕적이라고 말하는 것과 마찬가지로 무의미하다.

① 갑 : 시는 바람직한 교훈을 담고 있어야 한다.
② 갑 : 시는 인간의 도덕성 함양에 이바지해야 한다.
③ 을 : 시는 심미성을 기준으로 평가해야 한다.
④ 을 : 시는 예술의 자율성과 창조성을 표현해야 한다.
⑤ 갑, 을 : 시는 형식의 아름다움만으로 평가되어야 한다.

윤리적 소비

2 다음 글의 입장에서 긍정의 대답을 할 질문으로 가장 적절한 것은?

> 우리는 소비 행위와 관련된 다양한 연결 관계를 신중하게 고려해야 한다. 인간이나 동물, 환경을 착취하고 해를 끼치는 상품은 가격이 낮더라도 구매하지 않고, 윤리적인 가치가 있는 상품을 구매해야 한다.

① 소비를 통해 정의의 실현에 기여할 수 있는가?
② 경제적 효율성이 상품의 유일한 구매 기준인가?
③ 동물에게 고통을 준 생산 과정을 거친 모피를 구매해야 하는가?
④ 생산 과정에서 환경 오염이 발생한 유행 상품을 구매해야 하는가?
⑤ 생산자의 인권을 침해하여 가격을 낮춘 상품을 구매해야 하는가?

예술의 상업화

3 갑, 을의 입장으로 적절한 것만을 보기 에서 고른 것은?

> 갑 : 예술의 상업화를 적극적으로 시도해야 한다. 예술의 상업화는 일반 대중도 쉽게 예술에 접근할 기회를 제공하고, 재능 있는 작가가 안정된 창작 활동을 할 수 있게 한다.
> 을 : 예술의 상업화를 막아야 한다. 예술의 상업화는 미적 가치보다 경제적 이익을 추구하게 할 수 있고, 대중의 오락적 요구에 맞추느라 예술의 질적 저하가 나타날 수 있다.

보기
ㄱ. 갑 : 예술은 특수 계층뿐만 아니라 모든 사람이 즐겨야 한다.
ㄴ. 을 : 예술가는 수익을 위해 예술의 상품성을 높여야 한다.
ㄷ. 을 : 예술의 상업화는 예술의 자율성을 상실하게 할 수 있다.
ㄹ. 갑, 을 : 예술은 미적 가치보다 대중의 쾌락을 중시해야 한다.

① ㄱ, ㄴ ② ㄱ, ㄷ ③ ㄴ, ㄷ ④ ㄴ, ㄹ ⑤ ㄷ, ㄹ

종교에 대한 입장

4 다음을 주장한 사상가의 입장으로 가장 적절한 것은?

> 대화 역량에 우리 모든 정신적인 생존은 물론 심지어는 윤리적 생존도 달려 있다는 사실 역시 분명하다. 왜냐하면 종교 사이의 대화를 배제하고는 국가 사이의 어떠한 평화도, 종교 사이의 어떠한 평화도 불가능하고, 신학적인 기본 연구를 배제하고서는 종교 사이의 어떠한 태도도 불가능하기 때문이다.

① 종교 간 대화 없이 종교의 평화는 있을 수 없다.
② 종교의 단일화로 세계의 평화를 실현해야 한다.
③ 세계 평화의 실현에 종교 간의 관용은 불필요하다.
④ 자신이 가진 종교가 윤리의 보편적 기준이 되어야 한다.
⑤ 가치 있는 삶을 위해 종교가 아닌 과학을 추구해야 한다.

담론 윤리

5 **다음을 주장한 사상가가 긍정의 대답을 할 질문으로 가장 적절한 것은?**

모든 타당한 규범은 그것의 일반적 준수가 모든 개인의 이해관계의 충족에 미칠 수 있는 결과와 부작용들이 모든 당사자들에 의해 비강제적으로 수용될 수 있는 조건을 충족시켜야 합니다.

① 주제를 잘 아는 전문가들만이 담론에 참여해야 하는가?
② 담론 참여자들은 타인의 의견에 문제를 제기하지 말아야 하는가?
③ 담론은 합리적 합의가 아니라 권위에 대한 순종을 목표로 하는가?
④ 담론 참여자들은 자신의 생각과 원하는 바를 표현할 수 있어야 하는가?
⑤ 도덕적 규범은 당사자들이 동의하지 않더라도 모두에게 강제되어야 하는가?

통일을 둘러싼 쟁점

6 **㉠, ㉡에 대한 설명으로 가장 적절한 것은?**

통일과 관련된 비용으로 (㉠), (㉡)이/가 있다. (㉠)은/는 분단에 따른 대립과 갈등으로 인해 지불하는 유·무형의 비용으로 편익을 기대하기 어렵다. (㉡)은/는 통일 이후에 제도의 통합, 화폐의 통합 등을 위해 통일 한국이 지불하는 비용이다.

① ㉠은 통일로 얻게 되는 비경제적 보상과 혜택이다.
② ㉡은 ㉠을 증가시키지만 긴장 완화에 도움이 된다.
③ ㉡은 통일 이후 남북한 간 경제적 격차를 해소하는 데 부담해야 할 비용이다.
④ ㉡은 ㉠과 달리 민족 구성원 모두의 손해로 이어지는 소모적인 성격의 비용이다.
⑤ ㉠, ㉡은 모두 통일로 인한 편익을 기대할 수 없는 비용이다.

국제 평화에 대한 관점

7 **다음을 주장한 사상가가 부정의 대답을 할 질문으로 가장 적절한 것은?**

국가 간의 영구 평화를 위한 예비 조항은 다음과 같다. 첫째, 전쟁에 대비하여 물자를 비밀리에 간직해 두고서 맺어진 평화 조약을 인정해서는 안 된다. 둘째, 어떠한 독립 국가도 다른 국가의 소유가 될 수 없다. 셋째, 상비군은 철폐되어야 한다. … (중략) … 여섯째, 어떠한 국가도 전쟁 중에 장래의 평화 시기에 상호 신뢰를 불가능하게 할 것이 틀림없는 행위를 해서는 안 된다.

① 이방인이 평화적으로 행동하면 환대해야 하는가?
② 군비 경쟁을 통해 영구 평화를 실현하는 것은 불가능한가?
③ 비민주적 국가에 대한 폭력적 개입은 정당화될 수 있는가?
④ 국가 간 적대 행위의 일시적 중지는 평화 상태로 보기 어려운가?
⑤ 영구 평화의 실현 과정에서 개별 국가의 주권을 인정해야 하는가?

해외 원조에 대한 입장

8 **다음을 주장한 사상가의 입장만을 보기 에서 고른 것은?**

질서 정연한 사회의 만민은 고통받는 사회를 원조해야 할 의무를 갖습니다. 고통받는 사회는 정의로운 체제를 만들 수 있는 전통을 가지고 있지 않기 때문입니다.

보기

ㄱ. 원조는 자선이 아니라 도덕적 당위이다.
ㄴ. 원조의 대상에서 질서 정연한 사회는 제외된다.
ㄷ. 원조의 목적은 국가 간 부의 수준을 동일하게 조정하는 것이다.
ㄹ. 원조는 정치 문화의 개선이 아니라 공리의 증진을 목표로 해야 한다.

① ㄱ, ㄴ ② ㄱ, ㄷ ③ ㄴ, ㄷ ④ ㄴ, ㄹ ⑤ ㄷ, ㄹ

예술과 윤리의 관계

01 (가)와 같은 관점을 가진 사람이 (나) 그림에 대해 제시할 견해로 가장 적절한 것은?

(가)	예술가가 다른 사람의 욕구를 만족하게 하려는 순간 그는 예술가이기를 포기한 것이며, 예술가에게 윤리적 공감은 독창성을 잃게 하는 것이다.
(나)	

① 예술은 윤리의 인도를 받아야 함을 간과한다.
② 예술이 가진 사회적 책임과 영향력을 간과한다.
③ 예술이 도덕적 가치를 표현해야 함을 간과한다.
④ 예술이 사회에 긍정적 변화를 일으켜야 함을 간과한다.
⑤ 사회적 목적을 위해 예술이 수단화되면 안 됨을 간과한다.

Tip
심미주의는 예술의 목적이 ❶ [　　] 의 구현이라고 보아 예술의 ❷ [　　] 을/를 강조하는 순수 예술론을 옹호한다.

답 ❶ 미적 가치 ❷ 자율성

음식 문화와 윤리적 문제

02 (가)를 주장한 사상가가 (나)와 관련된 문화에 대해 제시할 견해로 가장 적절한 것은?

(가)	한 존재가 고통을 받는다면 그 고통을 고려하지 말아야 할 도덕적 이유는 없다. 평등의 원칙은 그 존재의 고통을 다른 존재들의 비슷한 고통과 동등하게 볼 것을 요구한다.
(나)	 공장식 축산은 육류 생산비를 낮추고 가격 경쟁력을 높이기 위해 가축을 좁은 장소에 모아 기르는 축산 방법이다.

① 육식에 대한 인간의 욕구를 충족시킬 필요가 있다.
② 공장식 축산을 통해 음식을 저렴하게 공급해야 한다.
③ 인간은 동물을 죽이거나 이용할 권리를 가지고 있다.
④ 이성적 사고 능력을 가진 존재가 우월한 도덕적 지위를 가진다.
⑤ 이익 평등 고려의 원칙에 따르면 인간의 식욕보다 동물의 생명이 더 큰 이익이다.

Tip
생태계를 고려하는 음식 문화의 형성을 위해 ❶ [　　] 을/를 자제하고 지역에서 생산된 먹거리를 그 지역에서 소비하는 ❷ [　　] 운동에 동참해야 한다.

답 ❶ 육식 ❷ 로컬 푸드

윤리적 소비

03 다음과 같은 관점을 가진 사람이 지지할 주장으로 옳지 않은 것은?

POST CARD

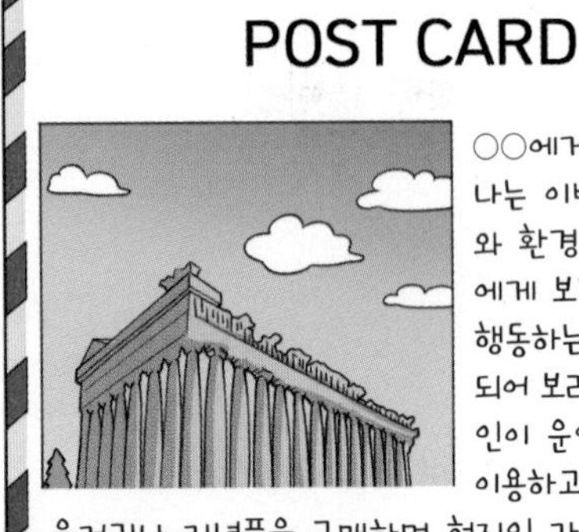

○○에게
나는 이번에 여행지의 문화와 환경을 존중하고 현지인에게 보탬이 되는 방식으로 행동하는 '윤리적' 여행자가 되어 보려고 해. 그래서 현지인이 운영하는 숙박 시설을 이용하고, 현지인으로부터 먹을거리나 기념품을 구매하며 현지인 가이드의 안내를 받는 '지역 소비'를 하고 있어.

① 여행 산업 종사자 전체의 인권을 보호해야 한다.
② 현지인의 삶을 이해하고 소통하려고 노력해야 한다.
③ 대기업 주도의 관광지 개발로 관광 산업을 활성화해야 한다.
④ 관광객이 소비한 돈이 여행지의 빈곤 문제 해결에 도움이 되어야 한다.
⑤ 온실가스를 배출하는 교통수단의 사용을 줄여 환경 보존에 기여해야 한다.

Tip
여행지의 환경을 존중하고 ❶ [　　] 에게 직접 혜택이 돌아가도록 하며, 여행자와 여행지의 주민이 함께 행복해질 수 있는 여행을 ❷ [　　] (이)라고 한다.

답 ❶ 현지인 ❷ 공정 여행

담론 윤리

04 다음 대화의 사상가가 지지할 주장으로 옳지 않은 것은?

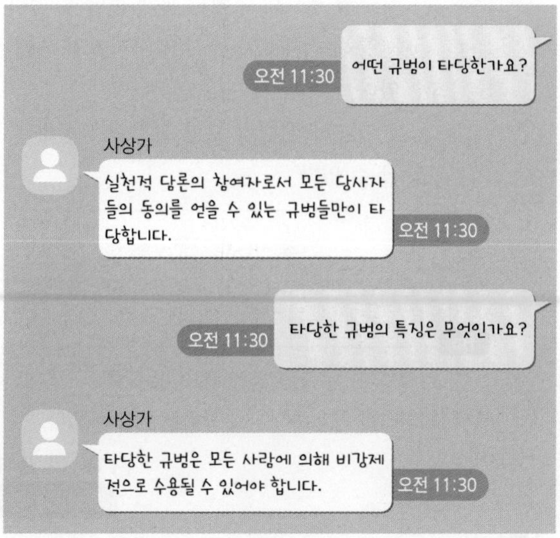

오전 11:30
어떤 규범이 타당한가요?
사상가
실천적 담론의 참여자로서 모든 당사자들의 동의를 얻을 수 있는 규범들만이 타당합니다.
오전 11:30
오전 11:30
타당한 규범의 특징은 무엇인가요?
사상가
타당한 규범은 모든 사람에 의해 비강제적으로 수용될 수 있어야 합니다.
오전 11:30

① 더 나은 주장에 근거하여 합의가 이루어져야 한다.
② 대화 참여자의 표현은 타인이 이해 가능해야 한다.
③ 대화 참여자는 필요에 따라 타인을 기만할 수 있다.
④ 대화 참여자의 의견은 규범적 맥락에서 정당해야 한다.
⑤ 이상적 대화 상황에서는 자유롭고 평등한 토의를 할 수 있다.

Tip

하버마스는 의사소통의 합리성을 실현하기 위해 정당성, ❶ ______ 가능성, 진리성, ❷ ______(이)라는 이상적 담화 조건을 제시하였다.

답 ❶ 이해 ❷ 진실성

북한 인권 문제

05 (가)의 갑, 을의 입장을 (나) 그림으로 표현할 때, A~C에 해당하는 적절한 진술만을 | 보기 |에서 고른 것은?

(가)	갑 : 인권은 어떤 나라에 살더라도 보장되어야 한다. 북한 정부가 자국민의 인권을 유린하거나 인권을 보장할 역량과 의지가 부족할 경우 국제 사회가 인도적 차원에서 개입해야 한다. 을 : 인권도 보장되어야 하고 개별 국가의 주권도 보장되어야 한다. 북한 정부도 타국과 마찬가지로 외교 관계와 내정에서 최고 권위를 가지므로 타국으로부터 간섭을 받지 않을 권리가 있다.
(나)	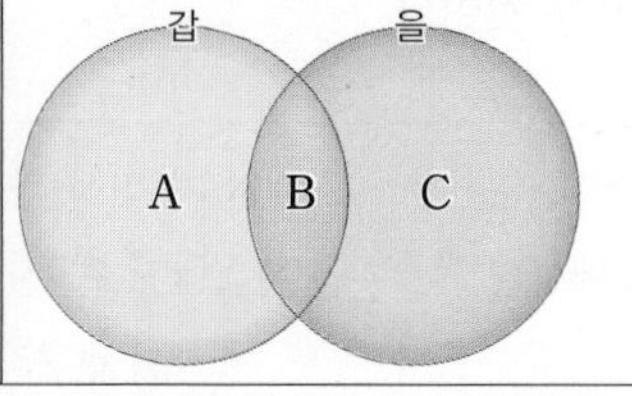 갑 을 A B C 〈범 례〉 A : 갑만의 입장 B : 갑, 을의 공통 입장 C : 을만의 입장

| 보기 |

ㄱ. A : 북한 인권 문제에 대해 국제 사회가 개입할 수 있다.
ㄴ. B : 인권은 인간이라면 누구나 누려야 할 보편적 가치이다.
ㄷ. B : 북한 주민의 인권 상황 개선은 북한 정부에게 일임해야 한다.
ㄹ. C : 인권 상황이 열악한 북한의 주권을 보장해서는 안 된다.

① ㄱ, ㄴ ② ㄱ, ㄷ ③ ㄴ, ㄷ ④ ㄴ, ㄹ ⑤ ㄷ, ㄹ

Tip

북한 인권 문제에 대해서 ❶ ______의 보편적 원칙에 따라 국제 사회가 개입해야 한다는 주장과 국제 사회의 개입은 ❷ ______이므로 북한이 스스로 해결하게 해야 한다는 주장이 공존한다.

답 ❶ 인권 ❷ 내정 간섭

국제 평화에 대한 관점

06 그림의 강연자가 지지할 주장으로 가장 적절한 것은?

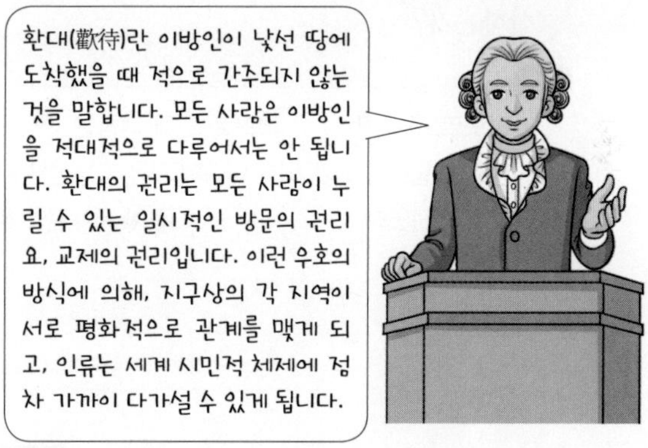
환대(歡待)란 이방인이 낯선 땅에 도착했을 때 적으로 간주되지 않는 것을 말합니다. 모든 사람은 이방인을 적대적으로 다루어서는 안 됩니다. 환대의 권리는 모든 사람이 누릴 수 있는 일시적인 방문의 권리요, 교제의 권리입니다. 이런 우호의 방식에 의해, 지구상의 각 지역이 서로 평화적으로 관계를 맺게 되고, 인류는 세계 시민적 체제에 점차 가까이 다가설 수 있게 됩니다.

① 모든 사람에게 환대권이 주어지는 것은 아니다.
② 이방인은 영속적인 체류권을 요구할 권리가 있다.
③ 다른 지역과 평화로운 관계를 맺는 것은 불가능하다.
④ 환대권은 세계 시민적 체제의 실현을 불가능하게 한다.
⑤ 평화적으로 처신하는 사람은 적으로 간주하지 말아야 한다.

Tip

칸트는 ❶ ______을/를 실현하는 한 방법으로 어떤 이방인이 타국에 도착했을 때 그가 평화적으로 행동하는 한 적대적으로 대우받지 않을 ❷ ______을/를 강조하였다.

답 ❶ 평화 ❷ 환대권

대중문화와 관련된 윤리 문제

07 갑이 부정의 대답을 할 질문으로 가장 적절한 것은?

갑의 대중문화에 대한 입장
▶ 학습 목표 : 대중문화에 대한 갑의 입장을 이해하고 설명할 수 있다.
▶ 학습 내용
1. 현대 예술의 자본 종속 사례
2. 획일화된 문화 상품의 대량 생산
3. 갑의 문화 산업론

① 문화 산업은 문화와 예술의 창조성을 제약할 수 있는가?
② 현대 예술은 감상자에게 고유한 미적 체험을 제공하는가?
③ 획일화된 문화 상품은 대중의 반성적 사고를 방해하는가?
④ 문화 산업은 기존 자본주의 체제를 유지하는 기능을 하는가?
⑤ 문화 산업은 이윤 추구를 목적으로 문화 상품을 생산하는가?

Tip
아도르노는 ❶ ______ (으)로 인해 대중은 ❷ ______ 된 문화 체험만을 하게 되고 대중의 사유 가능성은 사라진다고 주장하였다.
답 ❶ 문화 산업 ❷ 획일화

윤리적 소비

08 ㉠에 대한 설명만을 |보기|에서 있는 대로 고른 것은?

|보기|
ㄱ. ㉠이 높으면 식재료의 이동 거리가 짧다.
ㄴ. ㉠은 로컬 푸드의 구매를 통해 줄일 수 있다.
ㄷ. ㉠을 통해 식재료가 생산된 곳까지의 거리를 알 수 있다.
ㄹ. ㉠을 활용하여 대기 오염을 적게 유발하는 선택을 할 수 있다.

① ㄱ, ㄴ ② ㄱ, ㄷ ③ ㄴ, ㄹ
④ ㄱ, ㄷ, ㄹ ⑤ ㄴ, ㄷ, ㄹ

Tip
로컬 푸드 운동을 통해 소비자는 ❶ ______ 할 수 있는 먹거리를 얻고 ❷ ______ 을/를 줄일 수 있다.
답 ❶ 신뢰 ❷ 대기 오염

예술과 윤리의 관계

09 갑의 입장에서 ㉠에 들어갈 말로 가장 적절한 것은?

탐구 활동 보고서
주제 : 갑의 삶과 예술관
○학년 ○반 ○번 ○○○

ㅇ조사 내용
• **갑의 삶** : 대문호 갑은 러시아 야스나야 폴랴나에 있는 저택에서 가족과 함께 살면서 『전쟁과 평화』, 『안나 카레니나』 등을 집필하였다.
• **갑의 예술관** : 현대 예술의 사명은 인간의 행복이 인간 상호 간의 결합에 있다는 진리를 이성의 영역에서 감정의 영역으로 옮겨, 현재 지배하고 있는 폭력 대신 신의 세계, 즉 ㉠

① 윤리적 가치가 아니라 미적 가치만을 구현하는 것이다.
② 예술가는 오직 미(美)를 추구하고 창조하는 데 전념하는 것이다.
③ 윤리적 평가에서 벗어나 예술을 위한 예술을 추구하는 것이다.
④ 인간의 최고 목적으로 간주하는 사랑의 세계를 건설하는 것이다.
⑤ 자율성을 바탕으로 예술 자체의 아름다움만을 추구해야 하는 것이다.

Tip
도덕주의에서는 ❶ ______ 이/가 미적 가치보다 우위에 있으며, 예술은 ❷ ______ 의 인도를 받아야 한다고 본다.
답 ❶ 윤리적 가치 ❷ 윤리

다문화 정책 모형

10 **다문화 사회에 대한 갑, 을의 입장에 대한 설명으로 가장 적절한 것은?**

기호 1번 갑	기호 2번 을
〈다문화 분야 공약〉 • 이주민들이 모국어를 버리고 한국어를 사용할 수 있도록 한국어 교육 예산 지원 • 이주민들이 우리나라 문화에 따라 살 수 있도록 문화 교실 운영	〈다문화 분야 공약〉 • 이주민들이 출신국의 고유한 문화를 유지하며 조화할 수 있는 예산 지원 • 이주민 문화가 우리 문화와 대등한 가치를 지니고 있음을 알리는 문화 교실 운영

① 갑은 이주민이 주류 문화를 받아들여서는 안 된다고 본다.
② 갑은 이주민 문화가 비주류 문화로 공존해야 한다고 본다.
③ 을은 이주민이 출신국의 문화를 포기해야 한다고 본다.
④ 을은 사회 내의 다양한 문화들이 조화될 수 있다고 본다.
⑤ 갑, 을은 주류 문화의 우위를 전제로 비주류 문화를 인정할 수 있다고 본다.

Tip
샐러드 볼 이론은 여러 가지 채소와 과일들이 서로 조화를 이루어 샐러드를 만들 듯이 다양한 ❶ [ ] 이/가 서로 ❷ [ ] 하게 조화를 이루어야 한다는 입장이다.

답 ❶ 문화 ❷ 대등

통일을 둘러싼 쟁점

11 **(가)에 들어갈 내용으로 가장 적절한 것은?**

〈스스로 학습하기〉

※ 통일 찬성 논거와 반대 논거를 바르게 연결하시오.

통일 찬성 논거 •	(가)
통일 반대 논거 •	• 이산가족의 고통을 해소할 수 있다.

① 민족 동질성을 회복하여 민족 공동체를 실현할 수 있다.
② 군사비 감소로 절약한 예산으로 복지 혜택을 늘릴 수 있다.
③ 민족의 경제적 번영과 국제적 위상 제고를 실현할 수 있다.
④ 한반도에 평화가 정착되고 세계 평화에 기여할 수 있다.
⑤ 막대한 통일 비용으로 인해 경제 위기가 초래될 수 있다.

Tip
통일은 남북한 간 ❶ [ ] 이/가 발발할 위협을 없애고 가족을 만나지 못한 ❷ [ ] 의 고통을 해소할 수 있다.

답 ❶ 전쟁 ❷ 이산가족

해외 원조에 대한 입장

12 **그림의 갑의 입장만을 〈보기〉에서 고른 것은?**

생활과 윤리 사상가 카드
– 해외 원조 편

갑, 사회 정의를
자유주의적 입장에서 탐구하다

o 원조에 대한 입장 : 불리한 여건으로 '고통받는 사회'를 '질서 정연한 사회'가 되도록 도와야 함
o 주요 저서 : 『정의론』, 『만민법』

보기
ㄱ. 원조는 만민의 의무이지만 장단점이 있다.
ㄴ. 원조 대상국에 인권 향상을 권유할 수 있다.
ㄷ. 원조를 결정할 때 차등의 원칙을 적용해야 한다.
ㄹ. 원조를 통해 모든 인류의 복지 수준을 동일하게 만들어야 한다.

① ㄱ, ㄴ ② ㄱ, ㄷ ③ ㄴ, ㄷ ④ ㄴ, ㄹ ⑤ ㄷ, ㄹ

Tip
롤스는 고통받는 사회에 대한 원조는 자선이 아니라 ❶ [ ] 이며, 고통받는 사회가 ❷ [ ] 이/가 되면 더 이상 원조가 필요하지 않다고 주장하였다.

답 ❶ 의무 ❷ 질서 정연한 사회

후편 마무리 전략

핵심 한눈에 보기

과학 기술의 가치 중립성 논쟁

저작권의 보호와 공유에 대한 윤리적 쟁점

자연을 바라보는 서양의 관점

도덕주의와 심미주의(예술 지상주의)

해외 원조

신유형·신경향 전략

신유형 전략

01 과학 기술자의 책임 범위에 대한 논쟁

갑, 을의 입장에 대한 옳은 설명만을 | 보기 |에서 있는 대로 고른 것은?

갑 : 과학 기술자의 연구는 개인의 문제만으로 끝나지 않는다. 반드시 타인, 사회, 인류 전체에 영향을 미칠 가능성이 높다. 따라서 과학 기술자는 자신의 연구 개발 주제 선정에서부터 연구 결과의 활용에 이르기까지 윤리적 목적 달성과 방향에 어긋나지 않는지 살펴보고 이와 관련한 책임 의식을 가져야 한다.

을 : 과학 기술자의 연구가 개인의 문제만으로 끝나지 않고 많은 사람과 인류 전체에게까지 영향을 미칠 수는 있다. 하지만 과학 기술자는 과학 기술의 개발에 집중하는 사람이지 과학 기술의 사회적 활용까지 고려하고 책임져야 할 사람은 아니다. 과학 기술자에게 사회적 책임까지 지우는 것은 과도한 책임이다. 과학 기술자는 연구 개발 과정에서 위조, 변조, 조작 등 없이 객관적으로 과학 기술 개발에 임할 책임만을 지면 된다.

| 보기 |

ㄱ. 갑은 과학 기술자의 과학 기술에 대한 도덕적 가치 판단은 필요하지 않다고 본다.
ㄴ. 을은 과학 기술자가 외적 책임이 아닌 내적 책임만을 지면 된다고 본다.
ㄷ. 갑은 을과 달리 과학 기술자가 과학 기술의 결과 활용에 대한 반성적 성찰과 숙고가 필요하다고 본다.
ㄹ. 을은 갑과 달리 과학 기술의 영향력이 사회와 인류 전체에 미친다고 본다.

① ㄱ, ㄴ ② ㄱ, ㄹ ③ ㄴ, ㄷ
④ ㄱ, ㄷ, ㄹ ⑤ ㄴ, ㄷ, ㄹ

Tip

과학 기술자의 사회적(외적) 책임을 강조하는 입장에서는 과학 기술자가 연구 ❶ [　　] 단계에서부터 과학 기술의 사회적 ❷ [　　] 단계까지 폭넓은 책임을 져야 한다고 본다.

답 ❶ 주제 선정 ❷ 활용

02 서양의 다양한 자연관

갑, 을의 입장으로 옳은 것은?

갑 : 동물을 위해 식물을, 인간을 위해 동물을 이용하는 것은 옳으며 신의 명령에도 부합한다.

을 : 동물이라 할지라도 자기 삶을 영위할 수 있는 삶의 주체가 될 수 있으며 도덕적 권리를 지닐 수 있다.

① 갑 : 인간만이 목적을 추구할 수 있는 존재이다.
② 갑 : 개체로서 생명의 가치보다 생태계 전체의 유기적 관계를 중시해야 한다.
③ 을 : 인간뿐만 아니라 동물도 내재적 가치를 지닐 수 있다.
④ 을 : 쾌고 감수 능력은 내재적 가치를 지니기 위한 필요 충분조건이다.
⑤ 갑, 을 : 모든 동물은 자기 삶의 주체이며 도덕적 권리를 지닌 존재이다.

Tip

레건은 일부 동물이 삶의 ❶ [　　]로서 도덕적 권리를 지니며 ❷ [　　] 가치를 갖는다고 보았다.

답 ❶ 주체 ❷ 내재적

03 다문화 정책 모형

그림은 인터넷 게시판 화면이다. 밑줄 친 질문에 대한 적절한 댓글만을 ㉠~㉣ 중에서 고른 것은?

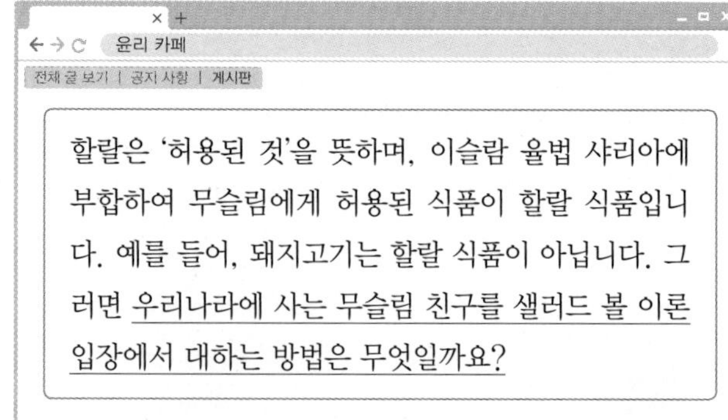

① ㉠, ㉡ ② ㉠, ㉢ ③ ㉡, ㉢ ④ ㉡, ㉣ ⑤ ㉢, ㉣

Tip

샐러드 볼 이론은 다양한 문화의 ❶ [　　] 공존과 ❷ [　　]을/를 강조한다.

답 ❶ 대등한 ❷ 조화

04 해외 원조에 대한 입장

갑 사상가에 대한 설명으로 옳지 않은 것은?

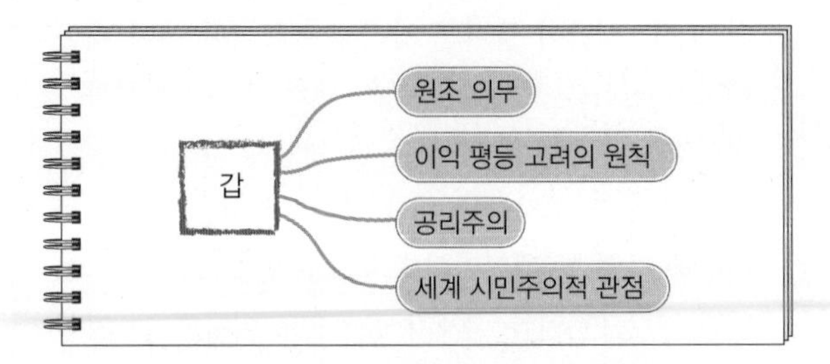

① 원조의 주체가 국가로 한정될 필요는 없다.
② 원조의 목적은 인류 전체의 행복 증진이다.
③ 도덕적으로 큰 희생이 없다면 원조해야 한다.
④ 부유한 공동체의 빈민을 원조할 필요는 없다.
⑤ 거리가 가까운 빈민을 먼저 도와야 하는 것은 아니다.

Tip

공리주의자 싱어는 ❶ ______ 을/를 감소시키고 ❷ ______ 을/를 증진하는 것은 인류의 의무라고 보았다.

답 ❶ 고통 ❷ 쾌락

05 책임 윤리

다음을 주장한 사상가의 입장으로 옳지 않은 것은?

> 우리는 현재 세대의 존재를 위해 미래 세대의 비존재를 선택하거나, 또한 감히 위태롭게 할 권리를 갖고 있지 않다. 왜 우리가 이러한 권리를 가지고 있지 않은지, 왜 우리는 "그 자체로" 존재할 필요도 없는 것, 어쨌든 실존하지 않으면서 실존에 대한 어떤 청구권도 가지지 않은 것에 대해서도 의무를 가지는가에 대해서는 … (중략) … 아마 종교 없이는 거의 확증할 수 없는 것이다. … (중략) … 새로운 명법은 우리 자신의 생명을 내걸 수는 있으나 인류의 생명을 위태롭게 해서는 안 된다고 말한다.

① 현세대는 미래 세대에 대해 일방적 책임을 진다.
② 현대 과학 기술은 인류의 미래를 위협할 수 있다.
③ 인간과 자연이 공동 책임의 주체로 협력해야 한다.
④ 자연과 미래 세대를 포함하는 새로운 윤리가 필요하다.
⑤ 현세대는 겸손한 태도로 미래 세대를 배려해야 한다.

Tip

요나스는 책임질 수 있는 ❶ ______ 은/는 책임을 이행해야 한다는 ❷ ______ (으)로 이어져야 한다고 보았다.

답 ❶ 능력 ❷ 당위

06 세계화와 지역화

㉠에 들어갈 내용으로 가장 적절한 것은?

> 나는 세계화가 실현되면 다양한 문화의 공존과 질적 향상이 이루어질 것이라고 생각한다. 그리고 세계 각국의 경제가 발전하면 공동 번영도 가능할 것이다. 그런데 어떤 사람들은 지역의 전통과 특색을 그대로 유지해야 한다고 주장한다. 나는 이 사람들이 [㉠]고 생각한다.

① 세계화가 문화의 획일화를 가져옴을 간과한다
② 지역의 이익과 발전을 추구해야 함을 간과한다
③ 세계화가 국가 간 빈부 격차를 심화시킴을 간과한다
④ 타 문화를 거부하고 지역 문화를 유지해야 함을 간과한다
⑤ 지역화가 폐쇄성으로 인한 갈등을 발생시킬 수 있음을 간과한다

Tip

세계화는 국제 사회의 ❶ ______ 증가로 세계가 긴밀하게 연결된 사회 체제로 ❷ ______ 되어 가는 현상이다.

답 ❶ 상호 의존성 ❷ 통합

07 국제 정의

다음 글의 입장으로 옳지 않은 것은?

> 국제 정의 중 형사적 정의는 법에 따라 정당한 제재를 가함으로써 실현할 수 있다. 형사적 정의의 실현을 위해 반인도주의적 범죄를 저지른 개인을 국제 사법 재판소를 통해 정당하게 처벌한다. 국제 사법 재판소는 세계 최초의 상설 전쟁 범죄 재판소로, 집단 살해죄, 전쟁 범죄, 반인도주의적 범죄 등을 저지른 개인을 처벌한다.

① 전쟁 중에 행해진 범죄는 국제 사법 재판의 대상이다.
② 국제 사법 재판소를 통해 국제 정의를 실현할 수 있다.
③ 인간 존엄성을 훼손하는 국제적 범죄는 처벌해야 한다.
④ 가해자의 출신국만이 집단 학살에 대해 처벌할 수 있다.
⑤ 형사적 정의는 법에 따른 합당한 처벌을 가하여 실현할 수 있다.

Tip

지구촌의 형사적 정의를 실현하기 위해 ❶ ______ 을/를 통해 반인도적 범죄를 처벌하고 ❷ ______ 을/를 통해 국제 범죄 수사에 공조하고 있다.

답 ❶ 국제 사법 재판소 ❷ 국제 형사 경찰 기구

신경향 전략

08 서양의 다양한 자연관

(가)의 갑, 을, 병 사상가들의 입장에서 서로에게 제기할 수 있는 비판을 (나) 그림으로 표현할 때, A~E에 해당하는 내용으로 옳은 것은?

(가)	갑 : 인간은 생명 공동체인 대지의 구성원이다. 어떤 것이 생명 공동체의 온전성, 안정성, 아름다움의 보존에 이바지한다면 옳고, 그렇지 않으면 그르다. 을 : 삶의 주체가 된다는 것은 믿음과 욕망, 지각과 기억, 자신의 미래를 포함하는 미래에 대한 감각, 쾌락이나 고통이라는 감정과 함께 정서적 생활, 선호와 복지, 자신의 욕망과 목적을 추구하기 위한 행위를 할 능력 등을 갖는다는 것이다. 병 : 자연 안에 생명이 없는 아름다운 대상들에 대한 파괴를 일삼는 것은 도덕성을 크게 촉진하는 감정을 약화시켜 자기 자신에 대한 인간의 의무와 대립한다.
(나)	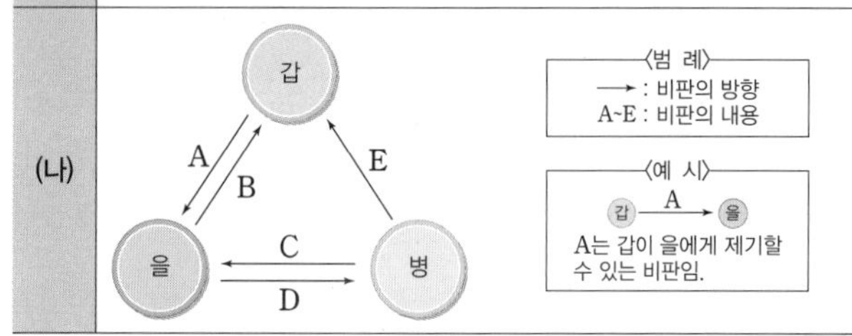

① A : 인간 이외의 존재도 도덕적 권리를 지닐 수 있음을 간과한다.
② B : 생태계 전체의 온전성과 안정성, 아름다움을 고려해야 함을 간과한다.
③ C : 지각과 의식이 없어도 내재적 가치를 지닐 수 있음을 간과한다.
④ D : 인간이 동물을 함부로 학대하지 않을 의무가 있음을 간과한다.
⑤ E : 인간은 인간 자신에 대해서만 직접적 의무를 지닌다는 점을 간과한다.

Tip

칸트는 인간은 인간에 대해서만 ❶ [ ] 의무를 지니며, 동물이나 자연에 대한 의무는 ❷ [ ] 의무일 뿐이라고 보았다.

답 ❶ 직접적 ❷ 간접적

09 정보 공유론

다음에서 강조하는 내용으로 가장 적절한 것은?

> 어떤 사람들은 지식과 정보가 재화나 상품처럼 인간의 노력, 시간이 들어간 사적 소유물이며 이에 대한 배타적 권리를 보장하는 것은 사회 정의에 부합하는 것이라고 주장한다. 하지만 한 개인이 만들어 낸 지식과 정보라 할지라도 이를 좀 더 폭넓은 시각으로 확장해 보면 한 개인만의 노력으로 만들어진 것은 아니다. 그동안 인류 전체가 공동으로 이룩해 낸 지식과 정보에 개인의 일부 노력이 더해지거나 변형되어서 새로운 지적 재산이 나타난 것일 뿐이다. 따라서 지식과 정보를 새롭게 창출하고 만들어 낸 노력과 시간은 인정하지만, 이에 대한 배타적 소유권을 인정하고 사적 소유물로 한정시키려는 시도는 바람직하지 않다. 세상에 존재하는 모든 지식과 정보는 인류 공동의 지적 자산이며 이에 대한 자유로운 공유와 활용이 활성화될 때 정보 사회의 풍요로움과 다양성이 증진될 것이다.

① 지적 재산권이 강화될수록 양질의 정보 생산이 가능하다.
② 정보를 공공재로 인정하고 공유할 때 정보 사회의 발전이 촉진된다.
③ 지적 재산권 강화는 창작자의 의욕 고취를 위한 필수불가결한 조치이다.
④ 정보 사회 발전을 위해 정보에 대한 경제적 보상과 대가 지불은 필수적이다.
⑤ 지식과 정보에 대한 배타적 권리 보호는 시장의 원리와 사회 정의에 부합한다.

Tip

정보 공유를 강조하는 입장에서는 모든 저작물은 인류가 공동으로 이룩한 ❶ [ ](이)라고 보아, 이를 사유재가 아니라 ❷ [ ](으)로 간주해야 한다고 주장한다.

답 ❶ 지적 재산 ❷ 공공재

10 서양의 다양한 자연관

(가)의 갑, 을, 병 사상가들의 입장에서 서로에게 제기할 수 있는 비판을 (나) 그림으로 표현할 때, A~E에 해당하는 내용으로 옳은 것은?

(가)	갑 : 동물은 자기 삶의 주체일 수 있다. 인간과 인간 이외의 일부 동물은 도덕적으로 존중받을 도덕적 권리를 지닌다. 을 : 인간은 자연에 대한 존중, 내재적 가치를 지닌 모든 생명체에 대한 존중을 실천해야 한다. 병 : 인간은 대지 공동체의 정복자가 아니라 구성원이며 시민임을 인정해야 한다.
(나)	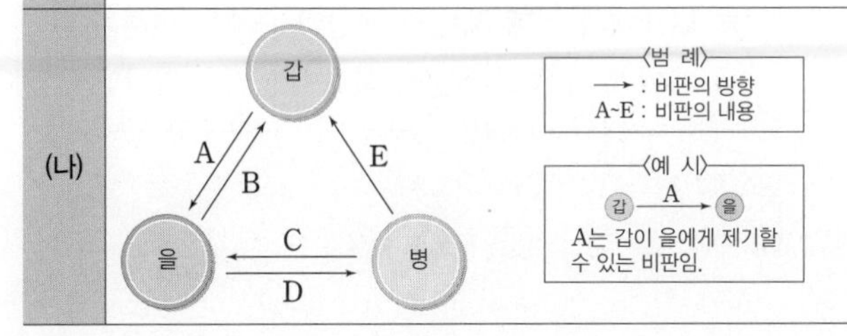

① A : 지각이 없어도 도덕적 존중의 대상이 될 수 있음을 간과한다.
② B : 식물도 도덕적 고려의 대상이 될 수 있음을 간과한다.
③ C : 생명체에 해를 입힐 경우 보상적 정의의 의무가 있음을 간과한다.
④ D : 무생물도 도덕적 고려의 범위에 포함시켜야 함을 간과한다.
⑤ E : 인간만이 도덕적 지위를 지니는 것은 아님을 간과한다.

Tip

테일러는 유기체의 자유를 간섭하거나 생태계를 통제해서는 안 된다는 ❶ [ ] 의 의무, 인간이 생명체에게 해를 끼쳤을 경우 ❷ [ ] 의 의무를 실천해야 한다고 보았다.

답 ❶ 불간섭 ❷ 보상적 정의

11 예술과 윤리의 관계

㉠에 들어갈 내용으로 적절한 것만을 | 보기 |에서 고른 것은?

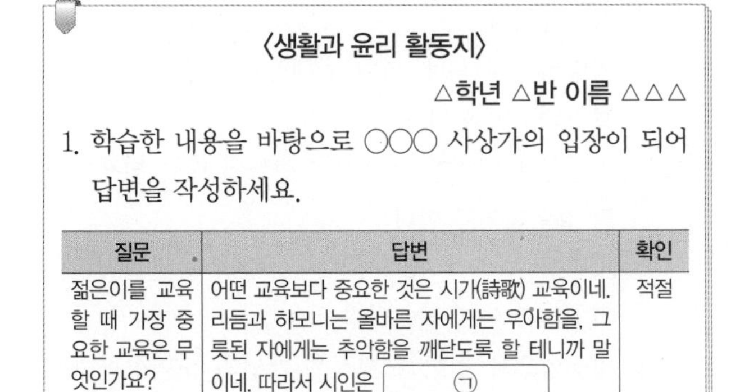

〈생활과 윤리 활동지〉

△학년 △반 이름 △△△

1. 학습한 내용을 바탕으로 ○○○ 사상가의 입장이 되어 답변을 작성하세요.

질문	답변	확인
젊은이를 교육할 때 가장 중요한 교육은 무엇인가요?	어떤 교육보다 중요한 것은 시가(詩歌) 교육이네. 리듬과 하모니는 올바른 자에게는 우아함을, 그릇된 자에게는 추악함을 깨닫도록 할 테니까 말이네. 따라서 시인은 [㉠]	적절

| 보기 |

ㄱ. 훌륭한 성품의 모습을 작품 속에 새겨 놓아야 하네.
ㄴ. 미적 가치를 충실하게 표현하는 것에만 힘써야 하네.
ㄷ. 시를 통해 영혼 안의 선(善)을 사랑하는 감각을 일깨워야 하지.
ㄹ. 도덕적 선을 권장하기보다는 예술의 자율성을 중시해야 하지.

① ㄱ, ㄴ ② ㄱ, ㄷ ③ ㄴ, ㄷ ④ ㄴ, ㄹ ⑤ ㄷ, ㄹ

Tip

플라톤은 예술의 존재 이유가 ❶ [ ] 을/를 권장하고 덕성을 장려하는 데 있다고 보고, 예술 작품이 ❷ [ ] 을/를 담고 있는지를 국가가 판단해야 한다고 보았다.

답 ❶ 선 ❷ 도덕적 가치

12 종교에 대한 입장

다음을 주장한 사상가가 부정의 대답을 할 질문으로 가장 적절한 것은?

> • 종교란 최고의 존재를 지향하는 특별한 상징이나 의식 또는 감정의 체계 이상의 것이다. 종교란 궁극적 관심으로서 인간의 실존의 의미에 관하여 '죽느냐 사느냐'의 질문을 던지는 것이며, 이 질문에 대하여 해답이 제시되는 상징을 갖는다.
> • 모든 분야에서의 궁극적 진지성, 그것이 바로 종교의 핵심이다. 도덕의 영역에서는 도덕적 욕구에 대한 무조건적 진지성이 바로 종교이며, … (중략) … 예술의 영역에서는 궁극적 의미를 예술 작품으로 표현하고 싶은 무한한 욕망이 바로 종교이다.

① 종교는 궁극적 관심에 붙잡힌 상태인가?
② 종교는 궁극적 의미를 예술로 표현하려 하는가?
③ 종교는 삶과 죽음의 의미에 대하여 묻는 것인가?
④ 종교는 인간의 실존의 의미에 대해서는 침묵하는가?
⑤ 종교는 인간 이상의 존재를 지향하는 상징 이상의 것인가?

Tip

종교는 고유한 ❶ [ ] 을/를 제시하며 삶의 ❷ [ ] 의미를 설명하려 한다.

답 ❶ 세계관 ❷ 궁극적

1·2등급 확보 전략 1회

빈출도 ● > ● > ●

1강_과학 기술과 윤리 ~ 정보 사회와 윤리

01 ㉠에 들어갈 내용으로 가장 적절한 것은?

> 과학 기술은 인간의 삶과 불가분의 관계에 있으므로 과학 기술을 연구하고 활용하는 전 과정을 독립적인 영역으로 여겨서는 안 된다. 또한 과학 기술은 궁극적으로 인간의 존엄성 실현이라는 윤리적 목적을 지향해야 한다. 그런데 어떤 사람들은 과학 기술은 윤리와는 다르게 사실을 다루는 분야이기 때문에 과학 기술에 대한 가치 판단을 유보해야 한다고 본다. 나는 이러한 입장이 [㉠]고 생각한다.

① 과학 기술에는 주관적 가치가 개입될 수 없음을 간과한다
② 과학 기술은 그 자체로 좋은 것도 나쁜 것도 아니라는 점을 간과한다
③ 과학 기술의 정당화 과정에는 가치가 개입되어서는 안 됨을 간과한다
④ 과학 기술 연구 주제 선정 과정에서도 윤리적 가치 판단이 필요함을 간과한다
⑤ 과학 기술을 윤리적 관점에서 규제하려는 시도는 왜곡된 결과를 초래할 수 있음을 간과한다

⁂ 1등급 킬러

02 다음을 주장한 사상가의 입장만을 보기에서 있는 대로 고른 것은?

> 어떤 존재가 앞으로 존재할 것이라는 가능성을 근거로 권리를 가지지는 않습니다. 실제로 존재하기 이전에는 어떤 생명도 존재할 권리를 가지지 않습니다. 존재에 대한 권리 주장은 존재를 통해 비로소 시작됩니다. 그러나 우리가 추구하는 윤리는 바로 아직 존재하고 있지 않은 것과 연관되어 있으며, 이 윤리가 제시하는 책임의 윤리는 권리와 호혜성의 모든 이념과 상관이 없어야만 합니다.

보기
ㄱ. 현세대의 책임은 자녀에 대한 부모의 책임과 마찬가지로 일방적 책임이다.
ㄴ. 아직 존재하지 않는 미래 세대에게 책임을 부과하거나 책임을 물을 수는 없다.
ㄷ. 새로운 시대의 책임 윤리는 인간과 자연의 호혜성에 기초한 조화와 협력으로 완성된다.
ㄹ. 현세대와 미래 세대의 책임의 관계는 호혜적 관계에 있지 않고 일방적 책임의 성격을 지닌다.

① ㄱ, ㄴ ② ㄱ, ㄷ ③ ㄷ, ㄹ
④ ㄱ, ㄴ, ㄹ ⑤ ㄴ, ㄷ, ㄹ

03 다음에서 강조하는 내용으로 가장 적절한 것은?

> 사이버 공간의 익명성이 주는 표현의 자유와 새로운 가능성은 주목할 만한다. 물론 익명성에 근거한 무책임한 행동으로 인해 발생한 피해와 사회에 끼치는 해악은 경계해야 하지만, 이를 이유로 익명성 보장에 지나친 제약을 가하는 순간 사이버 공간이 지닌 큰 장점을 잃을 수 있다. 따라서 익명성으로 인해 발생한 문제점에 대한 경계심을 잃지 않으면서도 익명성이 가져오는 장점들을 잘 살려야 한다. 표현의 자유, 토론의 자유, 새로운 자아 정체성 탐색, 다양한 실험, 자유롭고 참신한 정책 제안, 수직적 인간관계의 한계를 넘어서 수평적 인간관계에서 가능한 다양한 비판과 대안 제시 등은 익명성이 지닌 장점이라고 할 수 있다.

① 익명성이 지닌 부정적 측면은 긍정적 측면과 양립 불가능하다.
② 익명성은 사회에 끼치는 해악과 무관하게 최대한 보장되어야 한다.
③ 익명성에 근거한 무책임한 언행에 대한 법적 규제가 강화되어야 한다.
④ 익명성 보장이 가져다주는 긍정적 측면을 살리는 지혜와 노력이 필요하다.
⑤ 익명성으로 인한 문제점은 개인의 도덕성과 양심에 호소하는 것이 합리적이다.

04 갑, 을의 입장으로 옳지 않은 것은?

갑 : 정보는 개인의 시간과 노력이 들어간 고유한 창작물입니다. 아무런 시간이나 노력을 들이지 않고 다른 사람의 성과물을 사용하는 것은 정당하지 못한 것처럼 정보를 허락 없이 그리고 아무런 경제적 대가를 지불하지 않고 사용하는 것은 도덕적으로 정당화될 수 없습니다.

을 : 정보는 개인의 시간과 노력이 들어간 창작물인 동시에 인류가 함께 공동으로 이룩한 지적인 자산입니다. 따라서 정보를 한두 사람이나 소수의 사람만이 독점하는 것은 잘못입니다. 다만 창작자의 노력을 인정하는 차원에서 동의와 허락을 구한다면 경제적 대가를 지불할 필요 없이 자유롭게 사용할 수 있어야 합니다.

① 갑 : 정보에 대한 배타적 소유권은 인정될 수 없다.
② 갑 : 정보는 상품이나 재화처럼 생산·매매될 수 있다.
③ 을 : 정보를 사유재로만 인식하려 해서는 안 된다.
④ 을 : 정보를 통해 경제적 이익을 취하는 행위는 허용될 수 없다.
⑤ 갑, 을 : 다른 사람의 시간과 노력이 들어간 창작물인 정보를 동의나 허락 없이 사용하는 것은 정당화될 수 없다.

2강_자연과 윤리

⁂ 1등급 킬러

05 다음을 주장한 사상가의 입장으로 옳은 것은?

살아 있는 모든 존재는 자신의 고유한 선을 자신의 방식대로 추구하는 목적론적 삶의 중심이다. 지각과 의식이 없어도 내재적 가치를 지닐 수 있다.

① 인간의 생명과 동물의 생명은 항상 동일한 가치로 평가되어야 한다.
② 생태계의 온전성을 위해 개별 생명체의 희생을 언제나 감수해야 한다.
③ 모든 생명체는 도덕적 행위와 도덕적 책임의 주체이므로 존중받아야 한다.
④ 자연에 대한 존중을 실천하고 생태계를 조작하려는 시도를 하지 말아야 한다.
⑤ 모든 생명체는 자기 고유의 선을 추구하는 합리적·이성적 존재로 대우받아야 한다.

06 다음을 주장한 사상가의 입장만을 | 보기 |에서 있는 대로 고른 것은?

보기
ㄱ. 인간만이 자율적이며 도덕적 행위의 주체이다.
ㄴ. 인간의 자연에 대한 의무는 간접적 의무일 뿐이다.
ㄷ. 인간만이 도덕적 지위를 지닌 존재라고 보아서는 안 된다.
ㄹ. 인간은 동물 학대나 자연 훼손을 함부로 하지 않을 의무를 지니지 않는다.

① ㄱ, ㄴ ② ㄱ, ㄷ ③ ㄷ, ㄹ
④ ㄱ, ㄴ, ㄹ ⑤ ㄴ, ㄷ, ㄹ

⁂ 1등급 킬러

07 다음을 주장한 사상가의 입장만을 | 보기 |에서 있는 대로 고른 것은?

보기
ㄱ. 도덕적 무능력자도 내재적 가치를 지닐 수 있다.
ㄴ. 인간만이 삶의 주체로서 도덕적 권리를 지니는 것은 아니다.
ㄷ. 내재적 가치를 갖는 존재는 수단이 아니라 목적으로 대우받아야 한다.
ㄹ. 모든 동물은 삶의 주체이므로 인간을 위한 수단으로 취급당해서는 안 된다.

① ㄱ, ㄴ ② ㄱ, ㄹ ③ ㄷ, ㄹ
④ ㄱ, ㄴ, ㄷ ⑤ ㄴ, ㄷ, ㄹ

1등급 킬러

08 갑, 을이 서로에게 제기할 수 있는 비판으로 가장 적절한 것은?

> **갑** : 추한 것과 나쁜 리듬, 부조화는 나쁜 성품을 닮은 반면, 그 반대되는 것들은 좋은 성품을 닮았고 그것을 모방한 것이다. 젊은이들은 아름다운 작품을 만나 자신도 모르는 사이에 아름다운 말과의 닮음과 친근함, 조화로 이끌리게 된다.
>
> **을** : 예술의 목표는 진리라는 생각 때문에 시(詩)만을 위한 시는 시적 품위가 결여된 것으로 여겨졌다. 그러나 예술이란 본래 심미적 가치만을 추구하기에 시 그 자체 외의 어떠한 다른 목적도 염두에 두지 않고 쓰인 시만이 진정한 시이다.

	비판 방향	비판 내용
①	갑이 을에게	예술은 올바른 품성 함양을 위한 삶의 모범을 제공해야 함을 모르고 있다.
②	갑이 을에게	예술은 그 어떤 것에도 제한받지 않는 독립성을 지녀야 함을 모르고 있다.
③	갑이 을에게	예술은 그 자체가 목적으로 다른 것을 위한 수단이 될 수 없음을 모르고 있다.
④	을이 갑에게	예술의 심미적 가치는 도덕적 가치에 의해 제어되어야 함을 모르고 있다.
⑤	을이 갑에게	예술이 도덕적 가치를 추구할 때 심미적 가치가 더 고양된다는 사실을 모르고 있다.

3강_문화와 윤리

09 다음을 주장한 사상가의 입장만을 |보기|에서 고른 것은?

> 외부 공간은 인간이 세계에 나가 활동하는 공간이고, 보호받지 못하는 공간, 위험과 희생의 공간이다. 그래서 인간에게는 집이라는 공간이 필요하다. 그곳은 인간이 위협에 대한 경계심을 내려놓을 수 있는 안정과 평화의 영역이고, 뒤로 물러나 긴장을 풀 수 있는 공간이다.

보기

ㄱ. 집은 외부의 위험에서 벗어난 평화의 공간이다.
ㄴ. 인간이 체험할 수 있는 공간은 내부 공간뿐이다.
ㄷ. 집은 원치 않는 낯선 이의 접근을 막아 주는 개인 공간이어야 한다.
ㄹ. 인간은 공간을 구분한 이후에 거주함을 잃고 영원한 망명자가 되었다.

① ㄱ, ㄴ ② ㄱ, ㄷ ③ ㄴ, ㄷ ④ ㄴ, ㄹ ⑤ ㄷ, ㄹ

10 갑 사상가가 을 사상가에게 제기할 수 있는 비판으로 가장 적절한 것은?

> **갑** : 음악이란 즐거움으로 인도하는 방편이다. 쇠와 돌과 실과 대나무로 만든 악기들은 덕(德)으로 인도하는 방편이다. 음악이 바르게 연주되면 백성들이 올바른 길로 향하게 된다.
>
> **을** : 군자들이 천하의 이로움을 일으키고 천하의 해를 제거하고자 한다면, 마땅히 음악과 같은 물건을 금하여 없애야 한다. 귀는 음악이 즐거운 것을 알지만 백성들의 이로움과 부합되지 않는다.

① 음악 연주가 사회 질서를 불안정하게 함을 간과한다.
② 음악이 백성의 도덕적 실천에 도움이 됨을 간과한다.
③ 음악이 듣는 이에게 즐거움을 줄 수 있음을 간과한다.
④ 음악은 사회적 이익을 감소시키는 해악임을 간과한다.
⑤ 음악 연주에 백성이 동원되어 생산 활동에 방해가 됨을 간과한다.

11 다음을 주장한 사상가의 입장으로 적절하지 않은 것은?

> 우주는 존재와 신성성의 여러 양태를 제시합니다. 존재 현현(顯現)과 성현(聖顯)이 서로 만나는 것입니다. 종교적 인간에게 초자연적인 것은 자연적인 것과 불가분하게 연결되어 있습니다. ... (중략) ... 성스러운 돌은 그것이 신성하기 때문에 존경받는다. 돌의 진정한 본질을 계시하는 것은 돌의 존재 양식 안에 나타난 신성성입니다.

① 하늘과 대지는 성스러움의 여러 양상을 보여 준다.
② 성스러운 돌은 성현이기 때문에 신앙의 대상이 된다.
③ 종교적 인간에게 자연은 종교적 의미로 충만해 있다.
④ 세속적 삶에서 성스러움을 체험하는 것은 불가능하다.
⑤ 종교적 인간은 자연을 통해 초자연적인 것을 파악한다.

4강_평화와 공존의 윤리

12 다음을 주장한 사상가의 입장으로 옳지 않은 것은?

> 논증의 일반적 전제 조건들로부터 보편주의적 도덕의 내용을 획득하고자 하는 담론 윤리 전략의 전망이 밝은 까닭은 바로 담론이 구체적 생활 형식들을 넘어서는 수준 높은 의사소통 형식을 서술하기 때문입니다. 이 형식 속에서 의사소통 지향적 행위의 가정들은 일반화되고 추상화될 뿐만 아니라 그 한계가 제거됩니다. 다시 말해서 그것들은 언어 능력과 행위 능력을 갖춘 모든 주체들을 포함하는 이상적 의사소통 공동체로 확장되는 것입니다.

① 합리적 논증으로 보편적 도덕 규범을 얻을 수 있다.
② 개인들의 평등한 권리와 존엄성을 존중해야 한다.
③ 주관적 견해를 극복한 사람만이 담론에 참여해야 한다.
④ 규범의 타당성을 검토할 때 결과에 대해 고려해야 한다.
⑤ 개인은 모든 주장에 대해 입장 표명을 할 수 있는 무제한적 자유를 가진다.

13 (가), (나)의 입장으로 가장 적절한 것은?

> (가) 국가의 이익이 도덕성과 충돌할 때 도덕성보다 국가의 이익을 우선시해야 한다. 왜냐하면 국익을 지키는 것이 국가의 의무이기 때문이다.
> (나) 국가는 국제 분쟁에서 도덕성을 고려해야 하며, 국가의 이익보다 인간의 존엄성, 자유, 평등 등 보편적 가치를 우선하여 달성해야 한다.

① (가) : 국제 분쟁을 억제하고 평화를 실현할 수 있는 방법은 없다.
② (가) : 국제 관계에서 한 국가의 권력은 다른 국가의 권력에 의해서만 견제될 수 있다.
③ (나) : 국제 정치는 국익을 증진하기 위한 권력 투쟁이다.
④ (나) : 국제 분쟁은 국가 간의 세력 균형을 유지해야 해결할 수 있다.
⑤ (가), (나) : 국제 관계는 무정부적 상태가 아니라 국제기구와 국제법의 통제하에 있다.

14 (가)의 갑, 을, 병 사상가들의 입장에서 서로에게 제기할 수 있는 비판을 (나) 그림으로 표현할 때, A~F에 해당하는 내용으로 가장 적절한 것은?

(가)	갑 : 원조는 개인의 자유로운 선택의 영역이다. 개인의 정당한 소유권을 타인의 삶과 행복을 위해 침해해서는 안 된다. 을 : 원조는 세계 시민의 의무이다. 이익 평등 고려의 원칙에 따라 빈곤으로 고통받는 모든 사람들에게 원조해야 한다. 병 : 원조는 고통받는 사회들을 질서 정연한 사회로 가입시키는 것이다. 원조는 목적을 달성하면 중단될 수 있다.
(나)	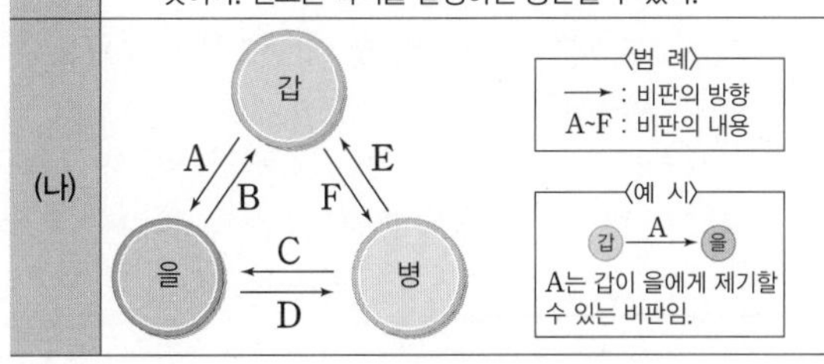

① B : 원조는 개인의 자발적 선택에 따른 자선 행위임을 간과한다.
② C : 원조가 중단되는 차단점이 존재하지 않음을 간과한다.
③ D : 적절한 정치 문화를 갖추지 못한 사회에서 빈곤으로 죽어 가는 개인들의 고통을 방치할 수 있음을 간과한다.
④ A, F : 도덕적으로 큰 희생 없이 타국의 빈민을 도울 수 있다면 도와야 함을 간과한다.
⑤ B, E : 원조의 의무를 실행하기 위한 과세는 강제 노동과 같음을 간과한다.

1·2등급 확보 전략 2회

빈출도 ● > ● > ●

1강_과학 기술과 윤리 ~ 정보 사회와 윤리

⁂ 1등급 킬러

01 갑, 을 사상가들의 입장만을 보기 에서 있는 대로 고른 것은?

> 갑 : 과학의 목적은 자연을 인간의 의도에 맞도록 변형함으로써 인간의 활동 영역을 넓히는 것이다. 인간은 자연의 사용자이자 해석자로서 자연을 경험적으로 연구해야 한다.
>
> 을 : 과학을 통해 이제까지 전혀 알려지지 않은 힘을 부여받고, 경제를 통해 끊임없는 충동을 부여받아 마침내 사슬로부터 풀려난 프로메테우스는 자신의 권력이 인간에게 불행이 되지 않도록 자발적 통제를 통해 자신의 권력을 제어할 수 있는 하나의 윤리학을 요청한다.

보기

ㄱ. 갑은 인간이 자연을 수단으로 볼 수 있지만 인간과 자연의 평등한 관계 유지에 힘써야 한다고 본다.
ㄴ. 을은 호혜성에 기초한 기존의 전통적 윤리학은 새로운 과학 기술 시대의 문제점을 해결하기에 한계를 지닌다고 본다.
ㄷ. 갑은 을과 달리 인간이 인간의 이익을 위해 자유롭게 자연을 활용해야 한다고 본다.
ㄹ. 을은 갑과 달리 과학 기술 발달로 인한 자연 파괴와 이로 인한 인류 존속에 대한 두려움을 가져야 한다고 본다.

① ㄱ, ㄴ ② ㄱ, ㄷ ③ ㄷ, ㄹ
④ ㄱ, ㄴ, ㄹ ⑤ ㄴ, ㄷ, ㄹ

02 다음을 주장한 사상가의 입장만을 보기 에서 고른 것은?

> 현대 기술의 본질은 기술적인 것이 아니다. 우리는 어디서나 부자유스럽게 기술에 붙들려 있습니다. 최악의 경우는 기술을 중립적으로 고찰할 때이며, 이 경우 우리는 무방비 상태로 기술에 내맡겨져 전적으로 기술의 본질에 대해 맹목적이게 됩니다.

보기

ㄱ. 현대 기술의 본질에 대한 자각과 비판적 성찰이 필요하다.
ㄴ. 현대 기술은 전적으로 인간의 자율적 규제를 받는 대상이다.
ㄷ. 현대 기술은 감추어져 있는 존재의 모습을 드러내 주는 수단이다.
ㄹ. 현대 기술은 인간의 의도에 따라 긍정적 혹은 부정적 요소를 산출하는 수단일 뿐이다.

① ㄱ, ㄴ ② ㄱ, ㄷ ③ ㄴ, ㄷ
④ ㄴ, ㄹ ⑤ ㄷ, ㄹ

03 (가)의 갑, 을의 입장에서 볼 때, (나)의 ㉠에 들어갈 진술로 옳지 않은 것은?

(가)	갑 : 사이버 공간에서 표현의 자유로 인해 발생하는 부작용들에 대해서는 인터넷 사용자 개개인의 양심에 호소하고 도덕성을 바탕으로 설득하고 홍보해 나갈 때 충분히 예방할 수 있다. 을 : 사이버 공간에서 표현의 자유로 인해 발생하는 부작용들에 대해 각 개인의 도덕성에만 호소하는 것은 한계가 있으므로 법적, 제도적, 기술적 장치까지 동원하여 예방해 나가야 할 것이다.
(나)	사이버 공간에서 표현의 자유로 인해 발생하는 문제는 [㉠]

① 갑 : 시장의 원리에 의해 자연스럽게 해결될 것이다.
② 갑 : 개인의 자발적 규제를 중심으로 해결될 수 있다.
③ 을 : 해결하려면 구성원들의 도덕성 함양이 필요하다.
④ 을 : 개인적 차원뿐 아니라 사회적 차원의 해결 방법을 모색해야 한다.
⑤ 갑, 을 : 해결되어야만 건전한 사이버 공간을 만들 수 있다.

2강_자연과 윤리

⁂ 1등급 킬러

04 **갑, 을, 병 사상가들의 입장으로 옳은 것은?**

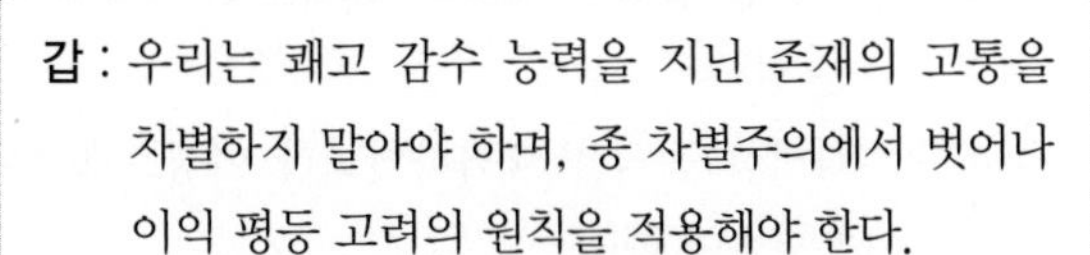

> **갑** : 우리는 쾌고 감수 능력을 지닌 존재의 고통을 차별하지 말아야 하며, 종 차별주의에서 벗어나 이익 평등 고려의 원칙을 적용해야 한다.
> **을** : 우리는 지각, 기억, 믿음 등을 지닌 삶의 주체의 내재적 가치를 존중해야 한다. 그들의 가치는 도덕적 행위 능력과 무관하게 존중되어야 한다.
> **병** : 우리는 대지를 사랑과 존중으로 대상으로 보아야 한다. 대지에 대한 인간의 윤리적 관계는 대지에 대한 사랑, 존경, 감탄 없이는 지속될 수 없다.

① 갑 : 동물과 식물 그리고 무생물의 이익 관심을 모두 동등하게 고려해야 한다.
② 을 : 도덕적 행위자만이 도덕적 지위를 갖는다.
③ 병 : 인간은 도덕 공동체의 정복자가 아니라 동료 구성원이자 시민임을 인정해야 한다.
④ 갑, 을 : 모든 동물은 쾌고 감수 능력을 지닌 삶의 주체로 존중받아야 한다.
⑤ 갑, 을, 병 : 이성은 없지만 지각과 의식이 있다면 삶의 주체이며 도덕적 고려의 대상이다.

⁂ 1등급 킬러

05 **(가)의 갑, 을, 병 사상가들의 입장을 (나) 그림으로 탐구할 때, A~D에 해당하는 적절한 질문만을 ㅣ보기ㅣ에서 있는 대로 고른 것은?**

(가)
갑 : 인류는 대지 공동체의 평범한 구성원이 되어야 한다. 이러한 인류의 역할은 동료 구성원과 대지 공동체 자체에 대한 존중을 필연적으로 수반한다.
을 : 생명체가 목적론적 삶의 중심이라는 것은 그 활동이 목표 지향적이라는 뜻으로, 생명 활동을 성공적으로 수행하는 항상적인 경향성이 있다는 말이다.
병 : 자연을 사냥해서 노예로 만들어 인간의 이익에 봉사하도록 해야 한다. 지식은 인간이 자연을 의도에 맞게 변형하여 자연에 대한 지배력을 강화하는 데 유용하다.

(나)
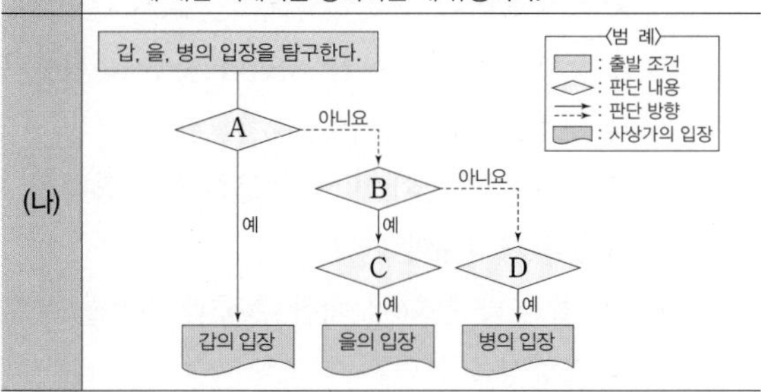

ㅣ보기ㅣ
ㄱ. A : 인간을 위해 생태계를 조작, 통제하려는 시도를 해서는 안 되는가?
ㄴ. B : 인간이 자연보다 우월하다는 생각에서 벗어나야 하는가?
ㄷ. C : 인간이 다른 생명체에게 해를 끼쳤을 경우 마땅히 피해를 보상해야 하는가?
ㄹ. D : 인간은 자연의 해석자나 지배자로서의 권리를 포기해야 하는가?

① ㄱ, ㄴ　② ㄱ, ㄹ　③ ㄴ, ㄷ
④ ㄱ, ㄷ, ㄹ　⑤ ㄴ, ㄷ, ㄹ

3강_문화와 윤리

06 **갑은 긍정, 을은 부정의 대답을 할 질문으로 가장 적절한 것은?**

우리는 환경, 인권 등의 윤리적 가치를 실현하는 소비를 해야 합니다. 재화나 서비스를 만들고 유통하는 전체 과정을 윤리적 가치에 따라 판단하여 소비해야 합니다.

우리는 자신의 경제력 안에서 최선의 제품을 구매하는 소비를 해야 합니다. 자신의 소득 범위에서 자기 욕구를 이해하고 상품 정보를 파악하여 가장 좋은 재화를 선택하여 소비해야 합니다.

① 최적의 효용을 가져오는 상품을 구매해야 하는가?
② 자신의 경제력을 초과한 소비는 하지 말아야 하는가?
③ 최소 비용으로 최대 만족을 얻는 상품을 구매해야 하는가?
④ 생태적으로 악영향을 주는 최저가 제품도 소비할 수 있는가?
⑤ 가격이 더 높아도 생산자의 인권을 존중하는 상품을 선택해야 하는가?

⁂ 1등급 킬러

07 갑, 을 사상가들의 입장으로 옳지 않은 것은?

갑 : 독점하에서의 대중문화는 모두 획일적인 모습을 하고 있으며, 그렇게 독점에 의해 만들어지는 대중문화의 윤곽은 서서히 드러난다. 대중문화의 조정자들은 독점을 숨기려 하지 않는다. 영화나 라디오는 더 이상 예술인척 할 필요가 없다. 대중 매체는 사업일 뿐이다.

을 : 예술 작품의 기술적 복제 가능성의 시대에 위축되는 것은 예술 작품의 '아우라'이다. 복제 기술은 복제를 대량화하여 복제 대상이 일회적으로 나타나는 대신 대량으로 나타나게 한다. 또한 복제 기술은 수용자가 복제품을 쉽게 접하게 한다.

① 갑 : 문화 산업은 대중에게 획일화된 미적 체험을 제공한다.
② 갑 : 대중문화는 변화 없는 반복적인 오락물을 생산하는 장사가 되었다.
③ 을 : 문화의 대중화는 대중의 예술 비평 활동을 촉진시킨다.
④ 을 : 복제 기술은 예술에 대한 대중의 접근 가능성을 제고시킨다.
⑤ 갑, 을 : 대중은 대중문화를 바탕으로 주체적인 문화 생산자로 성장한다.

08 다음 글의 입장으로 적절한 것만을 보기 에서 고른 것은?

빵과 물은 그것을 필요로 하는 배고픈 사람에게 큰 쾌락을 제공한다. 사치스럽지 않고 단순한 음식에 길들여지는 것은 우리에게 건강을 주며, 꼭 필요한 것들에 대해 주저하지 않게 해 준다. 그리고 나중에 우리가 사치스러운 것들과 마주쳤을 때 우리를 강하게 만들어 준다. 삶을 즐겁게 만드는 것은 계속 욕구를 만족시키는 일이나 풍성한 식탁을 가지는 일이 아니라 멀쩡한 정신으로 사려 깊게 헤아려 보는 것이다.

보기

ㄱ. 음식을 절제하는 태도가 즐거운 삶을 가능하게 한다.
ㄴ. 단순한 음식은 건강을 해치므로 익숙해져서는 안 된다.
ㄷ. 화려한 음식을 탐닉하기보다 이성으로 식욕을 분별해야 한다.
ㄹ. 음식으로 얻는 쾌락을 최대화하기 위해 가능한 많은 음식을 섭취해야 한다.

① ㄱ, ㄴ ② ㄱ, ㄷ ③ ㄴ, ㄷ ④ ㄴ, ㄹ ⑤ ㄷ, ㄹ

09 다음 대화에서 갑, 을의 입장으로 가장 적절한 것은?

갑: 샐러드 볼에 각기 다른 재료들이 섞여 각자 고유의 맛을 지키면서도 하나의 샐러드가 되듯이, 여러 민족의 문화가 평등하게 조화되어 다양함이 공존하는 사회를 완성해야 합니다.

을: 국수와 국물이 중심 역할을 하고 고명이 색다른 맛을 더해 주듯이, 주류 문화가 중심 역할을 하고 이주민은 자신의 문화적 정체성을 유지하며 공존하는 사회를 완성해야 합니다.

① 갑 : 문화 간 공존은 주류 문화의 우위를 인정할 때 가능하다.
② 갑 : 문화 차이에 따른 갈등 방지가 문화적 역동성보다 중요하다.
③ 을 : 이주민의 고유한 문화와 주류 문화를 평등하게 인정해야 한다.
④ 을 : 주류 문화와 비주류 문화를 통합하여 새로운 문화를 형성해야 한다.
⑤ 갑, 을 : 타 문화에 대한 존중과 관용을 통해 문화적 다양성을 실현할 수 있다.

4강_평화와 공존의 윤리

⁂ 1등급 킬러

10 갑, 을 사상가의 입장으로 가장 적절한 것은?

전쟁의 화근이 될 수 있는 내용을 암암리에 유보한 채로 맺은 어떠한 평화 조약도 결코 평화 조약으로 간주되어서는 안 됩니다. 조약이란 모든 적대 행위의 종식을 뜻하는 영구적 평화가 아닌 한낱 일시적 중지인 휴전에 불과한 것입니다.

전쟁은 단지 하나의 특정한 형태의 폭력일 뿐입니다. 평화를 전쟁의 반대로 보는 것, 즉 평화 연구를 전쟁 회피 연구로 제한하는 것은 편협한 것입니다. 직접적 폭력은 물론 구조적 폭력과 문화적 폭력이 사라져야 진정한 평화가 실현됩니다.

① 갑 : 평화를 실현하기에 적합한 정치 제도가 존재한다.
② 갑 : 평화를 원하는 국가는 타 독립국을 소유할 수 있다.
③ 을 : 경제적 억압과 착취는 문화적 폭력의 한 형태이다.
④ 을 : 직접적 폭력을 제거함으로써 인간 안보가 실현된다.
⑤ 갑, 을 : 참된 평화는 전쟁의 완전한 종식을 통해 실현된다.

11 다음을 주장한 사상가의 입장으로 옳지 않은 것은?

원조의 목적은 고통받는 사회가 자신의 문제들을 합당하고 합리적으로 관리할 수 있도록 도와서, 결과적으로 질서 정연한 국제 사회의 구성원이 되도록 하는 것입니다. 이것은 원조의 목표를 구성합니다. 목표가 성취된 이후에는 현재의 질서 정연한 사회가 여전히 상대적으로 빈곤하다고 할지라도 더 이상의 원조는 필요하지 않습니다. 원조의 궁극적 목적은 고통받는 사회들의 자유와 평등을 확립하는 것입니다.

① 질서 정연한 사회는 인권을 옹호하는 정치 문화를 가지고 있다.
② 인권을 강조하는 것은 기근의 발생을 예방하는 데 도움이 된다.
③ 부족한 자원과 빈약한 부를 가진 사회도 질서 정연해질 수 있다.
④ 빈민이 존재한다는 사실은 만민에게 원조 의무를 부과하는 근거가 된다.
⑤ 만민은 고통받는 사회가 자신의 문제를 합당하게 관리하도록 도와야 한다.

12 다음 토론의 핵심 쟁점으로 가장 적절한 것은?

갑작스러운 통일로 동독 경제가 붕괴하여 서독 주민은 사회적 비용을 부담했고, 동독 주민은 서독 정부의 일방적 지시에 불만을 가졌습니다. 이처럼 통일 비용이 통일 편익보다 클 것이므로 통일은 우리 민족에게 이득이 되지 않습니다.

준비되지 않은 상태로 통일이 진행되었지만, 독일 정부의 지원으로 동독 주민은 서독 주민과 크게 다르지 않은 생활 수준을 누리고 있습니다. 그리고 현재 독일인은 사회적 · 경제적으로 큰 이득을 보고 있습니다.

현재 독일인은 통일 편익을 얻고 있지만, 체제 통합에 사용된 비용은 선진국인 독일에게도 지나치게 과도했습니다. 또한 서독과 동독의 주민 간의 갈등도 하나의 통일 비용이라고 할 수 있습니다.

통일은 엄청난 국방비의 절감을 가능하게 하였고, 이 재원을 동독에 사용할 수 있었습니다. 통일 편익은 통일 이후에 지속적으로 증가하지만, 통일 비용은 더 이상 증가하지 않기에 통일은 매우 큰 이득이며 큰 성공이 될 것입니다.

① 현재 독일인은 통일로 인한 이익을 얻는가?
② 독일은 준비가 부족한 상태로 통일하였는가?
③ 통일 과정에서 체제 통합을 위한 비용이 발생하는가?
④ 통일은 우리에게 비용보다 많은 이익을 가져다주는가?
⑤ 동독 주민의 생활 수준 향상을 위해 재원이 투입되었는가?

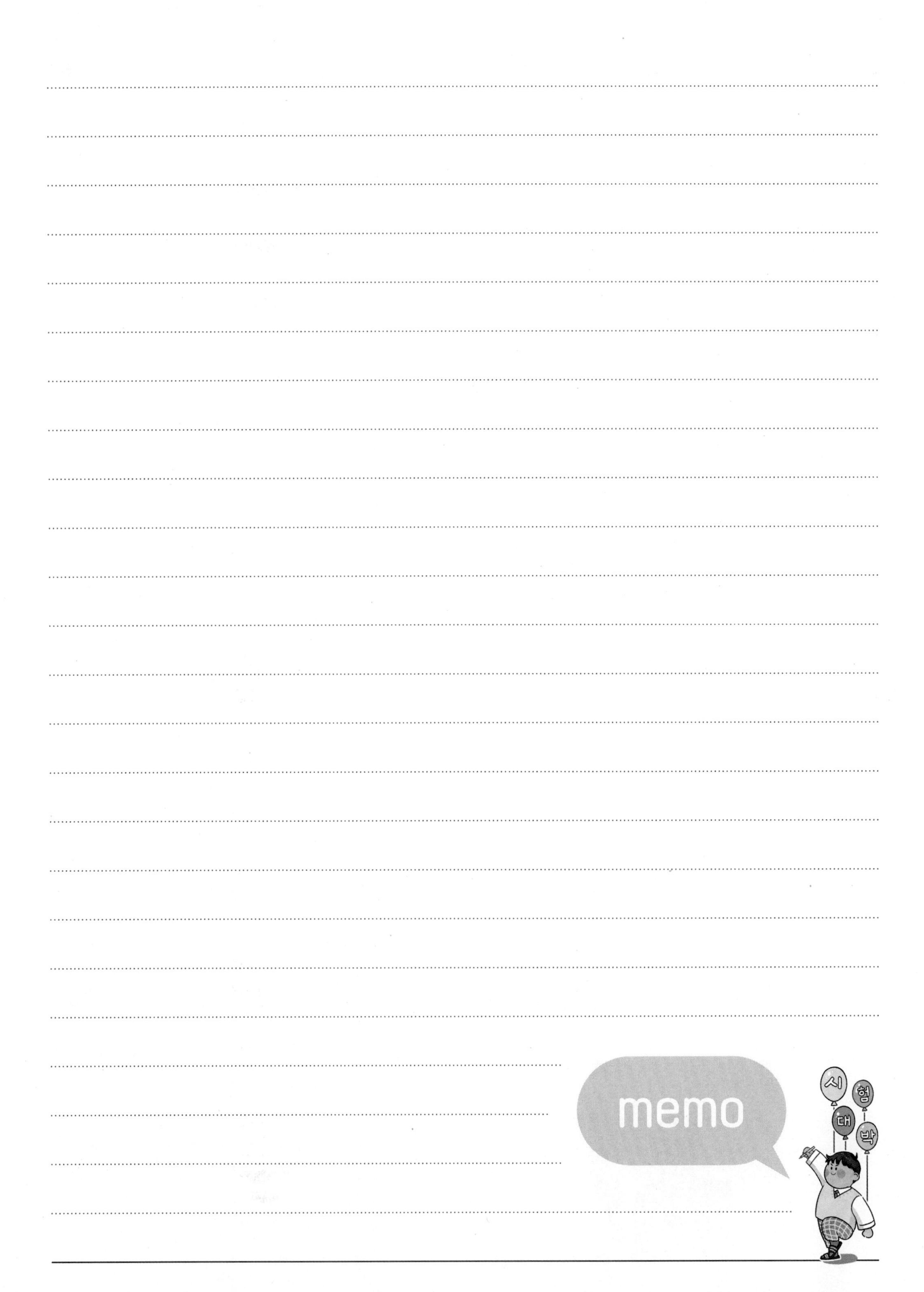
memo
시
험
대
박

수능 Final 기초 course
수능 기초 10일 격파 문학
수능 기초 10일 격파 수학 I
수능 기초 10일 격파 듣기

수능 Final 기초 course
수능 기초 10일 격파 한국사
수능 기초 10일 격파 지구과학 I

book.chunjae.co.kr

교재 내용 문의	교재 홈페이지 ▸ 고등 ▸ 교재상담
교재 내용 외 문의	교재 홈페이지 ▸ 고객센터 ▸ 1:1문의
발간 후 발견되는 오류	교재 홈페이지 ▸ 고등 ▸ 학습지원 ▸ 학습자료실

수능공략 필승학습!
단기간에 끝장내자!

실전에강한
수능전략

BOOK 3

정답과 해설

사탐영역 생활과 윤리

천재교육

수능전략

사·회·탐·구·영·역

생활과 윤리

BOOK 3

정답과 해설

Book 1

WEEK 1

Ⅰ. 현대의 삶과 실천 윤리 ~ Ⅱ. 생명과 윤리

DAY 1

개념 돌파 전략 ① 8~11쪽

[1강] 현대의 삶과 실천 윤리

01 실천 윤리학 02 예 03 연기 04 무위자연 05 정언 명령 06 행복 07 행위자 08 성찰

[2강] 생명과 윤리

01 죽음 02 반대 03 찬성 04 인정하면 05 배아 06 후세대 07 코헨 08 보완

DAY 1

개념 돌파 전략 ② 12~13쪽

1 ① 2 ③ 3 ⑤ 4 ⑤ 5 ②

1 실천 윤리학, 메타 윤리학, 기술 윤리학의 입장 비교

갑은 실천 윤리학, 을은 메타 윤리학, 병은 기술 윤리학의 입장이다.

① 실천 윤리학은 현실적인 도덕 문제를 해결하기 위해 의학, 법학, 과학 등 다양한 학문 분야의 전문 지식과 기술을 활용하는 학제적 접근을 중시한다.

오답 피하기 ② 이론 윤리학의 입장이다. 이론 윤리학은 윤리적 행위를 위한 근본 원리로 성립 가능한 도덕 법칙의 정립에 주력한다.

③ 메타 윤리학의 입장이다. 메타 윤리학은 도덕 언어의 의미 분석과 도덕 추론의 타당성을 주로 검토하고, 윤리학의 학문적 성립 가능성을 모색한다.

④ 실천 윤리학은 가치 판단을 토대로 보편적 도덕 원리를 탐구한다. 따라서 갑의 입장으로 보기 어렵다.

⑤ 기술 윤리학의 입장에만 해당한다. 기술 윤리학은 도덕적 관행을 경험적으로 탐구하여 명확히 기술하는 것을 중시한다.

2 불교 윤리와 도가 윤리의 비교

갑은 선정과 지혜를 강조한 점에서 불교 사상가, 을은 무궁한 도를 터득하여 자유로운 경지에서 노닐라고 강조한 점에서 도가 사상가이다.

③ 도가 사상가인 장자에 따르면, 도의 관점에서 보면 세상 만물은 평등한 가치를 지닌다. 따라서 어떠한 외물에도 얽매이지 않고 자유롭게 살아가며, 일체의 분별과 차별을 없앰으로써 도달하게 되는 절대 자유의 경지인 소요유(逍遙遊)를 추구해야 한다.

오답 피하기 ① 유교 사상가인 맹자가 제시할 조언이다.

② 불교 윤리에 따르면 불성은 부처가 될 수 있는 성품이며, 누구나 태어날 때부터 가지고 있다. 따라서 불성을 형성해야 한다는 것은 적절하지 않다.

④ 도가 윤리는 만물의 위계질서를 따지거나 미추(美醜), 시비(是非), 선악(善惡), 귀천(貴賤)을 구별하는 자기중심적 사고에서 벗어날 것을 강조한다.

⑤ 불교 사상가가 제시할 조언이므로, 갑만의 입장에 해당한다.

3 칸트의 의무론적 접근 이해

제시문을 주장한 사상가는 도덕 법칙이 유한한 이성적 존재자, 즉 인간에게는 의무의 법칙이라고 본 점에서 칸트이다.

⑤ 칸트가 말한 도덕적 행위는 단순히 의무에 맞는 행위가 아니라, 의무 의식이 동기가 되어 실천한 행위이다.

오답 피하기 ① 칸트는 선의지의 지배를 받는 행위를 도덕적 행위로 보았다.

② 칸트는 행위의 결과가 아니라 행위의 동기를 토대로 도덕성을 판단해야 한다고 주장하였다.

③ 칸트는 인간의 인격을 수단으로 취급하지 말고 언제나 동시에 목적으로 대우해야 한다고 보았다.

④ 칸트는 실천 이성의 명령에 따르는 행위가 도덕적 행위라고 주장하였다.

4 에피쿠로스의 죽음에 대한 입장 이해

자료 분석

> 가장 두려운 악인 죽음은 우리에게 아무것도 아니다. 죽음은 산 사람이나 죽은 사람 모두와 아무런 상관이 없다. 산 사람에게는 아직 죽음이 오지 않았고, 죽은 사람은 이미 존재하지 않기 때문이다.

위 내용을 주장한 사상가는 죽음이 산 사람이나 죽은 사람 모두와 아무런 상관이 없으므로 죽음을 두려워할 필요도 없다고 주장한 점에서 에피쿠로스이다. 에피쿠로스에 따르면, 산 사람은 죽음과 함께 있지 않기 때문에, 죽은 사람은 이미 감각이 소멸됐기 때문에 인간은 살아서든 죽어서든 죽음을 경험할 수 없다.

선택지 바로 보기

ㄱ. 인간은 죽음을 두려움의 대상으로 삼아야 한다. (×)
→ 에피쿠로스에 따르면, 인간은 살아서든, 죽어서든 죽음을 경험할 수 없으므로 죽음을 두려움의 대상으로 삼을 필요가 없다.

ㄴ. 인간은 죽음 이후에도 감각이 소멸되지 않는다. (×)
→ 에피쿠로스에 따르면, 죽음 이후에 인간의 감각은 소멸하므로 죽음을 경험할 수 없다.

ㄷ. 죽음은 인간을 구성하던 원자가 흩어지는 것이다. (○)

→ 에피쿠로스에 따르면, 인간이 죽으면 그 구성 원자가 흩어져 개별 원자로 돌아간다.

ㄹ. 현명한 사람은 긴 삶이 아닌 즐거운 삶을 원한다. (○)

→ 에피쿠로스에 따르면, 현명한 사람은 단순히 긴 삶이 아니라 즐거운 삶을 살기를 원한다.

더 알아보기 에피쿠로스의 죽음에 대한 입장

죽음은 감각의 상실이므로 경험할 수 없다. 죽음이 우리에게 아무것도 아니라는 사실을 진정으로 깨달은 사람은 살아가면서 두려워할 것이 없다. 현자는 삶을 도피하려고 하지 않으며, 삶의 중단을 두려워하지도 않는다. 삶이 그에게 해를 주는 것도 아니고, 삶의 부재가 어떤 악으로 생각되지도 않기 때문이다.

– 에피쿠로스, 『쾌락』

5 싱어의 동물 권리에 대한 입장

제시문은 싱어의 이익 평등 고려의 원칙을 설명한 것이다.

② 싱어는 인간뿐만 아니라 동물도 쾌고 감수 능력을 갖고 있음을 제시하면서 동물의 이익과 인간의 이익을 동등하게 고려해야 한다는 '이익 평등 고려의 원칙'을 주장하였다.

오답 피하기 ① 싱어는 동물을 쾌고 감수 능력을 지닌 존재로 보았지만 도덕적 행위의 주체로 보지는 않았다.

③ 싱어는 동물을 인간을 위해 존재하는 수단이 아니라 도덕적 권리를 지닌 존재로 보았다.

④ 싱어는 쾌고 감수 능력을 지닌 동물의 이익 관심을 평등하게 고려해야 한다고 보았다.

⑤ 싱어는 동물의 도덕적 지위를 인정하지 않는 것이 종 차별주의에 해당한다고 보았다.

DAY 2 필수 체크 전략 ①

14~17쪽

02-1 ③ 05-1 ③ 05-2 ② 06-1 ③ 06-2 ①

02-1 불교 사상의 입장 파악

제시문은 불교 사상의 입장이다.

ㄴ. 불교 사상은 인간의 현실적 삶이 탐욕, 성냄, 어리석음과 같은 삼독(三毒)으로 인해 고통으로 가득 차 있다고 본다.

ㄷ. 불교 사상은 인간을 포함하여 어떤 존재도 독립된 실체를 가지고 있지 않다고 본다.

오답 피하기 ㄱ. 유교 사상의 극기복례에 대한 설명이다.

ㄹ. 사회 혼란의 원인에 대한 도가 사상의 입장이다.

05-1 덕 윤리와 공리주의 입장 비교

갑은 덕이 실천을 통해 습득된 인간의 자질이라고 본 점을 통해 덕 윤리 사상가인 매킨타이어, 을은 공리의 원리를 강조한 점을 통해 공리주의 사상가임을 알 수 있다.

③ 공리주의는 사회가 개인들의 집합체이므로 개개인의 행복은 사회 전체의 행복과 연결된다고 본다.

오답 피하기 ① 매킨타이어는 현대 덕 윤리학자로서 인간의 자연적 감정과 동기를 중시하여 인간의 욕구나 감정, 인간관계에 주목해야 한다고 보았다.

② 매킨타이어는 덕을 타고난 것이 아니라 반복적 실천과 습관화로 획득한 것으로 이해하였다.

④ 칸트의 주장에 가깝다. 칸트에 따르면 도덕 법칙은 인간이라면 누구나 어떤 상황에서도 예외 없이 따라야 하는 무조건적이고 절대적인 명령이다.

⑤ 매킨타이어만의 입장이다. 공리주의는 도덕 원리로서 공리(유용성)의 원리를 중시하였다.

05-2 매킨타이어의 덕 윤리 입장 파악

제시문은 한 인간은 공동체에 속한 개인이며, 그 공동체의 유산과 의무를 물려받는다고 한 점에서 덕 윤리 사상가인 매킨타이어의 주장임을 알 수 있다.

ㄱ. 매킨타이어는 도덕 판단에서 구체적 · 맥락적 사고를 중시했기 때문에 사회적 · 역사적 맥락에 따라 도덕적 판단이 달라질 수 있다고 보았다.

ㄷ. 매킨타이어는 윤리적으로 옳고 선한 결정을 하기 위해서는 유덕한 품성을 길러야 하는데, 이는 옳고 선한 행위를 습관화하여 내면화하면 기를 수 있다고 보았다.

오답 피하기 ㄴ. 덕 윤리는 개인의 자유와 권리를 지나치게 강조하는 근대 윤리의 한계를 극복하고자 등장하였다. 따라서 덕 윤리학자로서 매킨타이어는 개개인의 행복 추구보다 사회의 공동선이 더 중요하다고 보았다.

ㄹ. 매킨타이어는 공동체의 전통과 역사를 중시해야 한다고 보았다.

더 알아보기 매킨타이어의 덕 윤리

매킨타이어는 인간이라면 누구나 하나의 특수한 사회적 · 역사적 정체성을 지닌 사람으로서 선을 탐구하고 덕을 실천해야 한다고 보았다. 그는 덕을 관행에 내재된 선의 실현을 가능하게 하는 획득된 자질로 파악하였다. 이러한 매킨타이어의 덕 윤리는 목적론적 관점에서 선의 실현에 덕이 필수적이라고 본다는 점에서 아리스토텔레스의 덕 윤리와 공통점이 있다. 하지만 인간의 목적이 정해져 있는 것이 아니라 삶의 역사를 통해 형성된다고 보는 점에서 아리스토텔레스의 덕 윤리와 다르다.

06-1 윤리적 성찰에 대한 소크라테스의 입장 파악

자료 분석

> 아테네 시민 여러분, 저는 여러분을 존경하고 또 사랑합니다. 그러나 여러분보다는 오히려 신에게 복종할 것입니다. 그리고 숨을 쉬는 한 지혜를 사랑하고 누구를 만나든 제 생각을 말하기를 그만두지 않을 것입니다. 저는 평소와 같이 이렇게 말할 것입니다. '그대는 지혜와 힘에 있어서 가장 뛰어나고 가장 명성이 높은 나라인 아테네의 국민이면서 어떻게 하면 더 많은 돈을 자기의 것으로 만들까 하는 데에만 머리를 쓰고 있으니 부끄럽지 않소? 명성이나 지위에 관해서는 신경을 쓰면서 사려나 진리는 마음에도 두지 않고, 정신을 될 수 있는 대로 훌륭하게 만드는 데는 신경도 쓰지 않을뿐더러 걱정도 하지 않으니 부끄럽지 않소?'

위 제시문은 소크라테스가 아테네를 타락시킨다는 명분으로 고소를 당해 서게 된 법정에서 자신이 무죄임을 변론하면서 주장한 내용이다. 그는 부, 명성, 지위 등에 신경을 쓰는 세속적인 삶보다 사려나 진리, 정신의 훌륭함 등에 중점을 두어 윤리적으로 성찰하며 살아가는 삶을 추구할 것을 강조하였다.

선택지 바로 보기

① 부와 명예를 얻기 위해 옳은 행동을 실천해야 한다. (×)
→ 소크라테스는 부와 명예가 아닌, 도덕적 삶을 살기 위해 옳은 행동을 실천해야 한다고 주장하였다.

② 자신의 삶에 대해 법률적인 관점에서 검토해야 한다. (×)
→ 소크라테스는 법률적 관점이 아니라 도덕적인 관점에서 반성적으로 검토하는 삶을 살 것을 강조하였다.

③ 끊임없는 질문을 통해 자신의 무지를 자각해야 한다. (○)
→ 소크라테스는 끊임없는 질문을 통해 자신의 무지를 자각하고 참된 앎을 추구할 것을 강조하였다.

④ 맑은 본성을 찾아 바르게 살아가기 위해 수행해야 한다. (×)
→ 소크라테스의 주장과 거리가 멀다.

⑤ 다수가 지지하는 견해를 논리적 비판 없이 수용해야 한다. (×)
→ 소크라테스는 다수가 지지하는 견해라고 하더라도 비판적으로 검토해야 한다고 주장하였다.

06-2 윤리적 성찰에 대한 이이의 입장 파악

제시문은 잘못된 버릇을 고치기가 힘듦을 지적하면서 버릇을 고치려는 단호한 마음가짐을 가지고 깊이 반성하는 공부를 해야 한다고 말한 점에서 조선시대 성리학자인 이이의 주장이다.

ㄱ. 이이는 잘못된 버릇을 고치기 위해 부단히 노력할 것을 강조하였다.

ㄷ. 이이는 과거의 생각이나 행동에 대한 반성이 있어야 인격 완성에 이를 수 있다고 보았다.

오답 피하기 ㄴ. 고려시대 불교 사상가인 지눌의 입장이다.
ㄹ. 이이는 옳고 그름, 선과 악을 구별해야 한다고 보았다.

DAY

2 필수 체크 전략 ②

18~19쪽

1 ⑤	2 ③	3 ④	4 ②	5 ②
6 ②	7 ④			

1 실천 윤리학과 이론 윤리학 비교

제시문의 '나'는 윤리학이 구체적 문제의 실제적 해결 방안을 모색하는 데 중점을 두어야 한다고 본 점을 통해 실천 윤리학, '어떤 사람들'은 윤리학이 도덕적 정당화의 이론적 근거를 제시하는 데 중점을 두어야 한다고 본 점을 통해 이론 윤리학의 입장을 지지함을 알 수 있다.

⑤ 실천 윤리학은 현실적인 도덕 문제 해결을 위해 다양한 학문 분야의 전문 지식과 기술을 활용하는 학제적 접근을 중시한다.

오답 피하기 ①, ② 메타 윤리학의 입장이다.
③ 이론 윤리학의 입장이다.
④ 기술 윤리학의 입장이다.

2 메타 윤리학과 기술 윤리학 비교

갑은 도덕적 언어의 의미 분석을 강조한 점을 통해 메타 윤리학, 을은 도덕 현상의 객관적 기술을 강조한 점을 통해 기술 윤리학의 입장임을 알 수 있다.

ㄴ. 메타 윤리학은 윤리학이 독립된 학문으로서 성립할 수 있는지 모색한다.

ㄷ. 기술 윤리학은 도덕 현상을 경험적으로 탐구하여 객관적으로 서술하는 데 중점을 둔다.

오답 피하기 ㄱ. 실천 윤리학의 입장이다.
ㄹ. 이론 윤리학의 입장이다.

3 불교 윤리의 이해

제시문은 모든 물질과 정신의 무상함을 깨달음으로써 결국 갈애에 시달리지 않는 행복에 머무를 수 있다고 본 점을 통해 석가모니의 주장임을 알 수 있다.

④ 불교 윤리는 연기의 법칙을 깨닫고 탐욕과 집착, 성냄, 어리석음과 같은 고통의 원인을 제거하면 윤회의 고통에서 벗어나 진정한 행복에 이를 수 있다고 본다.

오답 피하기 ① 불교 윤리는 모든 것은 상호 관계 속에서 존재하므로 독립된 실체로서의 자아는 존재하지 않는다고 본다.
② 불교 윤리는 세상의 모든 것은 불변하고 고정된 것이 아니라 끊임없이 생멸하고 변화한다고 본다.
③ 불교 윤리는 모든 존재와 현상이 우연이 아니라 무수한 원인과 조건에 의해 생겨난다고 본다.
⑤ 불교 윤리는 인간뿐만 아니라 살아 있는 모든 존재에게 불성이 있다고 본다.

4 자연법 윤리 이해

제시문은 자연법, 영원법 등을 제시한 점을 통해 자연법 윤리를 제시한 아퀴나스의 주장임을 알 수 있다.

ㄱ. 아퀴나스는 자연법의 원리로부터 구체적인 도덕 규칙을 이끌어 낼 수 있다고 보았다.

ㄷ. 아퀴나스는 신과 사회에 대한 진리 파악을 인간의 자연적 성향 중 하나라고 보았다.

오답 피하기 ㄴ. 아퀴나스는 자연법의 궁극적 근거가 우주에 질서를 부여하는 신의 지혜, 즉 영원법이라고 보았다.

ㄹ. 아퀴나스는 자기 보존과 종족 보존을 인간이 본성적으로 지니는 자연적 성향 중 일부라고 보았다.

5 칸트의 의무론적 입장 파악

자료 분석

> 의무는 도덕 법칙에 대한 존경으로부터 말미암은 행위의 필연성이다. 결코 결과가 아닌 나의 의지와 연결된 순수한 도덕 법칙 그 자체만이 존경의 대상이 될 수 있다.

위 제시문은 결과가 아니라, 순수한 도덕 법칙만이 존경의 대상이라고 본 점에서 칸트의 주장이다. 칸트에 따르면, 도덕 법칙은 실천 이성이 부과한 자율적 명령이자, 동시에 정언 명령의 형식을 띤 무조건적이고 절대적인 명령이다.

선택지 바로 보기

① 질적으로 높은 쾌락을 가질 수 있도록 행동하세요. (×)
→ 질적 공리주의를 주장한 밀이 제시할 조언이다.

② 약속은 지켜야 한다는 도덕 법칙에 따라 행동하세요. (○)
→ 칸트에 따르면 도덕 법칙은 어떤 상황에서도 무조건적으로 지켜야 하는 절대적인 명령이다. 따라서 부모님과의 약속을 실천해야 하는 A에게 제시할 조언으로 적절하다.

③ 자연적 경향성에 따라 자신이 원하는 대로 행동하세요. (×)
→ 칸트에 따르면 자연적 경향성은 도덕의 기반이 될 수 없다.

④ 자신의 선택의 결과가 도덕적 의무에 맞도록 행동하세요. (×)
→ 칸트는 단순히 결과적으로 도덕적 의무에 맞는 행위가 아니라 의무 의식에서 나온 행위만이 도덕적 행위라고 보았다.

⑤ 자신의 선택이 가져올 사회적 효용을 고려하여 행동하세요. (×)
→ 공리주의의 입장에서 제시할 조언이다. 칸트는 사회적 효용과 같은 결과가 아닌 동기를 고려해야 한다고 주장하였다.

6 벤담의 양적 공리주의 이해

제시문은 쾌락의 양을 계산할 수 있으며, 이를 통해 도덕적 행위를 판단할 수 있다고 본 점을 통해 양적 공리주의를 제시한 벤담의 주장임을 알 수 있다.

② 벤담은 '공리의 원리'를 옳고 그름을 판단할 수 있는 보편적 기준으로 제시하였다.

오답 피하기 ①, ④ 질적 공리주의를 제시한 밀의 주장이다. 밀은 쾌락의 양과 질을 모두 고려해야 한다고 보았다. 또한, 동물도 느끼는 쾌락보다는 인간만이 지닌 고급 능력을 사용한 쾌락이 질적으로 더 수준 높은 쾌락이며, 정상적인 인간이라면 누구나 질적으로 수준 높은 고상한 쾌락을 추구할 것이라고 주장하였다.

③ 규칙 공리주의에 대한 설명이다. 벤담의 양적 공리주의는 행위 공리주의에 해당한다.

⑤ 덕 윤리의 입장에 가깝다. 덕 윤리는 공동체의 전통과 역사를 중시하며, 도덕 판단에 구체적 · 맥락적 사고가 반영되어야 한다고 본다.

7 도덕 과학적 접근에 대한 쟁점 파악

제시문의 갑은 이타적 행동과 그 도덕성을 진화의 결과로 본 점을 통해 진화 윤리학을 지지하는 입장임을 알 수 있다. 을은 갑의 입장에 반대한다.

④ 을은 진화 윤리학의 입장을 비판하면서 이타적 행위는 자율적 영역이며 이를 과학적 방법으로 평가해서는 안 된다고 주장한다.

오답 피하기 ① 갑은 진화 윤리학을 지지하는 입장으로, 과학적 관점으로 도덕성을 설명할 수 있다고 본다.

② 갑은 도덕성에 대해 사실적 차원을 주로 다루는 자연 과학적 관점으로 접근할 수 있다고 본다.

③ 갑의 입장이다.

⑤ 갑의 입장에만 해당한다. 을은 인간의 도덕성을 자연 선택의 결과가 아니라 자율적 판단에 의한 것으로 본다.

DAY

3 필수 체크 전략 ①

20~23쪽

03-1 ㄱ, ㄴ, ㄷ	04-1 ②	07-1 ②	08-1 ④

03-1 뇌사의 윤리적 쟁점 파악

죽음의 판정 기준으로 심폐사가 아닌 뇌사를 주장하는 사람들은 뇌 기능 전체의 불가역적 상실은 죽음과 동일하다고 본다(ㄴ). 그리고 뇌사자에 대해 치료와 무관한 생명 연장 행위를 하는 것은 바람직하지 않으며(ㄷ), 뇌사를 인정함으로써 뇌사자의 장기를 다른 환자에게 이식할 수 있다(ㄱ)는 점을 강조한다.

오답 피하기 ㄹ. 죽음의 판정 기준으로 심폐사를 주장하는 입장에서 지지할 내용이다.

04-1 인간 개체 복제의 반대 근거 파악

인간 개체 복제를 허용해서는 안 된다는 입장에서는 인간 개체 복제가 만연할 경우 생명 경시 풍조가 확산할 수 있으며(ㄱ), 복제한 사람의 의도에 따라 복제된 인간을 이용할 수 있다는 점, 가족 관계에 혼란을 초래할 수 있다는 점 등을 들어 인간이 지니는 정체성에 혼란을 야기할 수 있다(ㄷ)고 지적한다.

오답 피하기 ㄴ. 인간의 유전적 다양성을 저해할 수 있다.
ㄹ. 복제된 인간은 체세포 제공자와 유전 형질이 같기 때문에 독자적인 고유성을 가질 수 없다.

07-1 칸트의 성 윤리 이해

선택지 바로 보기

ㄱ. 부부는 상이한 두 인격체가 결합한 것이다. (○)
→ 칸트는 부부를 서로 다른 인격체를 가진 남녀가 결합한 것이라고 보았다.
ㄴ. 인간의 성(性)을 인격의 일부로 보아서는 안 된다. (×)
→ 칸트는 인간의 성을 인격의 일부로 보고 함부로 취급해서는 안 된다고 보았다.
ㄷ. 남녀는 결혼을 통해 하나의 도덕적 인격체를 이룬다. (○)
→ 칸트는 남녀가 결혼을 통해 부부가 됨으로써 하나의 도덕적 인격체를 이룬다고 보았다.
ㄹ. 부부가 서로의 성을 향유하는 것은 인격 침해 행위이다. (×)
→ 칸트는 부부가 서로의 성을 향유하는 것은 인격체의 권리와 모순되지 않는다고 보았다.

08-1 오늘날의 부부 윤리 이해

전통 사회에서와 달리 오늘날은 부부 간에 각자의 주체성과 자유를 존중하고(ㄴ), 서로를 동등한 존재로서 평등하게 대하는 양성 평등을 강조한다(ㄹ).

오답 피하기 ㄱ. 우애는 형제자매 간에 실천해야 할 덕목이며, 자애는 부모가 자녀에게 베푸는 사랑을 뜻한다.
ㄷ. 형우제공은 형제자매 간의 실천 덕목이다.

DAY 3 필수 체크 전략 ②

24~25쪽

1 ④	2 ③	3 ③	4 ④	5 ④
6 ⑤	7 ⑤			

1 삶과 죽음에 대한 불교 사상과 도가 사상의 입장 비교

제시문의 갑은 생로병사(生老病死)를 고통으로 본 점을 통해 불교의 석가모니, 을은 삶과 죽음이 기의 자연스러운 변화라고 본 점을 통해 도가 사상가 장자임을 알 수 있다.

④ 장자는 삶과 죽음이 기가 모이고 흩어지는 자연스러운 순환 과정이라고 보았다.

오답 피하기 ① 불교 사상은 전생의 업(業)이 현생을 결정하고, 현생의 업이 죽음 이후의 삶에 영향을 미친다고 본다.
② 불교 사상은 연기(緣起)에 대해 깨달으면 고통과 번뇌에서 벗어날 수 있으며, 윤회하지 않는 열반의 경지에 도달할 수 있다고 본다.
③ 장자는 삶과 죽음이 자연적 순환 과정이자 필연적인 과정이라고 주장하였다.
⑤ 장자는 죽음이 자연스러운 순환 과정이므로 두려워할 필요가 없다고 주장하였다.

2 삶과 죽음에 대한 플라톤과 하이데거의 입장 비교

제시문의 갑은 영혼이 육체에서 벗어날 때 최상의 사유를 할 수 있다고 본 점을 통해 플라톤, 을은 자신이 죽음에 이르는 존재임을 깨달을 때 실존에 다가갈 수 있다고 본 점을 통해 하이데거임을 알 수 있다.

ㄴ. 플라톤에 따르면, 인간이 죽으면 그 육체의 감옥에 갇혀 있던 영혼이 풀려나 영원불변의 이데아의 세계로 간다.
ㄷ. 하이데거는 현존재인 인간만이 죽음을 자각할 수 있으며, 죽음을 직시함으로써 삶을 유의미하게 살아갈 수 있다고 보았다.

오답 피하기 ㄱ. 플라톤에 따르면, 인간은 죽음을 통해 육체의 감옥에 갇혀있던 영혼이 해방되는데, 이때 비로소 영혼은 참된 인식을 할 수 있다.
ㄹ. 하이데거는 죽음 이후가 아니라 삶 중에서 죽음을 직시함으로써 불안과 절망에서 벗어날 수 있다고 보았다.

3 인공 임신 중절의 윤리적 쟁점 파악

신문 칼럼의 '어느 사상가'는 태아가 자의식을 갖추지 못한 비인격적 존재이므로 생명의 권리를 갖지 못한다고 본다.

③ 태아의 생명권을 부정하는 견해에 대해 태아가 자의식이 없다 하더라도 성숙한 인간이 될 잠재성을 지니고 있으므로 존엄한 가치를 지닌다는 반론을 제기할 수 있다.

오답 피하기 ①, ②, ④, ⑤ 태아의 생명권을 인정하지 않는 신문 칼럼의 '어느 사상가'가 지지할 견해이다.

4 안락사의 윤리적 쟁점 파악

제시문의 환자를 도와 죽게 한다는 표현을 통해 안락사에 대한 내용이며, 의사의 안락사 행위를 부정적으로 본 점을 통해 안락사를 반대하는 입장임을 알 수 있다.

ㄴ. 제시문은 의사의 기본 의무는 환자의 생명을 살리는 것이므로 환자의 죽음을 앞당기는 행위가 아니라 환자를 살리기 위해 치료하는 일에 매진해야 한다고 본다.
ㄹ. 안락사를 반대하는 입장에서는 인간이 인위적으로 죽음을 선택할 권리를 갖지 않는다고 본다.

오답 피하기 ㄱ, ㄷ. 안락사를 찬성하는 입장에서 지지할 내용이다.

5 뇌사의 윤리적 쟁점 파악

제시문의 갑은 뇌사자의 장기 적출을 불가역적 죽음을 존중한 결과라고 본 점을 통해 죽음의 판정 기준으로 뇌사를 지지하는 입장, 을은 뇌사에 이르러도 의료 기기를 통해 심폐 기능을 유지할 수 있으므로 죽음으로 인정해서는 안 된다고 보는 점을 통해 죽음의 판정 기준으로 뇌사를 반대하고 심폐사를 주장하는 입장임을 알 수 있다.

ㄱ. 갑은 인간 생명의 본질이 뇌의 기능에 있다고 보는 반면, 을은 뇌는 물론, 심장, 폐 등 다른 장기에도 있다고 본다.
ㄷ. 갑은 뇌 기능 전체의 불가역적 상실, 즉 뇌사를 죽음과 동일하게 여긴다. 반면, 을은 뇌사를 죽음으로 보아서는 안 된다고 주장한다.
ㄹ. 갑은 치료와 무관한 생명 연장 행위는 뇌사자의 장기 적출을 불가능하게 하는 등 무의미하다고 여긴다. 반면, 을은 그러한 행위를 통해 심폐 기능을 유지하고 생명을 이어갈 수 있다고 보아 유의미하다고 여긴다.
오답 피하기 ㄴ. 죽음의 판정 기준으로 뇌사를 주장하는 갑은 부정, 심폐사를 주장하는 을은 긍정의 대답을 할 질문이다.

6 칸트의 동물 실험에 대한 입장 파악

제시문은 선의지와 그 의미를 설명한 것으로, 칸트의 주장이다.
⑤ 칸트는 인간이 동물에 대해 직접적 의무가 아닌 간접적 의무를 지닌다고 주장하였다.
오답 피하기 ① 칸트에 따르면, 동물은 인간을 위한 수단이며 이성적 능력이 결여된 동물은 목적적 존재가 될 수 없다.
② 공리주의의 입장이다.
③ 칸트에 따르면, 선의지는 인간만이 지닌다.
④ 칸트는 동물이 인간을 위한 수단으로서의 가치를 지니므로 인간의 이익 향상을 위한 동물 실험에 반대하지는 않았다.

7 동물 권리에 대한 싱어와 레건의 입장 비교

제시문의 갑은 동물이 쾌고 감수 능력을 가졌으므로 그 이익도 평등하게 고려되어야 한다고 본 점을 통해 싱어, 을은 동물이 삶의 주체로서 내재적 가치를 가진다고 본 점을 통해 레건임을 알 수 있다.
⑤ 싱어와 레건은 모두 비이성적 존재인 동물도 내재적 가치를 지닐 수 있다고 보았다.
오답 피하기 ① 싱어는 인간과 동물의 이익 관심을 평등하게 고려한다고 보았을 뿐, 동일하다고는 보지 않았다.
② 싱어는 동물이 도덕적 행위의 주체가 될 수 있다고 보지 않았다.
③ 레건에 따르면, 도덕적으로 무능한가와 상관없이 그 존재가 개별적 복지를 갖는다면 삶의 주체가 될 수 있다.
④ 레건은 동물이 인간에 대한 유용성과 상관없이 그 자체로 도덕적 지위를 지닌다고 보았다.

누구나 합격 전략

26~27쪽

1 ⑤	2 ①	3 ②	4 ④
5 ④	6 ②	7 ④	8 ⑤

1 실천 윤리학과 기술 윤리학 비교

제시문의 '나'는 윤리학이 구체적 상황의 다양한 윤리 문제에 대한 실제적인 해결책을 모색하는 데 주력해야 한다고 본 점을 통해 실천 윤리학을 주장하는 입장, '어떤 사람들'은 윤리학이 개인이나 사회적 삶에 대한 과학적 서술에 주된 관심을 두어야 한다고 본 점을 통해 기술 윤리학을 주장하는 입장임을 알 수 있다.
⑤ 실천 윤리학의 입장에서 볼 때 사실의 과학적 기술에만 초점을 두는 기술 윤리학은 문제 해결을 통한 삶의 방향 제시를 간과한다고 지적할 수 있다.
오답 피하기 ① 메타 윤리학의 주장이다.
②, ④ 기술 윤리학이 주력하는 내용이므로 ㉠에 적절하지 않다.
③ 실천 윤리학은 도덕 문제 해결을 위해 도덕 이론의 정립이 필요함을 인정하므로 ㉠에 적절하지 않다.

2 유교 사상과 도가 사상 비교

제시문의 갑은 도(道), 덕(德), 인의(仁義) 등의 덕목을 강조한 점을 통해 유교 사상가인 공자, 을은 이러한 덕목들로 인해 오히려 나라가 혼란스러워진다고 본 점을 통해 도가 사상가 노자임을 알 수 있다.
ㄱ. 공자는 법률이나 형벌보다 덕과 예로 교화하는 덕치(德治)를 강조하였다.
ㄴ. 노자는 인의(仁義)와 같은 인위적인 규범이 인간의 타고난 소박한 본성을 해친다고 보았다.
오답 피하기 ㄷ. 노자는 인, 예와 같은 인위적인 도덕규범이 사회 혼란의 원인이 된다고 보았다.
ㄹ. 공자만의 입장이다. 노자는 무위자연의 삶을 살기 위해 무지와 무욕을 추구해야 한다고 보았다.

3 의무론적 접근과 공리주의적 접근 비교

제시문의 갑은 의무가 문제가 될 때 행복을 고려하지 않아야 한다고 본 점을 통해 의무론자 칸트, 을은 최대 행복을 강조하면서 쾌락의 양과 질을 모두 고려해야 한다고 본 점을 통해 공리주의자 밀임을 알 수 있다.
② 칸트는 행복을 추구하는 행위가 경향성에서 비롯되었을 때는 도덕적 가치를 갖지 않지만 의무 의식에서 행해진 것이라면 도덕적으로 가치를 지닌다고 주장하였다.
오답 피하기 ① 칸트는 도덕과 행복이 양립할 수 있지만 행복이 도덕의 목적은 아니라고 하였다.
③ 밀은 공리주의자로서 동기보다 결과를 더 중시하였다.
④ 밀은 공리주의자로서 행복의 총량 증가를 강조하였으며, 그렇지 못한 행위는 옳지 않다고 주장하였다.
⑤ 밀만의 주장이다.

4 덕 윤리적 접근 이해

제시문의 '이 사상가'는 덕이 공동체의 역사적 맥락을 제공하는 전통을 유지한다고 본 점을 통해 덕 윤리학자 매킨타이어임을 알 수 있다.

④ 매킨타이어는 삶의 구체적 모습이 도덕적 판단에 반영되어야 한다고 보아 구체적이고 맥락적인 사고를 토대로 문제 상황에 접근해야 한다고 주장하였다.

오답 피하기 ① 칸트의 주장이다.

② 매킨타이어에 따르면, 덕은 선천적으로 타고나는 것이 아니라 반복적 실천과 습관화를 통해 후천적으로 획득되는 것이다.

③ 매킨타이어는 자신이 놓인 상황에 따라 도덕적으로 판단하고 행동해야 한다고 주장하였다.

⑤ 공리주의의 주장이다.

5 삶과 죽음에 대한 불교 사상과 하이데거의 입장 비교

자료 분석

> 갑 : 인간은 오온(五蘊)의 집합에 불과하다. 이 다섯 가지 요소가 모여서 인간 생명이 형성되며 이 요소들이 흩어질 때 생명이 다하는 것이다. 이 세상에서 죽으면 인간은 다른 곳에서 태어날 수 있다.
> 을 : 인간은 죽음이 눈앞에 닥쳐올 때, 자신의 고유한 존재 가능성에 전적으로 마음을 쓰고 몰입한다. 죽음의 실존론적 가능성은 현존재가 스스로에 선행하는 방식으로 열어 보기 때문에 확인된다.

갑은 인간이 오온의 집합이라고 본 점을 통해 불교 사상가, 을은 인간이 죽음을 직시할 때 실존에 몰입할 수 있다고 본 점을 통해 하이데거임을 알 수 있다. 불교 사상은 죽음이 윤회의 과정이라고 본다. 하이데거는 죽음에 대한 사유를 통해 실존을 깨달을 수 있다고 보았다.

선택지 바로 보기

① 갑 : 인간은 죽으면 모든 고통에서 벗어나게 된다. (×)
→ 불교 사상은 인간이 죽는다 해도 연기(緣紀)를 깨닫지 못하면 윤회의 고통에서 벗어날 수 없다고 본다.

② 갑 : 인간은 죽음을 통해 해탈의 경지에 이를 수 있다. (×)
→ 불교 사상은 연기의 법칙을 깨달아야 해탈에 이를 수 있다고 본다.

③ 을 : 인간은 죽음 이후 불안과 절망에서 벗어난다. (×)
→ 하이데거는 살아 있을 때 죽음 앞으로 미리 달려가 봄으로써 죽음에 대한 불안과 절망에서 벗어날 수 있다고 보았다.

④ 을 : 인간은 죽음에 대한 사유를 통해 실존을 깨닫는다. (○)
→ 하이데거는 죽음에 대한 사유를 통해 실존을 깨닫고 삶을 더욱 의미 있고 가치 있게 살 수 있다고 보았다.

⑤ 갑, 을 : 인간은 죽음을 통해 개별 원자로 돌아간다. (×)
→ 에피쿠로스의 주장이다.

더 알아보기 하이데거의 죽음관

> 불안은 구체적인 어떤 대상에서 오는 위험스러운 마음인 공포와 구별되어야 한다. 불안에는 일정한 대상이 없는 것이다. 그것은 무(無), 즉 죽음에 대한 불안이다. 현존재는 원래 유한한 존재요, 죽음에의 존재이다.
> – 하이데거, 『존재와 시간』

하이데거는 죽음에 대한 불안에 직면하여 그것을 받아들임으로써 참된 실존을 회복할 수 있다고 보았다. 즉, 인간은 스스로 죽음에 이르는 존재라는 사실을 직시함으로써 주체적인 삶을 영위할 수 있다.

6 뇌사의 윤리적 쟁점 파악

제시문의 갑은 뇌사를 죽음의 판정 기준으로 삼는 것에 반대하고, 을은 찬성한다.

② 갑은 뇌의 기능이 멈춰도 심폐 기능이 유지된다면 죽음이 아니라고 보는 반면, 을은 뇌 기능의 정지가 인간 삶의 마지막이라고 본다. 따라서 심폐 기능의 정지, 즉 심폐사를 죽음으로 보아야 하는가에 대해 갑은 긍정, 을은 부정의 대답을 할 것이다.

오답 피하기 ①, ⑤ 갑은 부정, 을은 긍정의 대답을 할 질문이다.

③ 을이 긍정의 대답을 할 질문이다.

④ 갑, 을 모두 부정의 대답을 할 질문이다. 을이 주장하는 뇌사는 모든 뇌 기능의 불가역적 상실 상태이다.

7 동물 실험의 윤리적 쟁점 파악

갑은 인간 복지를 위한 동물 실험은 동물에 고통을 가하더라도 정당하다는 입장, 을은 인간 행복이 증진된다고 하여도 동물의 고통을 고려하지 않은 동물 실험은 부당하다는 입장이다.

④ 을은 이익 평등 고려의 원칙에 따라 동물의 고통을 무시하는 동물 실험은 도덕적으로 정당화될 수 없다고 본다.

오답 피하기 ① 갑은 인간과 동물의 이익 관심이 동일하다고 보지 않는다.

② 갑은 인간과 동물의 존재 지위에 차이가 있다고 보고, 인간의 복지를 위한 동물 실험이 정당하다고 본다.

③ 을은 동물의 고통과 인간의 행복의 크기가 같아야 한다는 것이 아니라 동물과 인간의 이익을 평등하게 고려해야 한다고 주장한다.

⑤ 갑만의 입장이다. 을은 동물 실험을 통한 인간의 복지 실현이 실험 동물의 고통보다 중요하다고 보지 않는다.

8 성과 사랑의 관계에 대한 관점 비교

갑은 보수주의 성 윤리 입장으로 결혼과 출산 중심의 성 윤리를, 을은 자유주의 성 윤리 입장으로 계약과 쾌락 중심의 성 윤리를, 병은 중도주의 성 윤리 입장으로 사랑과 인격 중심의 성 윤리를 주장한다.

⑤ 자유주의 성 윤리는 결혼과 상관없이 개인의 자발적 동의를 기반으로 한 성을, 중도주의 성 윤리는 결혼과 상관없이 사랑이 동반된 성을 정당하다고 본다.

오답 피하기 ① 보수주의 성 윤리는 성의 쾌락적 가치보다 생식적 가치를 더 중시한다.

② 중도주의 성 윤리의 입장이다.

③ 중도주의 성 윤리는 서로 사랑하는 관계의 성을 정당하다고 보지만 결혼을 전제로 하지는 않는다.

④ 자유주의 성 윤리만의 입장이다.

창의·융합·코딩 전략 | 28~31쪽

01 ⑤	02 ④	03 ④	04 ③	05 ④	06 ④
07 ②	08 ⑤	09 ⑤	10 ③	11 ⑤	12 ③

01 실천 윤리학과 메타 윤리학 비교

제시문의 '나'는 실제 윤리 문제의 원인 분석과 해결책 모색에 주된 관심을 가져야 한다고 보는 점을 통해 실천 윤리학을, '그 사상가'는 도덕적 개념이나 그 논리적 구조 분석에 주된 관심을 가져야 한다고 보는 점을 통해 메타 윤리학을 주장함을 알 수 있다.

⑤ 실천 윤리학의 입장에서는 메타 윤리학의 입장에 대해 현실적인 도덕 문제 해결을 위해 다양한 학문 분야의 전문 지식과 기술을 활용하는 학제적 접근의 중요성을 간과한다는 비판을 제시할 수 있다.

오답 피하기 ①, ④ 메타 윤리학의 주장이므로 ㉠에 적절하지 않다. ②, ③ 기술 윤리학의 입장이다.

02 유교 사상과 도가 사상의 입장 비교

갑은 인간이 선한 본성을 타고나며, 이를 잃어버리면 찾기 위해 노력해야 한다고 본 점을 통해 유교 사상가인 맹자, 을은 외물에 얽매이지 않고 자유롭게 노닐어야 한다고 본 점을 통해 도가 사상가 장자임을 알 수 있다.

선택지 바로 보기

① 갑 : 인의(仁義)의 덕(德)을 형성해야 한다. (×)
→ 맹자는 인간이라면 측은(惻隱), 수오(羞惡), 사양(辭讓), 시비(是非)의 마음인 사단(四端)과 인의예지(仁義禮智)의 사덕(四德)을 선천적으로 지니고 태어난다고 보았다.

② 갑 : 예(禮)를 배워 본성을 변화시켜야 한다. (×)
→ 맹자는 인간의 본성은 선하며, 이는 타고난 것이라고 보아 수양을 통한 본성의 확충을 강조하였다.

③ 을 : 연기(緣起)를 깨달아 번뇌에서 벗어나야 한다. (×)
→ 불교의 입장이다.

④ 을 : 만물을 차별하지 말고 평등하게 대해야 한다. (○)
→ 장자는 모든 분별과 차별에서 벗어나 만물을 평등하게 볼 것을 강조하였다. 그리고 이를 통해 어떠한 외물에도 얽매이지 않고 자유롭게 살아가는 정신적 자유의 경지인 소요유(逍遙遊)에 도달할 수 있다고 주장하였다.

⑤ 갑, 을 : 옳고 그름을 가리는 마음을 버려야 한다. (×)
→ 장자만의 입장이다. 맹자는 옳고 그름을 가리는 마음[是非之心]을 확충해야 한다고 강조하였다.

더 알아보기 장자의 사상

장자는 주위 환경에 의해 본성을 어지럽히지 않으며 도(道)와 일체가 되어 살아가는 삶을 추구해야 한다고 주장하였다. 또한, 도의 관점에서 만물을 평등한 것으로 보고, 어떠한 외물에도 얽매이지 않고 자유롭게 살아가는 소요유(逍遙遊)의 경지를 이상적 경지로 제시하였다.

03 의무론적 접근과 공리주의적 접근 비교

갑은 선의지의 지배를 받는 행위를 옳은 행위로 본 점을 통해 의무론자 칸트, 을은 공리의 원리에 부합하는 행위가 옳다고 본 점을 통해 공리주의자임을 알 수 있다.

선택지 바로 보기

① 갑 : 회사의 입장에 공감하려는 자연스러운 감정에 근거하여 결정하세요. (×)
→ 칸트는 공감과 같은 자연적 경향성에서 비롯된 행위는 도덕적 가치를 지니지 못한다고 보았다.

② 갑 : 도덕 법칙을 그대로 따르기보다는 회사에 미칠 영향을 고려하세요. (×)
→ 칸트는 행위의 결과가 아니라 도덕 법칙에 대한 자발적 존중과 같은 행위의 동기가 행위의 옳고 그름을 결정한다고 보았다.

③ 을 : 회사의 비리를 알려 정의를 실현해야 한다는 의무 의식을 따르세요. (×)
→ 의무 의식이 동기가 된 행위를 도덕적 행위로 보는 칸트가 제시할 조언이다.

④ 을 : 회사의 비리를 알릴 경우 발생할 결과의 유용성을 고려하여 결정하세요. (○)
→ 공리주의는 행위의 결과에 의해 옳고 그름을 판단해야 한다는 입장이므로 결과의 유용성을 고려하여 행위를 결정하라고 조언할 것이다.

⑤ 갑, 을 : 사회 전체의 행복을 위한 행위 규칙이 무엇인지 판단해서 결정하세요. (×)
→ 최대의 유용성을 산출하는 결과를 가져올 수 있는 행위 규칙을 강조하는 규칙 공리주의자가 제시할 조언이다.

더 알아보기 칸트와 벤담의 사상 비교

> • 행복의 원리가 준칙들을 제공할 수는 있지만, 결코 의지의 법칙들로 쓰일 준칙들을 제공할 수는 없다. 행위의 도덕성은 오직 보편적 도덕 법칙에 의해서만 확보될 수 있다. – 칸트
>
> • 최대 다수의 최대 행복이 도덕과 입법의 기본 원리이다. 이러한 원리는 이성과 법의 손길로 더없이 행복한 구조를 세우려는 목적을 지닌 체계의 토대가 된다. – 벤담

칸트는 행복을 증진하려는 경향성에서 비롯된 것이 아니라 도덕 법칙에 대한 자발적 존중에서 비롯된 행위가 도덕적 행위라고 보았다. 벤담은 행복을 고통의 부재 또는 쾌락으로 보았다. 그리고 개개인의 행복이 사회 전체의 행복과 연결된다고 보아 '최대 다수의 최대 행복'을 도덕과 입법의 원리로 제시하였다.

04 죽음에 대한 석가모니와 에피쿠로스의 입장 이해

갑은 도를 닦으면 열반에 든다고 본 점을 통해 불교의 석가모니, 을은 현자는 죽음을 두려워하지 않고 즐거운 삶만을 원한다고 본 점을 통해 에피쿠로스임을 알 수 있다.

ㄴ. 석가모니는 연기에 대한 깨달음을 통해 윤회의 고통에서 벗어나 열반의 세계에 들어갈 수 있다고 보았다.

ㄷ. 에피쿠로스는 죽음은 감각의 상실을 의미하므로 죽음을 느낄 수도 없고 경험할 수도 없다고 보았다.

오답 피하기 ㄱ. 석가모니는 죽음 역시 고통의 하나이며, 죽는다고 해도 번뇌가 사라지는 것은 아니라고 하였다. 삶의 모든 번뇌가 사라진 상태는 열반의 경지이다.

ㄹ. 죽음을 통해 영혼이 육체의 감옥에서 해방되어 진리의 세계인 이데아계에 들어간다고 본 사상가는 플라톤이다.

05 동물 권리에 대한 싱어의 입장 파악

그림의 강연자는 인간의 육식을 위한 공장식 동물 사육 행태를 반대하고 있으며, 그 근거로 동물과 인간의 이익 관심을 공평하게 고려하는 자세를 강조한다. 이를 통해 싱어임을 알 수 있다.

선택지 바로 보기

① 고통을 느끼는 동물에게 인간과 똑같은 권리를 부여해야 한다. (×)
→ 싱어는 쾌고 감수 능력을 지닌 동물이 도덕적 고려의 대상이 된다고 보았을 뿐, 인간과 똑같은 권리를 동물에게 부여해야 한다고 보지는 않았다.

② 인간의 이익 관심과 동물의 이익 관심을 동일하게 대우해야 한다. (×)
→ 싱어는 인간의 이익 관심과 동물의 이익 관심을 동등하게 고려할 것을 강조한 것이지 동일하게 대우해야 한다고 주장한 것은 아니다.

③ 인간의 육식을 위해 동물을 공장식으로 사육하는 행태는 정당하다. (×)
→ 싱어는 인간의 육식을 위해 동물을 공장식으로 사육해서는 안 된다고 보았다.

④ 동물의 고통을 저급하게 여기거나 무시하는 행위는 종 차별에 해당한다. (○)
→ 싱어는 이익 평등 고려의 원칙에 근거하여 동물의 이익 관심을 동등하게 고려하지 않고 동물의 고통을 저급하게 여기거나 무시하는 행위는 종 차별에 해당한다고 지적하였다.

⑤ 모든 동물은 이익 관심을 지니므로 도덕적 고려의 대상으로 삼아야 한다. (×)
→ 싱어는 모든 동물이 아니라 쾌고 감수 능력을 지닌 동물이 이익 관심을 지니며 도덕적 고려의 대상이 된다고 보았다.

더 알아보기 동물 권리에 대한 싱어의 입장

어떤 존재가 고통을 느낀다면 그와 같은 고통을 고려하지 않으려는 것은 도덕적으로 정당화될 수 없다. 평등의 원리는 그 존재가 어떤 특성을 갖건 그 존재의 고통을 다른 존재의 동일한 고통과 동등하게 취급할 것을 요구한다. 만약 어떤 존재가 고통을 느낄 수 없거나 즐거움이나 행복을 누릴 수 없다면, 거기에서 고려해야 할 바는 아무 것도 없다.

싱어는 쾌고 감수 능력의 소유 여부가 도덕적 고려의 여부를 판단하는 유일한 기준이라고 보았다. 이를 근거로 동물도 쾌고 감수 능력을 가지고 있기 때문에 동물의 이익을 인간의 이익과 평등하게 고려해야 한다고 주장하였다.

06 유전자 치료의 윤리적 쟁점 파악

유전자 치료는 질병 치료를 위해 체세포 또는 생식 세포 안에 정상 유전자를 넣어 유전자의 기능을 바로잡거나 이상 유전자 자체를 바꾸는 치료법이다.

④ 생식 세포 유전자 치료는 변형된 유전적 정보가 후세대에 영향을 미치므로 윤리적으로 논란이 된다. 주로 환자 개인에게만 영향을 미치는 유전자 치료는 체세포 유전자 치료이다.

오답 피하기 ①, ②, ③ 유전자 치료는 치료 대상에 따라 유전자 운반체인 바이러스를 이용해 유전 물질을 환자의 체세포에 삽입하여 질병을 치료하는 체세포 유전자 치료와 수정란이나 발생 초기의 배아에 유전 물질을 삽입하여 질병을 치료하는 생식 세포 유전자 치료로 구분된다.

⑤ 생식 세포 유전자 치료는 인간의 유전자를 조작하는 우생학을 부추긴다는 비판을 받는다.

07 싱어의 실천 윤리학 이해

그림의 강연자는 싱어이다. 싱어는 현실적인 도덕 문제들에 대해 민주 시민이라면 누구나 알고 숙고하여 의견을 제시할 수 있어야 한다고 주장하였다.

② 싱어의 입장에서 볼 때, 윤리학은 실제적 도덕 문제의 구체적인 해결책 모색에 중점을 두어야 한다.

오답 피하기 ① 메타 윤리학의 입장이다. 메타 윤리학은 도덕적 언어나 개념의 의미 분석에 중점을 둔다.

③ 이론 윤리학의 입장이다. 이론 윤리학은 도덕성에 대한 이론적 분석이나 도덕 원리 탐구에 중점을 둔다.

④ 기술 윤리학의 입장이다. 기술 윤리학은 사회 규범이나 도덕 현상에 대한 조사와 객관적 기술에 중점을 둔다.

⑤ 메타 윤리학의 입장이다. 메타 윤리학은 도덕적 추론의 규칙 검토와 정당성 검증에 중점을 둔다.

08 뇌사에 대한 토론의 핵심 쟁점 파악

갑은 인간 생명의 본질이 뇌에 있으므로 뇌사를 죽음으로 인정해야 한다고 주장한다. 이에 비해 을은 뇌사 상태에서도 연명 의료 기기를 통해 심폐 기능을 유지시킬 수 있으므로 뇌사가 아닌 심폐사를 죽음으로 인정해야 한다고 주장한다.

⑤ '심폐 기능의 정지만이 죽음의 판단 기준이 되어야 하는가?'는 토론의 핵심 쟁점이 될 수 있다.

오답 피하기 ① 갑, 을 모두 뇌사자의 장기 이식은 다른 사람을 살리기 위해 의학적으로 필요하다고 본다.

② 갑, 을 모두 뇌사자는 모든 뇌의 기능이 정지한 상태에 이를 사람임에 동의한다.

③ 갑, 을 모두 장기 이식을 할 때 뇌사자의 사전 동의가 전제되어야 한다고 본다.

④ 갑, 을 모두 뇌사자의 장기를 분배할 때 공정한 기준이 필요한지에 대해서는 언급하고 있지 않다.

09 덕 윤리적 접근 이해

제시문을 주장한 사상가는 공동체로부터 다양한 기대와 의무를 물려

받으며, 공동체로부터 개인 삶의 도덕적 특수성을 부여받는다고 본 점에서 덕 윤리학자 매킨타이어이다. 매킨타이어는 공동체의 전통과 역사를 중시해 역사적 시간과 사회적 공간에서 펼쳐지는 삶의 구체적 모습이 도덕적 판단에 반영되어야 한다고 보았다.

선택지 바로 보기

① 자연적 경향성이 아니라 실천 이성의 명령에 따르세요. (×)
→ 칸트의 입장에서 제시할 조언이다. 매킨타이어는 자연적 감정과 동기를 중시해야 한다고 보았다.

② 도덕적 갈등 상황과 관계없이 도덕적 의무를 실천하세요. (×)
→ 매킨타이어는 자신에게 주어진 상황에 따라 적절한 도덕적 판단과 행위를 할 것을 강조하였다.

③ 사회적 유용성을 도덕적 판단의 절대적 기준으로 삼으세요. (×)
→ 공리주의의 입장에서 제시할 조언이다.

④ 윤리적인 결정을 할 수 있도록 선천적으로 타고난 덕을 발휘하세요. (×)
→ 매킨타이어는 덕을 타고난 것이 아니라 반복적 실천과 습관화를 통해 획득된 것으로 보았다.

⑤ 갈등 상황에 대한 구체적이고 맥락적인 사고를 바탕으로 판단하세요. (○)
→ 매킨타이어는 도덕적 판단에 있어 구체적이고 맥락적인 사고를 중시할 것을 강조하였다.

더 알아보기 매킨타이어의 덕 윤리

'나는 무엇을 해야 하는가?'에 대한 답은 그것에 선행하는 물음, 즉 '나는 어떤 이야기의 일부인가?'에 대답할 수 있을 때 찾을 수 있다. 나의 삶의 이야기는 공동체의 이야기 속에 편입되어 있다. 나는 하나의 특수한 사회적 · 역사적 정체성을 소유한 사람으로서 선을 탐구하고 덕을 실천해야 한다.

매킨타이어는 칸트와 같이 도덕적 의무와 법칙만을 강조하게 되면 행위자의 욕구, 감정, 구체적 상황과 맥락 등을 무시하게 된다고 보고, 공동체 속에서 선을 지향하는 성품과 습관을 지니는 것이 더 중요하다고 보았다.

10 신경 윤리학과 진화 윤리학 비교

갑은 윤리학에 신경 과학 분야의 방법론을 도입해야 한다고 본 점을 통해 신경 윤리학을 지지하는 입장임을, 을은 윤리학이 진화의 측면에서 이해되어야 한다고 본 점을 통해 진화 윤리학을 지지하는 입장임을 알 수 있다. 신경 윤리학은 도덕 판단 과정에서 이성과 정서의 역할이나 공감 능력 여부 등을 과학적 측정 방법을 통해 입증하고자 노력한다. 진화 윤리학은 이타적 행동 및 성품과 관련된 도덕성이 자연 선택을 통한 진화의 결과라고 주장한다.

ㄴ. 신경 윤리학과 진화 윤리학은 모두 인간의 도덕적 행위를 과학적으로 탐구하고 설명할 수 있다고 본다.

ㄷ. 진화 윤리학에서는 이타적 행동 등 도덕적 행위를 인간이 생물학적으로 적응한 진화의 결과로 본다.

오답 피하기 ㄱ. 신경 윤리학에서는 뇌를 촬영한 영상으로 인간의 감정을 이해할 수 있다고 본다.

ㄹ. 진화 윤리학에서는 과학을 통해 도덕성 형성 과정을 알 수 있다고 본다.

11 사랑에 대한 프롬의 입장 파악

가상 편지를 쓴 사상가는 사랑의 공통된 기본적인 요소로 보호, 책임, 존경, 이해를 제시한 점에서 프롬이다.

⑤ 프롬에 따르면 진정한 사랑은 인간의 온전한 인격적 관계 속에서 성립할 수 있다.

오답 피하기 ① 프롬은 성적 매력과 성적 결합에 의해 주도된 사랑은 지속적이지 못하다고 보았다.

② 프롬이 사랑의 요소로 제시한 이해는 상대방을 경외하고 두려워하는 것이 아니라 상대방의 독특한 개성을 알고 상대를 깊이 이해하는 것이다.

③ 프롬에 따르면 사랑은 상대방을 위해 자기 자신을 철저하게 희생하는 것이 아니라 자신의 존재적 가치를 고양시키고 보다 충만하게 하는 것이다.

④ 프롬이 사랑의 요소로 제시한 존경은 상대방을 지배하고 소유하는 것이 아니라 상대방을 있는 그대로 보는 것이다.

더 알아보기 사랑에 대한 프롬의 입장

사랑은 생산적인 활동이다. 사랑이란 누군가를 배려하고 알고자 하며, 그에게 몰입하고 그를 소생시키며 그의 생동감을 증대시킨다. 그러나 소유 양식으로 체험되는 사랑은 대상을 구속하고 가두며 지배함을 의미한다. 이런 종류의 사랑은 목을 조여서 마비시키고 질식시켜서 죽이는 행위이다.

프롬은 소유 양식으로서의 사랑과 존재 양식으로서의 사랑을 구별하고, 소유 양식으로서의 사랑은 구속과 지배로 나타나는 사랑이므로 진정한 사랑이 될 수 없다고 보았다. 프롬이 제시한 사랑은 능동적이고 생산적인 활동이다.

12 안락사에 대한 도덕적 탐구

(나)의 소전제 ㉠에는 "안락사는 인간의 존엄성을 훼손하는 행위이다."라는 내용이 들어간다.

③ 소전제 ㉠에 대한 반론으로는 "안락사는 인간의 존엄성을 훼손하는 행위가 아니라 오히려 인간의 존엄성을 실현하는 행위이다."라는 주장을 들 수 있다. 이에 대한 근거로는 인간은 자기 자신의 신체와 생명, 죽음에 대한 권리를 가지고 있으므로 안락사를 허용하는 것이 존엄하게 죽을 권리를 가진 인간의 존엄성을 실현하는 것이라는 점을 들 수 있다.

오답 피하기 ① 죽음은 인간이 스스로 선택할 수 없는 문제라는 내용은 안락사를 반대하는 입장에서 제시할 수 있는 근거이다.

② 생명의 존엄성은 어떠한 경우에도 지켜져야 한다는 내용은 안락사를 반대하는 입장에서 제시할 수 있는 근거이다.

④ 인간의 죽음을 앞당기는 행위는 자연의 질서에 어긋난다는 내용은 안락사를 반대하는 입장에서 제시할 수 있는 근거이다.

⑤ 안락사는 인간을 목적이 아닌 수단으로 대우하는 것이라는 내용은 안락사를 반대하는 입장에서 제시할 수 있는 근거이다.

Book 1

WEEK

2

Ⅲ. 사회와 윤리

DAY

1 개념 돌파 전략 ①

34~37쪽

[3강] 직업과 청렴의 윤리 ~ 사회 정의와 윤리 ①

01 직업 02 공자 03 프리드먼 04 멸사봉공 05 견리사의
06 니부어 07 사회 정의 08 사회적 약자

[4강] 사회 정의와 윤리 ② ~ 국가와 시민의 윤리

01 절대적 02 공리주의 03 아리스토텔레스 04 흄 05 묵자
06 선한 07 소로

DAY

1 개념 돌파 전략 ②

38~39쪽

1 ② 2 ④ 3 ③ 4 ④ 5 ③ 6 ②

1 맹자의 직업관 파악

제시문은 대인과 소인의 일이 다르고 사람은 많은 사람들이 만든 물건들을 사용하기 마련이라고 본 점을 통해 유교 사상가 맹자의 주장임을 알 수 있다.

② 맹자는 직업을 선택할 때 선호에 근거해야 한다고 보지 않았다.

오답 피하기 ① 제시문에서 대인과 소인의 일을 나누어야 한다고 주장하였듯이, 맹자는 공동체의 질서 유지를 위해 사회적 분업이 필요하다고 보았다.

③ 맹자는 무항산 무항심(無恒産 無恒心)을 주장하면서 통치자가 백성들이 직업을 가져서 그 생계를 유지할 수 있도록 해야 한다고 보았다.

④ 맹자는 여러 직업 간의 상호 보완성을 강조하면서, 각 직업의 수행을 통해 사회 구성원들의 삶에 이바지할 수 있다고 주장하였다.

⑤ 맹자는 정신노동과 육체노동을 하는 사람들이 각 역할을 통해 서로 보완적 관계에 있다고 주장하였다.

2 플라톤의 직업관 파악

제시문은 사회를 구성하는 세 계층이 타고난 성향에 따라 일에 배치되며, 직업 수행의 탁월성이 조화를 이룰 때 정의로운 국가가 된다고 본 점을 통해 플라톤의 주장임을 알 수 있다.

④ 플라톤은 세 계층이 각자의 역할을 탁월함을 발휘하여 잘 수행할 때, 즉 사회적 분업이 원활히 수행될 때 사회질서가 유지된다고 보았다.

오답 피하기 ① 칼뱅의 주장이다.

② 플라톤은 인간 영혼을 구성하는 이성, 기개, 욕망의 상응에 따라 그에 알맞은 본분을 부여받는다고 보았다. 이를 통해 직업 활동에서의 전문성을 강조하였음을 알 수 있다.

③ 플라톤은 직업 선택의 자유를 강조하지 않았으며, 세 계층의 사람들이 주어진 역할을 탁월하게 수행할 것을 주장하였다.

⑤ 플라톤에 따르면, 영혼의 상응에 따라 알맞은 역할을 부여받으므로 직업은 후천적 노력이 아니라 타고난 능력에 따라 결정된다.

3 프리드먼의 기업의 사회적 책임에 대한 입장 이해

제시문은 기업에 대해 사회에 대한 적극적 책임을 강요하는 것은 시장 경제를 혼란스럽게 하는 행위이며, 기업은 합법적 테두리 내에서의 이윤 추구에 전념해야 한다고 본 점을 통해 프리드먼의 주장임을 알 수 있다.

③ 프리드먼에 따르면, 기업이 사회적 책임을 적극적으로 이행해야 할 의무는 없다.

오답 피하기 ① 프리드먼은 기업 활동의 목적이 이윤의 창출이라고 보았다.

②, ⑤ 프리드먼은 기업은 합법적으로 이윤을 추구해야 한다고 주장하였으며, 그 이윤 추구 행위가 합법적이기만 하다면 사회에 해를 끼쳐도 허용되어야 한다고 보았다.

④ 프리드먼은 기업이 사회에 대해 적극적 책임을 이행하는 것은 시장 경제를 어지럽힌다고 보았다.

더 알아보기 사회적 자본

사회적 자본이란 개인들 사이의 연계, 그리고 그로부터 발생하는 사회적 네트워크, 호혜성과 신뢰의 규범을 의미한다. 퍼트넘에 따르면 사회 구성원들 간의 신뢰, 기업들 간의 신뢰, 사회 제도와 정책 리더들에 대한 신뢰가 정착되어야 그 사회의 사회적 자본이 제대로 형성될 수 있다. 그는 사회적 자본으로 집단적 문제가 더 쉽게 해결될 수 있고, 유용한 정보가 빠르게 확산된다고 보았다. 그래서 사회적 자본이 협력적 행동을 촉진하여 사회적 효율성을 향상시킬 수 있다고 주장하였다.

4 니부어의 사회 윤리 이해

제시문은 사회의 요구와 양심의 요청은 서로 화합하기 어렵다고 본 점, 그러한 갈등은 개인의 내면적 생활과 사회생활의 요구가 서로 성격이 다르기 때문에 발생한다고 본 점을 통해 니부어의 주장임을 알 수 있다.

ㄱ. 니부어는 도덕적인 사람도 집단에 속하면 이기적 충동이 강화되어 이기적으로 변하기 쉽다고 보았다.

ㄷ. 니부어는 사회 집단 간의 갈등이 힘의 불균형으로 나타난다고 보아 집단 간 힘의 균형을 통해 사회 정의를 실현할 수 있다고 주장하였다.

ㄹ. 니부어는 개인의 양심과 합리성만으로는 사회 정의를 실현하기 어렵다고 보고 강제력이 병행되어야 한다고 주장하였다. 이때 강제

력은 선의지의 통제를 받아야 하는데 그렇지 않으면 더 큰 부정의가 발생하기 때문이라고 강조하였다.

오답 피하기 ㄴ. 니부어에 따르면, 어떤 사람이 도덕적이라고 하더라도 그가 집단에 속하게 되면 이기적으로 변할 수 있으므로 그 집단은 비도덕적일 수 있다.

더 알아보기 니부어의 사회 윤리

한 집단에 속하는 개인들 간의 관계를 순전히 도덕적이고 합리적인 조정과 설득에 의해 확립하는 일은, 비록 쉽지는 않더라도 전혀 불가능한 일은 아닐 것이다. 그러나 집단과 집단 사이에서는 이런 일이 결코 이루어질 수 없다. 따라서 집단들 간의 관계는 항상 윤리적이기보다는 지극히 정치적이다. 즉, 그 관계는 각 집단의 요구와 필요성을 비교 · 검토하여 도덕적이고 합리적인 판단에 의해서 수립되는 것이 아니라, 각 집단이 갖고 있는 힘의 비율에 의해서 수립된다. 정치적 관계에 있어서 강제적인 요인들을 순수하게 도덕적이고 합리적인 요인들과 명확하게 분리하여 구분 짓거나 정의할 수 없다. 사회적 갈등에 개입된 한 당파가 합리적 논증 또는 힘의 위협에 의해 얼마나 크게 영향을 받고 있는지를 정확하게 평가하는 일은 거의 불가능하다.

– 니부어, 『도덕적 인간과 비도덕적 사회』

5 롤스의 분배적 정의 이해

제시문은 롤스가 제시한 정의의 원칙이다. 롤스는 무지의 베일을 써서 자연적 · 사회적 우연성을 배제한 상황에서 자신이 가장 불리한 상황에 놓일 것을 염두에 두고 정의의 원칙에 합의한다고 보았다.

선택지 바로 보기

ㄱ. 정의의 원칙은 타인의 필요를 기준으로 수립된다. (×)
→ 롤스에 따르면, 가상적 상황에서 개인들은 무지의 베일을 쓰고 상호 무관심한 상태이므로 타인의 필요가 아니라 자신에게 발생할 수 있는 최악의 상황을 가정하고 정의의 원칙에 합의한다.

ㄴ. 가상적 상황에서 인간은 이기주의자로서 서로 무관심하다. (○)
→ 롤스에 따르면, 가상적 상황에서 인간은 이기적이지만 합리적이며 서로에게 무관심하다.

ㄷ. 공정한 절차를 준수하여 나타난 결과는 불평등해도 인정된다. (○)
→ 롤스는 절차적 정의의 관점에서 공정한 절차는 결과의 정당성을 보장한다고 주장하였다. 따라서 공정한 절차를 통해 도출된 결과라면 그것이 어떤 식의 분배든 공정하다고 보았다.

ㄹ. 사회 구성원들에게 결과에서의 절대적 평등을 보장해야 한다. (×)
→ 롤스는 절차의 공정성이 확보되면 결과의 공정성이 보장된다고 보았다. 이는 결과의 절대적 평등이 아니다.

더 알아보기 절차적 정의

절차적 정의는 공정한 절차를 통해 발생한 결과는 정당하다고 보는 정의관이다. 기존의 분배 정의는 능력, 필요, 업적 등 분배의 기준을 제시하고 그에 따른 분배가 정의롭다고 보았으나 이러한 분배의 기준들은 보편적으로 적용하기 어렵고 서로 충돌하는 한계가 있다. 이와 달리 절차적 정의는 분배 기준 자체보다는 공정한 분배를 위한 절차를 강조하여, '분배의 절차와 과정이 합리적인가'를 중시한다.

6 소로의 시민 불복종 이해

제시문은 법이 정의롭지 못하다고 판단되면 양심에 따라 불복종할 것을 강조한 점을 통해 소로의 주장임을 알 수 있다.

② 다수의 정의관에 근거한 시민 불복종을 주장한 것은 롤스이다. 소로는 시민 불복종이 개인의 양심에 근거한 것이라고 주장하였다.

오답 피하기 ① 소로는 법보다 정의에 대한 존경심이 더 중요하다고 보았다.

③ 소로는 불의한 법이나 정부의 정책이 변화될 때까지 기다리자는 의견을 비판하고 개인의 양심에 비추어 부정의하다고 판단되는 법이나 정책에 대해 즉각 불복종할 수 있다고 보았다.

④ 소로는 악법에 불복종하는 것은 악으로부터 스스로를 지키고 도덕적으로 정의로우며 깨어 있는 행동임을 강조하였다.

⑤ 소로는 양심에 따라 부정의에 대해 적극적으로 불복종해야 한다고 주장하였다.

DAY 2 필수 체크 전략 ① 40~43쪽

03-1 ②	03-2 ⑤	04-1 ⑤	04-2 ④
05-1 ⑤	05-2 ②		

03-1 정약용의 공직자 윤리 이해

제시문은 고을의 통치를 맡은 목민관이 청렴하지 않고 사치를 부리면 결과적으로 백성들에게 피해를 입힌다고 보는 점을 통해 정약용의 주장임을 알 수 있다.

선택지 바로 보기

ㄱ. 공직자는 청렴을 실천하기 위해 청탁(請託)을 배격해야 한다. (○)
→ 정약용에 따르면, 공직자는 작은 선물도 받아서는 안 되므로 청탁을 배격하고 청렴을 실천해야 한다.

ㄴ. 공직자는 선물로 맺어진 은정(恩情)을 토대로 공직에 임해야 한다. (×)
→ 정약용은 공사(公私)를 명확히 구분하고 사적인 일이 공적인 일에 영향을 미치면 안 된다고 주장하였다. 따라서 은정을 바탕으로 한 공직 수행은 배격해야 할 일이다.

ㄷ. 공직자는 공사(公私)의 구분에서 벗어나 모든 일을 판단해야 한다. (×)
→ 정약용은 반드시 공사를 구분해야 한다는 입장이다. 그렇지 않으면 사적인 일을 공적인 일보다 중시해 부정부패를 저지를 수 있기 때문이다.

ㄹ. 공직자가 자애를 실천하기 위해서는 반드시 절약을 실천해야 한다. (○)
→ 정약용은 '수령이 자애로우려면 청렴해야 하고, 청렴하려면 검약해야 한다.'고 주장하였다. 이는 자애를 실천하기 위해서는 절약을 실천해야 한다는 설명이다.

03-2 플라톤의 공직자 윤리 파악

제시문은 국가의 세 계층이 각자 적합한 덕목을 실천하고 그것이 조화될 때 이상 국가가 실현된다고 본 점을 통해 플라톤의 주장임을 알 수 있다.

ㄴ. 플라톤은 통치자 계층에 대해 사유 재산 소유를 금지하고 공동생활을 하게 하는 등 엄격한 자기 절제(節制)를 강조하였다.

ㄷ. 플라톤은 통치자 계층에 대해 통치라는 맡은 바 역할을 탁월하게 수행할 것을 강조하였다.

ㄹ. 플라톤은 통치자 계층이 직무를 수행할 때 공적인 업무와 사적인 일을 구분할 것을 주장하였다.

오답 피하기 ㄱ. 플라톤은 통치자(공직자)의 사유 재산 소유를 금지해야 한다고 주장하였다.

04-1 니부어의 사회 윤리 이해

제시문은 개인의 도덕성에 비하면 집단의 도덕성이 훨씬 낮다는 점을 지적하고 사회 정의는 투쟁에 의해 실현될 수 있다고 보는 점을 통해 사회 윤리학자 니부어의 주장임을 알 수 있다.

선택지 바로 보기

ㄱ. 집단 간의 관계는 정치적인 힘의 비율에 의해 수립된다. (○)

→ 니부어에 따르면, 집단 간의 관계는 이타심이 아니라 정치적인 힘에 의해 성립된다. 따라서 집단 간의 갈등을 해결하기 위해서 개인의 양심과 합리성만으로는 불충분하므로 합리적인 제도와 강제력이 필요하다.

ㄴ. 집단의 도덕성은 집단 내 구성원들의 도덕성에 비례한다. (×)

→ 니부어에 따르면, 구성원 각자가 도덕적일지라도 집단은 비도덕적일 수 있다.

ㄷ. 집단 간 세력 불균형은 사회 갈등과 부정의를 지속시킨다. (○)

→ 니부어에 따르면, 집단 간의 힘(세력)의 불균형으로 인해 사회 갈등이 지속된다.

ㄹ. 올바른 정치적 도덕성은 합리적인 사회 강제력을 권고한다. (○)

→ 니부어에 따르면, 사회 정의 실현을 위해 강제력이 필요한데 이때 강제력은 합리적인 이성, 양심의 통제를 받는 것이어야 한다.

04-2 니부어의 사회 윤리 이해

제시문은 개인의 도덕성에 비해 집단의 도덕성이 현저히 낮다는 점, 집단 간 갈등을 해결하기 위해서는 사회적 억제력이 필요하다고 본 점을 통해 사회 윤리학자 니부어의 주장임을 알 수 있다.

④ 니부어에 따르면, 집단이 아닌 개인 간의 도덕적 관계는 합리적이고 이성적인 설득과 조정으로도 수립할 수 있다.

오답 피하기 ① 니부어에 따르면, 개인의 이타심은 애국심과 결합하여 국가 이기주의로 전환된다.

② 니부어에 따르면, 사회의 정의를 실현하기 위해서는 개인의 양심과 합리성만으로는 부족하므로 사회적 강제력이 필요하다. 이때 강제력은 가능한 한 최소한의 것이어야 하며 선의지의 지도를 받는 것이어야 한다.

③ 니부어에 따르면, 개인은 타인의 이익을 존중할 수 있다는 점에서 도덕적이라 할 수 있다.

⑤ 니부어에 따르면, 개인의 도덕적 행위가 집단의 도덕성을 결정할 수는 없지만 집단의 구조와 제도는 개인 행위의 도덕성을 결정할 수 있다.

05-1 아리스토텔레스의 정의관 파악

아리스토텔레스는 정의를 보편적 정의와 특수적 정의로, 다시 특수적 정의를 분배적 정의와 교정적 정의로 구분하였다.

⑤ 아리스토텔레스의 분배적 정의는 기하학적 비례의 동등함을 추구하는 것으로, 절대적 평등을 추구하는 것이 아니다.

오답 피하기 ① 아리스토텔레스는 보편적 정의를 준법으로서의 정의로, 특수적 정의를 각자에게 공정한 몫이 돌아갈 때 성립하는 정의로 보았다.

② 아리스토텔레스는 교정적 정의를 산술적 비례의 동등함을 추구하는 것, 즉 교섭에서 잘못된 부분을 바로잡는 것으로 보았다.

③ 아리스토텔레스의 교정적 정의는 다른 사람에게 해악이나 이익을 준 경우 그만큼 돌려받아야 정의롭다는 것이다.

④ 아리스토텔레스의 분배적 정의는 각자의 몫을 비례에 따라 분배하여 각자 마땅히 받아야 할 것을 받게 하는 것이다.

05-2 아리스토텔레스와 마르크스의 정의관 비교

갑은 정의로운 분배를 각자의 가치에 따라 이루어져야 한다고 보는 점을 통해 아리스토텔레스임을, 을은 생산은 능력에 따라, 분배는 각자의 필요에 따라 이루어져야 한다고 본 점을 통해 마르크스임을 알 수 있다.

ㄱ. 아리스토텔레스는 분배적 정의를 기하학적 비례의 동등함을 추구하는 것으로 보았다.

ㄷ. 아리스토텔레스는 가치에 따른 재화의 분배를, 마르크스는 필요에 따른 재화의 분배를 정의롭다고 주장하였다. 따라서 아리스토텔레스가 말한 가치, 마르크스가 말한 필요가 배제된 균등 분배는 정의롭지 않다고 볼 것이다.

오답 피하기 ㄴ. 마르크스는 필요에 따른 분배를 주장하였지 분배의 결과적 평등을 주장하지 않았다.

ㄹ. 아리스토텔레스와 마르크스는 개인의 능력에 따른 분배가 아니라 각각 가치에 따른 분배, 필요에 따른 분배를 주장하였다.

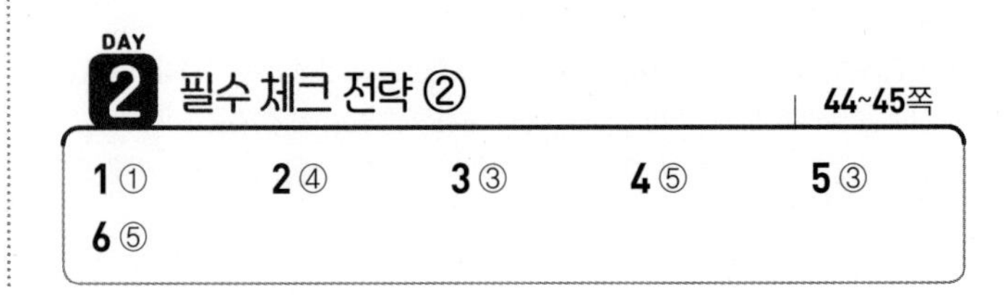

DAY 2 필수 체크 전략 ② 44~45쪽

1 ① 2 ④ 3 ③ 4 ⑤ 5 ③ 6 ⑤

1 순자와 맹자의 직업 윤리 비교

갑은 성왕이 제정한 예(禮)에 따라 직무를 수행하게 한다는 점을 통해 순자, 을은 왕도 정치를 지향하는 점과 노력자와 노심자가 서로에게 기여한다고 말한 점을 통해 맹자임을 알 수 있다.

① 순자는 군자가 도에 정통하면 자신의 직분을 잘 수행할 수 있다고 보았다.

오답 피하기 ② 순자는 예를 기준으로 역할의 교환이 아니라, 사회적 직책과 그에 따른 역할을 정해야 한다고 보았다.

③ 맹자가 직업 선택의 기준으로 경제적 보상을 경시하지는 않았지만 그보다 직업이 인격에 미치는 영향을 강조하였다.

④ 맹자는 백성은 항산(恒産)이 없으면 항심(恒心)을 지니기 어렵다고 보았다. 즉, 선비가 아닌 백성은 일정한 직업을 통한 소득이 없으면 도덕적 마음을 지니기 어렵다고 보고 항심에 앞서 항산을 우선 지닐 수 있게 해야 한다고 보았다.

⑤ 맹자는 왕도 정치를 실현하기 위해서는 백성에게 일정한 경제 기반을 보장해 주는 것이 먼저라고 주장하였다.

2 칼뱅의 직업관 이해

제시문은 신이 인간에게 각 위치를 정하였다는 점, 신의 소명에 따라야 한다고 본 점에서 칼뱅의 주장이다.

④ 칼뱅 당시 시대적 상황은 세속적 노동보다 명상에의 몰두가 더 가치 있게 여겨졌다. 하지만 칼뱅은 이를 비판하면서 일을 하지 않거나 기피하는 것을 신에 대한 불충으로 규정하였다.

오답 피하기 ① 마르크스의 주장이다. 마르크스는 자본주의 사회에서의 강요된 노동이 아니라 자발적인 노동을 통해 인간의 본질을 실현해야 한다고 주장하였다.

② 칼뱅의 주장과 관련이 없다.

③ 칼뱅은 직업적 성공을 통한 부의 축적을 죄악이 아닌 신의 축복이라고 여겼으며, 이는 이익을 추구하는 경제 활동의 정당화로 이어졌다.

⑤ 플라톤의 주장이다. 플라톤은 사회를 이루는 세 계층이 각자의 역할을 훌륭하게 수행하고 이것이 조화될 때 정의로운 국가가 된다고 말하였다.

3 프리드먼과 보겔의 기업의 사회적 책임에 대한 입장 비교

갑은 기업의 유일한 사회적 책임은 기업 이익의 극대화라고 주장하는 점을 통해 프리드먼임을 알 수 있다. 을은 기업이 사회적 책임을 이행하면 기업의 이윤 추구와 소비자들의 신뢰를 얻는 데 유리하다고 간주하는 점을 통해 보겔임을 알 수 있다.

③ 프리드먼과 보겔은 기업이 자유 시장 경제 원리에 따라 경영되어야 한다고 보는 점에서는 공통적이다.

오답 피하기 ① 프리드먼은 합법적 테두리 안에서의 이윤 추구, 보겔은 기업 경쟁력 강화를 위한 전략으로서의 공익 증진 도모 등 기업이 사회적 책임을 수행해야 한다고 보았다.

② 프리드먼, 보겔은 사회적 책임에 대한 입장은 다르지만, 기업이 이윤 추구를 본질적 목적으로 삼는다고 보는 점에서는 공통적이다.

④ 보겔만의 주장이다. 보겔은 시장 경쟁력 강화, 즉 기업 이익 증진을 위한 전략으로 공익을 추구해야 한다고 보았다.

⑤ 프리드먼, 보겔 모두 기업의 본질적 목적이 이윤 추구라고 보므로 그보다 앞서 사회에 봉사할 책임이 있다고 여기진 않았다.

4 니부어의 사회 윤리 이해

제시문은 집단의 도덕성이 개인의 도덕성에 비해 현저히 열등하다고 본 점을 통해 니부어의 주장임을 알 수 있다.

두 번째 관점. 니부어는 강제력이 도덕성의 통제를 받지 않으면 더 큰 부정의를 초래한다고 보아, 올바른 정의 실현을 위해서 강제력이 도덕성의 통제를 받아야 한다고 보았다.

세 번째 관점. 니부어는 인간이 이기적 충동과 이타적 충동을 함께 갖고 태어나며, 도덕의 문제가 개인 차원에서 집단 간의 관계로 옮겨 갈수록 인간의 이기적 충동이 득세하기 때문에 사회 집단의 이기심은 불가피하다고 보았다.

네 번째 관점. 니부어에 따르면, 집단 간의 관계는 도덕적이고 합리적인 판단에 의해 수립되는 것이 아니라 각 집단이 가진 힘의 비율에 의해 수립된다. 따라서 집단이 크면 클수록 집단 이기주의는 심화한다고 볼 수 있다.

오답 피하기 첫 번째 관점. 니부어는 힘의 논리를 인정하는 현실주의 입장에 근거하여 정의 실현을 위해서 도덕성의 지도를 받는 강제력이 요구된다고 보았다.

5 다양한 분배 기준 간의 비교

제시문의 갑은 분배의 기준을 능력과 업적으로, 을은 필요로, 병은 절대적 평등으로 삼는다.

선택지 바로 보기

① 갑이 을에게 : 인간 존엄성을 침해할 우려가 있음을 간과한다. (×)
→ 필요에 따른 분배는 인간 존엄성을 보장하고 사회적 약자를 보호하는 데 용이하다는 장점이 있다.

② 갑이 병에게 : 능력의 획득에 선천적 요소가 개입되지 않음을 간과한다. (×)
→ 능력에 따른 분배는 능력의 획득에 개인의 의도와는 무관하게 선천적인 요소가 개입된다는 지적을 받는다.

③ 을이 갑에게 : 서로 다른 종류의 업적에 대한 양과 질을 평가하기 어려움을 간과한다. (○)
→ 업적에 따른 분배는 사회적 약자를 배려하기 어려우며 서로 다른 종류의 업적에 대한 양과 질을 평가하기 어렵다는 단점을 지닌다.

④ 을이 병에게 : 생산 의욕을 부추겨 경쟁을 심화시킬 수 있음을 간과한다. (×)
→ 절대적 평등에 따른 분배는 생산 의욕을 부추기는 것이 아니라 저하시킨다는 단점이 있다. 따라서 병에 대한 비판으로 부적절하다.

⑤ 병이 갑에게 : 업적에 대한 객관적 평가가 불가능함을 간과한다. (×)
→ 업적에 따른 분배는 객관적 평가와 측정이 용이하다는 장점이 있다. 따라서 갑에 대한 비판으로 적절하지 않다.

6 아리스토텔레스의 정의관 이해

제시문은 올바름은 법을 지키는 것이자 공정한 것이며, 부분적 정의 중 하나는 분배에서 찾아지는 것이라고 본 점을 통해 아리스토텔레스의 주장임을 알 수 있다.

⑤ 아리스토텔레스가 제시한 교정적 정의에 따르면, 이득과 손실이 발생한 경우 이를 균등하게 시정해 주어야 한다. 만약 보상이 커지면 보상하는 사람의 손실이 커져 불균등해지므로 교정적 정의에 적합하지 않다.

오답 피하기 ① 아리스토텔레스에 따르면, 공정함은 법을 지키는 것이므로 불공정한 행위는 법을 어기는 것이다.

② 아리스토텔레스에 따르면, 분배적 정의와 교정적 정의가 속하는 부분적 정의는 공정성을 추구한다.

③ 아리스토텔레스는 사람들이 공동체에 기여한 정도에 비례하여, 즉 기하학적 비례에 따라 명예와 재화 등 자신의 몫을 받을 수 있다고 주장하였다.

④ 아리스토텔레스가 제시한 분배적 정의에 해당한다.

DAY 3 필수 체크 전략 ①

46~49쪽

01-1 ⑤	01-2 ③	02-1 ④	02-2 ⑤
03-1 ②	05-1 ③	05-2 ①	

01-1 롤스와 노직의 분배적 정의관 비교

갑은 부와 소득, 직위나 직책 등을 정의의 원칙에 따라 분배해야 한다고 본 점을 통해 롤스, 을은 취득, 이전, 교정의 원리 등에 따라 소유권을 부여받았으면 정당하다고 본 점을 통해 노직임을 알 수 있다.

ㄱ. 롤스는 기본적 권리와 의무를 배분하고 이익의 분배를 정하는 방식을 정의의 일차적 주제로 보았다.

ㄷ. 노직은 어떤 소유물에 대한 최초 취득이 정당해도 부정의한 이전이 이루어졌다면 교정되어야 정의로운 것이라고 보았다.

ㄹ. 롤스와 노직은 사회적 불평등의 시정을 위한 것이라고 해도 기본권에 제한을 가하는 것은 부정의하다고 강조하였다.

오답 피하기 ㄴ. 롤스에 따르면, 사람들은 자신이 어떤 천부적 재능을 타고났는지 알 수 없는 상황, 즉 무지의 베일을 쓴 원초적 입장에서 정의의 원칙을 도출한다. 이는 천부적 재능이 우연적인 것이며 그 불균등한 분포 자체는 부정의한 것이 아님을 뜻한다.

더 알아보기 천부적 재능에 대한 롤스의 입장

롤스는 천부적 재능을 우연적인 것으로 보고 누구도 자신이 어떤 소질이나 능력을 타고났는지를 모르는 상황에서 정의의 원칙이 도출되어야 한다는 점을 강조하였다. 다시 말해 천부적 재능의 불균등한 분포나 우연성 자체를 부정의하다고 간주하지는 않았다.

01-2 왈처와 롤스의 분배적 정의관 비교

왈처는 복합 평등의 필요성을 강조하면서 정의의 기준은 공동체마다 다를 수 있으므로 영역에 따라 다른 정의의 기준을 적용하는 다원적 정의 즉, '복합 평등으로서의 정의'를 주장하였다. 롤스는 공정한 절차를 통해 합의된 것이라면 정의롭다고 보는 순수 절차적 정의를 내세워 '공정으로서의 정의'를 주장하였다.

③ 왈처는 다양한 삶의 영역에서 각기 다른 공정한 기준에 따라 사회적 가치가 분배될 때 사회 정의가 실현된다고 보았다. 따라서 단일한 정의의 원칙에 의한 분배를 주장하는 롤스에 대해 왈처는 다양한 분배 원칙이 있을 수 있음을 간과한다고 지적할 수 있다.

오답 피하기 ①, ② 마르크스의 주장이다.

④, ⑤ 롤스의 주장이다.

더 알아보기 왈처의 복합 평등으로서의 정의

왈처는 각 개인이 처한 고유한 상황을 고려하지 않는 가상적 상황에서 도출된 롤스의 단일한 정의의 원칙은 실제 삶에서의 실현 가능성이 적다고 비판하며, 개인이 속한 공동체의 문화적 특수성에 부합하는 가치 분배의 기준과 절차에 따라야 한다고 주장하였다. 즉, 그는 '복합 평등으로서의 정의'를 주장하면서 부(富)는 경제 영역에, 권력은 정치 영역에 머물러야 하며 부를 지녔다는 이유로 정치권력까지 장악하는 것은 정의롭지 않다고 보았다.

02-1 형벌에 대한 칸트와 베카리아의 입장 비교

칸트는 범죄 행위에 상응하는 형벌을 부과함으로써 정의를 실현하는 것이 형벌의 목적이라고 보았다. 베카리아는 형벌의 목적을 범죄의 예방에 두는데, 이때 타인의 범죄 예방은 물론 범죄자의 재범 예방, 즉 범죄자 교화도 포함한다. 따라서 칸트, 베카리아 모두 부정의 대답을 할 질문은 ④이다.

오답 피하기 ① 칸트가 긍정의 대답을 할 질문이다. 베카리아는 사회계약 내용에 생명의 위임이 포함될 수 없으므로 사형을 정당화할 수 없다고 주장하였다.

② 칸트가 긍정의 대답을 할 질문이다. 칸트에 따르면, 사형은 살인범의 고통 받는 인격을 해방하여 인간의 존엄성을 실현하는 것이다.

③ 베카리아가 긍정의 대답을 할 질문이다. 베카리아는 공리주의 관점에서 처벌을 사회적 이익 증진을 위한 수단으로 보았다.

⑤ 베카리아가 긍정의 대답을 할 질문이다. 베카리아는 사형보다 그 고통이 길게 유지되어 범죄 예방과 사회 전체의 이익 증진에 부합하는 형벌인 종신 노역형이 필요하다고 주장하였다.

02-2 사형 제도와 형벌에 대한 베카리아와 벤담의 입장 비교

제시문의 갑은 범죄자에게 지속적인 고통을 주는 형벌이 확실한 범죄 예방 효과를 가진다고 보는 점을 통해 베카리아, 을은 공리의 원리에 따라 형벌이 목적 달성에 필요한 이상으로 가해져서는 안 된다고 본 점을 통해 벤담임을 알 수 있다.

ㄱ. 베카리아는 종신 노역형이 사형보다 우월한 범죄 억제력을 지닌다고 보았다.

ㄷ. 벤담은 공리의 원리에 근거하여 범죄자가 범죄를 통해 얻은 이득보다 형벌로 인해 얻을 고통이 더 커야 한다고 주장하였다.
ㄹ. 베카리아와 벤담은 모두 공리주의 관점에서 형벌에 대한 주장을 제시하였으므로 형벌이 최대 다수의 최대 행복을 위해 집행되어야 한다고 보았다.
오답 피하기 ㄴ. 동해보복은 응보주의적 형벌과 관련된다.

03-1 국가 권위의 정당성에 대한 로크의 관점 파악
로크는 사회 계약론의 입장에서 국가의 권위와 그에 대한 시민의 정치적 의무를 설명하였다.
ㄱ. 로크는 계약을 통해 자연 상태에서 인간이 누리던 자연권을 양도함으로써 국가가 형성된다고 보았다.
ㄹ. 로크는 국가가 개인의 생명과 이익을 보장할 때 정당화될 수 있으며, 이를 수행하지 못한 국가라면 저항할 수 있다고 보았다.
오답 피하기 ㄴ. 로크는 인간이 지니는 기본권이 국가가 부여한 것이 아니라 자연권을 바탕으로 한다고 보았으며, 국가는 권리 보장의 역할을 한다고 보았다.
ㄷ. 로크는 국가가 자연 발생한 것이 아니라 사람들의 계약과 동의에 의해 형성된 것이라고 보았다.

05-1 롤스의 시민 불복종 이해
제시문은 시민 불복종이 공유된 정의관에 의거한다고 본 점을 통해 롤스의 주장임을 알 수 있다.
③ 롤스에 따르면, 정치의 과정에는 정의로운 결과를 도출할 절차적 정의가 없기 때문에 정의의 원칙에 기초한 헌법에 따라 법을 제정한다고 해도 부정의한 법이 제정될 수 있다.
오답 피하기 ① 롤스에 따르면, 시민 불복종은 신중함과 양심에 기초한다.
② 롤스는 시민 불복종을 국가 체제의 합법성을 인정하는 시민들이 주체가 되어 행하는 공적이고 양심적이지만 법에 반하는 정치적 행위라고 하였다.
④ 롤스에 따르면, 거의 정의로운 사회의 구성원은 법의 부정의함이 구성원에게 주는 부담이 과도하지 않는 등 어느 정도를 넘어서지 않는다면 준수해야 한다. 다시 말해, 부정의함이 어느 정도를 넘어설 때에 시민 불복종은 정당화될 수 있다.
⑤ 롤스에 따르면, 시민 불복종은 법에 대한 충실성의 한계 내에서 이루어지는 부정의한 법에 대한 불복종 행위이다.

05-2 싱어의 시민 불복종 이해
싱어는 부정의한 법을 개선하기 위한 모든 방법을 동원했으나 불가능한 경우 시민 불복종이 가능하다고 보았다.
① 싱어는 시민 불복종의 정당화 근거로 다수의 정의관은 물론 정책이나 법의 심각한 부정의 등을 제시하였다.
오답 피하기 ②, ⑤ 싱어는 중단시키려는 악의 크기, 불복종이 가져올 법과 민주주의에 대한 존중의 감소 정도와 같은 시민 불복종이 산출할 사회적 이익과 손해, 불복종 행위의 성공 가능성 등을 모두 고려해야 한다고 보았다.
③ 싱어에 따르면, 시민 불복종을 실행하기 전에 부정의를 해결할 수 있는 합법적 방법을 먼저 고려해야 한다.
④ 싱어에 따르면, 시민 불복종은 합법적 방법으로 부정의를 해결하기 위한 노력이 실패했을 때 실행할 수 있다.

DAY 3 필수 체크 전략 ②
50~51쪽

1 ②	2 ④	3 ①	4 ①	5 ①
6 ④				

1 롤스의 정의론 파악
제시문은 정의의 원칙을 도출하기 위해 원초적 입장이라는 가상의 상황을 설정한 점을 통해 롤스의 주장임을 알 수 있다.
② 롤스에 따르면, 가상적 상황의 사람들은 서로에게 무관심하여 오로지 자기의 이익만을 고려한다. 그래서 자신이 최소 수혜자가 될 최악의 상황을 고려하여 정의의 원칙에 합의한다.
오답 피하기 ① 롤스에 따르면, 절차적 공정성이 보장되면 결과의 공정성도 보장된다.
③ 롤스에 따르면, 기본적 자유는 그 어떤 이유로도 제한될 수 없다.
④ 롤스에 따르면, 누구나 합의할 수 있는 공정한 기준과 절차, 즉 정의의 원칙에 따라 분배된다면 사회적 · 경제적 불평등의 존재를 정당화할 수 있다.
⑤ 롤스에 따르면, 원초적 입장의 사람들은 무지의 베일 하에 있어서 자신의 자연적 · 사회적 우연성을 모르며, 상호 무관심하고 오직 자신의 이익만을 추구하고자 한다. 따라서 최선의 결과를 얻기 위한 위험을 감수하기보다 자신이 가장 불리한 위치에 놓일 가능성을 염두에 두고 모두에게 공정한 정의의 원칙에 합의한다.

2 분배적 정의에 대한 다양한 관점 비교
(가)의 갑은 같은 것은 같게, 다른 것은 다르게 분배해야 한다고 본 점을 통해 아리스토텔레스임을, 을은 최대 다수의 최대 행복을 위해 유용성을 극대화할 것을 강조한 점을 통해 벤담, 병은 모두에게 이익이 되도록 절차적 공정성을 보장해야 한다고 본 점을 통해 롤스임을 알 수 있다.
ㄱ. 아리스토텔레스에 따르면, 분배적 정의는 인간의 가치에 비례하는 평등이므로 기하학적 비례에 따른 동등함을 추구하는 것이다.
ㄴ. 벤담은 정의로운 분배를 최대의 만족을 산출하는 것으로 보아, 분배의 옳고 그름은 쾌락과 고통의 총합에 의해 결정된다고 주장하였다.
ㄹ. 아리스토텔레스, 벤담, 롤스 모두 사회적 · 경제적 불평등을 허용해도, 즉 절대적 평등을 달성하지 않아도 분배 정의는 실현할 수 있다고 보았다.

오답 피하기 ㄷ. 아리스토텔레스, 벤담, 롤스 모두 정당한 몫의 분배를 위한 원칙을 제시하였다. 따라서 누구에게도 이익이 되지 않는 분배, 곧 모두에게 이익이 아니거나 손해인 분배가 부정의하다고 판단하는 것은 롤스만의 주장이라고 하기 어렵다.

3 벤담과 칸트의 형벌관 비교

갑은 형벌이 가져올 사회 전체의 효용이라는 측면에서 필요하다고 본 점을 통해 벤담, 을은 단지 범죄자가 범죄를 저질렀기 때문에 형벌이 부과되어야 한다고 본 점을 통해 칸트임을 알 수 있다.

선택지 바로 보기

① **갑 : 형벌은 범죄 의지를 억제시키려는 수단이다. (○)**
→ 벤담은 형벌의 목적이 범죄 억제를 통한 사회적 이익의 증진이라고 보았다.

② **갑 : 사형은 살인범의 인격에 대한 존중을 전제한다. (×)**
→ 칸트의 주장이다. 칸트는 살인범에 대한 사형이 살인범의 인격을 존중하여 그의 고통 받는 인격을 해방하여 인간의 존엄성을 실현하는 것이라고 보았다.

③ **을 : 사형은 사회 계약에 근거하여 정당화할 수 있다. (×)**
→ 사회 계약을 바탕으로 사형 제도에 찬성한 것은 루소이다. 칸트는 응보주의 관점에서 사람의 목숨을 빼앗은 범죄를 저지른 살인자에 대한 형벌은 그의 목숨을 빼앗는 사형이 정당하며, 그 외의 형벌은 정의에 부합하지 않는다고 보았다.

④ **을 : 형벌은 일반인에게 본보기로, 범죄자에게 교화로 작용해야 한다. (×)**
→ 벤담의 주장이다. 벤담은 형벌의 목적을 범죄 억제와 교화에 두었다. 칸트는 형벌의 범죄 억제력이나 교화에 대한 사회적 영향력보다 범죄 행위에 상응하는 동등한 형벌을 부과하는 것에 중점을 두었다.

⑤ **갑, 을 : 형벌이 방지할 해악이 형벌의 해악보다 크다면 형벌은 정당하다. (×)**
→ 벤담만의 주장이다. 벤담은 공리주의 입장에서 형벌이 방지할 해악, 즉 범죄보다 형벌로 인해 발생할 해악이 크다면 형벌은 정당하다고 보았다. 칸트는 응보주의 관점에서 범죄 행위에 상응하는 형벌을 부과하는 것이 정당하다고 보았다.

4 아리스토텔레스와 흄의 정치적 의무에 대한 관점 비교

갑은 인간이 본성적으로 국가에 속한다고 본 점을 통해 아리스토텔레스임을, 을은 정치적 복종의 동기가 정부에 대해 시민들이 느끼는 이익 관념에 기초한다고 본 점을 통해 흄임을 알 수 있다.

① 아리스토텔레스에 따르면 인간은 완전하고 자족적인 공동체인 국가 속에서 살아가야 최선의 삶과 행복을 실현할 수 있는 정치적 본성을 지니는데, 이러한 인간의 본성이 정치적 의무의 근거이다.

오답 피하기 ② 아리스토텔레스의 주장과 거리가 멀다.

③ 흄에 따르면, 국가가 평화와 질서 유지 등의 각종 공공재와 혜택, 이익을 제공하기 때문에 국민은 정치적 의무를 다해야 한다.

④ 국가에 거주하는 것은 정치적 의무를 부담하겠다는 묵시적 동의이다. 묵시적 동의가 정치적 의무의 근거가 될 수 있다고 본 것은 로크이다.

⑤ 흄만의 주장이다.

5 국가의 의무에 대한 묵자와 한비자의 입장 비교

갑은 서로 사랑하지 않고 지나친 욕심을 부리고 차별하는 폐해를 지적한 점을 통해 묵자, 을은 인간이 상을 좋아하고 벌을 싫어하는 점을 통해 이해관계를 조정해야 한다고 본 점을 통해 한비자임을 알 수 있다.

ㄱ. 묵자는 서로 사랑하고[兼相愛] 이익을 나눌 것[交相利]을 강조하였다. 따라서 군주와 백성이 서로 이익을 나누어야 한다고 보았다.

ㄴ. 묵자는 통치자가 서로 차별하고 지나친 욕심을 부리며 은혜롭지 않으면 천하에 해를 입힌다고 주장하였다.

오답 피하기 ㄷ. 한비자는 인간의 본성을 악하다고 보았으며, 인간들의 이기적인 본성 때문에 천하가 혼란하다고 보아 군주는 힘과 계략을 통해 이기적인 인간들을 다스려야 한다고 보았다.

ㄹ. 묵자의 입장에만 해당하는 내용이다.

6 롤스와 소로의 시민 불복종 비교

갑은 시민 불복종이 법에 대한 충실성의 한계 내에서 법에 대한 불복종을 나타내는 것이라고 본 점을 통해 롤스, 을은 법에 대한 존경심보다 정의에 대한 존경심을 먼저 길러야 한다고 본 점을 통해 소로임을 알 수 있다.

ㄱ. 을이 긍정의 대답을 할 질문이다. 소로는 개인의 양심이 법보다 우선한다고 보아, 양심에 따라 부정의에 대해 적극적으로 불복종해야 한다고 주장하였다.

ㄴ. 갑, 을 모두 긍정의 대답을 할 질문이다. 롤스와 소로 모두 시민 불복종은 부정의를 개혁하고 변혁하고 사회 정의를 실현하기 위한 것이라고 주장하였다.

ㄷ. 갑이 긍정의 대답을 할 질문이다. 롤스는 거의 정의로운 사회일 경우, 부정의가 지나치지만 않으면 부정의한 법도 준수해야 한다고 주장하였다.

오답 피하기 ㄹ. 갑, 을 모두 부정의 대답을 할 질문이다. 롤스와 소로는 시민 불복종이 사적 이익이 아닌 공적인 정의를 실현하기 위한 위법 행위라고 보았다.

누구나 합격 전략 | 52~53쪽

1 ④	2 ⑤	3 ②	4 ④
5 ①	6 ⑤	7 ②	

1 순자와 칼뱅의 직업관 비교

갑은 인간이 본성적으로 이익만 좋아하기에 쉬운 일만 원하고 힘든 일은 싫어한다고 본 점을 통해 순자, 을은 인간은 신의 부르심에 노동을 통해 응답해야 한다고 본 점을 통해 칼뱅임을 알 수 있다.

④ 칼뱅은 직업의 궁극적 목적을 부의 축적이 아니라 신성한 노동을 통해 신에게 영광을 바치는 것이라고 보았다.

오답 피하기 ① 순자는 인간의 욕망을 인정하지만 그것을 절제하기 위한 예(禮)도 필요하다고 보았다.

② 칼뱅은 검소, 절제와 같은 금욕적인 태도로 직업 생활에 임해야 한다고 주장하였다.

③ 칼뱅이 직업을 신의 소명으로 본 것과 달리 순자는 예라는 인위적 규범을 통한 직업의 구별을 강조하였다.

⑤ 순자, 칼뱅 모두 자기 직업에 충실함으로써 사회 질서 유지에 이바지할 수 있다고 주장하였다.

2 기업의 사회적 책임에 대한 관점 이해

제시문은 기업의 경영자는 기업의 소유주인 주주를 위해 이익을 창출하는 것에만 직접적인 책임을 져야 한다고 보는 점을 통해 프리드먼의 주장임을 알 수 있다.

⑤ 기업의 이익 추구 외의 사회적 책임을 인정하지 않는 프리드먼의 주장에 대해 기업이 시민과 공동체의 이익에 기여하는 직접적 책임을 져야 한다는 반론을 제기할 수 있다.

오답 피하기 ① 프리드먼은 공익의 추구가 기업의 이익 증진에 도움이 된다면 기업은 공익을 추구할 수 있다고 볼 것이다.

② 제시문에 드러난 프리드먼의 주장과 같다.

③ 기업 경영자는 기업 이익 증진의 책임 외의 책임은 지지 않는다고 보는 프리드먼의 입장에서는 기업의 목적이 이윤 창출을 위한 경제적 책임을 지는 데 있다고 볼 것이다.

④ 프리드먼은 기업이 법적 한계 안에서 이윤을 창출해야 한다고 주장하였다.

3 개인 윤리와 사회 윤리 비교

(가)는 집단 간 관계가 정치적이므로 항상 윤리적이지 않다고 본 점을 통해 사회 윤리를 제시한 니부어, (나)는 개인이든 집단이든 합리성과 선의지가 이기적 충동을 억제할 수 있다고 본 점을 통해 개인 윤리를 지지하는 입장임을 알 수 있다.

② 니부어는 개인의 최고의 도덕적 이상은 이타심, 집단의 최고의 도덕적 이상은 정의라고 보았으므로 니부어가 제시할 반론으로 적절하지 않다.

오답 피하기 ① 니부어에 따르면, 집단 간의 관계는 힘의 비율에 따라 형성되며 힘의 차이로 인해 사회 부정의가 발생한다.

③, ⑤ 니부어는 집단 간 갈등을 해결하기 위해서는 개인의 양심과 합리성만으로는 불충분하기 때문에 정치적인 외적 강제력이 가해져야 한다고 주장하였다.

④ 니부어는 개인의 양심과 집단의 요구는 서로 긴장 혹은 모순 관계라고 보았다.

4 아리스토텔레스의 정의관 이해

제시문은 각자의 몫이 가치에 따라 분배되어야 한다고 본 점을 통해 아리스토텔레스의 주장임을 알 수 있다.

선택지 바로 보기

ㄱ. 시민은 법 앞에 동등하게 대우받아야 한다. (○)
→ 아리스토텔레스의 일반적 정의에 의하면 시민은 법을 준수해야 하며 법 앞에 동등하게 대우받아야 한다.

ㄴ. 각 사람의 가치에 따라 재화가 분배되어야 한다. (○)
→ 아리스토텔레스의 분배적 정의는 기하학적 비례의 동등함을 추구하는 것으로, 각 사람의 가치에 따라 재화가 분배되어야 한다는 것이다.

ㄷ. 잘못에 대한 시정은 그 이상의 대가를 지불해야 한다. (×)
→ 아리스토텔레스가 제시한 교정적 정의에 따르면, 손실이 발생한 경우 이를 시정하여 균등하게 회복해야 한다. 그런데 끼친 손실보다 보상이 더 크다면 보상하는 쪽이 손실을 얻게 되므로 정의롭지 않게 된다.

ㄹ. 분배적 정의는 기하학적 비례의 균등을 회복하는 것이다. (○)
→ 아리스토텔레스의 분배적 정의는 각자가 가진 가치에 따라 지위, 명예, 재화 등을 차등적으로 분배하는 기하학적 비례를 추구하는 것이다.

5 노직, 롤스, 왈처의 분배적 정의관 비교

(가)의 갑은 소유 권리를 강조하며 최소 국가만이 이를 보장해 준다고 보는 점을 통해 노직, 을은 공정한 조건에서 합의한 원칙에 따른 분배를 정의롭다고 보며 그 원칙 중 하나가 차등의 원칙이라고 본 점을 통해 롤스, 병은 가치가 사회적 맥락과 관련되며, 상이한 사회에서는 상이한 가치를 갖는다고 본 점을 통해 왈처임을 알 수 있다.

① 롤스는 천부적 재능의 불균등한 분포는 공동 자산으로 간주해야 하지만 천부적 재능 그 자체는 공동 자산이 아니라고 보았다. 따라서 롤스가 긍정의 대답을 할 질문이므로 A에 적절하지 않다.

오답 피하기 ② 롤스는 정의의 원칙이 원초적 입장이라는 가상적 상황에서 도출되어야 한다고 주장하였다. 반면 왈처는 개인들의 역사적 배경을 고려하지 않은 가상적 상황에서 도출된 원칙은 실현 가능성이 적다고 보아 비판하였다. 따라서 롤스가 긍정, 왈처가 부정의 대답을 할 질문이다.

③ 롤스가 긍정의 대답을 한 질문이다. 롤스는 자본주의 복지국가가 경제적 불평등과 이로 인해 발생하는 정치적 영향력의 격차를 막지 못해 정의의 원칙을 충분히 실현할 수 없다고 보았다. 그래서 재산 소유 민주주의를 제시하였는데, 이는 부의 집중을 막고 이를 바탕으로 평등한 기본적 자유와 공정한 기회균등을 실현할 수 있는 자본주

의라고 강조하였다.

④ 왈처가 긍정의 대답을 할 질문이다. 왈처는 복합 평등으로서의 정의를 주장하면서, 다양한 삶의 영역에서 각기 다른 공정한 기준에 따라 사회적 가치가 분배될 때 사회 정의가 실현된다고 보았다. 이때 공동체의 역사적 · 문화적 맥락에 따라 다양한 정의 기준이 인정된다고 주장하였다.

⑤ 왈처는 사회적 가치는 그에 적합한 분배 기준과 절차에 따라야 한다고 보았는데, 안전과 복지는 필요에 따라 분배되는 것이 정의롭다고 주장하였다.

6 형벌에 대한 칸트와 베카리아의 입장 비교

갑은 형벌을 정언 명령으로 본 점을 통해 칸트, 을은 사형보다 종신 노역형이 범죄 억제에 효과적이라고 본 점을 통해 베카리아임을 알 수 있다.

⑤ 칸트는 응보주의적 관점에서 동등성의 원리에 따라 사형을 포함한 형벌이 집행되어야 정당하다고 보았다. 베카리아는 생명의 위임이 사회 계약 내용에 포함될 수 없으므로 사형제를 사회 계약을 근거로 정당화할 수 없다고 보았다. 따라서, 갑, 을 모두에 적절하지 않다.

오답 피하기 ① 칸트에 따르면, 형벌은 범죄자 자신의 자율적 행위에 대해 책임을 지우는 것이기 때문에 인간을 수단이 아닌 목적으로 대우하는 행위이다. 또 사형을 포함한 형벌은 범죄자가 범죄를 저질렀다는 이유로 가해지는 것이다. 그래서 칸트는 인도적 동정심으로 사형의 부당성을 주장하는 것은 옳지 않으며 법의 왜곡이라고 보았다.

② 칸트는 응보주의적 관점에서 보복법만이 형벌의 양과 질을 명확하게 제시할 수 있어서 범죄자에게 범죄에 상응하는 보복을 가할 수 있다고 보았다.

③, ④ 베카리아는 범죄 억제 효과를 넘어서는 필요 이상의 과도한 형벌은 범죄 예방에 역효과를 초래하며 사회 계약의 본질에도 어긋난다고 보았다.

7 국가의 역할에 대한 공자, 한비자, 홉스의 입장 비교

갑은 통치자는 우선 자신을 바르게 해야 한다고 본 점을 통해 공자, 을은 통치를 하려면 명확한 법과 엄격한 형벌을 제시해야 한다고 본 점을 통해 한비자, 병은 자연 상태에서 인간은 전쟁 상태에 놓여 있는 것과 같다고 본 점을 통해 홉스임을 알 수 있다.

② 홉스는 국가가 시민들의 생명과 재산의 보호, 질서 유지 등을 해야 한다고 보았다. 이에 대해 공자는 통치자가 덕을 쌓고 덕을 통해 통치해야 한다고 비판할 수 있다.

오답 피하기 ① 공자는 덕으로써 다스리는 덕치를, 한비자는 형벌과 법으로 다스려야 한다는 법치를 주장하였다. 따라서 공자가 제시할 비판, 한비자에 대한 비판 둘 다 성립되지 않는다.

③ 공자의 주장이므로 공자에 대한 비판으로 적절하지 않다.

④ 홉스, 한비자 모두 국가가 국민의 생명, 안전을 보장해야 한다고 보므로 한비자에 대한 비판으로 적절하지 않다.

⑤ 한비자, 홉스 모두 인간의 본성을 악하게 보았으므로 한비자, 홉스가 제시할 비판으로 적절하지 않다.

창의·융합·코딩 전략 54~57쪽

01 ③	02 ①	03 ⑤	04 ⑤	05 ③	06 ④
07 ②	08 ④	09 ③	10 ④		

01 베버의 자본주의 정신 이해

제시된 칼럼은 천민 자본주의의 문제를 지적하면서 해결 방안을 모색하는데, 이를 위해 자본주의 정신을 제시한 사상가의 주장을 강조한다. '어느 사상가'는 칼뱅의 예정설 등 프로테스탄티즘에 기원을 두는 자본주의 정신을 강조한 점을 통해 베버임을 알 수 있다.

③ 베버는 성실한 직업 활동을 통한 부의 축적을 긍정한 칼뱅의 직업관에 영향을 받았으므로 부의 축적을 금지하지 않았다.

오답 피하기 ① 베버는 칼뱅의 직업관에 영향을 받아 근면 성실하고 검소한 직업 생활을 강조하였다.

② 베버가 제시한 자본주의 정신에 따르면, 기업가는 태만과 향락을 부정하고 정직하고 합리적인 방식으로 기업을 운영해야 한다.

④ 베버는 직업을 신의 부르심인 소명으로 이해하였다.

⑤ 베버는 직업을 신의 소명으로 보았으므로 신성한 사명감을 가져야 한다고 보았다. 또한, 검약과 절제의 자세로 이윤을 추구해야 한다고 보았다.

02 베카리아와 루소의 형벌관 비교

그림의 갑은 인간은 자신을 죽일 권리가 없으므로 그 권리를 사회에 양도할 수 없다고 본 점을 통해 베카리아, 을은 법이 공공의 이익을 지향하는 일반의지를 반영해야 한다고 본 점을 통해 루소임을 알 수 있다.

선택지 바로 보기

① 사형은 살인범의 인간 존엄성을 존중하는 형벌인가? (○)

→ 베카리아, 루소가 부정의 대답을 할 질문이다. 사형을 살인범의 인간 존엄성을 존중하고 그를 수단이 아닌 목적으로 대우하는 형벌이라고 보는 것은 칸트의 입장이다.

② 사형은 종신 노역형에 비해 범죄 억제력이 열등한가? (×)

→ 베카리아가 긍정의 답을 할 질문이다. 베카리아는 형벌은 지속적일 때 범죄 예방 효과가 크다고 보아 사형이 종신 노역형에 비해 범죄 억제력이 떨어진다고 보았다.

③ 사형은 사회 계약에 부합하지 않는 부당한 형벌인가? (×)

→ 베카리아는 긍정, 루소는 부정의 대답을 할 질문이다. 베카리아는 생명의 위임은 사회 계약 내용에 포함될 수 없으므로 사형은 사회 계약에 부합하지 않는 부당한 형벌이라고 보았다. 루소는 사회 계약설의 입장에서 타인의 생명을 희생시킨 사람은 자발적 상호 계약에 따라 자신의 생명도 희생해야 한다고 보아 사형 제도를 찬성하였다.

④ 살인범에 대한 사형 선고에 동의하는 것은 정당한가? (×)

→ 베카리아는 부정, 루소는 긍정의 대답을 할 질문이다. 베카리아는 생명은 양도할 수 없는 것이므로 사회 계약을 이유로 사형을 정당화할 수 없다고 보았다. 루소는 사회 계약을 위반한 살인범은 사형에 처해야 한다고 보았다.

⑤ 사형제는 보다 효과적인 형벌 제도가 있으므로 폐지되어야 하는가? (×)

→ 베카리아가 긍정의 답을 할 질문이다. 베카리아는 범죄 예방 효과의 측면에서 사형보다 종신 노역형이 효과적임을 들어 사형 제도의 폐지를 주장하였다.

03 롤스의 정의론 파악

제시문의 '나'는 정의의 원칙을 도출하기 위해 원초적 입장을 설정해야 한다고 주장한 점을 통해 롤스임을 알 수 있다.

⑤ 롤스는 필요가 아닌 정의의 원칙에 근거한 분배를 주장하였다.

오답 피하기 ① 롤스에 따르면 원초적 입장의 인간은 서로에게 무관심하며 자신의 이익만을 추구하는 이기적이지만 합리적인 존재이다.

② 롤스에 따르면, 기본적 자유는 어떤 이유로도 침해될 수 없다.

③ 롤스는 절차적 공정성이 확보되면 그에 따른 결과는 공정하다고 주장하였다. 따라서 공정한 절차를 준수하여 유발된 결과가 불평등하더라도 그것은 인정되어야 한다고 보았다.

④ 롤스에 따르면 정의로운 사회라고 하더라도 사회적 · 경제적 불평등은 존재할 수 있다.

04 국가 권위의 정당성에 대한 홉스, 로크, 루소의 입장

(가)의 갑은 통치권이 없기 때문에 오는 결과가 만인에 대한 만인의 끊임없는 투쟁 상태라고 본 점을 통해 홉스, 을은 자발적 동의에 의한 계약이 국가에 복종할 의무와 저항할 권리의 근거가 된다고 본 점을 통해 로크, 병은 사회 계약에서 자기 인격과 모든 힘을 일반 의지의 최고 지도 아래에 둔다고 본 점을 통해 루소이다.

⑤ 홉스는 시민은 법률에 복종하는 존재로 법률의 제정자가 될 수 없다고 보았다. 반면, 루소는 법에 복종하는 국민이 마땅히 법의 제정자가 되어야 한다고 주장하였다. 따라서 루소가 홉스에게 제시할 비판으로 적절하다.

오답 피하기 ① 홉스, 로크, 루소 모두 개인의 자기 보존 욕구가 사회 계약을 체결하는 데 영향을 미친다고 보았으므로 A, F에 적절하지 않다.

② 로크는 홉스와 달리 권력의 분립을 주장하였으므로 B에 적절하지 않다.

③ 루소는 입법권을 대표자에게 위임하는 대의 민주주의를 비판하였으므로 C에 적절하지 않다.

④ 로크, 루소 모두 사회 계약 이후에는 시민에 대한 형벌권을 국가만이 갖는다고 보았으므로 D에 적절하지 않다.

05 시민 불복종에 대한 롤스와 싱어의 입장

(가)의 갑은 시민의 평등한 자유와 공정한 기회균등을 위반하는 것을 부정의로 보고 이에 저항해야 한다고 말한 점을 통해 롤스, 을은 중단시키려는 악의 크기, 불복종 행위가 가져올 이익이나 손해 등을 계산해 봐야 한다고 말한 점을 통해 싱어임을 알 수 있다.

ㄷ. 롤스는 정책이나 법이 다수의 정의관에 어긋나는 경우 최후의 수단으로 시민 불복종이 가능하다고 주장하였다. 이때 개인적 도덕 원칙이나 종교적 교설의 호소는 다수의 정의관에 해당하지 않으므로 시민 불복종의 근거가 될 수 없다고 보았다.

ㄹ. 싱어는 공리주의 입장에서 시민 불복종의 결과가 가져올 이익과 손해를 계산해 보아, 시민 불복종으로 인한 이익이 시민 불복종을 하지 않은 경우보다 더 커야 한다고 주장하였다.

오답 피하기 ㄱ. 롤스, 싱어 모두 긍정의 대답을 할 질문이다. 롤스와 싱어 모두 시민 불복종은 부정의한 정책을 개선하기 위한 합법적인 수단이 실패했을 때 행해져야 한다고 보았다.

ㄴ. 롤스는 시민 불복종이 시민들의 공유된 정의관을 바꾸기 위한 것은 아니라고 보았다.

06 정약용의 공직자 윤리 이해

(가)는 목민관의 청렴을 강조한 점에서 정약용의 주장임을 알 수 있다. (나)의 A는 업무 수행 중 알게 된 정보에 대한 사적 이용을 고민하고 있다.

④ 정약용은 공직자가 공과 사의 영역을 반드시 구분하고, 청렴의 덕목을 실천해야 한다고 보았기 때문에 업무 수행 중에 획득한 정보를 사적 이익이 아닌 공동선을 실현하는 데 사용해야 한다고 조언할 것이다.

오답 피하기 ① (나)의 A가 처한 상황과 관련 없는 내용이다. 정약용에 따르면, 공직자가 청렴을 중시하면 효율성보다 도덕성을 더 우선시하게 된다.

② 정약용에 따르면, 목민관은 사적 영역과 공적 영역은 반드시 구분해야 하므로 적절한 조언이 아니다.

③ (나)의 A가 처한 상황과 관련 없는 내용이다.

⑤ 정약용에 따르면, 공직자가 청렴을 중시하면 업무 성과보다 업무 수행 과정의 도덕성을 더 중시한다.

07 니부어의 사회 윤리 이해

(가)는 집단들 간의 관계가 각 집단의 힘의 비율에 따라 형성되며, 개인이 도덕적이더라도 그 개인이 속한 집단은 비도덕적일 수 있다고 본 점을 통해 사회 윤리를 제시한 니부어의 주장이다.

② 니부어는 사회 정의를 실현하기 위해 개인의 이성과 합리성만으로는 충분하지 않으므로 외적 강제력이 동원되어야 한다고 보았다. 이때 강제력은 도덕성의 지도를 받아야 하는데 이는 도덕적 정당성을 갖는 강제력이어야만 더 큰 부정의를 초래하지 않고 사회적 갈등을 해결할 수 있기 때문이다.

오답 피하기 ① 니부어에 따르면 개인의 이기성보다 집단의 이기성이 더 강하다.

③ ㉠에 들어갈 말은 도덕성이 필요한 이유이므로 관련이 없다.

④ 니부어에 따르면, 개인의 최고의 도덕적 이상은 이타심, 집단의 최고의 도덕적 이상은 정의이므로 서로 일치하지 않는다.

⑤ 니부어에 따르면, 사회 세력 간의 불균형으로 인한 갈등은 도덕성의 함양이나 이성의 계발만으로는 해결하기 힘들기 때문에 도덕성의 지도를 받는 외적 강제력이 동원되어야 한다.

08 사형 제도에 대한 입장 비교

(가)는 인도주의적 관점에 근거하여 사형 제도를 폐지해야 한다는 주장의 근거이다.

④ 갑, 을, 병은 사형 제도를 폐지해야 한다는 주장을 뒷받침할 수 있는 근거를 제시하고 있다.

오답 피하기 정은 범죄 예방적 관점에서 사형 제도 유지에 대한 근거를 제시하고 있다.

더 알아보기 사형 제도에 대한 찬반 논쟁

＊ 사형 제도 유지 주장의 근거

① 응보적 관점 : 사람을 살해한 자는 자기의 생명을 박탈당할 수도 있음을 알아야 한다.

② 범죄 예방적 관점 : 흉악범 등 중대 범죄에 대하여 이를 위협하지 않으면 법익 보호의 목적을 달성할 수 없으므로 사형 제도는 필요악이다.

③ 사회 방위론적 관점 : 사회 방위를 위해서는 극히 유해한 범죄인을 사회로부터 완전히 격리할 필요가 있다.

④ 시기상조론 : 사형 제도의 존폐 문제를 시대적, 정치적, 사회적 문제로 보아 사형의 부당성을 인정하면서도 그 폐지를 유보하는 견해이다. 공동선이 개인의 권리보다 우선하기 때문에 사회 상황 등을 고려할 때 사형을 유지해야 한다.

⑤ 피해자 가족들의 보복 심리나 응보적 감정을 충족해 주어야 한다.

⑥ 무기 징역이나 종신형은 사형 못지않게 비인간적이며, 이는 국가의 예산 낭비에 불과하다.

＊ 사형 제도 폐지 주장의 근거

① 인도주의적 관점 : 사형은 잔혹한 형벌로 생명권과 인간 존엄성을 침해한다.

② 응보적 관점에 대한 비판(교화나 개화 가능성에 대한 무시) : 사형 제도는 피해자를 대신한 응보의 성격을 가질 뿐이고, 형벌의 합리적 목표인 교화나 개선과 무관하다. 인간은 누구나 변화될 가능성이 있음을 인정한다면, 응보 욕구는 적극적으로 선이 악을 이김으로써 충족되도록 해야 한다.

③ 오판 가능성 : 오판의 가능성이 있는 한 사형은 원상회복이 불가능해 정의에 반한다.

④ 위협 효과가 적음 : 사형은 일반 사회인이 기대하는 것처럼 위협적 효과를 가지지 못한다.

⑤ 정치적 악용 가능성 : 사형은 위정자들이 정치적 반대 세력, 즉 소수 민족 · 종족 · 종교 및 소외 집단에 대한 합법적인 탄압의 도구로 악용할 수 있다.

⑥ 사형은 법의 이름으로 자행되는 또 다른 살인 행위이다.

⑦ 사형 대신 가석방 없는 무기 징역 혹은 종신형을 내릴 수 있다.

09 대의 민주주의와 시민 참여의 필요성 이해

그림의 내용은 대의 민주주의의 특징과 시민 참여의 필요성에 대한 내용이다.

③ 대의 민주주의는 선출된 대표자가 전문성을 요구하는 다양한 문제들을 해결할 능력이 있는지 검증하기 어렵다는 한계가 있다.

오답 피하기 ① 대의 민주주의는 국민이 직접 정치에 참여하지 않고 선출된 대표자가 정부와 의회를 구성하는 간접 민주 정치이다.

② 대의 민주주의는 선출된 대표자가 정치를 하는 과정에서 국민의 의사를 정확하게 반영하기 어렵다는 문제점이 있다.

④ 시민 참여는 시민들이 직접 정치에 참여하는 것이므로 민주주의의 본질을 실현하는 한 방법이다.

⑤ 시민 참여는 정책 결정 과정에서 시민들의 다양한 의견을 반영하게 한다.

10 아리스토텔레스의 정의관 이해

제시된 글의 ㉠은 동등한 사람이 동등한 몫을 받는 것이 정의롭다고 본 점, 정의를 일종의 비례라고 본 점에서 아리스토텔레스가 제시한 분배적 정의이다. ㉡은 조정적 정의라고 본 점, 어떠한 거래에서 생긴 동등하지 않음을 동등하게 만드는 것이라고 본 점을 통해 아리스토텔레스가 제시한 교정적 정의임을 알 수 있다. 따라서 제시된 책은 아리스토텔레스의 『니코마코스 윤리학』이다.

ㄱ. 아리스토텔레스에 따르면, 분배적 정의는 기하학적 비례의 동등함을 추구하는 것으로, 각자의 몫을 비례에 따라 분배하여 각자 마땅히 받아야 할 것을 받게 하는 것이다.

ㄷ. 아리스토텔레스가 제시한 교정적 정의에 따르면, 이득과 손실이 발생한 경우 이를 균등하게 시정해 주어야 한다. 만약 배상이 커지면 배상하는 쪽의 손실이 커져 불균등해지므로 손해를 끼친 만큼 배상해야 교정적 정의에 부합한다.

ㄹ. 아리스토텔레스에 의하면 재화의 분배에 있어서의 올바름(분배적 정의)과 거래에 있어서 조정의 올바름(교정적 정의)은 모두 정의로운 것은 어떤 종류의 동등함이고, 부정의한 것은 동등하지 않음이다.

오답 피하기 ㄴ. 아리스토텔레스가 제시한 교정적 정의와 관련된 설명이다.

전편 마무리 전략

신유형·신경향 전략

60~63쪽

01 ④	02 ①	03 ④	04 ⑤	05 ②
06 ⑤	07 ②	08 ③	09 ②	10 ②
11 ④				

01 의무론적 접근과 진화 윤리학적 접근 비교

갑은 오직 인간만이 목적 그 자체라고 본 점을 통해 의무론을 주장하는 칸트, 을은 도덕성의 성립이 진화의 결과라고 본 점을 통해 진화 윤리학을 주장하는 루스임을 알 수 있다.

선택지 바로 보기

① 갑 : 자연적 경향성에 따라 이타적 행위를 하면 행복해지기 때문입니다. (×)
→ 칸트는 자연적 경향성이나 동정심 등은 도덕의 기반이 될 수 없다고 보았다.

② 갑 : 인간은 도덕 법칙을 따르려는 선의지를 형성하려는 존재이기 때문입니다. (×)
→ 칸트는 도덕 법칙을 따르려는 선의지가 인간에게 선천적으로 내재되어 있다고 보았다.

③ 을 : 이타적 행위가 궁극적으로 타인의 생존에 도움을 주기 때문입니다. (×)
→ 루스는 인간이 이타적 행위를 하는 이유를 이타적 행위가 궁극적으로 자신의 생존과 번식에 도움을 주기 때문이라고 보았다.

④ 을 : 인간은 자연 선택을 통한 진화의 결과로 이타성이 형성되었기 때문입니다. (○)
→ 루스는 인간의 이타적 행위 및 성품과 관련된 도덕성은 자연 선택을 통한 진화의 결과라고 보았다.

⑤ 갑, 을 : 이타적 행위를 반복적으로 실천하면 유덕한 품성을 가질 수 있기 때문입니다. (×)
→ 덕 윤리학의 주장이다.

더 알아보기 진화 윤리학

> 도덕은 궁극적으로는 사람들의 도덕적 판단에서 기인하고, 도덕적 판단은 규범에 따라 생각하고 느끼고 행동하려는 선천적 성향이며, 선천적 성향은 유전자에 각인되어 있는 프로그램의 일종이다.

진화 윤리학은 인간의 이타적 행위를 생물학적 적응의 산물로 본다. 다시 말해, 이타적 행위가 궁극적으로 생존과 번식 혹은 자기 유전자를 복제하는 데 도움을 주기 때문에 인간이 이타적으로 행동한다고 간주한다.

02 아퀴나스의 자살에 대한 입장 이해

(가)는 자연법이 인간의 합리적 본성에 의존하는 법이며, 자연법의 명령이 자연적 성향의 질서에 상응하는 계층적 질서로 설정된다고 본 점을 통해 아퀴나스임을 알 수 있다.

① 아퀴나스에 따르면 자살은 자연적 성향의 하나인 자기 보존 본능에 기반한 자기 보존의 의무라는 자연법을 위반하는 것이다.

오답 피하기 ② 아퀴나스는 신에 대한 믿음을 가지고 신에게 의지할 것을 강조하였다.

③ 아퀴나스에 따르면 자살은 인간이 본성적으로 지니는 자기 보존 본능이라는 자연적 성향에 어긋나는 것이다.

④ 아퀴나스는 자연법의 궁극적 근거를 영원법이라고 보았다.

⑤ 칸트가 제시할 주장이다.

03 동물 권리에 관한 싱어의 입장 파악

제시문은 자기 종족과 다르다는 이유로 실험을 가하는 것은 부적절하다고 본 점을 통해 싱어의 주장임을 알 수 있다.

ㄴ. 싱어에 따르면, 동물도 고통을 느끼는 존재이므로 실험 대상으로 이용하는 것은 옳지 않다.

ㄹ. 싱어는 쾌고 감수 능력을 가진 존재의 이익 관심을 평등하게 고려해야 한다고 보았다. 즉, 쾌고 감수 능력을 가진 인간과 동물의 이익 관심은 평등하게 대우받아야 한다.

오답 피하기 ㄱ. 싱어에 따르면, 동물은 도덕적 고려의 대상이 될 뿐, 인간과 동일한 도덕적 지위를 지니는 것은 아니다.

ㄷ. 싱어는 이성적 능력의 유무와 상관없이 쾌고 감수 능력을 가진 존재는 실험 대상이 될 수 없다고 보았다.

더 알아보기 동물 실험에 대한 싱어의 입장

싱어는 쾌고 감수 능력이 어떤 존재가 이익 관심을 갖기 위한 필요충분조건이라고 보아, 쾌고 감수 능력을 지닌 동물에게 부당한 고통을 가하는 동물 실험을 금지해야 한다고 강조하였다. 그는 동물의 고통을 종식시키는 데 관심이 있는 모든 사람들은 자신들이 거주 지역에 있는 대학과 상업적 실험실에서 어떤 일이 자행되고 있는가를 알리고자 노력해야 한다고 주장하였다.

04 마르크스와 맹자의 직업 윤리 비교

자료 분석

> 갑 : 자본주의에서 노동은 노동 주체의 의지와 무관하게 자본을 위해 수행될 뿐이다. …(중략)… 노동자는 생산에 필요한 정신적 능력 이외의 다른 모든 정신적 능력들을 잃어버렸다.
> 을 : 사람의 몸에는 백공(百工)이 만드는 것이 다 필요한데, 만일 모든 것을 손수 만들어 사용해야 한다면 이는 모든 이를 지쳐 떨어지게 하는 것이다. 따라서 대인은 마음을 쓰고 소인은 힘을 써야 한다.

갑은 자본주의 사회에서의 노동은 자발적이지 않으며, 노동자는 노동에 필요한 정신적 능력 외의 정신적 능력을 모두 잃어버렸다고 본 점을 통해 마르크스, 을은 대인은 마음을 쓰고 소인은 힘을 써야 한다고 본 점을 통해 맹자임을 알 수 있다. 마르크스는 분업화된 노동이 인간 소외를 심화한다고 본 반면, 맹자는 사회적 분업을 강조한 점이 서로 다르다.

⑤ 마르크스는 자본주의 사회에서 자본가에 의해 강요된 노동의 분업이 노동자를 작업장의 부속물로 만들고 노예화시킨다고 보았다. 즉, 노동의 분업화는 인간다움의 실현을 방해한다고 보았다. 맹자는 사회적 분업 차원에서 육체 노동을 하는 소인과 정신 노동을 하는 대인을 구별하였다.

오답 피하기 ① 마르크스는 자본주의 사회에서 노동자는 생산 수단이 없으므로 자본가에게 예속될 수밖에 없다고 보았다.
② 마르크스는 노동이 본래 인간의 본질을 구현하고 자아를 실현할 수 있는 창조 활동이라고 보았다.
③ 맹자는 직업 노동에서 대인과 소인을 구분하고 각자가 자신의 역할에 충실해야 한다고 보았다.
④ 맹자는 백성이 생업이 보장되어 일정한 수입으로 생계를 유지할 수 있어야 도덕심을 지닐 수 있다고 주장하였다.

05 사형 제도에 대한 베카리아의 입장 파악

(가)는 살인범에게 지속적인 고통을 주는 형벌이 확실한 범죄 억제 효과를 가진다고 본 점, 사회 계약에 근거하여 사형제를 정당화할 수 없다고 본 점을 통해 베카리아의 주장임을 알 수 있다. (나)의 가로 낱말 (A)는 '심폐사'이고, (B)는 '형법'이므로 세로 낱말 (C)는 '사형'이다.

ㄱ. 베카리아는 사형 제도는 사회 계약의 관점에서도 정당화할 수 없는 제도이며 인류의 정신에 큰 해를 끼치는 비인도적이고 야만적인 제도라고 주장하였다.

ㄷ. 베카리아에 의하면 인간의 정신에 가장 효과적이고 지속적인 인상을 만들어 내어 범죄 예방 효과가 큰 형벌은 사형이 아니라 종신 노역형이다.

오답 피하기 ㄴ. 범죄자의 교화를 위한다면 사형 제도는 폐지되어야 한다. 왜냐하면 범죄자가 살아 있어야 교화가 가능하기 때문이다.
ㄹ. 칸트의 주장에 해당한다.

더 알아보기 사형 제도에 대한 베카리아의 입장

> 사형은 한 순간에 모든 고통을 집결시킨다. 노역형의 고통은 일생에 걸쳐 분산된다. 바로 이것이 종신 노역형의 상대적 이점이다. 노역형은 수형자보다 구경꾼에게 더 큰 공포를 안겨 준다. 구경꾼은 수형자가 당하는 불행한 순간순간의 고통의 합산을 고려하지만, 수형자는 눈앞의 순간의 비참함에 사로잡혀 미래를 생각할 여력이 없다. …(중략)… 구경꾼은 불행한 수형자의 무감각해진 마음 대신 자신의 현재 감수성으로 사태를 판단한다. 구경꾼에게 수형자의 모든 고통은 상상 속에서 더욱 증폭된다.
>
> – 베카리아, 『범죄와 형벌』

베카리아는 범죄 억제력의 측면에서 사형보다 종신 노역형이 효과적이라고 보았다. 그는 사형을 대체한 종신 노역형만으로도 가장 완강한 자의 마음을 억제하기에 충분한 정도의 엄격성을 지니고 있다고 주장하였다.

06 신경 윤리학 이해

제시된 칼럼은 최근 등장한 신경 윤리학의 특징을 다루고 있다.

선택지 바로 보기

① 도덕성은 과학적으로 측정 불가능한 것이다. (×)
→ 신경 윤리학은 도덕성을 과학적으로 측정할 수 있다고 본다.

② 신경 과학 기술의 활용은 도덕적 갈등과 위기 상황을 초래한다. (×)
→ 신경 윤리학은 신경 과학 기술을 활용하여 도덕적 갈등과 위기 상황을 해결할 수 있다고 본다.

③ 도덕 판단 과정에서 이성의 역할을 과학적으로 입증해서는 안 된다. (×)
→ 신경 윤리학은 도덕 판단 과정에서 이성의 역할을 과학적으로 입증할 수 있다고 본다.

④ 인간의 도덕성과 윤리적 문제를 과학에 근거하여 탐구해서는 안 된다. (×)
→ 신경 윤리학은 인간의 도덕성과 윤리적 문제를 신경 과학에 근거하여 탐구하고자 한다.

⑤ 도덕적 행위의 핵심 요소를 이해하려면 뇌 관련 지식을 활용해야 한다. (○)
→ 신경 과학은 뇌의 작동 방식을 탐구하고 그것을 토대로 도덕적 행위의 핵심 요소들을 설명해 줄 수 있다고 본다. 이러한 신경 과학을 토대로 등장한 신경 윤리학에 따르면, 도덕적 행위의 핵심 요소를 이해하려면 뇌 관련 지식을 활용해야 한다.

07 유교 윤리와 도가 윤리 비교

갑은 도(道)가 있으면 예악 등이 제후가 아닌 천자에게서 나온다고 본 점을 통해 유교 사상가, 을은 도는 자연을 본받는다고 본 점을 통해 도가 사상가임을 알 수 있다.

② 유교 사상에 따르면, 도덕성을 바탕으로 지속적으로 수양하면 누구나 도덕적으로 완성된 인간이 될 수 있다.

오답 피하기 ① 유교 사상은 군주가 형벌이나 무력보다 도덕과 예의로 다스리는 덕치를 강조한다.
③ 도가 사상은 도가 우주 만물의 근원이자 변화 법칙이라고 본다.
④ 도가 사상은 인위적 문명의 발달이 없는 무위와 무욕의 소국과민을 이상 사회로 제시하며 사람들도 무지와 무욕의 덕을 갖추어야 한다고 본다.
⑤ 도가 사상은 인간의 그릇된 인식과 가치관, 인위적인 규범과 제도가 사회를 혼란스럽게 하고 인간의 타고난 본성을 해친다고 본다.

08 인간 복제의 윤리적 쟁점 파악

갑은 인간 복제와 같은 생명 공학 기술이 인간의 자연 발생적 조건인 출생에 근간한 자유와 평등을 외면한다고 본 점을 통해 배아 복제를 포함한 인간 복제를 반대하는 입장임을 알 수 있다. 을은 인간 개체 복제의 허용에는 반대하지만 질병 치료를 위한 배아 복제는 허용되어야 한다고 주장한다.

③ 을에 따르면, 개체 복제는 인간의 존엄성을 훼손하지만 배아 복제는 배아가 인간 개체와 다르므로, 즉 인간으로서의 지위를 갖지 않으므로 질병 치료 목적의 배아 복제를 허용해야 한다.

오답 피하기 ① 갑은 인간 종의 자연 발생적 조건, 즉 자연스러운 출생이라는 조건을 지켜야 한다고 본다.
② 갑은 인간 종의 자연 발생적 조건에 따른 인격성을 강조하므로 배아를 단순한 세포 덩어리로 보지 않는다.
④ 을은 배아 복제는 찬성하지만 개체 복제는 반대한다.
⑤ 을은 배아의 주체적인 인간 실체로서의 지위를 부정한다.

09 국가에 대한 정치적 의무의 도덕적 근거

(가)의 갑은 자연 상태가 평화롭지만 다툼을 해결할 법률이나 재판관의 부재 등의 상황으로 인해 사회 계약을 한다고 본 점을 통해 로크, 을은 거의 정의로운 사회에서는 구성원에게 체제 안정에 기여할 자연적 의무를 요구할 수 있다고 본 점을 통해 롤스임을 알 수 있다.

선택지 바로 보기

ㄱ. A : 정치적 의무는 국가의 혜택이 아니라 동의에 근거한다. (○)
→ 로크만의 주장이다. 로크는 정치 사회에 들어가기로 사회 계약에 동의하였기 때문에 정치적 의무를 지니게 된다고 보았다.

ㄴ. A : 자발적이고 명시적인 동의만 정치적 의무의 근거가 될 수 있다. (×)
→ 로크, 롤스의 입장이 아니다. 로크는 자발적이고 명시적인 동의뿐만 아니라 묵시적 동의도 법에 복종해야 하는 근거가 된다고 보았다. 롤스는 복종의 의무 근거를 자연적 의무에서 찾았다.

ㄷ. B : 다수의 의사에 의해 정해진 법에 대해서는 무조건 복종해야 한다. (×)
→ 로크, 롤스의 입장이 아니다. 로크는 국가가 양도받은 권리로 오히려 자신들을 위험하게 할 경우, 즉 법이 인민의 기본권을 심각하게 침해할 경우 정부에 저항할 수 있다고 보았다. 롤스는 사회 구성원 다수가 합의해 제정한 법이라 하더라도 정의의 원칙을 심각하게 위배하면 불복종의 대상이 될 수 있다고 보았다.

ㄹ. C : 정치적 의무는 자연적 의무로부터 도출되며 동의 없이도 성립될 수 있다. (○)
→ 롤스만의 주장이다. 롤스에 따르면, 거의 정의로운 사회에서는 그 구성원에게 정치적 의무를 행할 자연적 의무가 있으며 이는 동의 없이도 성립된다.

10 에피쿠로스와 플라톤의 죽음관 비교

갑은 살아서든 죽어서든 사람은 죽음을 경험할 수 없다고 본 점을 통해 에피쿠로스, 을은 죽은 이후에 사후 세계에서 지혜를 얻을 수 있다고 본 점을 통해 플라톤임을 알 수 있다.
ㄱ. 에피쿠로스에 따르면, 죽음은 인간을 구성하던 원자가 흩어져서 개별 원자로 돌아가는 것이다.
ㄷ. 플라톤에 따르면, 육체는 순수한 인식을 방해하는 감옥으로, 죽음을 통해 영혼은 육체로부터 해방되어 이데아의 세계에 갈 수 있다.
오답 피하기 ㄴ. 플라톤에 따르면, 죽음은 육체로부터 영혼이 해방되는 것이다.
ㄹ. 하이데거의 죽음관이다.

11 노직의 분배적 정의 파악

(가)는 취득과 이전(양도)의 과정이 정당하면 그 과정을 통해 얻은 소유물에 대해서 개인은 절대적 소유 권리를 갖는다고 주장한 점, 과거에 부당하게 발생한 이전의 과정에 대해 보상하여 교정이 이루어지게 해야 한다고 본 점을 통해 노직의 주장임을 알 수 있다.

선택지 바로 보기

① S1에서 갑은 g에 대한 소유 권리를 지닌다. (×)
→ 노직의 관점에서 갑은 정당한 노동으로 g를 취득했기 때문에 정당한 소유 권리를 지닌다.

② S1이 정의로운 분배 상황이면 S2도 그렇다. (×)
→ 노직의 관점에서 정당한 노동으로 g를 취득한 갑이 g를 을에게 자발적으로 양도했으므로 을은 g에 대한 정당한 소유 권리를 지닌다.

③ S3에서 을은 g에 대한 소유 권리를 지닌다. (×)
→ S3에서 병이 을에게서 g를 강제로 빼앗았기 때문에 g에 대한 정당한 소유 권리는 여전히 을이 가진다.

④ S4는 S3과 달리 정의로운 분배 상황이다. (○)
→ 을에게서 강제로 뺏은 g를 정이 양도받았기 때문에, 즉 과거에 부당하게 이전되었기 때문에 노직의 입장에서 S4는 정의로운 분배 상황이 아니다.

⑤ S4에서 정은 g에 대한 소유 권리가 없다. (×)
→ S4에서 병은 g를 자발적으로 정에게 양도하였으나 g를 취득했던 이전의 과정인 S3가 정당하지 않았다. 따라서 노직의 관점에서는 교정의 원칙에 따라 정은 g에 대한 소유 권리를 갖지 못한다.

1·2등급 확보 전략 1회

01 ①	02 ④	03 ①	04 ②	05 ⑤	06 ④	07 ②	08 ④	09 ④	10 ①	11 ③	12 ②	13 ④	14 ⑤

01 메타 윤리학과 실천 윤리학 비교

㉠에 들어갈 진술로 가장 적절한 것은?

> 나는 윤리학이 도덕적 개념이나 도덕적 언어의 분석에 중점을 두어야 한다고 생각한다. 다시 말해 옳음 혹은 좋음이 어떤 방식으로 존재하는지를 탐구해야 한다고 생각한다. 그런데 어떤 사람들은 윤리학이 다양한 윤리 문제에 대한 도덕적인 해결책을 모색하는 것에 주력해야 한다고 주장한다. 나는 이러한 주장이 [㉠]고 생각한다.

① 도덕 추론의 타당성 검토가 핵심 과제임을 간과한다
② 도덕 현상에 대한 객관적 서술에 주력해야 함을 간과한다
③ 도덕 문제 해결을 위한 학제적 접근이 필요함을 간과한다
④ 도덕 문제의 인과 관계 설명에 중점을 두어야 함을 간과한다
⑤ 도덕 판단의 기준이 되는 도덕 법칙의 정립에 힘써야 함을 간과한다

출제 의도 파악하기

메타 윤리학과 실천 윤리학의 특징을 이해하고 메타 윤리학의 입장에서 실천 윤리학에 대해 제시할 비판을 파악할 수 있어야 한다.

문제 해결 Point 쏙쏙

- 도덕적 개념이나 도덕적 언어 분석 → 메타 윤리학
- 윤리 문제의 도덕적 해결책 모색 → 실천 윤리학

선택지 바로 알기

① 도덕 추론의 타당성 검토가 핵심 과제임을 간과한다 (○)
↳ 도덕적 개념이나 도덕적 언어의 분석, 도덕 추론, 윤리학의 학문적 성립 가능성 등을 검토하는 메타 윤리학의 입장에서 실천 윤리학에 제시할 수 있는 비판으로 적절하다.

② 도덕 현상에 대한 객관적 서술에 주력해야 함을 간과한다 (×)
↳ 기술 윤리학의 입장에서 제시할 의견이다.

③ 도덕 문제 해결을 위한 학제적 접근이 필요함을 간과한다 (×)
↳ 실천 윤리학은 다양한 분야의 도덕 문제를 해결하기 위해 여러 학문의 전문적 지식과 기술을 활용하는 학제적 접근을 중시한다. 따라서 실천 윤리학에 대한 비판으로 적절하지 않다.

④ 도덕 문제의 인과 관계 설명에 중점을 두어야 함을 간과한다 (×)
↳ 기술 윤리학의 입장에서 제시할 의견이다.

⑤ 도덕 판단의 기준이 되는 도덕 법칙의 정립에 힘써야 함을 간과한다 (×)
↳ 이론 윤리학의 입장에서 제시할 의견이다.

개념 +

윤리학의 분류

구분	내용
규범 윤리학	• 도덕적 행위의 근거가 되는 도덕 원리나 인간의 성품에 관해 탐구하고 이를 근거로 도덕적 문제의 해결과 실천 방안을 제시함 • 이론 윤리학과 실천 윤리학으로 구분됨 • 이론 윤리학 : 도덕 원리나 도덕적 정당화의 이론적 근거를 제시하는 데 관심을 가짐 • 실천 윤리학 : 삶에서 구체적으로 발생하는 윤리 문제에 대해 도덕 원리를 근거로 실제적·구체적 해결책을 모색하는 데 관심을 가짐
메타 윤리학	도덕적 언어의 의미 분석, 도덕적 추론의 정당성 검증을 위한 논리 분석, 윤리학의 학문으로서의 성립 가능성 탐구 등에 중점을 둠
기술 윤리학	도덕 현상과 문제를 명확히 서술하고 그 현상 간 관계를 설명하는 데 중점을 둠

02 윤리적 성찰 이해

다음을 주장한 한국 사상가의 입장만을 「보기」에서 고른 것은?

마음의 발함은 터럭 끝을 살피기 어려운 것처럼 미미하고, 구덩이를 밟는 것처럼 위태로우니 진실로 경(敬)으로 일관하지 않는다면 어찌 그 기미를 바르게 하여 용(用)에 통달하게 하겠는가? 군자의 학문은 아직 발하지 않을 때는 경을 주로 하여 존양(存養) 공부를 하고, 마음이 이미 발하였을 때도 경을 주로 하여 성찰(省察) 공부를 하는 것이다.

보기
ㄱ. 시비(是非)에 대한 분별에서 벗어나야 한다.
ㄴ. 단정한 몸가짐과 엄숙한 태도를 유지해야 한다.
ㄷ. 정(定)과 혜(慧)를 함께 닦아 나쁜 습관을 제거해야 한다.
ㄹ. 마음을 한 군데에 집중하여 흐트러짐[適]이 없게 해야 한다.

① ㄱ, ㄴ ② ㄱ, ㄷ ③ ㄴ, ㄷ ④ ㄴ, ㄹ ⑤ ㄷ, ㄹ

출제 의도 파악하기

이황이 윤리적 성찰을 위한 자세로 제시한 '경(敬)'의 구체적인 실천 방법을 파악할 수 있어야 한다.

문제 해결 Point 쏙쏙

경(敬)의 실천 방법 : 의식을 집중하여 마음을 흐트러짐이 없게 하고[主一無適(주일무적)], 몸가짐을 단정히 하고 태도를 엄숙하게 하며[整齊嚴肅(정제엄숙)], 항상 깨어 있어서 또렷한 정신 상태를 유지한다[常惺惺(상성성)].

선택지 바로 알기

ㄱ. 시비(是非)에 대한 분별에서 벗어나야 한다. (×)
↳ 도가 윤리의 주장이다. 이황은 옳고 그름[是非]을 분별해야 한다고 보았다.
ㄴ. 단정한 몸가짐과 엄숙한 태도를 유지해야 한다. (○)
↳ 이황이 제시한 경의 실천 방법인 정제엄숙이다.
ㄷ. 정(定)과 혜(慧)를 함께 닦아 나쁜 습관을 제거해야 한다. (×)
↳ 불교 사상가인 지눌이 강조한 정혜쌍수(定慧雙修)에 대한 설명이다.
ㄹ. 마음을 한 군데에 집중하여 흐트러짐[適]이 없게 해야 한다. (○)
↳ 이황이 제시한 경의 실천 방법인 주일무적이다.

03 유교 윤리적 접근과 불교 윤리적 접근 비교

동양 사상가 갑, 을의 입장에서 〈문제 상황〉 속 A에게 해 줄 수 있는 조언으로 가장 적절한 것은?

갑 : 예의(禮義)를 비난하는 사람은 스스로를 해치는 자이고, 자신이 어질고 의로울 수 없다고 하는 사람은 스스로를 버리는 자이다. 인(仁)은 사람의 마음이고, 의(義)는 사람의 길이다.
을 : 홀로 앉아 선정(禪定)을 닦고 항상 법(法)에 따라 행동하며 무소의 뿔처럼 혼자서 가라. 갈애[愛]를 없애기 위해 나태하지 말고 마음 챙김[念]을 확립하고 가르침을 헤아려라.

〈문제 상황〉

공직자 A는 토지 개발 관련 공적 정보를 이용하여 돈을 벌고 싶은 유혹 때문에 고민하고 있다.

① 갑 : 집의(集義)를 통해 호연지기를 기르세요.
② 갑 : 예(禮)를 배워 악한 본성을 변화시키세요.
③ 을 : 탐욕과 집착을 버리고 무명(無明)에 이르세요.
④ 을 : 중도(中道)를 닦아 불성(佛性)을 형성하세요.
⑤ 갑, 을 : 무지(無知)와 무욕(無欲)의 덕을 갖추세요.

출제 의도 파악하기

유교 사상가 맹자와 불교 사상가 석가모니의 입장을 비교하여 이해하고 각 입장에서 공직자에게 제시할 조언을 파악할 수 있어야 한다.

문제 해결 Point 쏙쏙

- 인(仁)은 사람의 마음, 의(義)는 사람의 길 → 맹자
- 선정(禪定), 법(法), 갈애[愛] → 석가모니

선택지 바로 알기

① 갑 : 집의(集義)를 통해 호연지기를 기르세요. (○)
↳ 맹자는 옳은 일을 실천하여 도덕적 기개를 길러야 한다고 보았다.
② 갑 : 예(禮)를 배워 악한 본성을 변화시키세요. (×)
↳ 맹자에 따르면 인간은 선천적으로 선한 본성을 타고났으며, 인의예지(仁義禮智)의 덕을 지니고 있다.
③ 을 : 탐욕과 집착을 버리고 무명(無明)에 이르세요. (×)
↳ 석가모니에 따르면 무명은 근원적인 무지로 고통의 원인이다.
④ 을 : 중도(中道)를 닦아 불성(佛性)을 형성하세요. (×)
↳ 석가모니에 따르면 불성은 모든 생명체에 이미 내재되어 있다.
⑤ 갑, 을 : 무지(無知)와 무욕(無欲)의 덕을 갖추세요. (×)
↳ 맹자와 석가모니 모두 무지가 아니라 참된 지식을 강조하였다.

04 도가 윤리적 접근 파악

다음을 주장한 사상가의 입장에서 | 사례 | 속 학생에게 해줄 수 있는 조언으로 가장 적절한 것은?

> 너의 뜻을 하나로 통일하여 기(氣)로 들어라. 기는 텅 비움으로써 바깥 사물을 있는 그대로 맞아들인다. 도(道)는 오로지 텅 비우는 곳에 모이는 법이다.

사례

① 만물의 위계질서를 파악하여 가치를 구별해야 한다.
② 외물(外物)에 얽매이지 않고 자유롭게 노닐어야 한다.
③ 주체적으로 삼학(三學)을 수행하여 깨달음을 얻어야 한다.
④ 오감(五感)을 통해 옳고 그름을 분별할 줄 알아야 한다.
⑤ 사물의 미추(美醜)를 구별하기 위해 선입견을 버려야 한다.

출제 의도 파악하기

장자의 입장에서 제시할 조언을 파악할 수 있어야 한다.

문제 해결 Point 쏙쏙

- 좌망(坐忘) : 조용히 앉아서 우리를 구속하는 일체의 것을 잊어버림
- 심재(心齋) : 마음을 비워서 깨끗이 함 → 텅 비우는 경지에 이르는 것

선택지 바로 알기

① 만물의 위계질서를 파악하여 가치를 구별해야 한다. (×)
↳ 장자는 도의 관점에서 보면 모든 만물은 평등하다고 보았다.

② 외물(外物)에 얽매이지 않고 자유롭게 노닐어야 한다. (○)
↳ 장자는 일체의 분별과 차별을 없앰으로써 외물에 얽매이지 않고 자유롭게 노니는 소요유(逍遙遊)의 경지, 즉 절대 자유의 경지에 도달할 수 있다고 보았다.

③ 주체적으로 삼학(三學)을 수행하여 깨달음을 얻어야 한다. (×)
↳ 불교 윤리의 특징이다.

④ 오감(五感)을 통해 옳고 그름을 분별할 줄 알아야 한다. (×)
↳ 장자는 오감에 의한 지식은 상대적 · 주관적 지식이므로 의존해서는 안 된다고 보았다.

⑤ 사물의 미추(美醜)를 구별하기 위해 선입견을 버려야 한다. (×)
↳ 장자는 시비(是非), 선악(善惡), 미추 등 분별하는 자기 중심적 사고에서 벗어날 것을 강조하였다.

05 의무론적 접근과 공리주의적 접근 비교

(가)의 근대 서양 사상가 갑, 을의 입장을 (나) 그림으로 표현할 때, A~C에 들어갈 적절한 진술만을 | 보기 |에서 고른 것은?

(가)	갑 : 행복은 이성의 이상(理想)이 아니라 경험에 근거한 상상력의 이상이다. 이성의 사명은 선의지를 낳은 것이다. 을 : 공동체의 행복을 증진시키는 경향이 감소시키는 경향보다 더 클 때 유용성의 원리에 부합한다고 할 수 있다.
(나)	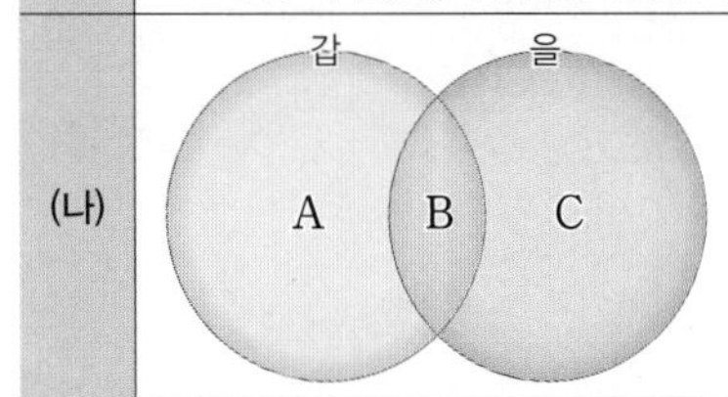

〈범례〉
A : 갑만의 입장
B : 갑, 을의 공통 입장
C : 을만의 입장

보기

ㄱ. A : 준칙에 따르는 모든 명령은 무조건적 의무이다.
ㄴ. B : 도덕 원리는 개인의 행복과 항상 일치한다.
ㄷ. B : 보편적 도덕 원리를 따라야 도덕적 행위이다.
ㄹ. C : 도덕은 행복한 삶을 실현하기 위한 수단이다.

① ㄱ, ㄴ ② ㄱ, ㄷ ③ ㄴ, ㄷ ④ ㄴ, ㄹ ⑤ ㄷ, ㄹ

출제 의도 파악하기

칸트와 벤담의 입장을 비교하여 각 위치에 적절한 진술을 파악할 수 있어야 한다.

문제 해결 Point 쏙쏙

- 이성의 사명은 선의지를 낳은 것 → 칸트
- 공동체의 행복 증진, 유용성의 원리 → 벤담

선택지 바로 알기

ㄱ. A : 준칙에 따르는 모든 명령은 무조건적 의무이다. (×)
↳ 칸트에 따르면 준칙이 아니라 보편화 가능한 준칙, 즉 선의지로부터 나온 법칙에 따르는 명령이 무조건적 의무의 요구이다.

ㄴ. B : 도덕 원리는 개인의 행복과 항상 일치한다. (×)
↳ 칸트와 벤담 모두 반대하는 주장이다.

ㄷ. B : 보편적 도덕 원리를 따라야 도덕적 행위이다. (○)
↳ 칸트는 도덕 법칙을, 벤담은 공리의 원리를 도덕적 행위를 판단하는 보편적 도덕 원리로 삼았다.

ㄹ. C : 도덕은 행복한 삶을 실현하기 위한 수단이다. (○)
↳ 벤담만의 주장이다. 칸트는 도덕이 행복과 같은 어떤 것의 수단이 아니라 그 자체가 목적이라고 보았다.

06 유전자 간섭의 윤리적 쟁점 이해

다음을 주장한 사상가의 입장만을 | 보기 |에서 고른 것은?

유전적 소질 강화 프로그램은 미래 인격체의 의지와 무관하게 오직 제3자의 선호에 따라 이루어진 것으로, 인간의 '기술화'라는 형식을 지닌 유전적 간섭입니다. 치료적 간섭과는 달리 소질을 변화시키는 유전적 간섭은 적극적 우생학의 조건을 충족시키게 됩니다.

보기
ㄱ. 미래 인격체는 현 세대의 의지를 따라야 한다.
ㄴ. 인격체의 존엄성을 위협하는 기술은 옳지 않다.
ㄷ. 유전자에 대한 치료적 개입은 적극적 우생학의 조건을 충족한다.
ㄹ. 유전적 개입으로 태어난 인간은 공론장의 동등한 구성원이 되기 어렵다.

① ㄱ, ㄴ ② ㄱ, ㄷ ③ ㄴ, ㄷ ④ ㄴ, ㄹ ⑤ ㄷ, ㄹ

출제 의도 파악하기
유전적 간섭에 대한 하버마스의 입장을 파악할 수 있어야 한다.

문제 해결 Point 쏙쏙
유전적 소질을 변화시키는 유전적 간섭은 적극적 우생학의 조건을 충족함 → 하버마스

선택지 바로 알기
ㄱ. 미래 인격체는 현 세대의 의지를 따라야 한다. (×)
↳ 하버마스는 유전적 간섭을 반대하는데, 이는 적극적 우생학의 조건을 충족하는 것이며, 미래 인격체의 의사를 무시하고 현 세대가 선호에 따라 행하는 것이기 때문이다.
ㄴ. 인격체의 존엄성을 위협하는 기술은 옳지 않다. (○)
↳ 하버마스는 인격체의 존엄성과 자율적 삶을 위협하는 기술은 옳지 않다고 보았다.
ㄷ. 유전자에 대한 치료적 개입은 적극적 우생학의 조건을 충족한다. (×)
↳ 하버마스는 유전자에 대한 치료적 개입이 아니라 소질을 변화시키는 유전적 간섭이 적극적 우생학의 조건을 충족한다고 보았다.
ㄹ. 유전적 개입으로 태어난 인간은 공론장의 동등한 구성원이 되기 어렵다. (○)
↳ 하버마스에 따르면, 유전적 개입으로 태어난 인간은 그렇지 않은 인간과 동등한 자격으로 공론장에 참여하기 어렵다.

07 죽음에 대한 플라톤과 하이데거의 입장 비교

서양 사상가 갑, 을의 입장을 | 보기 |에서 고른 것은?

갑 : 영혼은 육체와 함께 있는 동안에는 결코 순수한 지식을 가질 수 없다. 영혼이 육체에서 벗어나 오직 참된 존재만을 갈망할 때 최상의 사유를 할 수 있다.
을 : 죽음은 현존재를 단순히 '속해 있기만' 하는 존재가 아니라 '개별적' 현존재로 만든다. 죽음의 몰교섭적인 특성은 현존재가 본래적 자기 자신으로 존재할 수 있게 한다.

보기
ㄱ. 갑 : 죽음을 통해 영혼은 참된 진리를 얻을 수 있다.
ㄴ. 을 : 인간은 죽음 이전에는 절망을 극복할 수 없다.
ㄷ. 을 : 죽음에 대한 숙고는 실존의 회복으로 이어진다.
ㄹ. 갑, 을 : 죽음을 두려워해야 삶을 의미 있게 살 수 있다.

① ㄱ, ㄷ ② ㄱ, ㄷ ③ ㄴ, ㄷ ④ ㄴ, ㄹ ⑤ ㄷ, ㄹ

출제 의도 파악하기
죽음에 대한 플라톤과 하이데거의 주장을 비교할 수 있어야 한다.

문제 해결 Point 쏙쏙
• 육체를 벗어난 영혼, 참된 존재, 최상의 사유 → 플라톤
• 현존재, 본래적 자기 자신 → 하이데거

선택지 바로 알기
ㄱ. 갑 : 죽음을 통해 영혼은 참된 진리를 얻을 수 있다. (○)
↳ 플라톤은 죽음을 통해 영혼이 육체라는 감옥에서 벗어나 참된 진리를 얻게 된다고 주장하였다.
ㄴ. 을 : 인간은 죽음 이전에는 절망을 극복할 수 없다. (×)
↳ 하이데거는 죽음 이전에 죽음을 직시함으로써 불안과 절망을 극복할 수 있다고 보았다.
ㄷ. 을 : 죽음에 대한 숙고는 실존의 회복으로 이어진다. (○)
↳ 하이데거는 죽음을 직시하면 실존의 회복으로 이어진다고 보았다.
ㄹ. 갑, 을 : 죽음을 두려워해야 삶을 의미 있게 살 수 있다. (×)
↳ 플라톤과 하이데거는 모두 죽음에 대해 두려워하지 말고 죽음의 참된 의미를 깨달아야 한다고 보았다.

08 동물 권리에 대한 코헨과 싱어의 입장 비교

갑은 긍정, 을은 부정의 대답을 할 질문으로 옳은 것은?

> 갑 : 인종 차별주의는 인간의 인종 집단 사이에 어떤 도덕적으로 중요한 차이가 없기 때문에 사악한 것이다. 그러나 종간의 도덕적 차이에 따라 동물을 차별하는 것을 옹호하는 종 차별주의는 정당하다.
> 을 : 고통을 느낄 수 있는 모든 존재는 평등한 이익 고려의 범주에 포함된다. 그리고 그 고통의 결과는 동등하게 고려되는 것이므로 특정 종, 즉 인간만의 고통을 중시하는 차별주의적 태도는 거부되어야 한다.

① 동물은 윤리 규범의 고안 능력이 있는가?
② 동물은 도덕적 행위의 주체가 될 수 있는가?
③ 자연의 모든 생명은 그 자체로 가치를 지니는가?
④ 종 차별주의는 도덕적으로 정당화될 수 있는가?
⑤ 인간은 동물의 도덕적 권리를 침해하면 안 되는가?

출제 의도 **파악하기**

동물 권리, 특히 종 차별주의에 대한 코헨과 싱어의 입장 차이를 이해하고 각 특징을 파악할 수 있어야 한다.

문제 해결 Point **쏙쏙**

- 인종 차별주의는 부당, 동물에 대한 종 차별주의는 정당 → 코헨
- 고통을 느낄 수 있는 존재의 평등한 이익 고려 → 싱어

선택지 **바로 알기**

① 동물은 윤리 규범의 고안 능력이 있는가? (×)
↳ 코헨과 싱어 모두 부정의 대답을 할 질문이다.
② 동물은 도덕적 행위의 주체가 될 수 있는가? (×)
↳ 코헨과 싱어 모두 부정의 대답을 할 질문이다.
③ 자연의 모든 생명은 그 자체로 가치를 지니는가? (×)
↳ 코헨과 싱어 모두 부정의 대답을 할 질문이다.
④ 종 차별주의는 도덕적으로 정당화될 수 있는가? (○)
↳ 코헨은 인종 차별주의와 달리 종 차별주의는 도덕적으로 정당하다고 보았지만, 싱어는 종 차별주의도 반대하였다.
⑤ 인간은 동물의 도덕적 권리를 침해하면 안 되는가? (×)
↳ 코헨은 부정, 싱어는 긍정의 대답을 할 질문이다. 코헨은 인간이 아닌 다른 종은 도덕적 권리를 갖지 못한다고 보았다.

개념 +

동물 권리에 대한 논쟁

인정	• 아리스토텔레스 : 식물은 동물을 위해 존재하고 동물은 인간을 위해 존재함 • 아퀴나스 : 동물은 도덕적으로 고려받을 권리를 갖지 않음 • 코헨 : 동물은 윤리 규범의 고안 능력이나 자율성 등이 없으므로 도덕적 권리가 없음. 의학 발전과 인간의 수많은 업적은 동물 실험으로 얻을 수 있었음
부정	• 벤담 : 동물도 고통을 느끼므로 도덕적으로 고려할 필요가 있음 • 싱어 : 동물은 쾌고 감수 능력을 갖고 있으므로 동물의 이익도 평등하게 고려되어야 함 • 레건 : 일부 포유류는 자기 삶을 영위할 수 있는 능력, 즉 믿음, 욕구, 감정 등을 가진 삶의 주체가 될 수 있으므로 인간과 마찬가지로 내재적 가치를 지님. 동물을 인간의 목적을 위한 수단으로 이용하는 것은 부당함

용어 +

쾌고 감수 능력 : 고통과 쾌락을 느낄 수 있는 능력. 싱어는 어떤 존재가 도덕적 고려의 대상에 포함되는지를 판별하는 유일한 기준으로 간주함

09 퍼트넘의 사회적 자본 이해

(가) 사상가의 입장에서 (나)의 ㉠, ㉡에 대해 제시할 내용으로 옳지 않은 것은?

(가)	최근 사회 과학자들은 '사회적 자본'이라는 개념을 통해 미국 사회의 성격 변화를 분석하는 틀을 만들었다. 개인적 생산성을 향상시키는 도구와 훈련이라는 의미의 물리적 자본과 인적 자본에 비유해서 설명하자면, 사회적 자본 이론의 핵심은 사회적 네트워크가 중요한 가치를 갖고 있다는 생각이다.
(나)	• ㉠ : 기업체를 설립, 조직, 관리하고 내포된 위험을 감수하며 기업의 경영을 담당하는 사람 • ㉡ : 타인에게 고용되어 근로를 제공하고 그 대가로 임금을 받는 사람

① ㉠은 신뢰 구축과 의사소통의 활성화를 위해 노력해야 한다.
② ㉡의 개인적 덕성은 생산의 효율성을 높이는 데 기여한다.
③ ㉠과 ㉡이 협조할 때 공동체 전체의 이익도 커질 것이다.
④ ㉠과 ㉡의 호혜적 관계가 강화되면 사회적 자본은 약화된다.
⑤ ㉠과 ㉡이 상호 이익을 위해 협력할 때 사회적 자본을 형성할 수 있다.

출제 의도 파악하기

기업가와 근로자의 관계에 대한 퍼트넘의 주장을 이해할 수 있어야 한다.

문제 해결 Point 쏙쏙
- 사회적 자본, 사회적 네트워크가 중요한 가치를 가짐 → 퍼트넘
- 기업의 경영을 담당하는 사람 → ㉠ 기업가
- 근로를 제공하고 대가로 임금을 받는 사람 → ㉡ 근로자

선택지 바로 알기

① ㉠은 신뢰 구축과 의사소통의 활성화를 위해 노력해야 한다. (×)
↳ 퍼트넘은 사회 구성원 간, 기업 간에 신뢰가 형성되고 의사소통이 활발할 때 사회적 자본이 강화된다고 보았다.

② ㉡의 개인적 덕성은 생산의 효율성을 높이는 데 기여한다. (×)
↳ 퍼트넘은 근로자의 개인적 덕성이 전체적인 생산성 향상에 기여한다고 보았다.

③ ㉠과 ㉡이 협조할 때 공동체 전체의 이익도 커질 것이다. (×)
↳ 퍼트넘에 따르면, 기업가와 근로자가 서로 협력적 행위를 할 때 공동체 전체의 이윤 창출에 긍정적 영향을 줄 수 있다.

④ ㉠과 ㉡의 호혜적 관계가 강화되면 사회적 자본은 약화된다. (○)
↳ 퍼트넘에 따르면, 기업가와 근로자 같은 사회 성원간의 연대, 호혜적 관계가 사회적 자본을 형성한다.

⑤ ㉠과 ㉡이 상호 이익을 위해 협력할 때 사회적 자본을 형성할 수 있다. (×)
↳ 퍼트넘에 따르면, 기업가와 근로자가 상호 이익 추구를 위해 협력할 때 사회적 자본이 형성된다.

개념 +

기업가 윤리와 근로자 윤리

기업가 윤리	• 법적 테두리 내에서의 건전한 이윤 추구 • 노동자의 역할을 인정하고 그 권리를 보장해야 함 • 소비자에 대한 양질의 서비스와 제품 제공 • 사회적 책임 수행을 통한 공익 가치 실현에의 기여
근로자 윤리	• 맡은 업무에 대한 성실한 수행 • 노동 생산성 향상을 위한 노력 • 기업가와의 근로 계약을 준수하고 협력을 추구해야 함 • 동료 근로자와의 유대감 및 연대 의식 형성

개념 +

기업가와 근로자의 바람직한 관계

근로자와 기업 양측은 근로 기준법과 노동 조합 및 노동관계 조정법을 준수하고 신뢰를 형성하기 위해 노력해야 한다. 나아가 정부는 건전한 노사 관계가 정립될 수 있도록 관련 정책을 마련하고 기업과 근로자 사이의 공정한 조정자로서 역할하기 위해 노력해야 한다.

10 니부어의 사회 윤리 이해

다음 사상가의 주장으로 옳은 설명만을 | 보기 |에서 있는 대로 고른 것은?

집단과 집단 사이의 관계는 항상 윤리적이기보다는 지극히 정치적입니다. 모든 도덕주의자들은 인간의 집단행동이 지닌 야수적 성격과 모든 집단적 관계들에 있는 집단적 이기주의의 힘에 대한 이해를 결여하고 있습니다. 그들은 사회적 갈등이 인류 역사에서 불가피한 것임을 제대로 인식하지 못합니다.

| 보기 |

ㄱ. 집단 간 관계는 각 집단이 갖는 힘의 비율에 따라 수립된다.

ㄴ. 선의지는 정의 실현을 위한 비합리적인 수단을 통제해야 한다.

ㄷ. 집단 내 개인들 간의 갈등을 도덕적 방법으로 해결하는 것은 불가능하다.

ㄹ. 정의 실현을 위해서는 도덕성이 높은 사람이 허용하지 않을 강제력도 사용될 수 있다.

① ㄱ, ㄴ ② ㄱ, ㄷ ③ ㄷ, ㄹ
④ ㄱ, ㄴ, ㄹ ⑤ ㄴ, ㄷ, ㄹ

출제 의도 파악하기

니부어의 사회 윤리에 관해 이해할 수 있어야 한다.

문제 해결 Point 쏙쏙

- 집단들 사이의 관계는 정치적 → 니부어
- 니부어의 사회 윤리 : 개인 간 갈등과 달리, 집단 간 갈등은 외적 강제력을 동원하여 해결될 수 있음

선택지 바로 알기

ㄱ. 집단 간 관계는 각 집단이 갖는 힘의 비율에 따라 수립된다. (○)
↳ 니부어에 따르면, 집단 간의 관계는 도덕적이고 합리적인 판단이 아니라 각 집단이 가진 힘의 비율에 의해 수립된다. 따라서 집단이 클수록 집단 이기주의가 심화한다.

ㄴ. 선의지는 정의 실현을 위한 비합리적인 수단을 통제해야 한다. (○)
↳ 니부어에 따르면 집단 간 갈등을 해결하고 정의를 실현하기 위해 비합리적 수단이 동원될 수 있는데, 이는 선의지의 통제를 받는 강제력이어야 한다.

ㄷ. 집단 내 개인들 간의 갈등을 도덕적 방법으로 해결하는 것은 불가능하다. (×)
↳ 니부어는 집단들 간의 갈등을 도덕적으로 해결하기는 어렵지만, 집단 내부의 개인들 간의 갈등은 도덕적 방법으로 해결 가능하다고 보았다.

ㄹ. 정의 실현을 위해서는 도덕성이 높은 사람이 허용하지 않을 강제력도 사용될 수 있다. (×)
↳ 니부어에 따르면, 정의 실현을 위해 선의지의 통제를 받는 강제력이 사용될 수 있다. 따라서 도덕성이 높은 사람이 허용하지 않을 강제력, 즉 비도덕적인 강제력은 허용되지 않을 것이다.

개념 +

개인 윤리와 사회 윤리의 비교

개인 윤리	구분	사회 윤리
개인의 도덕적 의사 결정 능력, 실천 의지의 결여	문제 원인	개인보다 사회 구조와 제도의 문제로 간주
개인의 도덕적 판단 능력이나 실천 의지, 도덕적 습관의 함양	해결 방안	개인의 도덕적 함양과 함께 사회 구조와 제도의 개선을 요구함

11 마르크스와 노직의 분배적 정의론 비교

갑, 을 사상가들의 입장을 | 보기 |에서 고른 것은?

> 갑 : 자본주의 사회에서 노동은 자아를 실현하는 활동이 아니라 생계를 위한 어쩔 수 없는 강제적인 활동이 된다. 이것을 극복하기 위해서는 자본주의의 사적 소유를 없애고 공동 생산, 공동 분배의 공산주의를 건설해야 한다.
> 을 : 분배적 정의는 중립적인 개념이 아니다. 중립적인 개념은 '개인의 소유물'이다. 각자가 자신의 소유물에 대해 소유 권리를 갖는 것이 정의이다.

보기

		생산 수단에 대한 개인의 정당한 소유권은 배타적으로 보장되어야 하는가?	
		예	아니오
정의로운 사회는 사회적 불평등이 사라진 사회인가?	예	A	B
	아니오	C	D

	갑	을
①	A	B
②	A	C
③	B	C
④	B	D
⑤	C	D

출제 의도 파악하기

마르크스와 노직의 분배적 정의의 각 특징을 비교하여 이해하고 제시된 도식에서 위치할 곳을 찾을 수 있어야 한다.

문제 해결 Point 쏙쏙
- 사적 소유 폐기, 공동 생산과 공동 분배 → 마르크스
- 각자 자신의 소유물에 대해 소유 권리를 가짐 → 노직

선택지 바로 알기

③ '생산 수단에 대한 개인의 정당한 소유권은 배타적으로 보장되어야 하는가?'라는 질문에 사적 소유의 폐지를 주장한 마르크스는 부정, 개인의 소유 권리를 강조한 노직은 긍정의 대답을 할 것이다. '정의로운 사회는 사회적 불평등이 사라진 사회인가?'라는 질문에 공동 생산과 공동 분배를 실현하는 공산 사회를 지지한 마르크스는 긍정, 취득 · 이전 · 교정의 원칙에 따라 분배가 이루어지는 정의로운 사회에서의 사회적 불평등은 정당하다고 본 노직은 부정의 대답을 할 것이다. 따라서 갑은 B, 을은 C와 연결되어야 한다.

12 시민 불복종에 대한 롤스의 입장 이해

다음 사상가의 입장으로 적절한 내용만을 | 보기 |에서 고른 것은?

> 시민 불복종은 거의 정의로운 사회에서 그 체제의 합법성을 인정하는 시민들에 의해서만 생겨난다. 그것은 개인이나 집단의 이익이 아니라 다수의 정의감에 근거해야 한다.

보기

ㄱ. 평등한 자유의 원칙은 시민 불복종의 대상에서 제외된다.
ㄴ. 시민 불복종은 신중한 신념을 표현하는 비공개적인 행위이다.
ㄷ. 시민 불복종은 그 행위로 인한 법적 처벌의 감수까지 포함한다.
ㄹ. 개인의 양심에 어긋나는 모든 법에 대해 시민 불복종을 할 수 있다.

① ㄱ, ㄴ ② ㄱ, ㄷ ③ ㄴ, ㄷ ④ ㄴ, ㄹ ⑤ ㄷ, ㄹ

출제 의도 파악하기

롤스의 시민 불복종에 대한 주장을 이해할 수 있어야 한다.

문제 해결 Point 쏙쏙
- 거의 정의로운 사회, 다수의 정의감 → 롤스
- **롤스의 시민 불복종** : 시민 불복종은 거의 정의로운 사회에서 부정의한 법과 정책의 변화를 위해 전개되어야 함

선택지 바로 알기

ㄱ. 평등한 자유의 원칙은 시민 불복종의 대상에서 제외된다. (○)
↳ 롤스에 따르면, 정의의 제1원칙인 평등한 자유의 원칙은 시민 불복종의 대상이 아니다. 시민 불복종의 대상은 부정의한 법과 정책이다.

ㄴ. 시민 불복종은 신중한 신념을 표현하는 비공개적인 행위이다. (×)
↳ 롤스에 따르면, 시민 불복종은 공개적으로 행해져야 한다.

ㄷ. 시민 불복종은 그 행위로 인한 법적 처벌의 감수까지 포함한다. (○)
↳ 롤스에 따르면, 시민 불복종은 그 행위로 인해 받게 될 처벌까지 감수하고 행해져야 한다.

ㄹ. 개인의 양심에 어긋나는 모든 법에 대해 시민 불복종을 할 수 있다. (×)
↳ 롤스에 따르면, 시민 불복종의 판단 기준은 사회적 다수에 의해 공유된 정의감이다.

13 롤스와 노직의 분배적 정의관 비교

갑, 을 사상가들의 입장으로 적절한 것만을 | 보기 |에서 고른 것은?

정의의 원칙들이 공정한 합의나 약정의 결과가 되는 것은 원초적 입장에서 무지의 베일을 쓴 당사자들 모두가 유사한 상황 속에 처하게 되기 때문입니다.

갑

분배가 정의로울 조건은 그 분배 하에서 모든 사람이 자신들이 소유하고 있는 것에 대한 소유 권리를 갖는 것입니다. 소유물의 분배 정의는 역사적입니다.

을

보기

ㄱ. 갑 : 사유 재산권은 차등의 원칙에 의해서만 제한될 수 있다.

ㄴ. 을 : 분배 정의의 정형적 원리는 필연적으로 재분배를 요구한다.

ㄷ. 을 : 자신의 노동에 의한 결과에만 정당한 소유권이 부여된다.

ㄹ. 갑, 을 : 개인은 정당한 소유물에 대한 배타적 사용권을 지닌다.

① ㄱ, ㄴ ② ㄱ, ㄷ ③ ㄴ, ㄷ ④ ㄴ, ㄹ ⑤ ㄷ, ㄹ

출제 의도 파악하기

롤스의 '공정으로서의 정의'와 노직의 '소유 권리로서의 정의'를 비교하여 이해하고 각 특징을 파악할 수 있어야 한다.

문제 해결 Point 쏙쏙

- 정의의 원칙, 원초적 입장, 무지의 베일을 쓴 당사자 → 롤스의 공정으로서의 정의
- 소유하고 있는 것에 대한 소유 권리, 소유물의 분배 정의는 역사적 → 노직의 소유 권리로서의 정의

선택지 바로 알기

ㄱ. 갑 : 사유 재산권은 차등의 원칙에 의해서만 제한될 수 있다. (×)
↳ 롤스에 따르면, 사유 재산권은 기본적 자유로서 제1원칙인 평등한 자유의 원칙에 따라 분배된다. 따라서 제2원칙에 의해 제한될 수 없는 권리이다.

ㄴ. 을 : 분배 정의의 정형적 원리는 필연적으로 재분배를 요구한다. (○)
↳ 노직에 따르면, 정형적 원리는 고정된 기준이므로 이에 따른 분배는 개인의 자유를 침해할 수밖에 없다. 따라서 분배 정의의 정형적 원리는 필연적으로 재분배를 요구할 수밖에 없다고 주장하였다.

ㄷ. 을 : 자신의 노동에 의한 결과에만 정당한 소유권이 부여된다. (×)
↳ 노직은 정당한 이전을 통해 얻은 소유물에 대해서도 정당한 소유권을 갖는다고 보았다.

ㄹ. 갑, 을 : 개인은 정당한 소유물에 대한 배타적 사용권을 지닌다. (○)
↳ 노직은 취득 · 이전 · 교정의 원칙에 따라 정당하게 소유한 소유물에 대해서는 배타적 소유권을 지닌다고 보았다. 롤스는 정의의 원칙에 따라 분배받은 소유물을 정당한 소유물로 보았으며, 이에 대한 배타적 사용권을 인정하였다.

개념 +

롤스와 노직이 제시한 원칙 비교

- 롤스의 '정의의 원칙'

원칙	내용
제1원칙	평등한 자유의 원칙 : 모든 사람은 평등한 기본적 자유를 최대한 누려야 한다.
제2원칙	• 차등의 원칙 : 사회적 · 경제적 불평등은 최소 수혜자에게 최대의 이익이 되도록 편성될 때 정당화할 수 있다. • 공정한 기회균등의 원칙 : 사회적 · 경제적 불평등의 계기가 되는 직위와 직책은 모든 사람들에게 열려 있어야 한다.

- 노직의 '소유 권리의 원칙'

원칙	내용
취득의 원칙	노동을 통해 정당하게 취득한 재화는 취득한 사람에게 소유 권리가 있다.
이전의 원칙	타인에 의해 자유로이 이전(양도)받은 재화에 대한 정당한 소유 권리가 있다.
교정의 원칙	재화의 이전(양도) 과정에서 과오나 잘못된 절차에 의한 소유가 발생했을 때는 이를 바로잡아야 한다.

14 칸트, 루소, 베카리아의 형벌관 비교

(가)의 갑, 을, 병 사상가의 입장을 (나) 그림으로 표현할 때, A~E에 들어갈 진술로 옳은 것은?

(가)	갑 : 살인자는 누구든 사형에 처해지지 않으면 안 된다. 이것은 정언 명령이자 사법권의 이념으로서 정의가 선험적으로 근거된 법칙들에 따라 의욕하는 바이다. 을 : 타인의 희생으로 자기의 생명을 보존하려고 하는 사람은 타인을 위해 자신도 희생해야 한다는 데 동의해야 한다. 그는 일반의지로부터 규정된 법을 따라야 한다. 병 : 사형은 한 사람의 시민에 대한 국가의 전쟁이다. 인간은 자신을 죽일 권리가 없는 이상, 그 권리를 타인이나 일반 사회에 양도하는 것 역시 불가능한 것이다.
(나)	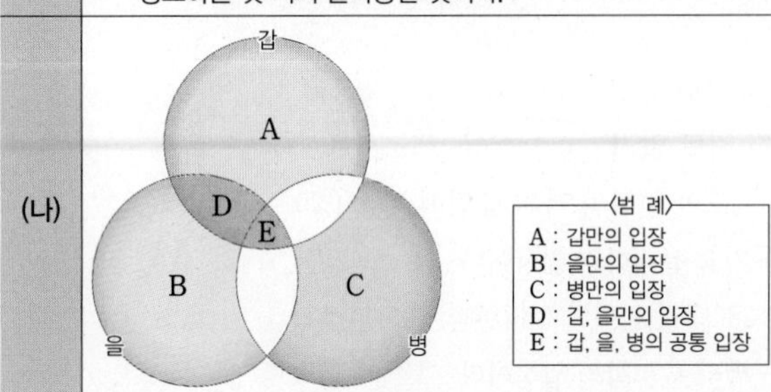

① A : 형벌의 목적은 응분의 보복이 아니라 범죄의 예방에 있다.
② B : 국가는 살인자의 생명을 박탈할 정당한 권리를 지닌다.
③ C : 범죄를 예방하기 위해서 사형 제도는 존치되어야 한다.
④ D : 시민의 생명권을 보장하기 위해 사형 제도는 폐지되어야 한다.
⑤ E : 사형 제도의 정당성을 판단할 때 인간 생명의 가치를 고려해야 한다.

출제 의도 파악하기

형벌과 사형 제도에 대한 칸트, 루소, 베카리아의 주장을 비교하여 이해하고 벤다이어그램에서의 적절한 위치를 찾을 수 있어야 한다.

문제 해결 Point 쏙쏙

- 살인자를 사형에 처하는 것은 정언 명령에 따른 것 → 칸트
- 일반의지로부터 규정된 법을 따라야 함 → 루소
- 자기 생명의 처분권은 없으므로 양도할 수 없음 → 베카리아

선택지 바로 알기

① A : 형벌의 목적은 응분의 보복이 아니라 범죄의 예방에 있다. (×)
└→ 루소, 베카리아와 달리, 칸트는 범죄 예방이 아닌 오직 응보적 정의를 실현하기 위해 사형이 집행되어야 한다고 주장하였다.

② B : 국가는 살인자의 생명을 박탈할 정당한 권리를 지닌다. (×)
└→ 루소, 칸트의 주장에 해당하므로 B가 아니라 D에 적절한 내용이다.

③ C : 범죄를 예방하기 위해서 사형 제도는 존치되어야 한다. (×)
└→ 베카리아는 사형 제도가 범죄 예방 역할을 잘 수행할 수 없다고 보아 사형 제도의 폐지를 주장하였다.

④ D : 시민의 생명권을 보장하기 위해 사형 제도는 폐지되어야 한다. (×)
└→ 루소는 시민의 생명권을 보장하기 위해 사형 제도가 유지되어야 한다고 주장하였다.

⑤ E : 사형 제도의 정당성을 판단할 때 인간 생명의 가치를 고려해야 한다. (○)
└→ 칸트, 루소, 베카리아는 사형 제도의 정당성을 판단할 때 인간 생명의 가치를 고려하였다.

개념 +

사형 제도에 대한 관점 비교

칸트	• 응보주의에 근거한 사형 제도 찬성 • 사람의 목숨을 빼앗은 행위를 한 살인자에 대한 형벌은 살인자의 목숨을 빼앗는 사형이 정당함
베카리아	• 공리주의에 근거한 사형 제도 반대 • 한순간에 끝나는 사형보다 오랫동안 고통의 본보기가 되어 예방 효과가 큰 종신 노역형이 바람직함

BOOK 1

01 ③	02 ②	03 ④	04 ⑤	05 ⑤	06 ③	07 ⑤	08 ⑤	09 ③	10 ②	11 ④	12 ③

01 이론 윤리학과 기술 윤리학 비교

㉠, ㉡에 들어갈 말로 가장 적절한 것은?

(가) 윤리학은 성품이나 제도, 행동 등을 이론적으로 분석하여 윤리 문제를 해결할 수 있는 이론적 근거를 제시해야 하며, 도덕 판단의 기준을 명확히 설정하는 것을 목적으로 삼아야 한다. 따라서 윤리학은 [㉠]에 주력해야 한다.

(나) 윤리학은 개인의 도덕적 의식이나 문화권 내에 존재하는 도덕적 관행에 초점을 두고, 개인의 생활과 사회 구조 속에 존재하는 도덕 현상에 대한 경험적 지식을 기술하는 것에 주력해야 한다. 따라서 윤리학은 [㉡]에 주력해야 한다.

① ㉠ : 도덕 현상의 가치 중립적 서술
② ㉠ : 도덕적 언어의 의미론적 구조 분석
③ ㉡ : 도덕적 행위의 인과 관계에 대한 객관적 설명
④ ㉡ : 학문적 성립 가능성을 탐구하기 위한 도덕적 언어 분석
⑤ ㉠, ㉡ : 학제적 접근을 통한 삶의 도덕 문제의 해결

출제 의도 파악하기

이론 윤리학과 기술 윤리학의 특징을 비교할 수 있어야 한다.

문제 해결 Point 쏙쏙

- 이론적 분석, 이론적 근거 제시 → 이론 윤리학
- 도덕 현상에 대한 경험적 지식 기술 → 기술 윤리학

선택지 바로 알기

① ㉠ : 도덕 현상의 가치 중립적 서술 (×)
↳ 기술 윤리학의 입장이다.
② ㉠ : 도덕적 언어의 의미론적 구조 분석 (×)
↳ 메타 윤리학의 입장이다.
③ ㉡ : 도덕적 행위의 인과 관계에 대한 객관적 설명 (○)
↳ 기술 윤리학의 입장이다.
④ ㉡ : 학문적 성립 가능성을 탐구하기 위한 도덕적 언어 분석 (×)
↳ 메타 윤리학의 입장이다.
⑤ ㉠, ㉡ : 학제적 접근을 통한 삶의 도덕 문제의 해결 (×)
↳ 실천 윤리학의 입장이다.

02 도가 윤리의 이해

다음을 주장한 동양 사상가의 입장만을 〈보기〉에서 고른 것은?

사람들은 자연스러운 본성을 버리고 각기 제 마음만을 따르며 서로의 마음속을 엿보아 천하를 안정시킬 수가 없게 되었습니다. 그런 뒤에 문화라는 장식을 달고 학문이라는 박식(博識)을 덧붙였으나 그런 장식은 소박한 본질을 잃게 하고 박식은 사람들의 마음을 혼란에 빠지게 하였습니다.

보기

ㄱ. 마음을 비우고 깨끗이 해야[心齋] 한다.
ㄴ. 옳고 그름에 대한 분별적 지식을 쌓아야 한다.
ㄷ. 소요유(逍遙遊)를 이상적 경지로 보아야 한다.
ㄹ. 오감(五感)을 통해 아름다움과 추함을 가려야 한다.

① ㄱ, ㄴ ② ㄱ, ㄷ ③ ㄴ, ㄷ ④ ㄴ, ㄹ ⑤ ㄷ, ㄹ

출제 의도 파악하기

장자의 입장을 이해할 수 있어야 한다.

문제 해결 Point 쏙쏙

- 자연스러운 본성, 소박한 본질 → 도가 윤리가 추구하는 것
- 문화, 학문 등의 인위 → 도가 윤리가 반대하는 것

선택지 바로 알기

ㄱ. 마음을 비우고 깨끗이 해야[心齋] 한다. (○)
↳ 장자가 제시한 심재에 대한 설명이다.
ㄴ. 옳고 그름에 대한 분별적 지식을 쌓아야 한다. (×)
↳ 장자는 분별적 지식이 상대적이며 혼란을 초래한다고 보았다.
ㄷ. 소요유(逍遙遊)를 이상적 경지로 보아야 한다. (○)
↳ 장자는 정신적 자유의 경지인 소요유를 이상적 경지로 보았다.
ㄹ. 오감(五感)을 통해 아름다움과 추함을 가려야 한다. (×)
↳ 장자는 오감을 통한 지식을 상대적 · 주관적이라 보고 반대했으며, 만물을 분별하려는 태도를 버릴 것을 주장하였다.

03 의무론, 공리주의, 덕 윤리의 비교

(가)의 갑, 을, 병 사상가들의 입장에서 서로에게 제기할 수 있는 비판을 (나) 그림으로 표현할 때, A~F에 해당하는 내용으로 옳은 것은?

(가)	갑 : 우리가 성품이라고 일컫는 천부적 재능이나 기질은 그것을 사용하는 의지가 선하지 못하면 악하거나 해로울 수도 있다. 선의지는 오직 그렇게 하기로 마음을 먹은 일 자체로 선하다. 을 : 우리가 어떤 종류의 쾌락들이 다른 것들에 비해 더욱 바람직하다고 인정하는 것은 유용성의 원리와 얼마든지 양립 가능하다. 쾌락을 평가할 때는 양은 물론이고 질도 고려되어야 한다. 병 : 우리가 어떤 종류의 사람이 되어야 하는지가 도덕적 삶의 핵심이다. 도덕적 개인은 무조건 규칙에 따르는 자가 아니라 훌륭한 개인, 훌륭한 시민으로서의 특성을 지니고 있는 사람이다.
(나)	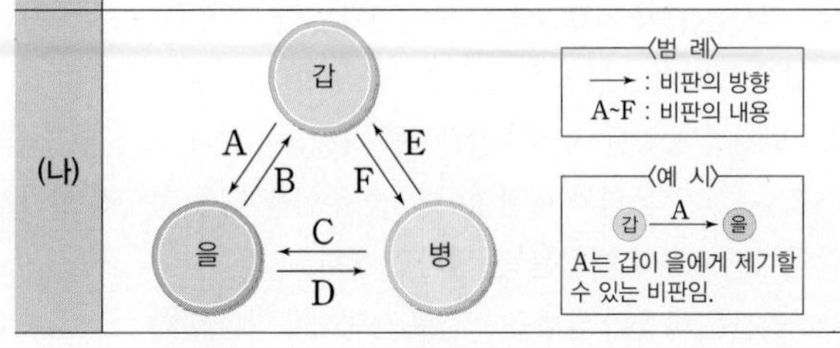

① A : 보편적 도덕 원리에 따라 행위를 해야 함을 간과하고 있다.

② B : 도덕성을 판단할 때 행위의 결과보다 동기를 중시해야 함을 간과하고 있다.

③ D : 사회적 이익보다는 공동체의 전통을 중시해야 함을 간과하고 있다.

④ C, E : 도덕 원리의 정립보다 행위자의 품성이 중요함을 간과하고 있다.

⑤ D, F : 도덕적 행위는 자연적 감정과 동기가 중요함을 간과하고 있다.

출제 의도 파악하기

의무론을 주장한 칸트, 질적 공리주의를 주장한 밀, 덕 윤리를 주장한 매킨타이어 입장을 각각 이해하고 비교하여 각 입장에서 서로에게 제기할 수 있는 비판을 찾아야 한다.

문제 해결 Point 쏙쏙

- 그 자체로 선한 선의지 → 칸트
- 유용성의 원리, 쾌락의 양과 질 고려 → 밀
- 어떤 종류의 사람이 되어야 하는가, 훌륭한 개인, 훌륭한 시민 → 매킨타이어

선택지 바로 알기

① A : 보편적 도덕 원리에 따라 행위를 해야 함을 간과하고 있다. (×)
↳ 밀은 유용성의 원리라는 보편적 도덕 원리에 따라 행위를 해야 한다는 점을 강조하였다.

② B : 도덕성을 판단할 때 행위의 결과보다 동기를 중시해야 함을 간과하고 있다. (×)
↳ 밀은 행위의 결과를, 칸트는 행위의 동기를 중시하였다.

③ D : 사회적 이익보다는 공동체의 전통을 중시해야 함을 간과하고 있다. (×)
↳ 매킨타이어는 공동체의 전통과 역사를 중시하였다.

④ C, E : 도덕 원리의 정립보다 행위자의 품성이 중요함을 간과하고 있다. (○)
↳ 매킨타이어의 덕 윤리에서는 칸트의 의무론과 밀의 공리주의가 도덕 원리에만 주목하여 행위자 내면의 도덕성과 품성의 중요성을 간과하고 있다고 비판할 수 있다.

⑤ D, F : 도덕적 행위는 자연적 감정과 동기가 중요함을 간과하고 있다. (×)
↳ 매킨타이어의 덕 윤리는 인간의 욕구나 감정, 인간관계에 주목하면서 도덕적 행위를 하기 위해서는 자연적 감정과 동기가 중요하다는 점을 강조한다.

개념 +

덕 윤리의 등장 배경과 특징

등장 배경	• 의무론과 공리주의가 도덕 원리에만 주목 → 행위자 내면의 도덕성과 인성의 중요성을 간과함 • 근대 윤리가 개인의 자유와 권리를 지나치게 강조 → 공동체가 중시하는 용기나 진실성 등의 덕목을 경시함
특징	• 행위자 중심 : 행위자의 성품을 먼저 평가하고 이에 근거하여 행위의 옳고 그름을 판단해야 함 • 자연적 감정과 동기 중시

BOOK 1

04 안락사의 윤리적 쟁점 파악

갑, 을의 입장으로 가장 적절한 것은?

> 갑 : 우리는 인간으로서 존엄을 유지하면서 죽음을 맞이할 권리를 지닌다. 따라서 소생 불가능한 환자들에게 무의미한 연명 치료를 중단해야 한다. 하지만 환자가 원한다고 해서 환자에게 약물을 주입하여 죽음에 이르게 하는 것은 살인이므로 허용해서는 안 된다.
>
> 을 : 우리가 원하는 순간과 조건에서 자신의 죽음을 선택한다는 것은 인간의 권리도 아니고 인간의 자유를 증가시키는 일도 아니다. 안락사는 존엄한 인간 생명을 보존해야 한다는 윤리적 의무를 포기하는 일이므로 안락사를 허용해서는 안 된다.

① 갑 : 의사는 환자 치료를 결코 중단해서는 안 된다.
② 갑 : 환자가 동의한 적극적 안락사를 허용해야 한다.
③ 을 : 인간은 죽음의 방법을 스스로 선택해야 한다.
④ 을 : 연명 치료는 사회적 이익에 부합하지 않는다.
⑤ 갑, 을 : 인간의 존엄성 존중 원칙을 지켜야 한다.

출제 의도 파악하기

적극적 안락사와 소극적 안락사에 대한 허용 여부에 대한 입장 차이를 파악할 수 있어야 한다.

문제 해결 Point 쏙쏙
- 무의미한 연명 치료 중단 → 소극적 안락사 찬성(갑)
- 약물 주입을 통한 죽음은 살인 → 적극적 안락사 반대(갑)
- 존엄한 인간 생명의 보존은 윤리적 의무 → 안락사 자체를 반대(을)

선택지 바로 알기

① 갑 : 의사는 환자 치료를 결코 중단해서는 안 된다. (×)
└→ 갑은 무의미한 연명 치료를 중단해야 한다고 본다.

② 갑 : 환자가 동의한 적극적 안락사를 허용해야 한다. (×)
└→ 갑은 환자 동의와 상관없이 약물 주입을 통한 적극적 안락사는 살인이므로 허용해서는 안 된다고 본다.

③ 을 : 인간은 죽음의 방법을 스스로 선택해야 한다. (×)
└→ 안락사를 찬성하는 입장의 논거이다.

④ 을 : 연명 치료는 사회적 이익에 부합하지 않는다. (×)
└→ 안락사를 찬성하는 입장의 논거이다.

⑤ 갑, 을 : 인간의 존엄성 존중 원칙을 지켜야 한다. (○)
└→ 갑은 인간은 인간으로서 존엄을 유지하며 죽음을 맞이할 권리를 가진다고 보며, 을은 존엄한 인간 생명을 보존하는 것이 윤리적 의무라고 본다. 따라서 안락사에 대한 찬반 여부와 상관없이 갑, 을 모두 인간의 존엄성 존중 원칙을 지켜야 한다고 본다.

개념 +

죽음에 이르게 하는 방법에 따른 안락사의 구분

구분	내용
적극적 안락사	고통을 겪고 있는 환자의 삶을 단축시킬 것을 의도하여 약물을 직접 주사하는 등의 구체적 행위를 능동적으로 행하여 죽음에 이르게 함
소극적 안락사	죽음의 진행 과정을 일시적으로 저지하거나 연명 의료 행위를 중단하고 자연스럽게 죽음에 이르게 함

개념 +

존엄사와 소극적 안락사

존엄사는 회복 가능성이 없는 환자에 대한 연명 조치를 중단하여 인간으로서 존엄을 유지하면서 자연적으로 죽음을 맞도록 하는 것으로, 소극적 안락사와 유사한 의미이다.

05 유전자 치료의 윤리적 쟁점 파악

다음 토론의 핵심 쟁점으로 가장 적절한 것은?

갑: 최근 생명 공학 기술의 발달로 유전자 치료가 이루어지면서 인간의 수명이 더욱 연장될 것으로 기대되고 있습니다.

을: 그렇습니다. 그런데 체세포 유전자 치료는 환자 개인에게만 영향을 끼치므로 허용될 수 있겠지만, 생식 세포 유전자 치료는 후세대에게 영향을 주므로 허용되어서는 안 됩니다.

갑: 아닙니다. 체세포 유전자 치료는 물론이고 생식 세포 유전자 치료도 허용되어야 합니다. 병의 유전을 막아 후세대의 병을 예방하는 데 기여하기 때문입니다.

을: 생식 세포 유전자 치료는 병의 유전은 막지만 우생학을 부추길 수도 있습니다.

① 체세포 유전자 치료를 허용해야 하는가?
② 생식 세포 유전자 치료는 병의 유전을 막는가?
③ 체세포 유전자 치료는 질병 치료의 효과가 있는가?
④ 유전자 치료는 인간의 수명을 연장시킬 수 있는가?
⑤ 후세대에게 영향을 주는 유전자 치료는 바람직한가?

출제 의도 파악하기

체세포 유전자 치료와 생식 세포 유전자 치료의 허용에 대한 입장 차이를 파악할 수 있어야 한다.

문제 해결 Point 쏙쏙
- 갑 : 체세포 유전자 치료 허용, 생식 세포 유전자 치료 허용
- 을 : 체세포 유전자 치료 허용, 생식 세포 유전자 치료 반대

선택지 바로 알기

① 체세포 유전자 치료를 허용해야 하는가? (×)
↳ 갑, 을 모두 찬성하는 주제이다.
② 생식 세포 유전자 치료는 병의 유전을 막는가? (×)
↳ 갑, 을 모두 찬성하는 주제이다.
③ 체세포 유전자 치료는 질병 치료의 효과가 있는가? (×)
↳ 갑, 을 모두 찬성하는 주제이다.
④ 유전자 치료는 인간의 수명을 연장시킬 수 있는가? (×)
↳ 갑, 을 모두 찬성하는 주제이다.
⑤ 후세대에게 영향을 주는 유전자 치료는 바람직한가? (○)
↳ 후세대에게 영향을 주는 유전자 치료, 즉 생식 세포 유전자 치료에 대해 갑은 긍정, 을은 부정의 입장을 보인다.

06 마르크스와 칼뱅의 직업 윤리 비교

갑, 을 사상가들의 입장만을 | 보기 |에서 있는 대로 고른 것은?

> 갑 : 노동은 인간이 자신의 자연적인 힘을 사용하여 자연과 관계를 맺는 하나의 과정이다. 그러나 자본주의에서는 노동자가 생산 수단을 사용하는 것이 아니라 생산 수단이 노동자를 사용하는 왜곡이 일어난다.
> 을 : 사람들은 각 사람마다 자기에게 맞는 일을 하도록 창조되었다. 우리는 각 사람이 자신의 소명(召命)에 따라서 부지런히 일하여 많은 사람들에게 유익을 끼치는 삶을 사는 것보다 신을 더 기쁘게 해 드리는 일이 없다는 것을 알고 있다.

보기
ㄱ. 갑은 인간 소외의 극복을 위해 사회적 분업을 강조한다.
ㄴ. 을은 노동을 통하여 이웃 사랑을 실천할 것을 강조한다.
ㄷ. 갑은 을과 달리 노동을 통한 사유 재산 축적을 중시한다.
ㄹ. 갑, 을은 노동이 가진 생계 수단 이상의 가치를 중시한다.

① ㄱ, ㄴ ② ㄱ, ㄷ ③ ㄴ, ㄹ
④ ㄱ, ㄷ, ㄹ ⑤ ㄴ, ㄷ, ㄹ

출제 의도 파악하기

마르크스와 칼뱅의 직업 윤리를 이해하고 서로 비교할 수 있어야 한다.

문제 해결 Point 쏙쏙
- 자본주의에서는 생산 수단이 노동자를 사용함 → 마르크스
- 각자의 일은 소명 → 칼뱅

선택지 바로 알기

ㄱ. 갑은 인간 소외의 극복을 위해 사회적 분업을 강조한다. (×)
↳ 마르크스에 따르면 자본주의 사회에서의 분업화된 노동이 인간 소외를 초래한다. 따라서 갑의 주장으로 적절하지 않다.
ㄴ. 을은 노동을 통하여 이웃 사랑을 실천할 것을 강조한다. (○)
↳ 칼뱅에 따르면, 직업 노동을 통해 궁극적으로 추구하는 목적은 부가 아니라 신에 의한 구원이다. 따라서 노동을 통해 신의 가르침 중 하나인 이웃 사랑을 실천할 것을 강조하였다.
ㄷ. 갑은 을과 달리 노동을 통한 사유 재산 축적을 중시한다. (×)
↳ 칼뱅의 주장이다. 칼뱅은 직업을 통한 부의 축적을 긍정하였다.
ㄹ. 갑, 을은 노동이 가진 생계 수단 이상의 가치를 중시한다. (○)
↳ 마르크스는 노동을 통해 인간은 자신의 본질을 실현할 수 있다고 보았으며, 칼뱅은 노동의 궁극적 목적이 신에 의한 구원이라고 주장하였다.

07 프로테스탄트의 윤리 이해

다음 사상가가 부정의 대답을 할 질문으로 가장 적절한 것은?

> 프로테스탄트에게 노동은 신이 부여한 소명으로, 신의 은총을 확신하기 위한 최선의 수단이 됨으로써 노동자의 금욕적 자세를 심화시켰다. 자본주의 정신의 토대는 이러한 금욕적 노동이 영리 추구와 결합하여 발생한다.

① 프로테스탄트는 직업적 성공이 구원의 징표라고 보는가?
② 프로테스탄트는 직업을 신으로부터 부름 받은 것으로 보는가?
③ 금욕주의 직업 윤리는 자본주의 정신 형성에 기여할 수 있는가?
④ 프로테스탄트는 직업이 정신적 가치와 무관하지 않다고 보는가?
⑤ 프로테스탄트는 노동을 통한 부의 추구를 영혼의 타락으로 보는가?

출제 의도 파악하기

베버의 프로테스탄트 윤리를 이해할 수 있어야 한다.

문제 해결 Point 쏙쏙

- 자본주의 정신의 토대에 대한 설명 → 베버
- 노동은 신의 은총을 확신하기 위한 수단 → 금욕적 노동 자세 강화
- 금욕적 노동 + 영리 추구 → 자본주의 정신의 토대

선택지 바로 알기

① 프로테스탄트는 직업적 성공이 구원의 징표라고 보는가? (×)
└→ 베버는 근면성실하고 검소한 생활을 통한 직업적 성공을 주장하였으며, 직업적 성공을 구원의 징표로 여겼다.

② 프로테스탄트는 직업을 신으로부터 부름 받은 것으로 보는가? (×)
└→ 베버는 직업을 소명으로 이해하였다.

③ 금욕주의 직업 윤리는 자본주의 정신 형성에 기여할 수 있는가? (×)
└→ 베버에 따르면, 신의 은총을 확신하기 위해 금욕적 노동 자세를 갖게 되는데, 이러한 금욕주의 직업 윤리가 영리 추구와 결합하여 자본주의 정신을 형성하는 데 기여하였다.

④ 프로테스탄트는 직업이 정신적 가치와 무관하지 않다고 보는가? (×)
└→ 베버에 따르면, 직업은 생계유지와 부의 획득을 위한 수단이기도 하지만 직업 노동의 궁극적 목적은 신에 의한 구원이므로 정신적 가치와 무관하다고 할 수 없다.

⑤ 프로테스탄트는 노동을 통한 부의 추구를 영혼의 타락으로 보는가? (○)
└→ 베버는 직업적 성공으로 부를 축적하는 것을 신의 축복이자 은총이라고 보아 노동을 통한 부의 축적을 정당화하였다.

개념 +

칼뱅과 베버의 직업 윤리

칼뱅은 직업을 신의 부르심[召命]으로서 자기 직업에 충실히 임하는 것이 신의 명령에 따르는 것이라고 보았다. 또한, 태만과 향락을 부정하고 신의 영광을 드러내기 위해 직업 활동에 성실하게 종사해야 하며, 이를 바탕으로 직업적 성공을 이루어 축적한 부는 신의 축복이라고 주장하였다. 베버는 이러한 칼뱅을 비롯한 프로테스탄티즘의 금욕주의가 근대 자본주의 정신을 탄생시킨 바탕이라고 주장하였다.

용어 +

프로테스탄트 : '항의하다'라는 뜻의 '프로테스트(protest)'에서 유래한 것으로, 종교개혁의 결과로 로마 가톨릭 교회가 분리되어 성립된 기독교의 분파를 가리킴. 베버는 프로테스탄트의 직접 윤리관인 프로테스탄트 윤리가 근대 자본주의의 성립과 발달에 기여했다고 주장함

08 롤스와 노직의 분배적 정의 비교

갑, 을 사상가들의 입장으로 가장 적절한 것은?

> 갑 : 사회의 기본 구조에 대한 정의의 원칙들이 원초적 합의의 대상이다. 이것은 자신의 이익 증진에 관심을 가진 자유롭고 합리적인 사람들이 평등한 최초의 입장에서 그들 조직체의 기본 조건을 규정하는 것으로 채택하게 될 원칙이다.
>
> 을 : 각 개인은 자기 소유물을 합법적 수단으로 취득할 경우 그에 대한 소유 권리를 갖는다. 따라서 정당한 획득과 정당한 이전(移轉), 그리고 부정의의 교정의 원칙에 따른 부와 소득의 분배만이 정당성을 갖는다.

① 갑 : 최소 국가가 개인의 권리를 가장 잘 보호할 수 있다.
② 갑 : 사적 소유권은 인간의 기본적인 권리로 승인될 수 없다.
③ 을 : 부의 소유와 거래 및 교정에 대한 국가의 개입은 배제된다.
④ 을 : 공정으로서의 정의관으로서 사회는 상호 이익을 위한 협동 체제이다.
⑤ 갑, 을 : 개인은 자신의 유리한 천부적 자산을 소유할 권한을 갖는다.

출제 의도 파악하기

롤스와 노직의 분배적 정의관을 각각 이해하고 특징을 비교할 수 있어야 한다.

문제 해결 Point 쏙쏙

- 정의의 원칙은 원초적 합의의 대상 → 롤스
- 획득, 이전, 교정의 원칙에 따른 부와 소득의 분배만이 정당함 → 노직

선택지 바로 알기

① 갑 : 최소 국가가 개인의 권리를 가장 잘 보호할 수 있다. (×)
└ 노직의 주장에 해당한다. 노직은 개인의 소유권을 침해하지 않고 개인의 권리를 보호하는 역할만을 수행하는 최소 국가를 이상적인 국가 형태로 보았다.

② 갑 : 사적 소유권은 인간의 기본적인 권리로 승인될 수 없다. (×)
└ 마르크스의 입장이다. 롤스는 사적 소유를 인정하였다.

③ 을 : 부의 소유와 거래 및 교정에 대한 국가의 개입은 배제된다.(×)
└ 노직은 국가가 재화나 거래자의 안전 보장, 부당한 계약에 대한 감시 등의 역할을 수행하는 등 거래 및 교정에 국가의 개입이 필요하다고 보았다.

④ 을 : 공정으로서의 정의관으로서 사회는 상호 이익을 위한 협동 체제이다. (×)
└ 롤스의 주장에 해당한다. 롤스는 사회 구조는 사회적 약자의 협력을 이끌 수 있도록 구성되어야 한다고 보았다.

⑤ 갑, 을 : 개인은 자신의 유리한 천부적 자산을 소유할 권한을 갖는다. (○)
└ 롤스는 천부적 자산 자체와 그 분포를 구분하였는데, 천부적 자산의 분포는 공유 자산으로 간주되지만 천부적 자산 자체는 개인이 소유 권한을 갖는다고 보았다. 노직은 개인이 천부적 자산에 대한 소유 권리를 갖는다고 주장하였다.

09 롤스, 노직, 벤담의 분배적 정의관 비교

(가)의 갑, 을, 병 사상가들의 입장을 (나) 그림으로 탐구할 때, A~D에 해당하는 옳은 질문만을 | 보기 |에서 있는 대로 고른 것은?

(가)	갑 : 개인들은 원초적 상황에서 합리적 선택을 통해 공정으로서의 정의관에 기초한 원칙들에 합의하게 된다. 을 : 개인이 정당한 노동으로 취득한 소득에는 침해할 수 없는 소유권이 인정된다. 병 : 더 많은 사람에게 더 많은 행복을 가져다주는 행위가 옳은 행위이다.
(나)	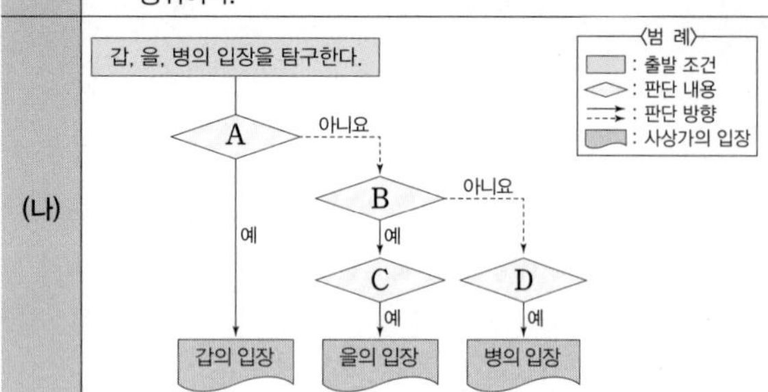

보기

ㄱ. A : 절차가 공정하면 결과도 공정한 것으로 보아야 하는가?

ㄴ. B : 업적을 단일 기준으로 하는 분배가 정의로운 분배인가?

ㄷ. C : 도덕적 공과(功過)에 따른 분배는 부정의한가?

ㄹ. D : 사회 전체의 효용을 극대화하는 정책을 세워야 하는가?

① ㄱ, ㄴ ② ㄴ, ㄷ ③ ㄷ, ㄹ
④ ㄱ, ㄴ, ㄹ ⑤ ㄱ, ㄷ, ㄹ

출제 의도 파악하기

롤스, 노직, 벤담의 분배적 정의관을 각각 이해하고 특징을 비교 · 파악할 수 있어야 한다.

문제 해결 Point 쏙쏙

- 원초적 상황, 공정으로서의 정의 → 롤스
- 정당한 노동으로 취득한 소유는 배타적 권리 인정 → 노직
- 더 많은 사람에게 더 많은 행복 → 벤담

선택지 바로 알기

ㄱ. A : 절차가 공정하면 결과도 공정한 것으로 보아야 하는가? (×)
→ 롤스, 노직이 각각 제시한 분배의 절차는 다르지만 절차가 공정하게 지켜지면 그로 인해 도출되는 결과도 공정한 것으로 봐야 한다는 절차적 정의를 주장한 점은 공통적이다. 따라서 A에 적절하지 않다.

ㄴ. B : 업적을 단일 기준으로 하는 분배가 정의로운 분배인가? (×)
→ 노직은 취득 · 이전 · 교정의 원칙에 따라, 벤담은 유용성의 원리에 따라 이루어진 분배를 정의로운 분배로 보았다. 따라서 B에 적절하지 않다.

ㄷ. C : 도덕적 공과(功過)에 따른 분배는 부정의한가? (○)
→ 노직은 도덕적 공과에 따른 분배는 정형적 원리에 의한 분배, 즉 고정된 기준에 의한 분배라고 보았다. 그래서 이러한 분배는 개인의 소유 권리를 침해하고 정의롭지 못하다고 주장하였다.

ㄹ. D : 사회 전체의 효용을 극대화하는 정책을 세워야 하는가? (○)
→ 벤담은 유용성의 원리에 따라 사회 전체의 효용을 극대화하는 정책을 수립해야 한다고 주장하였다. 따라서 D에 적절하다.

개념 +

절차적 정의

절차적 정의는 공정한 절차를 통해 발생한 결과는 정당하다고 보는 정의관이다. 기존의 분배 정의는 능력, 필요, 업적 등 분배의 기준을 제시하고 그에 따른 분배가 정의롭다고 보았으나 그러한 분배의 기준들은 보편적으로 적용하기 어렵고 서로 충돌하는 한계가 있다. 절차적 정의는 분배 기준 자체보다는 공정한 분배를 위한 절차를 강조하여, 분배의 절차와 과정이 합리적인가를 중시한다.

10 형벌에 대한 칸트와 베카리아의 입장 비교

갑, 을 사상가의 입장으로 가장 적절한 것은?

갑

> 형법은 범죄자에게 그의 범죄로 인해 고통을 부과하는 법이다. 형벌은 항상 오직 범죄자가 범죄를 저질렀기 때문에 가해져야 한다.

을

> 형벌의 남용은 결코 인간을 개선시키지 못한다. 사형을 대체한 종신 노역형은 가장 완강한 자의 마음을 억제시키기에 충분한 엄격성을 지닌다.

① 갑 : 살인죄에 대하여 사형을 대체할 다른 처벌이 존재한다.
② 갑 : 형벌은 공적 정의 실현을 위해 보복법에 따라 부과되어야 한다.
③ 을 : 사형은 살인범의 인격을 존중하기 위해 실시해야 한다.
④ 을 : 사형은 생명 보존의 계약을 위반한 사람에 대한 정당한 처벌이다.
⑤ 갑, 을 : 형벌의 크기는 범죄가 사회에 미치는 영향과 무관하게 정해져야 한다.

출제 의도 파악하기

칸트, 베카리아의 교정적 정의관을 각각 이해하고 서로 비교할 수 있어야 한다.

문제 해결 Point 쏙쏙

- 범죄자가 범죄를 저질렀기 때문에 형벌을 부과함 → 칸트
- 사형보다 종신 노역형이 범죄 예방에 더 효과적임 → 베카리아

선택지 바로 알기

① 갑 : 살인죄에 대하여 사형을 대체할 다른 처벌이 존재한다. (×)
  └ 칸트는 응보주의적 관점에 따라 살인자에 대한 사형은 정당하며 이를 대체할 다른 처벌은 없다고 보았다.

② 갑 : 형벌은 공적 정의 실현을 위해 보복법에 따라 부과되어야 한다. (○)
  └ 칸트에 따르면, 형벌은 사적 정의가 아닌 공적 정의를 실현하기 위한 것이며 보복법에 따라 부과되어야 한다.

③ 을 : 사형은 살인범의 인격을 존중하기 위해 실시해야 한다. (×)
  └ 칸트의 주장이다. 칸트는 사형이 살인자의 고통 받는 인격을 해방하여 인간의 존엄성을 실현하는 것이라고 보았다.

④ 을 : 사형은 생명 보존의 계약을 위반한 사람에 대한 정당한 처벌이다. (×)
  └ 베카리아는 자기 생명의 처분 권한이 없으므로 계약을 통해 양도할 수도 없다고 보아 사회 계약을 근거로 사형을 정당화할 수 없다고 주장하였다.

⑤ 갑, 을 : 형벌의 크기는 범죄가 사회에 미치는 영향과 무관하게 정해져야 한다. (×)
  └ 베카리아는 공리주의 관점에서 사형보다 종신 노역형이 범죄 예방과 사회 전체의 이익 증진에 부합한다고 보았다. 즉, 범죄의 사회적 영향력을 고려하여 형벌의 크기를 결정해야 한다고 주장하였다.

개념 +

사회 계약론에 근거한 사형 제도 찬반론

루소	• 자발적 상호 계약에 따라 타인의 생명을 희생시킨 사람은 자기 생명도 희생해야 함 • 계약자인 시민의 생명과 안전 등을 확보하려면 사형 제도가 정당함
베카리아	자기 생명을 처분할 권리는 없으므로 계약을 통해 양도할 수도 없음 → 사회 계약을 근거로 사형 제도를 정당화할 수 없음

BOOK 1

11 로크의 국가에 대한 정치적 의무론 파악

다음 사상가의 입장으로 옳지 않은 것은?

> 자연 상태에서 이미 자유롭고 평등한 개인들이 일정한 법률의 지배를 받는 정치 사회를 결성하는 이유는 자연 상태에서는 자연권을 보장하는 권리를 향유하는 것이 불확실하고 또 침해당할 위험이 있기 때문입니다.

① 국가의 구성원은 모두 정치적 의무를 지닌다.
② 묵시적 동의만으로도 정치적 의무가 성립한다.
③ 정치적 의무의 성립 근거는 개인의 동의에 있다.
④ 국가의 보호를 받는 자는 모두 그 국가의 구성원이다.
⑤ 국가의 영토 일부를 소유하는 것 자체가 일종의 동의이다.

출제 의도 파악하기

국민의 정치적 의무에 관한 로크의 주장을 파악할 수 있어야 한다.

문제 해결 Point 쏙쏙

자연 상태에서 계약을 통해 정치 사회를 결성, 자연권의 보장을 강화하기 위해 → 사회 계약론자 로크

선택지 바로 알기

① 국가의 구성원은 모두 정치적 의무를 지닌다. (×)
↳ 로크에 따르면, 계약과 동의를 통해 국가의 구성원이 된 자는 모두 정치적 의무를 지닌다.

② 묵시적 동의만으로도 정치적 의무가 성립한다. (×)
↳ 로크에 따르면, 정치적 의무는 명시적 동의뿐만 아니라 묵시적 동의를 통해서도 발생한다.

③ 정치적 의무의 성립 근거는 개인의 동의에 있다. (×)
↳ 로크에 따르면, 정치적 의무의 근거는 자연 상태에서의 권리를 사회의 수중에 양도한 개인의 동의에 있다.

④ 국가의 보호를 받는 자는 모두 그 국가의 구성원이다. (○)
↳ 로크의 주장이 아니다. 예를 들어 A국가의 구성원이 되겠다는 동의 없이 A국가 안에 머무르는 자는 A국가의 보호를 받지만 A국가의 구성원이라고 볼 수는 없다.

⑤ 국가의 영토 일부를 소유하는 것 자체가 일종의 동의이다. (×)
↳ 로크에 따르면, 국가의 영토 일부를 소유하거나 향유하는 자는 묵시적 동의를 한 셈이다.

용어 +

자연 상태 : 정치 사회가 형성되기 이전의 상태로, 사회나 국가의 성립 이전인 인간의 자연적 본성 그대로의 생존 상태

개념 +

자연 상태와 사회 계약에 대한 홉스와 로크의 주장

홉스	• 자연 상태 : 만인의 만인에 대한 투쟁 상태 → 인간은 모두 이기적이므로 투쟁이 끊이지 않아 항상 불안하고 위험한 상태 • 개인의 안전과 평화를 지키기 위해 사회 계약을 함 → 국가는 개인의 안전과 평화를 지키기 위해 존재함
로크	• 자연 상태 : 비교적 평화롭지만 다툼을 해결할 법률이나 재판관이 부재한 상태 • 다툼을 원만히 해결하고 각자의 사유 재산과 생명을 지키기 위해 사회 계약을 함

12 롤스와 싱어의 시민 불복종 관점 비교

(가)의 갑, 을 사상가들의 입장을 (나) 그림으로 탐구하고자 할 때, A~C에 들어갈 적절한 질문만을 | 보기 |에서 있는 대로 고른 것은?

(가)

갑: 시민 불복종은 법에 대한 충실성의 한계 내에서 부정의에 대해 항거하는 위법한 행위이다. 이는 공동 사회의 다수가 갖는 정의감을 나타내고, 자유롭고 평등한 사람들 사이에서 정의의 원칙이 존중되고 있지 않음을 선언하는 것이다.

을: 시민 불복종을 통해 도덕적으로 옳지 않은 일을 중단시키려고 할 때 우리는 우리가 중단시키려고 하는 악의 크기와 우리의 행위가 가져올 법과 민주주의에 대한 존중심의 감소 정도를 저울질해 보아야 한다.

(나)

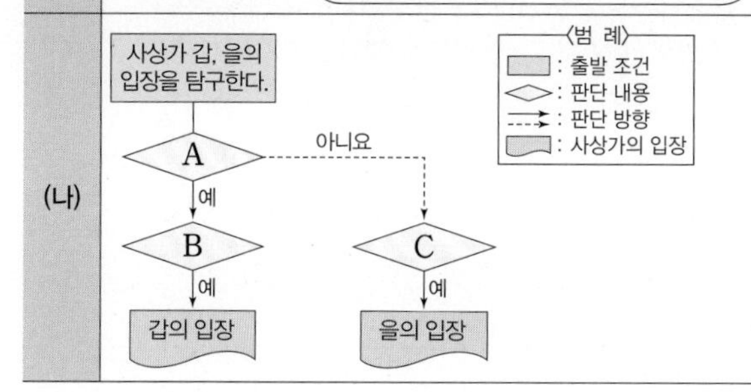

| 보기 |

ㄱ. A : 시민 불복종 참여자는 위법 행위에 대한 처벌을 감수해야 하는가?

ㄴ. B : 국민의 기본권을 현저하게 침해하는 국가에 대해서는 시민 불복종이 아닌 무력을 사용한 혁명의 시도가 가능한가?

ㄷ. C : 시민 불복종은 개인의 양심에 어긋나는 정책에 대해 이루어져야 하는가?

ㄹ. C : 시민 불복종은 민주주의적인 의사 결정을 좌절시킨다기보다 복원하려는 시도인가?

① ㄱ, ㄴ ② ㄱ, ㄷ ③ ㄴ, ㄹ
④ ㄱ, ㄷ, ㄹ ⑤ ㄴ, ㄷ, ㄹ

출제 의도 파악하기

롤스, 싱어의 시민 불복종에 대한 주장을 각각 이해하고 서로 비교할 수 있어야 한다.

문제 해결 Point 쏙쏙

- 시민 불복종은 법에 대한 충실성의 한계 내에서 부정의에 대해 항거하는 위법 행위임 → 롤스
- 중단시키려는 악의 크기, 행위가 초래할 법과 민주주의에 대한 존중심의 감소 정도 등을 계산해봐야 함 → 싱어

선택지 바로 알기

ㄱ. A : 시민 불복종 참여자는 위법 행위에 대한 처벌을 감수해야 하는가? (×)
└→ 롤스와 싱어 모두 시민 불복종으로 인한 처벌을 감수해야 한다고 보았다. 따라서 A에 적절하지 않다.

ㄴ. B : 국민의 기본권을 현저하게 침해하는 국가에 대해서는 시민 불복종이 아닌 무력을 사용한 혁명의 시도가 가능한가? (○)
└→ 롤스에 따르면, 사회의 기본 구조가 아주 부정의하다면 극단적인 변화나 혁명적인 변화를 위한 방도까지도 마련하도록 노력해야 한다.

ㄷ. C : 시민 불복종은 개인의 양심에 어긋나는 정책에 대해 이루어져야 하는가? (×)
└→ 싱어가 부정의 대답을 할 질문이다. 싱어는 시민 불복종이 정책이나 법이 다수의 의견을 반영하고 있지 않거나 그 내용이 완전히 그릇된 것일 때 가능하다고 보았다. 개인의 양심을 시민 불복종의 판단 기준으로 제시한 것은 소로이다.

ㄹ. C : 시민 불복종은 민주주의적인 의사 결정을 좌절시킨다기보다 복원하려는 시도인가? (○)
└→ 싱어에 따르면, 시민 불복종은 민주주의적 의사 결정을 복원하려는 것이다.

개념 +

시민 불복종에 대한 다양한 관점

사상가	관점
소로	• 법보다 정의에 대한 존경심 강조 • 양심에 따라 부정의에 대해 적극적으로 불복종할 것 주장
롤스	• 사회적 다수에 의해 공유된 정의관이 불복종의 기준이 되어야 함 • 거의 정의로운 사회에서 부정의한 법과 정책의 변화를 위해 전개되어야 함
싱어	• 시민 불복종이 산출할 이익과 손해를 계산해 보아야 함 • 불복종 행위의 성공 가능성을 고려해야 함

memo
시
험
대
박

memo
시
험
대
박

memo
시
험
대
박

수능전략

사·회·탐·구·영·역

생활과 윤리

BOOK 3

정답과 해설

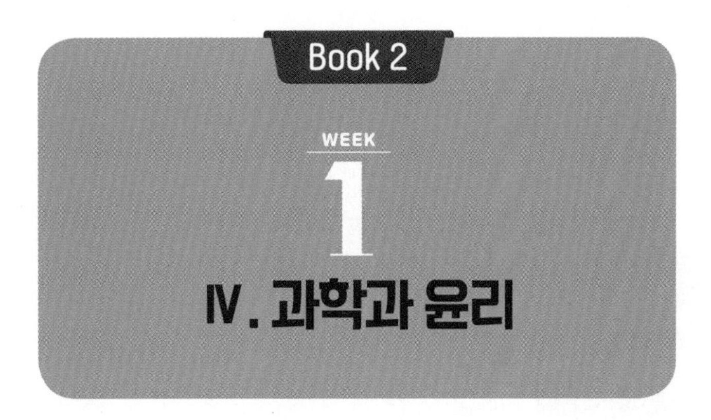

DAY
1 개념 돌파 전략 ①

8~11쪽

[1강] 과학 기술과 윤리~정보 사회와 윤리

01 과학 기술 지상주의 02 결과 03 외적 04 당위적 05 수평적, 다원적 06 공공재 07 분산 08 알 권리

[2강] 자연과 윤리

01 베이컨 02 레건 03 테일러 04 심층 생태주의 05 도가 사상 06 기후 정의 07 미래 세대 08 지속 가능한

DAY
1 개념 돌파 전략 ②

12~13쪽

1 ④ 2 ② 3 ③ 4 ④ 5 ④ 6 ⑤

1 과학 기술 지상주의와 과학 기술 혐오주의의 입장 비교

(가)는 과학 기술의 긍정적 측면만 부각하는 과학 기술 지상주의(낙관주의)이고, (나)는 과학 기술의 부정적 측면만 부각하는 과학 기술 혐오주의(비관주의)이다.

④ 과학 기술 지상주의의 입장에 해당한다.

오답 피하기 ①, ② 과학 기술 지상주의에서는 과학 기술이 인류에게 많은 혜택과 이익을 가져다주었으며, 과학 기술로 인해 인류가 정신적 만족과 물질적 풍요를 누리고 있다고 본다.

③ 과학 기술 혐오주의에서는 과학 기술이 생명 복제나 유전자 조작 등으로 생명체를 하나의 도구나 수단으로 전락시킬 수 있다고 본다.

⑤ 과학 기술 지상주의와 과학 기술 혐오주의는 모두 과학 기술이 인류의 삶에 행복 또는 불행을 가져다주는 영향력을 행사할 수 있다고 본다.

2 과학 기술자의 내적 책임을 강조하는 입장 이해

과학 기술자의 내적 책임은 과학 기술자가 과학 기술 연구 윤리만을 지키면 된다는 것이다. 과학 기술 연구 윤리는 과학 기술자가 정직하고 성실한 태도로 책임 있는 연구를 수행하기 위해 지켜야 할 윤리적 원칙과 행동 양식을 말한다.

ㄱ. 과학 기술자의 내적 책임을 강조하는 입장에서는 과학 기술자가 연구 과정에서의 윤리를 성실하게 지키면서 비윤리적 행위를 하지만 않으면 된다고 주장한다.

ㄷ. 과학 기술자의 내적 책임을 강조하는 입장에서는 과학 기술자가 자신의 연구 결과의 사회적 영향력이나 부작용까지 책임질 필요는 없다고 본다.

오답 피하기 ㄴ. 과학 기술자는 자신의 연구 결과물이 사회에 미칠 수 있는 부정적 영향과 미래에 초래할 수 있는 위험을 폭넓게 검토해야 한다는 것은 과학 기술자의 외적 책임을 강조하는 입장에서 제시할 내용이다.

ㄹ. 과학 기술자가 인간 존엄성 실현, 인간의 삶의 질 향상을 고려해야 한다는 것은 과학 기술자의 외적 책임을 강조하는 입장에서 제시할 내용이다.

3 저작권 보호를 주장하는 입장 이해

저작권 보호를 주장하는 입장에서는 정보 생산에 필요한 시간과 노력, 비용에 대하여 정당한 대가를 지불해야 한다고 보며 이것이 사회 정의에 부합하다고 주장한다.

선택지 바로 보기

① 창작자의 노력에 대한 경제적 이익을 보장해야 한다. (×)
→ 저작권 보호를 주장하는 입장에서는 창작자의 노력에 대한 경제적 이익 보장을 통한 창작 의욕 고취가 필요하다고 본다.

② 창작자의 노력에 대한 보상은 창작 의욕을 높일 수 있다. (×)
→ 저작권 보호를 주장하는 입장에서는 창작자의 노력에 대한 충분한 보상이 창작 의욕을 향상시킬 수 있으며 더 높은 질의 정보를 더 많이 생산할 수 있도록 유도할 것이라고 본다.

③ 모든 저작물은 인류가 공동으로 생산한 공공재일 뿐이다. (○)
→ 지식과 정보, 저작물을 인류가 생산한 정보를 활용하여 구성된 공공재로 보는 것은 정보 공유를 주장하는 입장에서 제시할 내용이다.

④ 창작자에게 정보에 대한 배타적 독점권을 부여할 수 있다. (×)
→ 저작권 보호를 주장하는 입장에서는 필요에 따라 창작자에게 지식이나 정보에 대한 배타적 독점권도 부여할 수 있다고 본다.

⑤ 지식과 정보는 개인의 시간과 노력이 들어간 지적 산물이다. (×)
→ 저작권 보호를 주장하는 입장에서는 지식과 정보가 개인의 시간과 노력, 비용이 들어간 지적 산물이므로 사유재로 인정될 수 있다고 본다.

4 잊힐 권리와 알 권리 비교

(가)는 자신이 원하지 않는 정보가 인터넷에 남아 있지 않도록 통제할 수 있는 '잊힐 권리'의 보장을, (나)는 '잊힐 권리'보다는 공익을 위해서 시민의 '알 권리'가 보장되어야 함을 강조하고 있다.

④ (나)는 공익을 위해서는 잊힐 권리의 보장을 뒤로 미루고 시민의 알 권리 보장이 우선시되어야 한다고 본다.

오답 피하기 ① (가)는 개인 정보 보호, 즉 개인 정보가 함부로 남용되지 않아야 함을 강조하고 있다.

② (가)는 자신에 대한 정보를 스스로 통제할 수 있어야 한다는 정보 자기 결정권을 인정하고 있다.

③ (나)는 정보 사회에서 시민들이 원하는 정보를 자유롭게 얻고 활용하는 알 권리 보장을 강조하고 있다.
⑤ (나)는 '잊힐 권리'가 필요에 따라 제한되고 '알 권리' 보장이 우선시될 수 있다고 본다. 하지만 (가), (나) 모두 정보 사회에서 시민들이 자신들의 정보가 함부로 남용되거나 악용되지 않을 권리를 지닌다고 본다는 점에서 공통적이다.

5 인간 중심주의의 입장 이해

인간 중심주의는 인간만이 이성과 자율성을 지니기 때문에 인간만이 도덕적 지위를 지니며 도덕적으로 대우받아야 한다고 본다.
ㄴ. 인간 중심주의의 입장에서는 자연은 그 자체로 가치를 지닌 것이 아니라 인간의 이익에 이바지하는 한에서 가치를 지닌다고 본다.
ㄹ. 인간 중심주의의 입장에서는 인간만이 도덕적 지위를 지닐 뿐이며, 인간 이외의 모든 존재를 인간의 목적을 이루기 위한 수단으로 본다.
오답 피하기 ㄱ. 인간 중심주의의 입장에서는 인간이 자연보다 우월한 존재라고 본다.
ㄷ. 생태 중심주의 입장에 해당한다. 인간 중심주의 입장에서는 자연의 내재적 가치를 인정하지 않는다.

6 테일러의 입장 파악

제시문은 생명체가 목적론적 삶의 중심이라고 말한 점으로 보아 생명 중심주의자 테일러의 주장이다. 테일러는 생명 중심주의의 입장에서 모든 생명체가 목적론적 삶의 중심으로서 내재적 가치를 지닌다고 보고, 생명체를 도덕적으로 고려하고 존중해야 한다고 주장하였다.

선택지 바로 보기

① 모든 생명체는 목적론적 삶의 중심이다. (×)
→ 테일러에 따르면, 모든 생명체는 자신의 목적을 달성하려고 애쓰는 존재이자 목적론적 삶의 중심이다.
② 인간이 다른 생명체보다 근본적으로 우월한 것은 아니다. (×)
→ 테일러는 인간 중심주의 관점을 비판하면서 인간이 다른 생명체들보다 근본적으로 우월한 것은 아니라고 주장하였다.
③ 모든 생명체는 고유한 방식으로 자신의 목적을 지향한다. (×)
→ 테일러에 따르면, 모든 생명체는 생존, 성장, 발전, 번식이라는 목적을 지향하고 있으며 그러한 목적을 실현하기 위해 환경에 적응하고자 애쓰는 존재이다.
④ 인간은 고유한 선을 지니는 생명체를 도덕적으로 고려해야 한다. (×)
→ 테일러는 인간은 고유한 선을 지니는 생명체를 도덕적으로 고려해야 할 의무를 지닌다고 보았다.
⑤ 모든 생명체는 유용성의 유무에 따라 고유한 가치를 부여받는다. (○)
→ 테일러에 따르면, 모든 생명체는 의식이나 유용성 유무에 관계없이 내재적 가치를 지닌 존재로서 고유한 선을 갖는다.

DAY 2 필수 체크 전략 ①

14~17쪽

01-1 ③	01-2 ④	04-1 ②	04-2 ④

01-1 야스퍼스와 하이데거의 입장 비교

갑은 기술이 인간과 전혀 무관하게 광기를 부릴 수 없다고 본 점을 통해 야스퍼스, 을은 기술적인 것만 생각하고 기술을 이용하는 데만 매몰되면 기술의 본질을 결코 경험할 수 없다고 본 점을 통해 하이데거임을 알 수 있다.
ㄴ. 야스퍼스는 기술 그 자체는 선도 악도 아닌 것이라고 보았다. 즉, 가치와 무관한 사실의 영역이라고 보았다.
ㄷ. 하이데거에 따르면, 기술을 가치 중립적인 것으로 고찰할 때 최악의 경우가 되며, 이때 기술에 무방비 상태로 내맡겨질 수 있다. 따라서 기술에 대한 반성적 성찰, 윤리적 숙고가 필수적이라고 강조하였다.
오답 피하기 ㄱ. 야스퍼스는 기술을 인간을 직접 지배하는 실체가 아니라 공허한 힘이며 목적에 대한 수단이라고 보았다.
ㄹ. 하이데거는 기술을 가치 중립적인 것으로 고찰할 때 기술로부터 자유로워지는 것이 아니라 기술에 무방비 상태로 내맡겨지는 최악의 상태에 직면한다고 주장하였다.

01-2 하이데거의 입장 파악

제시문은 기술을 가치 중립적인 것으로 볼 때 인간이 기술에 종속당할 것이라고 경고한 것으로 보아 하이데거의 주장이다.

선택지 바로 보기

① 기술에 의해 인간이 종속당할 수 있는가? (×)
→ 하이데거는 기술을 가치 중립적 도구로만 보면 인간이 기술에 종속당할 수 있다고 보았다.
② 기술은 인간 삶을 좌우할 힘을 지니고 있는가? (×)
→ 하이데거는 기술이 인간 삶을 좌우할 수 있는 힘을 지닌 존재라고 인식하였다.
③ 기술을 가치 중립적인 것으로 보아서는 안 되는가? (×)
→ 하이데거에 따르면, 최악의 경우는 기술을 중립적인 것으로 고찰할 때이며, 이때 인간은 무방비 상태로 기술에 내맡겨진다.
④ 기술은 일종의 공허한 힘이며 목적에 대한 수단인가? (○)
→ 하이데거가 부정의 대답을 할 질문이다. 하이데거에 따르면 기술은 공허한 힘이나 목적에 대한 수단이 아니라 인간을 종속할 수 있는 힘을 지닌 존재이다.
⑤ 기술은 감추어진 존재의 모습을 드러내 주는 수단인가? (×)
→ 하이데거는 기술이 단순한 가치 중립적 도구가 아니며 감추어져 있는 존재의 모습을 드러내 주는 수단이라고 파악하였다.

04-1 표현의 자유와 그 한계에 대한 입장 파악

제시문은 표현의 자유가 중요한 가치이지만 지나칠 경우 인격권을

BOOK 2

침해할 수 있음을 지적하면서 표현의 자유가 일정하고 정당한 제약 조건하에서 보장될 필요가 있음을 강조한다.

선택지 바로 보기

① 표현의 자유에 제한을 가하는 것은 심각한 인권 침해로 민주주의 사회에서 용납될 수 없다. (×)
→ 제시문은 지나친 표현의 자유 강조가 개인의 인격권을 침해하는 문제로 이어지기도 한다는 점을 지적하면서 일정한 제약을 가할 필요가 있음을 주장한다.

② 표현의 자유는 해악 금지의 원칙과 사회 질서를 유지하는 가운데 보장될 수 있다. (○)
→ 제시문은 표현의 자유가 인권을 침해하지 않는 범위 내에서, 해악 금지의 원칙을 지키는 범위 내에서 그리고 사회 질서를 유지하고 어지럽히지 않는 범위 내에서 보장되어야 한다고 본다.

③ 표현의 자유는 질서 유지나 공익을 위한다는 이유로도 제한될 수 없다. (×)
→ 제시문은 표현의 자유가 사회 질서 유지 등 공익을 위해서라면 제한될 수 있다고 본다.

④ 표현의 자유는 인간의 기본적 권리로 제한 없이 보장될 필요가 있다. (×)
→ 제시문은 표현의 자유가 제한 없이 보장되어야 한다고 주장하지 않는다.

⑤ 표현의 자유는 사이버 공간에서는 보장될 수 없는 권리이다. (×)
→ 제시문은 사이버 공간에서도 표현의 자유가 보장될 수 있다고 본다.

04-2 표현의 자유에 대한 규제 이해

제시문은 사이버 공간에서의 표현의 자유가 무제한적으로 보장될 경우 많은 해악이 발생하므로 표현의 자유에 대한 제약이 필요하다고 보고, 제도적·기술적·법적 규제를 강조한다.

④ 제시문은 사이버 공간에서 표현의 자유에 대해 개인의 자발적 규제를 넘어서 제도적·기술적·법적 규제가 필수적이라고 강조한다.

오답 피하기 ① 제시문은 지나친 표현의 자유가 사회에 악을 초래할 수 있기 때문에 표현의 자유에 대한 일정한 제약이나 규제가 필요하다고 강조한다.

② 제시문은 표현의 자유에도 어느 정도 제약이나 규제가 필요하다고 본다.

③ 제시문은 개인의 자발적 규제만으로는 충분하지 않다고 보아 제도적·기술적·법적 규제를 강조한다.

⑤ 제시문은 표현의 자유가 어떤 상황에서도 보장되어야 한다고 주장하지는 않는다.

DAY 2 필수 체크 전략 ②

18~19쪽

1 ①	2 ④	3 ②	4 ③
5 ⑤	6 ②		

1 과학자의 책임 범위에 대한 입장 비교

갑은 과학자의 연구 과정에서의 책임, 즉 내적 책임만을, 을은 과학자의 내적 책임뿐만 아니라 외적 책임까지 강조한다.

① 을의 주장이다. 갑은 과학자가 연구 과정에서의 책임(내적 책임)만을 가지면 된다고 본다.

오답 피하기 ② 갑은 과학자가 연구 결과의 활용에 대한 책임으로부터 자유로워야 한다고 본다. 즉, 내적 책임만 부담할 뿐, 외적 책임으로부터 자유로울 것을 강조한다.

③ 을은 과학자가 과학 연구 주제 선정이나 개발 과정, 그리고 연구 결과의 활용에 대해서 윤리적 가치 판단을 가지고 임해야 한다고 본다.

④ 을은 과학자가 연구 결과가 사회나 인류에 미칠 영향력이나 부작용까지도 고려해야 할 책임이 있다고 본다.

⑤ 갑, 을은 과학자가 모두 연구 과정에서의 윤리, 즉 연구 윤리 원칙을 지켜야 할 내적 책임을 져야 한다고 본다.

2 기술의 본질과 속성에 대한 하이데거의 입장 파악

제시문은 기술을 단순한 가치 중립적 도구가 아니라고 본 점, 기술을 중립적인 것으로 고찰할 때 기술에 종속당하고 무방비 상태로 내맡겨지게 된다고 본 점을 통해 하이데거의 주장임을 알 수 있다.

선택지 바로 보기

ㄱ. 기술이 인간을 지배하고 종속화할 수 있다. (○)
→ 하이데거는 기술이 인간을 지배하고 종속화할 위험을 지녔다고 보았다.

ㄴ. 인간은 기술의 폐해를 막을 방법을 알지 못한다. (×)
→ 하이데거는 인간이 기술의 폐해나 종속을 경계해야 한다고 경고하였다. 하지만 기술의 폐해를 막을 방법이 없다고 주장하지는 않았다.

ㄷ. 인간은 기술에 부자유스럽게 붙들려 있는 셈이다. (○)
→ 하이데거에 따르면, 우리가 기술을 열정적으로 긍정하건 부정하건 관계없이 우리는 어디서나 부자유스럽게 기술에 붙들려 있는 셈이다.

ㄹ. 기술은 탈은폐의 방식으로 자연에게 에너지를 내놓으라고 강요한다. (○)
→ 하이데거에 따르면, 현대 기술의 지배적인 탈은폐 방식은 일종의 닦달로, 자연에게 에너지를 내놓으라고 강요한다.

3 요나스의 책임 윤리 이해

그림의 강연자는 현대 기술이 미래 세대의 생존을 위협할 정도의 강력한 영향력을 발휘할 수 있다고 보아 전통적 윤리학의 한계에서 벗어나 새로운 윤리가 요청된다고 주장한 점에서 요나스이다.

ㄱ. 요나스는 현대 기술이 상당히 오랜 기간 동안 전 지구와 미래 세대의 생존권을 위협할 정도의 요소들을 갖추게 되었다고 보았다.

ㄹ. 요나스는 '행해진 것에 대한 사후 책임 부과'를 특징으로 하는 전

통적 윤리학의 책임과는 다른 '행위되어야 할 것에 대한 책임'을 제시하여 책임의 범위를 확장시켰다.

오답 피하기 ㄴ. 요나스는 인간만이 책임질 수 있는 유일한 존재라고 보았다.

ㄷ. 요나스는 미래 세대가 책임져야 한다고 주장한 것이 아니라, 현 세대의 일방적 책임을 주장하였다.

4 잊힐 권리와 알 권리 비교

갑은 자신이 원하지 않은 정보를 삭제할 수 있는 권리가 보장되어야 한다고 본 점을 통해 잊힐 권리의 보장을 강조하는 입장이며, 을은 개인 정보라고 하더라도 시민들이 알아야 할 정보라면 공개되어야 한다고 본 점을 통해 알 권리의 보장을 강조하는 입장임을 알 수 있다.

③ 을은 정보 사회에서 공익을 위해 시민들이 꼭 필요하고 알아야 할 정보라면 개인 정보라 할지라도 공개될 수 있다고 본다. 즉, 공익을 위해서라면 개인 정보 보호는 유보될 수 있다고 본다.

오답 피하기 ① 갑은 정보 자기 결정권, 잊힐 권리의 보장 등을 강조하고 있다.

② 갑은 정보 사회에서 개인 정보 보호, 개인의 사생활 보호, 인격권 보호 등을 중시해야 한다고 본다.

④ 을은 정보 사회에서 시민들이 필요한 정보라면 사이버 공간에서 자유롭게 얻을 수 있어야 한다는 알 권리의 보장을 강조하고 있다.

⑤ 갑, 을은 모두 사이버 공간이 다양한 정보를 왜곡 없이 제공받을 수 있는 공적 공간이 될 수 있다는 점에 동의한다.

5 저작권 보호를 주장하는 입장과 정보 공유를 주장하는 입장 비교

자료 분석

갑 : 정보 생산에 필요한 시간과 노력, 비용에 대하여 정당한 대가가 지불되어야 한다. 타인의 노력이 들어간 결과물을 경제적 대가나 동의, 허락 없이 함부로 사용해서는 안 된다.

을 : 정보와 지식은 인류가 공동으로 이룩한 자산이다. 이러한 지식과 정보는 공동체의 이익을 위해 공유되어야 하며 대가 없이 다만 허락과 동의하에 자유롭게 사용할 수 있어야 한다.

갑은 저작권을 보호해야 한다는 입장으로, 창작물에 대한 경제적 대가와 보상을 강조한다. 을은 지식과 정보의 공유, 창작물의 자유로운 사용을 강조한다. 지식과 정보를 이용할 때 갑은 경제적 대가와 허락 및 동의가 필요하다고 보는 반면, 을은 경제적 대가는 없이 허락 및 동의가 필요하다고 본다.

선택지 바로 보기

ㄱ. 갑은 저작권 보호가 새로운 창작을 방해한다고 본다. (×)
→ 정보 공유를 주장하는 입장에서 제시할 주장이다.

ㄴ. 을은 지식과 정보를 공공재로 간주해야 한다고 본다. (○)
→ 을은 지식과 정보를 인류가 공동으로 구축한 자산이라고 보고 동의와 허락하에 모든 사람이 자유롭게 공유하고 사용할 수 있어야 한다고 본다.

ㄷ. 갑은 을과 달리 지적 산물에 대한 경제적 보상이나 대가 지불이 필요하다고 본다. (○)
→ 갑은 지적 산물에 대한 경제적 보상이나 대가 지불을 강조하는 반면, 을은 동의와 허락을 구한다면 경제적 보상이나 대가 지불 없이 자유롭게 사용할 수 있어야 한다고 본다.

ㄹ. 갑, 을은 타인의 노력이 들어간 지적 산물을 허락 없이 사용해서는 안 된다고 본다. (○)
→ 갑, 을은 모두 타인의 노력이 들어간 지적 산물을 동의나 허락 없이 함부로 사용해서는 안 된다고 본다.

6 사이버 폭력의 특징과 문제점 파악

제시문은 사이버 폭력의 특징과 문제점을 지적하면서 훨씬 더 높은 수준의 도덕성과 윤리 의식이 필요함을 강조하고 있다.

② 제시문은 현실 공간에서와는 다른 특성을 가진 사이버 폭력을 이해하고 비도덕적 행동을 경계해야 하며, 윤리 의식 및 경각심을 가져야 한다고 강조하고 있다.

오답 피하기 ① 제시문에서는 사이버 폭력과 현실 공간에서의 폭력이 동일한 성격을 지닌다고 보지 않는다.

③ 제시문에서는 사이버 폭력을 해결하기 위한 양심과 도덕성을 강조하지만, 전적으로 그것에 의존해야 한다고 주장하지는 않는다.

④ 제시문에서는 사이버 폭력에 대한 개인의 윤리 의식을 강조하고 있다.

⑤ 제시문에서는 사이버 폭력이 윤리적 차원의 문제임을 강조하고 있다.

DAY 3 필수 체크 전략 ①

20~23쪽

01-1 ③	01-2 ⑤	02-1 ②	02-2 ⑤
03-1 ③	03-2 ⑤	04-1 ④	04-2 ⑤

01-1 싱어, 테일러, 레오폴드의 입장 비교

(가)의 갑은 이익 평등 고려의 원칙을 제시한 것으로 보아 싱어, 을은 모든 생명체가 목적론적 삶의 중심이라고 본 점을 통해 테일러, 병은 대지 윤리를 제시한 점으로 보아 레오폴드임을 알 수 있다.

ㄷ. 레오폴드는 무생물을 도덕적으로 고려해야 한다고 보았다. 이와 달리, 싱어는 인간과 동물을, 테일러는 생명체를 도덕적 고려의 대상으로 간주하였다.

ㄹ. 싱어, 테일러, 레오폴드 모두 동의할 내용이다.

오답 피하기 ㄱ. 인간만이 도덕적 지위를 가진다고 보는 인간 중심주의 시각에서 벗어나야 한다는 것은 싱어, 테일러, 레오폴드 모두 동의할 내용이므로 D에 적절하다.

ㄴ. 테일러뿐만 아니라 무생물도 도덕적 고려의 대상이 될 수 있다고 주장한 레오폴드도 동의할 내용이므로 B에 적절하지 않다.

01-2 심층 생태주의 입장 이해

제시문은 네스와 세션즈가 강조한 심층 생태주의의 강령, 기본 원리 중 일부이다.

선택지 바로 보기

① 인간은 생명체의 다양성을 함부로 훼손해서는 안 된다. (×)
→ 심층 생태주의에서는 인간들이 생명 유지에 필요한 것들을 만족하기 위한 경우를 제외하고는 생명체의 풍부함과 다양성을 훼손할 권리가 없다고 주장한다.

② 세계관과 생활 양식 자체를 생태 중심적으로 바꾸어야 한다. (×)
→ 심층 생태주의에서는 인간 중심주의적 환경 보호 운동을 비판하고 근본적으로 기존 세계관과 생활 양식 자체를 생태 중심적으로 바꾸어야 한다고 주장한다.

③ 모든 생명체를 상호 연결된 전체의 평등한 구성원으로 보아야 한다. (×)
→ 심층 생태주의에서 제시한 '생명 중심적 평등'에 대한 설명이다.

④ 자신을 자연과의 상호 연관 속에서 존재하는 것으로 이해해야 한다. (×)
→ 심층 생태주의에서 제시한 '큰 자아실현'에 대한 설명이다.

⑤ 인류의 이익과 번영을 보장하는 범위 내에서 생태계는 참된 가치를 지닐 수 있다. (○)
→ 심층 생태주의는 인류의 이익이나 번영을 위해 생태계가 가치를 지닌다고 보지 않으며, 생명체의 풍부함과 다양성 그리고 생태계는 그 자체로 내재적 가치를 지닐 수 있다고 본다.

02-1 싱어, 테일러, 레오폴드의 입장 비교

(가)의 갑은 쾌고 감수 능력의 유무가 도덕적 고려의 대상인지를 판단하는 기준이라고 본 점에서 싱어, 을은 생명체를 목적론적 삶의 중심이라고 본 점에서 테일러, 병은 대지 윤리를 주장한 점에서 레오폴드이다.

ㄱ. 싱어는 테일러나 레오폴드와는 달리 쾌고 감수 능력은 어떤 존재를 도덕적으로 고려하기 위한 필요조건이자 충분조건이라고 보았다.

ㄷ. 싱어, 테일러, 레오폴드는 모두 인간 중심주의 사상가들과는 달리 이성의 유무가 도덕적 지위를 결정하는 기준이 아니라고 보았다.

오답 피하기 ㄴ. 레오폴드만의 주장으로 B에 적절하지 않다.

ㄹ. 테일러, 레오폴드, 싱어 모두 동의할 주장이므로 D가 아닌 C에 적절한 내용이다.

02-2 레오폴드가 테일러에게 제기할 비판 내용 파악

갑은 대지 윤리를 주장한 점에서 레오폴드, 을은 모든 생명체를 목적 지향적 활동의 단일화된 체계로 본 점에서 테일러이다.

⑤ 레오폴드는 전체론적 관점에서 생태계 전체의 보전과 아름다움을 위해 개별 생명체가 어쩔 수 없이 희생될 수 있음을 인정하였으며 이를 근거로 개별 생명체를 중시하는 생명 중심주의자인 테일러에게 비판을 제기할 수 있다.

오답 피하기 ① 테일러는 인간이 자연의 지배자나 정복자가 되어서는 안 된다고 보았다.

② 테일러는 모든 생명체가 목적론적 삶의 중심으로 내재적 가치를 지닌다고 강조하였다.

③ 테일러, 레오폴드 모두 인간만이 도덕적 지위를 지닌 존재가 아니라는 점을 인정하였다.

④ 테일러는 모든 생명체가 각기 고유한 방식으로 생존, 성장, 발전, 번식이라는 목적을 지향하는 단일화된 체계라고 보았다.

03-1 베이컨, 테일러, 레오폴드의 입장 비교

자료 분석

> 갑 : 인간은 자연의 해석자이자 이용자이다. 자연을 사냥해 인간의 이익에 봉사하도록 해야 한다.
> 을 : 인간은 자연에 대한 존중을 실천해야 한다. 인간은 목적론적 활동의 중심인 모든 생명체를 존중해야 한다.
> 병 : 인간은 대지 공동체의 지배자가 아니라 구성원일 뿐이다. 인간은 대지를 경제적 가치로만 보아서는 안 된다.

갑은 인간의 자연 지배와 정복을 강조한 점에서 인간 중심주의 사상가 베이컨이다. 을은 모든 생명체를 목적론적 활동의 중심이라고 본 점에서 생명 중심주의 사상가 테일러이다. 병은 대지 윤리를 주장하면서 인간이 대지 공동체의 구성원임을 강조한 점에서 생태 중심주의 사상가 레오폴드이다.

선택지 바로 보기

ㄱ. A : 동식물은 인간을 위한 자원으로 사용할 수 있다. (×)
→ 베이컨뿐만 아니라 레오폴드도 동식물이 인간을 위한 자원으로 활용될 수 있음을 인정하였다.

ㄴ. B : 전일론적 관점에서 생태계의 보전에 힘써야 한다. (○)
→ 생태 중심주의자 레오폴드만의 입장이다. 레오폴드는 전체론적 혹은 전일론적 관점을 제시하였다.

ㄷ. C : 자연은 인간의 이익에 봉사할 때만 가치를 지닌다. (×)
→ 인간 중심주의 사상가 베이컨만의 입장이다.

ㄹ. D : 인간만이 도덕적 지위를 지닌다는 생각에서 벗어나야 한다. (○)
→ 베이컨과는 달리 테일러, 레오폴드는 인간만이 도덕적 지위를 가진다는 인간 중심주의적인 생각에서 벗어나 테일러는 생명체를, 레오폴드는 생태계를 존중해야 한다고 보았다.

03-2 싱어, 레건의 입장 비교

갑은 쾌고 감수 능력을 강조한 점에서 싱어, 을은 삶의 주체가 내재적 가치를 갖는다고 본 점에서 레건이다.

⑤ 싱어와 레건은 적어도 쾌고 감수 능력을 지닌 존재라야 도덕적 고려의 범위에 들 수 있다고 보았다.

오답 피하기 ① 슈바이처의 주장이다. 생명 중심주의자인 슈바이처는 생명을 유지하고 고양하는 것은 선, 생명을 파괴하고 억압하는 것은 악이라고 보았다.

② 싱어는 인간과 동물의 이익 관심을 차별하지 말아야 한다고 주장했을 뿐, 인간과 동물의 이익 관심이 동일하다고 본 것은 아니다.

③ 레건은 일부 동물이 도덕적 무능력자이지만 삶의 주체로서 내재적 가치를 지닌다고 보았다.
④ 데카르트의 주장이다. 데카르트는 인간 중심주의자로 인간의 정신은 물질로 환원할 수 없는 존엄한 것으로 본 반면, 자연은 단순한 물질 또는 기계로 파악함으로써 도덕적 고려의 대상이 될 수 없다고 주장하였다.

04-1 칸트, 레건, 테일러의 입장 비교

(가)의 갑은 인간이 자연에 대한 간접적 의무를 가진다고 본 점에서 칸트, 을은 삶의 주체로서 동물의 도덕적 지위를 인정해야 한다고 본 점에서 레건, 병은 생명체는 목적론적 삶의 중심이라고 본 점에서 테일러이다.
ㄱ. 칸트, 레건은 최소한 지각과 의식이 있는 존재여야만 도덕적 존중의 대상이 될 수 있다고 보았다. 반면, 생명 중심주의 사상가 테일러는 지각과 의식이 없는 생명체도 도덕적 존중의 대상이 될 수 있다고 보았다.
ㄷ. 레건과 테일러는 인간 중심주의 사상가인 칸트와 달리 사유 능력을 기준으로 어떤 존재의 도덕적 지위를 결정해서는 안 된다고 보았다.
ㄹ. 동물을 함부로 학대하거나 자연을 함부로 훼손하는 것은 인간의 의무에 위배된다는 것은 테일러, 레건, 칸트 모두 동의할 내용이다. 칸트는 인간 중심주의의 관점에서 간접적 의무로 동물 학대 금지, 자연 훼손 금지 등을 제시하였다.
오답 피하기 ㄴ. 테일러만의 입장이다. 칸트는 생명체와 생태계 모두 도덕적 지위가 없다고 보았다.

04-2 싱어와 레건의 입장 비교

갑은 쾌고 감수 능력을 도덕적 고려를 위한 필요충분조건으로 제시한 점으로 보아 싱어, 을은 쾌고 감수 능력, 욕구, 지각 등을 지닌 개체를 삶의 주체라고 본 점으로 보아 레건이다.
⑤ 레건의 입장이 아니다. 레건은 쾌고 감수 능력뿐만 아니라 욕구, 지각, 정체성 등의 여러 조건을 만족하는 일부 동물이 삶의 주체이며 도덕적 권리를 지닌다고 주장하였다.
오답 피하기 ① 싱어는 인간의 이익 관심과 동물의 이익을 평등하게 고려해야 한다고 보았을 뿐, 동일한 것은 아니라고 주장하였다.
② 싱어는 이익 평등 고려의 원칙에 따라 인간의 이익만을 중시하고 동물의 이익을 무시하는 것은 바람직하지 않다고 하였다.
③ 레건에 따르면, 일부 동물은 자기 삶을 영위할 수 있는 삶의 주체로서 내재적 가치를 지니며, 내재적 가치를 갖는 대상은 수단이 아닌 목적으로 대우해야 한다.
④ 레건에 따르면, 동물에 대한 실험, 매매, 사냥, 식용, 애완 등의 행위는 삶의 주체인 동물이 지닌 가치와 권리를 부정하기 때문에 비윤리적이다.

DAY 3 필수 체크 전략 ②

24~25쪽

1 ④	2 ②	3 ③	4 ①
5 ④	6 ④		

1 레오폴드와 칸트의 입장 비교

갑은 생명 공동체의 온전성에 이바지하면 옳은 것으로 본 점을 통해 대지 윤리를 주장한 생태 중심주의 사상가 레오폴드, 을은 비이성적 존재는 수단적 가치만 가진다고 본 점을 통해 인간 중심주의 사상가 칸트임을 알 수 있다.
ㄱ. 생태 중심주의 사상가인 레오폴드도 인간만이 도덕적 행위의 주체, 도덕적 책임의 주체라는 점은 인정하였다.
ㄷ. 레오폴드는 인간 이외의 존재, 즉 동물, 식물 등도 도덕적 지위를 지니며 도덕적 고려의 대상이라고 보았다. 이와 달리 칸트는 이성적 존재인 인간만이 도덕적 고려의 대상이라고 보았다.
ㄹ. 칸트는 이성의 유무에 따라 도덕적 지위를 지니는지의 여부가 결정된다고 보았다. 이와 달리 레오폴드는 생태계 전체를 도덕적 고려의 대상으로 보았다.
오답 피하기 ㄴ. 칸트는 이성을 지닌 존재인 인간은 목적 자체로서의 가치를 지니며, 이성이 없는 존재들은 수단으로서의 가치를 지닌다고 보았다.

2 칸트, 테일러, 레오폴드의 입장 비교

(가)의 갑은 동물 학대가 인간 자신에 대한 의무를 위반하는 것이라고 본 점을 통해 인간 중심주의 사상가 칸트, 을은 모든 생명체가 목적론적 삶의 중심이라고 본 점을 통해 생명 중심주의 사상가 테일러, 병은 대지 윤리를 제시한 점에서 생태 중심주의 사상가 레오폴드임을 알 수 있다.
ㄱ. 대지 윤리를 제시한 레오폴드와 달리 칸트와 테일러는 무생물에게까지 도덕적 지위를 부여할 수는 없다고 보았다.
ㄹ. 동물을 함부로 학대하거나 자연을 함부로 훼손하는 행위는 인간의 의무에 위배되며 비도덕적 행위라는 것은 테일러, 레오폴드뿐만 아니라 칸트도 동의할 내용이다.
오답 피하기 ㄴ. 칸트만의 입장이다.
ㄷ. 테일러는 개별 생명체를 중시하는 생명 중심주의자로서 생태계가 내재적 가치를 지닌다고 주장하지 않았다.

3 베이컨과 싱어의 입장 비교

갑은 인간의 지식이 곧 힘이라고 본 점을 통해 인간 중심주의 사상가 베이컨, 을은 종 차별주의를 비판한 점을 통해 동물 중심주의 사상가 싱어임을 알 수 있다.
ㄴ. 싱어는 종이 다르다는 이유로 동물의 이익 관심을 차별 대우하거나 무시하려는 종 차별주의를 비판하였다.
ㄷ. 인간 중심주의 사상가 베이컨은 쾌고 감수 능력을 지닌 존재에 대한 도덕적 고려를 주장하는 싱어와는 달리 인간만이 도덕적 존중

의 대상이라고 보았다.

오답 피하기 ㄱ. 베이컨은 자연이 내재적 가치를 지닌다고 보지 않았다. 그는 자연이 인간의 이익과 번영을 위해 봉사하는 수단적·도구적 가치를 지닌다고 보았다.

ㄹ. 싱어뿐만 아니라 베이컨도 동의할 내용이다.

4 네스와 테일러의 입장 비교

갑은 생명 중심적 평등을 제시한 점으로 보아 심층 생태주의를 주장한 네스, 을은 모든 생명체가 목적 지향적 단일화된 체계라고 여긴 점으로 보아 생명 중심주의 사상가 테일러이다.

ㄱ. 네스는 인간이 자신을 자연과의 상호 연관 속에서 존재하는 것으로 이해하는 '큰 자아실현'을 실천해야 한다고 주장하였다.

ㄴ. 테일러는 인간의 즐거움과 쾌락을 위해 야생 동물을 사냥, 낚시하거나 덫을 놓는 등의 기만 행위를 금지해야 한다는 성실의 의무를 제시하였다.

오답 피하기 ㄷ. 네스뿐만 아니라 테일러도 동의할 내용이다.

ㄹ. 테일러가 제시한 불간섭의 의무에 대한 내용이다. 네스도 인간이 함부로 생태계를 조작, 통제하려는 시도를 해서는 안 된다고 주장하였다.

5 레오폴드, 데카르트, 테일러의 입장 비교

갑은 대지 윤리를 제시한 점으로 보아 생태 중심주의 사상가 레오폴드, 을은 동물이 신이 창조한 기계에 불과하다고 한 점으로 보아 인간 중심주의 사상가 데카르트, 병은 모든 생명체가 목적 지향적 활동의 중심이라고 한 점으로 보아 생명 중심주의 사상가 테일러이다.

ㄱ. 레오폴드는 생태 중심주의자로, 데카르트나 테일러와는 달리 무생물도 도덕적 고려의 대상에 포함시켜야 한다고 보았다.

ㄷ. 인간 중심주의자 데카르트는 동물은 신이 창조한 기계이며 인간이 이러한 동물을 이용하는 것은 신의 뜻을 거스르는 것이 아니라고 하였다.

ㄹ. 테일러는 모든 생명체의 내재적 가치를 존중하였지만 인간이 생명 유지를 위한 자원으로 불가피하게 비이성적 존재인 동식물을 이용할 수 있음을 인정하였다.

오답 피하기 ㄴ. 데카르트는 동물이나 식물의 내재적 가치를 인정하지 않았다.

6 레오폴드의 생태 중심주의 입장 이해

제시문은 대지에 대한 윤리가 높은 평가로 이루어져야 한다고 본 점을 통해 레오폴드의 주장임을 알 수 있다. 레오폴드는 대지에 대한 사랑과 존중을 표현하면서 도덕 공동체의 범위를 대지까지 확장해야 한다고 보았다.

ㄱ. 레오폴드는 생태 중심주의 입장을 지니고 있으므로 개별 생명체의 보존보다는 생명 공동체, 생태 공동체의 안정성, 온전성, 아름다움이 더 우선해야 한다고 보았다.

ㄴ. 레오폴드는 바람직한 대지 이용을 경제적 문제로만 생각하지 말고 경제적 관점뿐만 아니라 심미적, 윤리적 관점에서도 검토해야 한다고 주장하였다.

ㄹ. 레오폴드는 대지를 단순한 토양이나 흙으로 생각하지 않았으며 생명체가 유기적으로 작용하는 하나의 집합체이자 체계의 개념으로 이해하였다.

오답 피하기 ㄷ. 레오폴드에 따르면, 대지 윤리는 인류의 역할을 대지 공동체의 정복자에서 그것의 동료 구성원이자 시민으로 변화시킨다.

누구나 합격 전략 | 26~27쪽

1 ②	2 ②	3 ⑤	4 ④
5 ①	6 ①	7 ⑤	

1 야스퍼스와 하이데거의 입장 비교

갑은 기술은 인간 생존을 위한 수단이며, 기술 그 자체는 행복과 불행에 대해 중립적이라고 말한 점으로 보아 과학 기술의 가치 중립성을 주장한 야스퍼스, 을은 기술의 본질 속에 인간의 삶의 방식을 변형시킬 수 있는 위험이 깃들어 있다고 본 점을 통해 과학 기술의 가치 중립성을 반대한 하이데거이다.

ㄱ. 야스퍼스에 따르면 기술은 인간 사회와 무관하게 그 자체의 발전 논리를 가지고 있으며, 선도 아니고 악도 아닌 가치 중립적인 수단일 뿐이다.

ㄹ. 기술이 인간과 무관하게 광기를 부리거나 인간을 지배할 수 없다고 본 야스퍼스와는 달리 하이데거는 기술을 가치 중립적인 것으로만 고찰할 때 인간이 기술에 종속당할 것이라고 보았다.

오답 피하기 ㄴ. 하이데거는 최악의 경우는 기술을 중립적인 것으로 고찰할 때이며 이럴 경우 인간은 기술에 종속당하게 될 것이라고 주장하였다.

ㄷ. 야스퍼스뿐만 아니라 하이데거도 동의할 내용이다.

2 요나스의 책임 윤리 이해

제시문은 인간만이 책임질 수 있는 유일한 존재라고 본 점을 통해 요나스의 주장임을 알 수 있다. 요나스는 책임의 범위를 자연과 생태계, 미래 세대까지 확장시켜야 한다고 보았다.

ㄱ. 요나스는 책임질 수 있는 능력은 책임져야 한다는 의무와 당위로 연결되어야 한다고 보았다.

ㄷ. 요나스는 새로운 과학 기술 시대의 복잡한 문제들을 전통적 윤리학만으로는 해결하기 어렵다고 보고 새로운 책임 윤리가 필요하다고 주장하였다.

오답 피하기 ㄴ. 요나스는 미래 세대에 대한 현세대의 일방적 책임이 요청된다고 주장하였다.

ㄹ. 요나스는 인류 존속의 당위적 요청을 근거로 인류 존속에 대한 현세대의 책임을 강조하였다. 이 책임의 의무는 모든 생명체가 아닌 인간만이 부담한다.

3 사이버 공간에서의 표현의 자유와 문제점 해결 방안

제시문에서는 사이버 공간에서 표현의 자유가 타인에 대한 비방과 악성 댓글 등으로 이어지면서 사회에 악영향을 끼치고 있음을 지적하고, 이를 해결하기 위해 정부 차원의 강한 규제가 필요하며 그 일환으로 인터넷 실명제에 대한 논의가 필요함을 강조하고 있다.

⑤ 제시문에서는 사이버 공간에서 표현의 자유에 대한 일정한 제약이 필요하다고 보며, 이는 개인적 규제 차원을 넘어서 정부 차원의 강력한 규제로 시행되어야 한다고 주장한다.

오답 피하기 ① 제시문에서는 사이버 공간에서 표현의 자유에 대한 제약이 필수적이라고 본다.

② 제시문에서는 사이버 공간에서 표현의 자유가 해악 금지의 원칙을 벗어나서는 안 된다고 본다.

③ 제시문에서는 사이버 공간에서 표현의 자유를 확장하기 위해서가 아니라 표현의 자유에 일정한 제약을 가하기 위해 인터넷 실명제가 필요하다고 본다.

④ 제시문에서는 사이버 공간에서 표현의 자유로 인한 문제 해결을 위해 개인의 자발적 규제에만 의존하지 말고 정부 차원의 강력한 규제가 시행될 필요가 있다고 본다.

4 레오폴드의 입장 파악

제시문은 대지 윤리를 제시한 점에서 레오폴드의 주장이다.

ㄱ. 레오폴드에 따르면 동식물뿐만 아니라 대지도 인간을 위한 자원이 될 수 있다.

ㄷ. 레오폴드에 따르면, 대지 윤리는 인류의 역할을 대지 공동체의 정복자에서 평범한 구성원이자 시민으로 전환시킨다.

ㄹ. 생태 중심주의자인 레오폴드는 전일론적 관점에서 개별 생명체의 가치도 중시하지만 생태 공동체 전체의 조화와 균형을 중시한다.

오답 피하기 ㄴ. 레오폴드는 대지를 경제적 관점으로만 평가해서는 안 된다고 보면서 경제적 관점뿐만 아니라 윤리적, 심미적 관점으로도 이해해야 한다고 주장하였다.

5 동물 중심주의 사상가 싱어의 입장 파악

자료 분석

> 고통이나 즐거움을 느낄 수 있는 능력은 적어도 이익 관심을 갖기 위한 전제 조건이다. 예를 들어 돌멩이는 이익 관심을 갖지 않는다. 왜냐하면 고통을 느끼지 못하기 때문이다. 하지만 쥐는 차여서 길에 굴러다니지 않을 이익 관심을 분명 갖고 있다. 왜냐하면 쥐는 차이게 될 경우 고통을 느낄 것이기 때문이다.

쾌고 감수 능력을 어떤 존재가 이익 관심을 갖기 위한 전제 조건이자 필요충분조건이라고 본 점을 통해 싱어의 주장임을 알 수 있다. 싱어는 고통을 느끼지 못하는 돌멩이와 고통을 느낄 수 있는 쥐를 비교하면서 쥐와 같이 쾌고 감수 능력을 지닌 존재는 고통받지 않을 이익 관심을 가진다고 주장하였다.

선택지 바로 보기

ㄱ. 동물의 이익 관심을 무시해서는 안 된다. (○)
→ 싱어는 동물의 이익 관심을 차별하거나 무시하지 말고 이익 관심을 지닌 존재로서 도덕적으로 고려해야 한다고 주장하였다.

ㄴ. 인간의 작은 이익을 위해 동물의 본질적 이익을 침해해서는 안 된다. (○)
→ 싱어는 인간의 사소한 이익을 위해서 동물의 본질적 이익이나 큰 이익을 침해하려는 행위는 옳지 않다고 비판하였다. 그리고 대부분의 동물 실험이나 동물 학대의 경우에 이런 침해 행위가 나타난다고 지적하였다.

ㄷ. 인간과 동일한 이익 관심을 갖는 동물을 차별적으로 대우해서는 안 된다. (×)
→ 싱어는 동물의 이익 관심을 차별하지 말 것을 주장하였다. 하지만 이것이 동물의 이익 관심이 인간의 이익 관심과 동일하다는 뜻은 아니다.

ㄹ. 쾌고 감수 능력, 지각과 의식이 없어도 도덕적 고려의 대상이 될 수 있다. (×)
→ 싱어는 어떤 존재가 쾌고 감수 능력이 없다면 거기에서 고려해야 할 바는 아무것도 없다고 주장하였다.

6 생명 중심주의 사상가 슈바이처와 테일러의 입장 비교

갑은 생명을 고양하는 것은 선이고 생명을 억압하는 것은 악이라고 본 점을 통해 슈바이처, 을은 모든 생명체를 목적론적 삶의 중심이라고 본 점을 통해 테일러임을 알 수 있다. 이들은 생명체를 도덕적 고려의 대상으로 존중해야 한다고 본 생명 중심주의 사상가이다.

ㄱ. 슈바이처는 인간이 불가피하게 생명을 해쳐야 하는 선택의 상황이 있을 수 있다는 점을 인정하면서, 그러한 선택에는 도덕적 책임을 느껴야 한다고 보았다.

ㄴ. 테일러는 개별 유기체의 자유를 간섭하거나 생태계를 조작, 통제, 개조하려는 시도를 하지 말아야 한다는 불간섭의 의무를 제시하였다.

오답 피하기 ㄷ. 테일러는 악행 금지의 의무, 불간섭의 의무, 성실의 의무, 보상적 정의의 의무 등을 제시하였다.

ㄹ. 테일러뿐만 아니라 슈바이처도 모든 생명은 그 자체로 신성하다고 보아 생명체의 내재적 가치를 인정하였다.

7 서양의 인간 중심주의 입장과 동양의 도가 사상의 입장 비교

(가)는 인간을 자연의 사용자로 본 점을 통해 서양의 인간 중심주의 사상가 베이컨, (나)는 무위자연을 지향하고 도에 따라 살아야 한다고 본 점을 통해 동양의 도가 사상가의 주장임을 알 수 있다.

⑤ 도가 사상가의 입장에 해당하지 않는다. 도가 사상에서는 자연의 가치와 인간의 이익에의 봉사 정도를 연결시켜 판단하지 않는다.

오답 피하기 ① 베이컨은 자연이 인간을 위한 도구이자 수단이라고 보았다.

② 베이컨은 인간이 자연보다 우월한 존재임을 인정하였다.
③ 도가 사상에서는 도의 흐름, 자연의 흐름을 거스르지 말아야 한다고 본다.
④ 도가 사상에서는 자연이 무질서의 체계가 아니라 무목적의 질서의 체계, 무위의 체계라고 본다.

창의·융합·코딩 전략

28~31쪽

01 ①	02 ③	03 ③	04 ⑤	05 ③	06 ①
07 ⑤	08 ⑤	09 ②	10 ④	11 ③	

01 야스퍼스와 하이데거의 입장 비교

갑은 기술 그 자체는 선도 아니고 악도 아닌 가치 중립적 도구일 뿐이라고 한 점에서 야스퍼스, 을은 기술을 중립적인 것으로 여길 때 무방비 상태로 내맡겨진다고 말한 점에서 하이데거이다.
① 야스퍼스는 과학 기술의 가치 중립성을 주장한 반면, 하이데거는 과학 기술에 대한 가치 판단을 강조하였다. 따라서 야스퍼스에 비해 하이데거는 '기술 자체가 중립적인 도구일 뿐이라고 보는 정도(X)'는 낮다. 하이데거는 기술이 인간을 지배하거나 종속화할 위험성을 가진 존재로 보았다. 따라서 야스퍼스에 비해 하이데거는 '기술 자체가 인간을 종속하고 지배할 위험성을 지닌 것이라고 보는 정도(Y)'는 높다. 그리고 기술을 단순한 가치 중립적 도구로 본 야스퍼스와 달리 하이데거는 감추어져 있는 존재의 모습을 드러내 주는 수단이라고 보았다. 따라서 야스퍼스에 비해 하이데거는 '기술이 감추어져 있는 존재의 모습을 드러내 주는 수단이라고 보는 정도(Z)'가 높다. 따라서 갑에 비해 을의 입장이 갖는 상대적 특징은 ㉠이다.

02 시민의 알 권리 보장에 대한 입장 파악

제시문은 공인의 경우 대중과 공익, 사회를 위해서 개인의 인격권이 시민의 알 권리에 의해 어느 정도 제한될 수 있다고 강조하고 있다.
③ 제시문에서는 사인과는 달리 공인의 경우 개인의 인격권 보호가 시민의 알 권리에 의해 유보될 수 있음을 강조하고 있다.
오답 피하기 ① 제시문에서는 시민의 알 권리를 위해 개인의 인격권이 일부 제한될 수 있음을 인정하지만, 시민의 알 권리와 개인의 인격권 보호가 양립 불가능하다고 보지는 않는다.
② 제시문에서는 사인과 공인의 경우를 구분하고, 공인의 경우 시민의 알 권리 보장을 위해 개인의 인격권이 제한될 수 있다고 본다.
④ 제시문에서는 공인의 경우 잊힐 권리를 절대적으로는 보장할 수 없다고 주장한다.
⑤ 제시문에서는 공인이라고 해서 개인의 모든 사생활까지 공개해야 한다고 주장하지는 않는다.

03 과학자의 책임 범위에 대한 논쟁 이해

갑은 과학자의 내적 책임만을 강조하는 입장, 을은 과학자의 내적 책임과 외적 책임을 동시에 강조하는 입장이다.
③ 을은 연구 과정에서의 윤리적 원칙 준수를 인정하므로 과학자의 내적 책임을 부정하는 것이 아니라 내적 책임은 물론 외적 책임까지 인정하는 입장이다.
오답 피하기 ① 갑은 과학자가 외적 책임으로부터 자유로워야 하며 내적 책임만을 지면 된다고 본다.
② 갑은 과학자가 연구 개발 과정에서 정직하고 성실한 태도로 연구에 임하여 객관적 진리를 밝혀내면 된다고 본다.
④ 을은 과학자가 연구 주제 선정에서부터 자신의 연구가 인간 존엄성 구현, 인간 삶의 질 향상에 기여하는지 여부에 대해 고려하는 윤리적 가치 판단을 해야 한다고 본다.
⑤ 갑, 을은 모두 과학자가 연구 과정에서의 윤리적 원칙을 지켜야 함을, 즉 내적 책임을 가져야 함을 인정한다.

04 요나스의 책임 윤리 이해

자료 분석

> 아직 존재하지 않지만 실존할 것으로 기대되는 미래 세대의 권리는 우리에게 응답의 의무를 부과한다는 점을 수용해야 한다. 이런 의무는 우리에게 그들에 대한 정언적 책임을 요청한다. 또한 우리는 목적 자체로 인정하는 영역을 인간을 넘어서까지 확장해야 하며 이들에 대한 염려를 인간이 가지고 있는 선(善) 개념에 포함시켜야 한다.

제시문은 현세대에게는 미래 세대에 대한 정언적 책임이 부과되어 있다고 보는 점, 인간을 넘어선 영역까지를 목적으로 인정해야 한다고 보는 점을 통해 책임 윤리를 주장한 요나스임을 알 수 있다.

⑤ 요나스는 인간만이 유일하게 책임질 수 있는 존재이며, 책임질 수 있는 능력은 책임져야 한다는 당위로 이어져야 한다고 주장하였다.
오답 피하기 ① 요나스는 인류의 지속적인 존재를 무조건적 명령으로 인식해야 한다고 보면서 인류 존속에 대한 현세대의 책임을 강조하였다.
② 요나스는 인간만이 책임질 수 있는 유일한 존재이며, 동식물을 포함한 자연이나 생태계는 책임의 주체가 아니라고 보았다.
③ 요나스는 현세대의 미래 세대에 대한 책임은 자식에 대한 부모의 책임처럼 일방적인 것이라고 보았다.
④ 요나스는 과학 기술이 초래하게 될 미래에 대한 낙관적 희망보다는 미리 사유된 위협과 공포로부터 새로운 책임 윤리의 토대를 마련해야 한다고 보았다.

05 저작권 보호를 강조하는 입장 이해

제시문은 정보 사회의 발전과 풍요로움을 위해 창작자의 소유권을 인정하고 창작 노력에 대한 충분한 보상과 대가가 이루어져야 함을 강조하고 있다.

③ 제시문은 정보 사회의 발전을 위해 창작자에게 충분한 보상과 대가를 지불함으로써 창작 의욕을 고취시킬 필요가 있다고 본다.

오답 피하기 ①, ④ 정보 공유를 강조하는 입장에서 지지할 내용이다.
② 제시문에서는 정보의 풍요로움을 위해 정보 공유가 아닌 저작권 보호를 강조하고 있다.
⑤ 제시문에서는 지식이나 정보에 대해 경제적 가치를 부과하고 경제적 보상과 대가를 지불할 필요가 있다고 본다.

06 사이버 공간에서 표현의 자유에 대한 논쟁 이해

갑은 인간이 이성적·윤리적 존재임을 강조하면서 사이버 공간에서 발생하는 표현의 자유로 인한 문제는 자율적 규제로 충분히 해결할 수 있다고 본다. 반면, 을은 인간이 충동과 욕구를 지닌 이기적 존재임을 강조하면서 자율적 규제뿐만 아니라 법적, 제도적 규제도 필요하다고 본다.
ㄱ. 갑은 사이버 공간에서 인간은 인간에 대한 신뢰와 이성을 바탕으로 자율적으로 행동하고 통제할 수 있다고 본다.
ㄷ. 을은 인간이 윤리적·인격적 존재이자 충동과 욕구를 지닌 이기적 존재라고 본다. 을에 비해 갑은 인간의 본성에 대한 신뢰를 바탕으로 인간이 스스로 이성적으로 판단하며 도덕규범을 스스로 지켜나갈 수 있는 존재임을 강조한다.

오답 피하기 ㄴ. 을은 사이버 공간에서 표현의 자유로 인한 문제가 발생할 때 법적, 제도적 규제가 필요하다고 본다.
ㄹ. 을은 사이버 공간에서 자율적 규제가 아무런 효과를 가져오지 못한다고 보지 않는다. 다만, 자율적 규제만으로는 한계가 있으므로 반드시 법적, 제도적 규제가 필요하다고 주장하고 있다.

07 정보 격차 문제 해결 방안에 대한 다양한 입장 파악

갑은 정보 격차 문제가 정보 통신 기술의 발달과 장비의 보급으로 자연스럽게 해결될 것이라고 보는 반면, 을은 정보 격차 문제는 경제적 형편에 의존하는 것이기 때문에 정보 소외 계층에 대한 제도적 방안을 적극적으로 마련해야 한다고 본다.
⑤ 갑, 을은 모두 정보 통신 기술의 발달과 정보 통신 장비의 빠른 보급이 정보 격차 완화에 도움을 줄 수 있다는 점을 인정한다.

오답 피하기 ① 갑이 아니라 을의 입장이다.
② 갑은 정보 격차 문제가 시간이 걸릴지라도 점차 자연스럽게 해결될 것이라고 본다.
③ 을이 아니라 갑의 입장이다.
④ 을은 정보 격차 해소를 위한 국가의 적극적 지원과 정책이 필요하다고 본다.

08 테일러의 생명 중심주의 이해

제시문은 모든 생명체가 목적론적 삶의 중심이라고 본 점을 통해 생명 중심주의 사상가 테일러의 주장임을 알 수 있다.
ㄴ. 테일러는 지각과 의식이 없어도 모든 생명체가 도덕적 지위를 가지며 내재적 가치를 지닌다고 보았다.
ㄷ. 테일러는 인간이 본질적으로 다른 생명체들보다 우월한 것은 아니라고 주장하였다.
ㄹ. 테일러는 인간은 고유한 선을 지니는 생명체를 도덕적으로 고려할 의무를 갖는다고 주장하였다. 이를 근거로 비이성적 생명체를 함부로 대우하는 것은 옳지 않다고 보았다.

오답 피하기 ㄱ. 테일러는 생태계를 보호하고 함부로 조작, 통제하려고 해서는 안 된다는 불간섭의 의무를 주장하였다. 하지만 이것이 생태계 자체의 내재적 가치를 인정한다는 의미는 아니다. 테일러는 생명 중심주의자로서 생태계 전체가 아닌 개별 생명체를 중시하였다.

09 레건의 동물 중심주의 이해

제시문은 인간이 아닌 일부 포유동물도 삶의 주체가 될 수 있다고 말한 점을 보아 레건의 주장이다.
ㄱ. 레건은 인간이 아닌 존재, 즉 비이성적 존재인 일부 성장한 포유동물도 삶의 주체가 될 수 있으며 내재적 가치를 지닐 수 있다고 보았다.
ㄹ. 레건은 존재의 도덕적 지위를 결정하는 기준이 사유 능력이 아니라 쾌고 감수 능력, 욕구, 지각, 정체성 등 여러 조건이라고 보았다. 이러한 기준에 따라 일부 동물은 삶의 주체이며 도덕적 권리를 지닌다고 보았다.

오답 피하기 ㄴ. 레건은 동물 중심주의자로서 일부 포유동물은 도덕적 무능력자이지만 감정적인 생활을 할 뿐만 아니라 희망과 목적을 추구할 수 있는 삶의 주체이기 때문에 도덕적 지위를 갖는다고 주장하였다.
ㄷ. 레건은 삶의 주체가 되기 위한 여러 조건 중 하나로 지각과 의식을 제시하였다.

10 아리스토텔레스, 싱어, 레건의 입장 비교

자료 분석

갑 : 식물은 동물을 위해 존재한다. 그리고 동물은 인간을 위해 존재한다. 자연은 특별히 인간을 위해 모든 것을 만들어 냈음에 틀림없다.
을 : 만약 어떤 존재가 고통을 느낀다면, 그와 같은 고통을 고려하지 않으려는 것은 도덕적으로 정당화될 수 없다. 평등의 원리는 한 존재의 고통을 다른 존재의 동일한 고통과 동등하게 취급할 것을 요구한다.
병 : 일부 동물들은 삶의 주체로서 존중받을 도덕적 권리를 갖는다. 우리가 생명 공동체를 구성하는 개체들의 권리를 존중한다면 그 공동체는 보존될 것이다.

'동물이 인간을 위해 존재', '자연은 인간을 위해 모든 것을 만들어 냄' 등의 내용을 통해 갑은 인간 중심주의 사상가인 아리스토텔레스임을 알 수 있다. '평등의 원리', '한 존재의 고통과 다른 존재의 동일한 고통을 동등하게 취급' 등의 내용을 통해 을은 동물 중심주의자 싱어임을 알 수 있다. '일부 동물이 삶의 주체로서 도덕적 권리를 지닌다.'는 내용을 통해 병은 레건임을 알 수 있다.

선택지 바로 보기

ㄱ. A : 이성이 없는 존재는 도덕적으로 고려될 필요가 없는가? (○)
→ 아리스토텔레스는 긍정, 싱어와 레건은 부정의 대답을 할 질문이다. 아리스토텔레스는 인간 중심주의자로 이성이 없는 존재를 도덕적으로 고려할 필요는 없다고 보았다.

ㄴ. B : 쾌고 감수 능력은 어떤 존재를 도덕적으로 고려하기 위한 필요충분조건인가? (○)
→ 싱어는 긍정, 레건은 부정의 대답을 할 질문이다. 싱어는 쾌고 감수 능력은 어떤 존재가 이익 관심을 갖기 위한 필요충분조건이라고 보았다. 하지만 레건은 쾌고 감수 능력만을 지녔다고 해서 삶의 주체가 되는 것은 아니라고 보았다. 레건에게 있어서 쾌고 감수 능력은 삶의 주체가 되기 위한 여러 조건들 중 하나인 필요조건이다.

ㄷ. C : 인간의 이익 관심과 동물의 이익 관심은 동일하며 차별하지 말아야 하는가? (×)
→ 싱어가 말한 평등의 원리는 인간의 이익 관심과 동물의 이익 관심이 동일하다는 것이 아니라 인간의 이익 관심과 동물의 이익 관심을 동등하게 대우하며 차별해서는 안 된다는 뜻이다.

ㄹ. D : 내재적 가치를 지닌 존재는 다른 것들을 위한 자원인 것처럼 대우받아서는 안 되는가? (○)
→ 레건은 일부 동물은 삶의 주체로서 내재적 가치를 지닌 존재이기 때문에 이들이 다른 것들을 위한 자원 또는 수단으로 취급당해서는 안 된다고 보았다.

더 알아보기

인간과 인간이 아닌 삶의 주체는 존중받을 도덕적 권리를 지닌다. 이러한 권리를 가진 개체들은 결코 마치 다른 것들을 위한 자원인 것처럼 대우받아서는 안 된다. 특히 다른 것들의 이익을 위해서 의도적으로 해를 입어서는 안 된다. – 레건, 『동물의 권리』

레건은 인간이 아닌 성장한 포유동물은 도덕적 무능력자이지만 감정적인 생활을 할 뿐만 아니라 희망과 목적을 추구할 수 있는 삶의 주체이기 때문에 도덕적 지위를 지닌다고 주장하였다. 그래서 다른 것을 위한 수단으로 취급받아서는 안 된다고 하였다.

11 데카르트, 칸트, 레오폴드의 입장 비교

자료 분석

갑 : 이 세상에는 육체와 영혼이라는 두 가지 실체가 있다. 물질적 육체와 비물질적 영혼의 혼합체인 인간과 달리, 동물은 의식이 없는 기계일 뿐이다.
을 : 도덕적 의무를 질 수 있는 인간에 대한 의무 외에 다른 존재에 대한 의무는 없다. 물론 동물이 수행한 봉사에 대한 감사는 간접적으로 인간의 의무에 속한다.
병 : 흙, 물, 식물, 동물, 인간을 포함하는 생명 공동체는 생명적 성질을 지닌다. 인간은 생명 공동체의 지배자가 아니며, 대지 위의 모든 존재는 평등한 구성원이다.

갑은 '인간은 육체와 정신의 결합체', '동물은 기계'라는 표현을 통해 이분법적 사고를 중심으로 한 인간 중심주의를 제시한 데카르트임을 파악할 수 있다. 을은 동물에 대해서는 '간접적 의무'만을 인정한 내용을 통해 인간 중심주의자 칸트임을 알 수 있다. 병은 '인간은 대지 공동체, 생명 공동체의 지배자가 아니라 구성원일 뿐'이라는 내용을 통해 대지 윤리를 제시한 생태 중심주의자 레오폴드임을 파악할 수 있다.

선택지 바로 보기

ㄱ. A : 인간만이 이성적 존재이며 도덕적 지위를 지니는가? (×)
→ 데카르트와 칸트가 동의할 내용이므로 A에 적절하지 않다.

ㄴ. B : 인간에게는 동물을 함부로 학대하지 말아야 할 의무가 있는가? (×)
→ 칸트와 레오폴드가 동의할 내용이므로 B에 적절하지 않다.

ㄷ. C : 인간은 이성적 존재인 인간에 대해서만 직접적인 의무를 지니는가? (○)
→ 칸트에 따르면 인간은 인간에 대해서만 직접적 의무를 지니며, 동물에 대한 인간의 의무는 간접적일 뿐이다.

ㄹ. D : 인간은 대지 공동체의 다른 구성원들에 대한 존중의 태도를 지녀야 하는가? (○)
→ 레오폴드는 인간이 대지 공동체의 정복자나 지배자가 아니라 평등한 구성원일 뿐이므로 인간은 동료 구성원들에 대한 존중의 태도를 지녀야 한다고 보았다.

더 알아보기

순전한 이성에 의해 판단하면 인간은 통상 순전히 인간에 대한 의무 외에 다른 의무는 갖지 않는다. 왜냐하면 인간의 어떤 주체에 대한 의무는 이 주체의 의지에 의한 도덕적 강요이니 말이다. 그러므로 의무 지우는 주체는 첫째로 하나의 인격이어야만 하고, 둘째로 이 인격은 경험의 대상으로 주어져 있어야만 한다. – 칸트, 『윤리형이상학』

칸트는 이성을 바탕으로 스스로 도덕 법칙을 수립하고 그것을 지키는 인간만이 도덕적 행위의 주체이며, 이러한 인간은 인간에 대해서만 직접적 의무를 가진다고 주장하였다. 한편, 칸트는 동물과 자연은 도덕적 행위의 주체가 될 수는 없지만, 인간은 인간성 실현을 위해 그들을 함부로 대해서는 안 될 의무, 즉 간접적 의무를 지닌다고 보았다.

Book 2

WEEK

2

Ⅴ. 문화와 윤리~ Ⅵ. 평화와 공존의 윤리

DAY

1 개념 돌파 전략 ①

34~37쪽

[3강] 문화와 윤리

01 도덕주의 02 자율성 03 가능하게 04 획일화 05 육식
06 윤리적 07 동화주의 08 대화

[4강] 평화와 공존의 윤리

01 세대 갈등 02 진실성 03 통일 비용 04 ○ 05 이기적
06 문화적 폭력 07 획일화 08 ○

DAY

1 개념 돌파 전략 ②

38~39쪽

1 ⑤ 2 ⑤ 3 ① 4 ② 5 ④ 6 ③

1 플라톤과 와일드의 예술에 대한 입장 이해

갑은 어떤 교육을 받느냐에 따라 아름다운 혹은 그 반대의 사람이 된다고 본 점을 통해 예술과 윤리에 대한 도덕주의를 주장한 플라톤, 을은 예술가가 윤리적 동정심을 가져서는 안 된다고 본 점을 통해 예술과 윤리에 대한 심미주의를 주장한 와일드임을 알 수 있다.

⑤ 플라톤이 부정할 내용이다. 와일드는 예술가가 윤리적 기준과 상관없이 순수하게 예술을 표현할 수 있도록 예술의 자율성을 존중해야 한다고 보았다. 반면, 플라톤은 예술이 선을 권장하고 덕성을 장려해야 한다고 보았다.

오답 피하기 ① 플라톤은 예술이 도덕적 삶을 위한 교훈과 본보기를 제공해야 한다고 보았다.

② 플라톤은 예술이 청소년의 도덕성을 함양하는 내용을 담고 있어야 한다고 보았다.

③ 와일드는 예술 지상주의의 입장에서 '예술을 위한 예술'을 주장하였다.

④ 와일드는 예술이 도덕적 가치 평가로부터 자유로워야 하며 예술이 도덕을 위한 수단이 되어서는 안 된다고 보았다.

2 패스트 패션의 윤리적 문제 이해

제시문은 패스트 패션의 의미와 관련 산업의 부정적 영향을 다룬다.

⑤ 패스트 패션은 생산 · 유통 단계에서 쉽게 버려지는 의복 쓰레기 문제와 저렴한 가격을 유지하기 위한 근로자의 저임금 노동 문제로 비판받고 있다. 따라서 패스트 패션 기업은 사람과 환경을 생각하고 그에 대한 책임 의식을 갖춘 윤리 경영을 실천할 필요가 있다.

오답 피하기 ① 제시문에서는 패션 기업이 생산한 많은 제품이 폐기되는 상황으로 인한 환경 문제를 지적한다.

②, ④ 제시문에서는 최신 유행을 반영하는 패스트 패션이 일으키는 문제에 대해 소비자가 성찰해야 한다고 주장한다.

③ 제시문에서는 패션 기업이 저렴한 가격을 유지하기 위해 침해할 우려가 있는 근로자 인권 문제를 지적한다.

3 샐러드 볼 이론과 동화주의 비교

제시문의 '나'는 샐러드 볼 이론을 주장하고 있고, '어떤 사람들'은 동화주의를 주장하고 있다.

선택지 바로 보기

① 다양한 문화의 공존을 지향해야 함을 간과한다 (○)
→ 샐러드 볼 이론을 지지하는 입장에서는 비주류 문화를 주류 문화에 동화시켜야 한다고 주장하는 동화주의에 대해 다양한 문화의 공존을 지향해야 한다고 비판할 것이다.

② 이주민 문화의 고유성을 유지해야 함을 강조한다 (×)
→ 동화주의는 이주민 문화를 주류 문화에 흡수시켜야 한다고 보는 입장이다.

③ 비주류 문화의 다양성을 인정해야 함을 강조한다 (×)
→ 동화주의는 단일한 문화를 통한 사회 통합을 추구하는 입장이다.

④ 이주민 문화를 주류 문화로 통합해야 함을 간과한다 (×)
→ 동화주의는 이주민 문화를 주류 문화로 통합해야 한다고 보는 입장이다.

⑤ 사회 통합을 위해 이질적 문화들을 소멸시켜야 함을 간과한다 (×)
→ 샐러드 볼 이론은 이질적 문화들의 공존을 추구하는 입장이다.

4 원효의 소통에 대한 입장 파악

제시문은 보이는 것은 다르지만 그 근원이 동일하다고 말한 점, 모든 종파를 더 높은 차원에서 하나로 종합해야 한다고 말한 점을 통해 불교 사상가 원효의 주장임을 알 수 있다.

② 원효는 불교의 다양한 이론들이 모두 부처의 가르침에서 비롯된 것이므로 자신과 다른 의견도 존중하고 포용할 수 있어야 한다고 보았다.

오답 피하기 ① 원효는 상대방에 대한 편견을 버리고 포용할 수 있어야 한다고 보았다.

③ 원효는 자신의 입장을 고집하지 말아야 한다고 보았다.

④ 원효는 자신의 이론에 집착하기보다 각자의 입장에서 벗어나 대승적으로 융합해야 함을 강조하였다.

⑤ 원효는 의견 다툼의 생겼을 때 특수하고 상대적인 각자의 입장을 고집하기보다 더 높은 차원에서 융합할 것을 강조하였다.

더 알아보기 원효의 일심(一心) 사상

여러 교리와 사상이 있다고 하더라도 그것은 모두 중생(衆生)을 대상으로 하는 부처의 가르침이며, 그것이 목적으로 하는 바는 모두 깨달음이라는 점에서 한마음[一心]이라는 사상이다.

5 갈퉁의 평화에 대한 입장 이해

제시문은 문화적 폭력에 대한 갈퉁의 설명이다. 갈퉁은 직접적인 폭력뿐만 아니라 사회의 구조적 · 문화적 폭력까지 제거된 적극적 평화를 실현해야 한다고 주장하였다.

④ 갈퉁에 따르면 전쟁은 특정한 형태의 폭력 중 하나에 불과하므로 전쟁뿐만 아니라 모든 형태의 폭력이 사라져야 한다.

오답 피하기 ① 갈퉁은 물리적 폭력 이외에 구조적 폭력과 문화적 폭력이 존재한다고 보았다.

② 갈퉁은 문화적 폭력이 종교와 사상, 언어와 예술, 과학과 법에 영향을 미친다고 보았다.

③ 갈퉁은 모든 형태의 폭력이 제거되어야 인간답게 살 수 있는 삶의 조건이 갖추어진다고 보았다.

⑤ 갈퉁은 진정한 평화는 적극적 평화가 실현된 상태라고 보았다.

6 싱어의 해외 원조에 대한 입장 이해

자료 분석

이익 평등 고려의 원칙에서 보면, 고통을 덜어 주어야 할 궁극적이고 도덕적인 이유는 고통이 그 자체로 바람직하지 않기 때문이다. 어떤 고통에 관하여 그것이 특정한 인종이 겪는 고통이라는 이유로 고려를 덜 한다면 이는 자의적인 차별이 될 것이다.

이익 평등 고려의 원칙에 따라 차별 없는 해외 원조를 해야 한다고 주장한 사상가는 싱어이다. 싱어는 고통을 겪고 있는 사람이 어떤 공동체의 구성원인지에 관계없이 원조해야 한다고 보았다.

선택지 바로 보기

① 원조는 의무가 아니라 자율적 선택이어야 한다. (×)
→ 노직의 주장이다. 싱어는 원조를 의무라고 보았다.

② 국적과 인종에 따라 원조 여부를 결정해야 한다. (×)
→ 싱어는 원조를 결정할 때 원조 대상자가 어떤 공동체에 소속되어 있는지 고려할 필요는 없다고 주장하였다.

③ 원조를 통해 인류 전체의 고통을 감소시켜야 한다. (○)
→ 싱어는 공리주의의 입장에서 원조를 통해 인류 전체의 고통을 줄이고 행복을 증진시켜야 한다고 주장하였다.

④ 동일한 공동체에 소속된 사람에게만 원조해야 한다. (×)
→ 싱어는 자신과 동일한 공동체에 속해 자신과 가까운 사람에게만 원조해야 한다고 보지 않았다.

⑤ 공리의 원리가 아니라 도덕 법칙에 따라 원조해야 한다. (×)
→ 싱어는 공리의 원리에 따라 원조해야 한다고 보았다.

DAY **2** 필수 체크 전략 ① 40~43쪽

01-1 ② 01-2 ② 03-1 ㄱ, ㄷ 05-1 ⑤
06-1 ④

01-1 도덕주의와 심미주의의 입장 비교

갑은 예술이 아름다움만을 목적으로 삼아야 한다고 본 점을 통해 예술과 윤리에 대한 심미주의를 지지하는 입장, 을은 예술이 덕성을 장려하는 것을 목적으로 삼아야 한다고 본 점을 통해 예술과 윤리에 대한 도덕주의를 지지하는 입장임을 알 수 있다.

ㄱ. 심미주의는 예술의 독립성과 자율성을 존중해야 한다고 본다.

ㄷ. 도덕주의는 예술이 도덕적 품성을 함양하는 교훈과 본보기를 제공해야 한다고 본다.

오답 피하기 ㄴ. 도덕주의의 주장으로 적절하지 않다.

ㄹ. 심미주의만의 입장이다.

01-2 묵자의 음악에 대한 입장 이해

제시문은 음악 연주를 위해 재물과 노동력이 사용되어 생산 활동에 방해가 된다고 본 점을 통해 묵자의 주장임을 알 수 있다.

ㄱ. 묵자는 음악이 사회에 이익이 되지 않으므로, 즉 천하의 해악을 없애기 위해 금지해야 한다고 보았다.

ㄷ. 묵자에 따르면, 음악을 연주하기 위한 악기를 제조하는 데 민생에 사용될 재물이 낭비되고, 음악의 연주와 감상에 노동력이 사용되어 생산 활동에 방해가 된다.

오답 피하기 ㄴ. 묵자의 주장으로 적절하지 않다.

ㄹ. 묵자는 음악의 연주와 감상을 위해 노동력이 사용되기 때문에 생산 활동에 방해가 된다고 보았다.

03-1 볼노브의 주거에 대한 입장 이해

볼노브는 인간이 평안을 누릴 수 있는 집에서 보호와 안전을 구한다고 주장하였다.

ㄱ. 볼노브는 인간이 집에서 가족과 함께 더불어 살아간다고 보았다.

ㄷ. 볼노브는 집이 안도감을 주려면 침입자를 막아내 보호해 주어야 한다고 보았다.

오답 피하기 ㄴ. 볼노브는 인간이 낯선 이들과는 따로 살아간다고 보았다.

ㄹ. 볼노브는 인간이 외부 공간이 아닌 집에서 휴식을 취한다고 보았다.

더 알아보기 볼노브의 거주 이해

볼노브는 우리가 공간 속에서 참되게 거주할 때 비로소 인간의 본질을 실현한다고 주장하였다. 이는 정착해 살면서도 한 곳을 고집하지 않을 때, 뿌리를 내리면서도 은둔하지 않을 때, 자신을 포기하지 않고 몸을 맡길 때만이 인간의 본질을 실현할 수 있다는 것이다.

05-1 윤리적 소비의 이해

윤리적 소비는 재화나 서비스를 만들고 유통하는 전체 과정을 윤리적 가치에 따라 판단하고 소비하는 것이다.

ㄷ. 윤리적 소비는 상품 배송에 사용된 탄소량을 고려하는 녹색 소비를 지향하는 소비 형태이다.

ㄹ. 윤리적 소비는 상품을 생산하는 노동자의 인권을 고려하는 착한 소비를 지향하는 소비 형태이다.

오답 피하기 ㄱ, ㄴ. 합리적 소비와 관련된다.

더 알아보기 녹색 소비와 착한 소비

윤리적 소비는 평화, 인권, 사회 정의, 환경 등 인류의 보편 가치를 중시한다. 그래서 녹색 소비와 착한 소비가 이에 해당된다. 녹색 소비란, 환경을 보호하기 위해 만든 제품을 소비하는 등 소비 활동에서 환경 보호를 생활화하는 것이다. 착한 소비는 소비 활동에서 경제 정의를 실현하고 인권을 고려하며 환경을 보호하기 위해 노력하는 것이다.

06-1 국수 대접 이론의 이해

선택지 바로 보기

ㄱ. 다양한 문화의 정체성을 유지시키고자 한다. (○)
→ 국수 대접 이론은 주류 문화와 비주류 문화의 정체성을 각각 유지시키고자 한다.

ㄴ. 주류 문화를 중심으로 한 단일한 문화를 만들고자 한다. (×)
→ 동화주의의 입장이다.

ㄷ. 주류 문화의 우위를 바탕으로 이주민 문화를 인정한다. (○)
→ 국수 대접 이론은 주류 문화를 바탕으로 하여 문화적 다원성을 수용한다.

ㄹ. 타 문화에 대한 관용을 통해 문화의 다양성을 실현하고자 한다. (○)
→ 국수 대접 이론은 문화 다원주의의 입장으로서 이주민 문화에 대한 관용을 통해 문화의 다양성을 실현하고자 한다.

DAY 2 필수 체크 전략 ② 44~45쪽

1 ⑤	2 ⑤	3 ②	4 ⑤
5 ②	6 ③		

1 정약용과 칸트의 예술에 대한 입장 비교

갑은 음악을 일으키지 않으면 교화도 끝내 시행할 수 없다고 본 점을 통해 정약용, 을은 미(美)가 도덕성의 상징이라고 본 점을 통해 칸트임을 알 수 있다.

ㄴ. 칸트는 미적 체험이나 도덕적 행위는 모두 이기적 욕구에서 벗어나 있다는 점에서 동일하다고 보았다.

ㄷ. 칸트는 미적 판단과 도덕적 판단은 각기 고유성과 독자성을 지니지만 형식에 있어서 동일하다고 보았다.

ㄹ. 정약용과 칸트는 모두 예술이 인간의 도덕성 함양에 기여할 수 있다고 보았다.

오답 피하기 ㄱ. 정약용은 음악이 인격 수양과 사회적 화합을 위한 중요한 수단이라고 보았다.

2 아도르노의 문화 산업에 대한 비판 이해

제시문은 문화 산업이 하자 없는 규격품을 만들 듯이 인간을 재생산하려 든다고 본 점을 통해 아도르노의 주장임을 알 수 있다. 아도르노에 따르면, 문화 산업은 대중이 비판적으로 사고하거나 상상하기보다 매체가 제공하는 문화 상품을 그대로 수용하고 소비할 것을 장려한다.

선택지 바로 보기

① 문화 산업은 예술을 경제적 가치로만 평가한다. (×)
→ 아도르노는 문화 산업이 예술을 미적 가치가 아니라 경제적 가치로 평가하려 한다고 지적하였다.

② 여가 시간은 획일적인 문화 상품으로 채워진다. (×)
→ 아도르노는 산업화된 대중문화 속에서 사람들의 여가 시간은 문화 산업이 제공하는 획일적 생산물로 채워진다고 보았다.

③ 문화 산업은 관객의 적극적인 사유를 방해한다. (×)
→ 아도르노는 문화 산업이 관객의 적극적 사유나 비판적 사고를 불가능하게 만든다고 비판하였다.

④ 대중 매체는 경제적 이윤을 위한 사업으로 전락하였다. (×)
→ 아도르노는 방송과 라디오 같은 대중 매체도 경제적 이윤을 위한 사업이 되었다고 보았다.

⑤ 문화 산업의 생산물들은 소비자의 자발성을 증진시킨다. (○)
→ 아도르노는 문화 산업의 생산물은 문화 소비자의 주체성과 자발성을 약화시킨다고 보았다.

더 알아보기 아도르노의 문화 산업론

아도르노는 오늘날의 자본주의 사회에서 대중문화와 예술은 더 이상 문화와 예술이라는 범주 속에서 고찰될 수 없다고 주장하였다. 그는 모든 것이 교환될 수 있는 것만큼의 가치만을 가지고 있으며, 그 자체로서 가치를 가진 것이 아니라 시장성이 예술의 가치를 결정한다고 보았다.

3 동화주의와 샐러드 볼 이론 비교

(가)는 이민자가 출신국의 문화를 포기하고 주류 문화에 동화되어 그 사회의 일원이 되기 위해 노력해야 한다고 본 점을 통해 동화주의, (나)는 주류 문화와 이민자 문화의 가치를 동등하게 인정하고 그 특성을 유지하면서 조화를 이루어야 한다고 본 점을 통해 샐러드 볼 이론임을 알 수 있다.

② 동화주의에서는 사회 통합과 사회적 유대 강화를 위해 단일한 문화를 유지해야 한다고 본다.

오답 피하기 ① 동화주의는 이민자가 출신국의 문화를 포기하고 주류 문화를 받아들여야 한다고 본다.

③, ④ 샐러드 볼 이론은 이민자 문화가 사회 통합을 저해하거나 분열을 초래한다고 보지 않는다. 오히려 주류 문화와 이민자 문화가 동등하게 공존해야 한다고 본다.

BOOK 2

⑤ 샐러드 볼 이론만의 주장이다. 동화주의는 이민자가 자신의 문화를 포기하고 주류 문화에 동화되어야 한다고 본다.

4 베블런의 과시 소비에 대한 입장 이해

제시문을 주장한 사상가는 유한계급의 과시 소비가 존경을 일으키는 수단이며, 전 계급이 과시 소비를 하기 위해 애쓴다고 본 점을 통해 베블런임을 알 수 있다. 베블런은 자본주의 사회에서 부자들은 사회적 지위를 드러내기 위해 끊임없이 과시 소비를 한다고 보았다.
⑤ 베블런은 자본주의 사회에서 명성을 획득하고 유지하기 위한 방법이 과시 소비와 과시적 여가 활동이라고 보았다.

오답 피하기 ① 베블런은 유한계급이 자신의 경제적 지위를 드러내려 한다고 보았다.
②, ③ 베블런은 유한계급을 포함한 거의 대부분의 계층이 과시 소비를 하려 한다고 보았다.
④ 베블런은 상류층의 생활 양식은 다른 계층의 존경을 얻는다고 보았다.

5 하이데거의 주거에 대한 입장 이해

제시문을 주장한 사상가는 거주 공간의 상실을 고향의 상실로 명명한 점을 통해 하이데거임을 알 수 있다.
ㄱ. 하이데거는 거주함, 즉 평화롭게 됨이란 각각의 것을 그것의 본질 안으로 소중히 보살피는 것이라고 보고, 거주함의 근본 특성은 소중한 보살핌이라고 주장하였다.
ㄹ. 하이데거는 인간이 거주함의 진정한 의미를 인식하지 못하면 고향 상실을 경험하게 된다고 보았다.

오답 피하기 ㄴ. 하이데거는 땅, 하늘, 신적인 것들과 죽을 자들이 하나로 포개진다고 보고, 이 네 가지가 하나로 포개짐을 사방(四方)이라고 명명하였다.
ㄷ. 하이데거는 인간이 사방 안에 존재한다고 보았다.

6 엘리아데와 도킨스의 종교에 대한 입장 비교

갑은 종교적 인간에게는 모든 자연이 성현(聖顯)이라고 본 점을 통해 엘리아데, 을은 자연의 배후에 숨은 초자연적인 창조적 지성은 없다고 본 점을 통해 도킨스임을 알 수 있다.
③ 도킨스는 과학이 인간의 윤리적 행위의 원인을 설명할 수 있다고 보았다.

오답 피하기 ① 엘리아데는 인간이 일상 속에서 명상이나 상상이 아니라 체험을 통해 성스러움의 현현을 마주할 수 있다고 보았다.
② 엘리아데는 종교적 인간이 삶 속에서 성현을 체험할 때 최고의 정신성에 도달할 수 있다고 보았다.
④ 도킨스는 자연의 배후에 숨은 초자연적이며 창조적인 지성은 존재하지 않는다고 보았다.
⑤ 프로이트의 주장이다. 엘리아데는 인간이 종교적 지향성을 가진 종교적 존재라고 보았다.

DAY 3 필수 체크 전략 ①

46~49쪽

01-1 ①	01-2 ②	02-1 ⑤	02-2 ②
03-1 ㄱ, ㄴ, ㄹ	05-1 ④	05-2 ⑤	

01-1 통일에 대한 입장 파악

갑은 통일을 위해 정치 · 군사적 결단이 선행되어야 한다고 보는 입장이고, 을은 비교적 합의가 쉬운 사회 · 경제 · 문화 분야의 교류와 협력을 먼저 해야 한다는 입장이다.

선택지 바로 보기

ㄱ. 갑 : 정치 분야의 통합이 사회 · 경제적 통합의 선결 조건이다. (○)
→ 갑은 정치 · 군사 분야의 통합이 우선 이루어져야 한다고 본다.
ㄴ. 을 : 합의하기 쉬운 분야부터 남북 교류를 확대해야 한다. (○)
→ 을은 합의하기 쉬운 사회 · 경제 · 문화 분야부터 교류를 확대해야 한다고 본다.
ㄷ. 을 : 군사적 결단 없이 경제 분야 교류를 하는 것은 위험하다. (×)
→ 을은 비교적 협력하기 쉬운 경제 분야 교류를 먼저 시작해야 한다고 본다.
ㄹ. 갑, 을 : 정치적 통합을 바탕으로 비정치적 교류를 해야 한다. (×)
→ 갑만의 입장이다. 을은 비정치적 교류의 성과를 바탕으로 정치적 통합으로 나아가야 한다고 본다.

01-2 분단 비용과 통일 비용 비교

㉠은 분단 비용이고, ㉡은 통일 비용이다.
ㄱ. 분단 비용에는 군사 대결 비용과 같은 국방비, 외교적 경쟁 비용, 이산가족의 고통 등이 있다.
ㄷ. 통일 비용은 통일 한국의 번영을 위한 투자적인 성격의 비용으로, 통일 과정과 이후에 남북한 간 격차를 해소하고 이질적인 요소를 통합하는 데 부담해야 할 비용이다.

오답 피하기 ㄴ. 통일 비용은 일정 기간 동안 한시적으로 발생하는 비용이다.
ㄹ. 통일 편익은 통일에 따른 보상과 혜택으로, 통일 비용은 통일 편익을 기대할 수 있지만 분단 비용은 분단으로 생기는 부담 비용이므로 통일 편익을 기대할 수 없다.

02-1 국제 관계에 대한 이상주의 입장 이해

제시문은 국가를 이성적 존재로 보고, 국가 간의 이성적 대화와 협력을 통해 평화를 실현할 수 있다고 본 점에서 국제 관계에 대한 이상주의 입장의 주장이다.
ㄷ. 이상주의는 국제법과 도덕 규범, 국제기구를 통해 평화를 실현할 수 있다고 본다.
ㄹ. 이상주의는 국제 관계에서 인권, 자유, 평등과 같은 보편적 가치를 추구한다.

오답 피하기 ㄱ, ㄴ. 국제 관계에 대한 현실주의의 입장이다.

더 알아보기 국제 관계에 대한 이상주의

국제 관계에 대한 이상주의는 국제 관계의 실제 양상에 대해 설명하기보다는 세계가 어떻게 나아가야 하는가에 대해 주안점을 둔다. 또한, 국제 분쟁이 인간 본성에서 유래하는 것이 아니라 상대방에 대한 무지나 오해, 잘못된 제도 때문에 발생한다고 본다. 따라서 분쟁의 해결을 위해서 국가뿐만 아니라 개인, 국제기구, 비정부 기구 등 여러 행위 주체의 노력이 필요하다고 본다.

02-2 국제 관계에 대한 현실주의 입장 이해

첫 번째 제시문은 국익에 도움이 되는지에 따라 외교 정책의 좋고 나쁨을 판별할 수 있다는 내용이며, 두 번째 제시문은 전쟁을 통한 이익이 그 손실보다 클 경우 전쟁의 위험을 감수한다는 내용이다. 따라서 국제 관계에 대한 현실주의 입장에 대한 내용임을 알 수 있다.

② 현실주의는 국가의 목표를 국익과 생존으로 보기 때문에 국익과 도덕성이 상충될 때는 국익을 추구해야 한다고 본다.

오답 피하기 ① 국제 관계에 대한 이상주의의 입장이다. 현실주의는 힘의 논리를 바탕으로 한 자국의 이익 추구로 인해 국제 분쟁이 발생한다고 본다.

③, ⑤ 현실주의는 협상이나 강제력을 가진 세계 정부의 역할이 아니라 세력 균형을 통해 분쟁을 해결할 수 있다고 본다.

④ 국제 관계에 대한 이상주의의 입장이다. 현실주의는 인간은 이기적 존재이며, 국가는 이러한 인간들로 구성되어 자국의 이익을 추구하는 데 집중한다고 본다.

03-1 하버마스의 담론 윤리 이해

하버마스는 서로를 이해하여 합의를 이루어 나가는 과정을 강조하고, 일상 생활에서도 의사소통의 합리성이 작용하고 있다고 주장하였다.

ㄱ. 하버마스는 모든 사람은 평등하게 담론에 참여하고 자유롭게 의견을 제시할 수 있어야 한다고 보았다.

ㄴ. 하버마스는 담론 참여자가 서로 이해할 수 있는 말을 해야 한다고 보았다.

ㄹ. 하버마스는 이성적 논의 능력을 지닌 시민은 사회 문제 해결의 주체로서 공론장에서의 합리적 의사소통을 통해 사회 문제를 해결할 수 있다고 보았다.

오답 피하기 ㄷ. 하버마스는 상호 간의 논증적인 토론 과정을 거쳐 보편적인 합의에 도달해야 한다고 보았다.

05-1 롤스의 해외 원조에 대한 입장 이해

자료 분석

> 만민은 정의롭거나 적정 수준의 정치 체제와 사회 체제의 유지를 저해하는 불리한 조건에 사는 다른 만민을 원조할 의무가 있다. 따라서 '고통받는 사회'가 '질서 정연한 사회'가 되도록 지원해야 한다.

제시문은 질서 정연한 사회에 살고 있는 사람은 고통받는 사회를 도와야 할 의무가 있다고 본 점에서 롤스의 주장이다. 롤스가 제시한 원조의 목적은 고통받는 사회가 자신들의 문제를 합리적으로 관리할 수 있도록 도와 질서 정연한 사회가 되도록 하는 것이다.

선택지 바로 보기

ㄱ. 원조는 선의를 베푸는 것이지만 의무가 될 수는 없다. (×)
→ 롤스는 원조가 도덕적 의무라고 보았다. 원조를 의무가 아닌 자선의 관점에서 본 것은 노직이다.

ㄴ. 해외 원조를 결정할 때 차등의 원칙은 적용되지 않는다. (○)
→ 롤스는 차등의 원칙을 해외 원조에는 적용하지 않아야 한다고 보았다.

ㄷ. 이익 평등 고려의 원칙이 원조의 대상을 결정하는 근거이다. (×)
→ 롤스는 원조 대상국이 고통받는 사회인지를 파악하여 원조해야 한다고 보았다. 이익 평등 고려의 원칙은 싱어와 관련된다.

ㄹ. 고통받는 사회에 자유와 평등을 확립하는 것이 원조의 목표이다. (○)
→ 롤스에 따르면 원조의 목표는 고통받는 사회에 자유와 평등을 확립하여 질서 정연한 사회가 되게 하는 것이다.

05-2 싱어, 노직, 롤스의 해외 원조에 대한 입장 비교

갑은 이익 평등 고려의 원칙에 따라 원조가 이루어져야 한다고 본 점을 통해 싱어, 을은 원조가 의무가 아닌 개인의 자유로운 선택의 영역이라고 본 점을 통해 노직, 병은 자원이 빈곤하다고 해서 반드시 고통받는 사회는 아님에 유의하여 고통받는 사회를 원조해야 한다고 본 점을 통해 롤스임을 알 수 있다.

⑤ 싱어의 주장이다. 싱어는 굶주림과 죽음을 방치하는 것은 인류 전체의 고통을 증가시키는 것이므로 고통을 감소시키고 쾌락을 증진하기 위해, 즉 공리의 증진을 위해 원조해야 한다고 주장하였다. 노직은 원조를 개인의 선택에 따른 것으로 보았으며, 롤스는 고통받는 사회가 질서 정연한 사회가 되도록 하는 것을 원조의 목적으로 보았다.

오답 피하기 ① 싱어는 원조를 결정할 때 자신과 원조 대상자의 가깝고 먼 관계를 고려하지 않아야 한다고 주장하였다.

② 노직은 해외 원조를 자율적 선택의 문제로 보아 해외 원조나 기부를 실천할 윤리적 의무는 없다고 주장하였다.

③ 롤스에 따르면 정의의 원칙이 확립되어 질서 정연한 사회라면 빈곤하다고 하더라도 원조의 대상이 될 수 없다.

④ 롤스에 따르면, 해외 원조는 정의의 원칙이 확립된 질서 정연한 사회를 구현하여 사회 정의를 실현하는 데 중점을 두어야 한다.

DAY 3 필수 체크 전략 ② | 50~51쪽

1 ③	2 ③	3 ②	4 ②
5 ③	6 ②	7 ④	

1 하버마스의 담론 윤리 이해

제시문을 주장한 사상가는 담론에 참여하는 사람들이 이상적 담화 상황의 규칙을 준수해야 한다고 본 점을 통해 하버마스임을 알 수 있다.

③ 하버마스는 담론 참여자가 옳고 진실한 의견을 제시해야 한다고 보았다.

오답 피하기 ① 하버스에 따르면 자기의 생각과 원하는 바를 표현할 수 있어야 한다. ② 하버스에 따르면 누구나 어떤 주장에 대해서도 문제를 제기할 수 있어야 한다. ④ 하버스에 따르면 이상적 담화 상황을 통해 도출된 규범은 모든 당사자들이 비강제적으로 수용할 수 있어야 한다. ⑤ 하버마스가 제시한 이상적 담화 상황의 규칙에 따르면, 언어 능력과 행위 능력을 가지는 모든 주체는 담론에 참여할 수 있어야 한다.

더 알아보기 이상적 대화 상황의 조건

하버마스는 이상적 대화 상황을 위해서는 다음의 조건을 만족해야 한다고 보았다. 첫째, 표현의 이해 가능성을 사실적으로 전제해야 한다. 둘째, 표현하는 명제는 참된 명제여야 한다. 셋째, 제시하는 의견이 규범적 맥락에서 정당해야 한다. 넷째, 말하는 주체가 진실하여야 하며 진지한 발언 태도를 지녀야 한다.

2 통일이 지향해야 할 가치 이해

강연자는 통일 한국이 인류의 보편적 가치를 구현해야 하며, 여러 민족과 공존하는 열린 민족주의를 추구해야 한다고 주장한다.

선택지 바로 보기

① 통일 한국은 인권과 기본적 권리를 존중해야 한다. (×)
→ 강연자는 통일 한국이 자유와 평등, 인권 등 기본적 권리를 보장하는 국가를 지향해야 한다고 주장한다.

② 통일은 국제 사회의 평화와 번영에 도움이 되어야 한다. (×)
→ 강연자는 통일 한국이 국제 사회의 평화와 번영에 적극적으로 기여해야 한다고 주장한다.

③ 통일 후에는 우리 민족의 이익만을 최우선으로 추구해야 한다. (○)
→ 강연자는 자민족의 이익만을 추구하는 폐쇄적 민족주의가 아니라 열린 민족주의를 추구해야 한다고 주장한다.

④ 통일 한국은 전쟁 위험을 줄이고 한반도의 평화를 이룩해야 한다. (×)
→ 강연자는 통일 한국이 전쟁의 위협에서 벗어나 국제 사회의 평화에 기여해야 한다고 주장하고 있다.

⑤ 통일을 통해 자유와 평등이 보장되는 민주주의를 실현할 수 있다. (×)
→ 강연자는 통일을 통해 자유와 평등을 보장하는 민주적 국가를 실현할 수 있다고 본다.

3 국제 관계에 대한 이상주의와 현실주의 입장 비교

(가)는 국제 관계에서도 보편적 선과 도덕을 추구해야 한다고 본 점에서 국제 관계에 대한 이상주의의 관점이고, (나)는 국제 관계에서 국익의 추구는 필연적이라고 본 점을 통해 현실주의의 관점임을 알 수 있다.

ㄱ. 이상주의에서는 국제 관계에 국가, 개인, 국제기구, 비정부 기구 등의 다양한 행위 주체가 존재한다고 본다.

ㄷ. 현실주의에서는 국가의 목표가 국익과 생존이라고 주장하며, 다른 국가는 자국의 생존과 이익을 위협하는 위협 요소라고 본다.

오답 피하기 ㄴ. 이상주의의 입장과 거리가 멀다.
ㄹ. 이상주의만의 주장이다. 현실주의에서는 힘의 균형을 통해 평화를 실현해야 한다고 본다.

4 갈퉁의 평화 사상 이해

제시문을 주장한 사상가는 문화적 폭력의 문제점을 지적한 점으로 보아 갈퉁이다.

② 갈퉁은 직접적 폭력에는 신체적 폭력과 언어적 폭력이 있다고 보았다.

오답 피하기 ① 갈퉁은 평화가 폭력이 아닌 평화적 수단으로 실현되어야 한다고 보았다.
③ 갈퉁은 직접적 폭력뿐만 아니라 문화적 폭력, 구조적 폭력까지 없어진 적극적 평화 상태를 진정한 평화 상태라고 보았다.
④ 갈퉁은 직접적, 구조적, 문화적 폭력 모두 폭력의 시작점이 될 수 있으며, 각각의 폭력이 다른 폭력으로 이어질 수 있다고 보았다.
⑤ 갈퉁은 직접적 폭력과 구조적 폭력을 정당화하는 예술도 문화적 폭력의 한 형태라고 보았다.

5 롤스의 해외 원조에 대한 입장 파악

제시문을 주장한 사상가는 빈국이 반드시 질서 정연한 사회가 될 수 없는 것은 아니며, 정치 문화, 정치적 덕목, 그 국가의 시민 사회 등이 중요하다고 본 점을 통해 롤스임을 알 수 있다.

③ 롤스는 원조에 필요한 비용은 그 사회의 정의관뿐만 아니라 사회의 고유한 역사에 달려 있다고 보았다. 따라서 정의로운 제도의 확립에 반드시 막대한 부가 필요한 것은 아니라고 보았다.

오답 피하기 ① 롤스는 질서 정연한 사회가 여전히 상대적으로 빈곤하다고 할지라도 원조를 통해 질서 정연해졌다면 더 이상의 원조는 필요하지 않다고 보았다.
② 롤스는 부의 불평등을 인정하는 입장이므로 부의 균등을 위한 부와 복지 수준의 조정에 반대할 것이다.
④ 롤스는 자원이 부족한 빈곤국도 정의의 원칙을 확립한 질서 정연한 사회가 될 수 있다고 보았다.
⑤ 롤스는 고통받는 사회가 그 사회의 정치 문화를 바꾸어 질서 정연한 사회가 되도록 도와야 하지만 강제력의 사용은 배제해야 한다고 보았다.

6 싱어와 롤스의 해외 원조에 대한 입장 비교

갑은 도덕적으로 중요한 어떤 것을 희생하지 않는다면 고통받는 사람들을 원조해야 한다고 본 점에서 싱어, 을은 고통받는 사회가 질서 정연한 사회가 되도록 하는 것을 원조의 목표라고 본 점에서 롤스임을 알 수 있다.

② 싱어는 원조를 통해 얻는 이익이 비용보다 클 경우 원조 대상자가 어떤 공동체의 구성원인지에 관계없이 도움을 주어야 한다고 보았다.

오답 피하기 ① 싱어는 인류 전체의 고통 감소와 행복 증진을 원조의 목적이라고 보았다.

③ 롤스는 해외 원조를 결정할 때 차등의 원칙을 적용하지 않아야 한다고 보았다.

④ 롤스는 인권에 대한 강조가 고통받는 사회의 무능한 정치 체제를 변화시킬 수 있다고 보았다.

⑤ 싱어와 롤스는 모두 세계의 경제적 평등을 위해 원조해야 한다고 보지 않았다.

7 칸트의 영구 평화론 이해

제시문을 주장한 사상가는 전쟁의 완전 종식과 영구 평화를 이성이 명령한 의무로 본 점을 통해 칸트임을 알 수 있다.

칸트는 전쟁 종식과 영구 평화를 유지하기 위해 확정 조항을 제시하였는데, 첫째, 모든 국가의 시민적 정치 체제는 공화 정체여야 한다(세 번째 견해). 둘째, 국제법은 자유로운 국가들의 연방 체제에 기초해야 한다(첫 번째 견해), 셋째, 세계 시민법은 보편적 우호의 조건들에 국한되어야 한다(두 번째 견해).

오답 피하기 네 번째 견해, 칸트는 단일 국가가 아니라 개별 주권 국가로 이루어진 국제 연맹을 통해 국가 간 평화를 실현해야 한다고 보았다.

누구나 합격 전략 | 52~53쪽

1 ⑤	2 ①	3 ②	4 ①
5 ④	6 ③	7 ③	8 ①

1 톨스토이와 스핑건의 예술에 대한 입장 비교

갑은 예술 작품은 그 작품의 모든 감상자와 예술가 사이의 구별을 없애고 하나의 감정으로 결합한다고 본 점을 통해 예술과 윤리의 도덕주의를 주장한 톨스토이, 을은 시가 도덕적인지 아닌지를 말하는 것은 무의미하다고 본 점을 통해 심미주의를 주장한 스핑건임을 알 수 있다.

⑤ 스핑건만의 입장이다. 스핑건은 예술이 도덕적 선을 추구하거나 도덕을 위해 존재할 필요가 없으며, 시는 오직 그 아름다움만으로 평가되어야 한다고 보았다. 톨스토이는 예술이 도덕적 가치를 포함해야 한다고 보았다.

오답 피하기 ①, ② 톨스토이에 따르면, 예술은 인간에게 바람직한 교훈을 제공하고, 인간의 도덕성 증진에 도움이 되어야 한다.

③, ④ 스핑건에 따르면, 예술은 미적 가치를 창조적으로 표현해야 하며, 윤리적 가치가 아닌 미적 가치로 평가되어야 한다.

2 윤리적 소비의 이해

제시문은 윤리적 가치가 있는 상품을 구매해야 한다고 본 점을 통해 윤리적 소비의 필요성을 다루고 있음을 알 수 있다. 윤리적 소비는 재화나 서비스를 만들고 유통하는 전체 과정을 윤리적 가치에 따라 판단하고 소비하는 것이다.

선택지 바로 보기

① 소비를 통해 정의의 실현에 기여할 수 있는가? (○)
→ 윤리적 소비는 소비 행위를 통해 보편적 가치를 실현할 수 있다고 본다.

② 경제적 효율성이 상품의 유일한 구매 기준인가? (×)
→ 윤리적 소비는 경제적 효율성이 아니라 윤리적 가치를 기준으로 상품을 구매해야 한다고 본다. 또 경제적 효율성이 떨어지더라도 윤리적 가치를 가진 제품을 구매해야 한다고 본다.

③ 동물에게 고통을 준 생산 과정을 거친 모피를 구매해야 하는가? (×)
→ 윤리적 소비는 동물을 착취하거나 해를 주는 상품에 대한 구매를 거부해야 한다고 본다.

④ 생산 과정에서 환경 오염이 발생한 유행 상품을 구매해야 하는가? (×)
→ 윤리적 소비는 소비 활동에서 환경 보호를 생활화하는 녹색 소비를 추구하여 상품의 생산 과정도 친환경적이어야 한다고 본다.

⑤ 생산자의 인권을 침해하여 가격을 낮춘 상품을 구매해야 하는가? (×)
→ 윤리적 소비는 소비 활동에서 경제 정의를 실현하고 인권을 고려하여 환경을 보호하기 위해 노력하는 착한 소비를 추구한다. 따라서 인권을 고려하지 않은 상품의 구매를 거부해야 한다고 본다.

더 알아보기 윤리적 소비의 사례

- 공정 무역 : 선진국과 개발 도상국 사이의 불공정한 무역 구조에서 발생하는 부의 편중, 노동력 착취 등의 문제를 해결하기 위해 나타난 무역 형태이다. 생산자에게 최저 구매 가격을 보장하는 등 공정한 가격을 지불하거나, 생산자 단체와 직거래하여 생산자에게 합당한 이윤이 돌아가게 하는 방법 등이 있다.
- 공정 여행 : 현지 환경을 존중하고 현지인에게 직접 혜택이 돌아가도록 하는 여행이다. 여행자 자신뿐만 아니라 여행지의 주민까지 함께 행복해질 수 있도록 탄소 배출이 적은 교통수단을 선택하고 현지인이 운영하는 숙박업소에 머물며 현지인에게서 직접 물건을 구매하는 방법 등이 있다.

3 예술의 상업화에 대한 입장 파악

갑은 예술의 상업화에 대한 긍정적 입장, 을은 부정적 입장이다.

ㄱ. 갑은 예술의 상업화가 대중이 예술에 쉽게 접근할 기회를 제공한다고 주장한다.

ㄷ. 을은 예술의 상업화로 인해 예술이 경제적 이익을 위한 수단으로 전락할 수 있다고 지적한다.

오답 피하기 ㄴ. 을은 경제적 이익을 얻기 위한 예술의 상업화를 반대한다.

ㄹ. 을은 예술이 미적 가치를 추구해야 한다고 주장한다. 또한 예술의 상업화 현상에 따라 대중의 쾌락과 오락적 요구에 부응하게 되면 예술의 질적 저하 현상이 나타날 수 있다고 지적한다.

4 한스 큉의 종교관 이해

제시문을 주장한 사상가는 대화 역량이 종교 간 평화를 가능하게 하고, 종교 평화가 세계 평화 보장의 기초 조건이라고 본 점에서 큉이다.

① 큉은 종교 간 대화 없이는 종교의 평화가 있을 수 없고, 종교의 평화가 있어야 세계 평화가 가능하다고 보았다.

오답 피하기 ② 큉은 세계의 종교들이 가지고 있는 공통 요소를 찾아야 한다고 보았지만 단일한 종교를 만들어야 한다고 보지는 않았다.

③ 큉은 세계 평화 실현에 종교 간의 관용적 태도가 필요하다고 보았다.

④ 큉은 종교 간의 대화를 통해 각 종교들이 공유하는 가치들을 찾아야 한다고 보았다.

⑤ 큉은 종교를 통해서 가치 있는 삶을 살 수 있다고 보았다.

5 하버마스의 담론 윤리 이해

제시문은 하버마스가 제시한 실천적 보편화 원칙이다.

④ 하버마스는 이상적 담화 상황의 규칙을 제시하여, 담론 참여자는 자기의 생각과 원하는 바를 표현할 수 있어야 한다고 보았다.

오답 피하기 ① 하버마스는 언어 능력과 행위 능력을 가지는 모든 주체들이 담론에 참여할 수 있어야 한다고 보았다.

② 하버마스는 누구나 어떤 주장에 대해서도 문제를 제기할 수 있다고 보았다.

③ 하버마스는 권위에 대한 순종이 아니라 상호 간의 논증적인 토론 과정을 통해 보편적인 합의에 도달해야 한다고 보았다.

⑤ 하버마스는 모든 타당한 규범은 모든 당사자들에 의해 비강제적으로 수용될 수 있어야 한다고 보았다. 이는 곧 타당한 규범은 모든 당사자들의 동의를 얻을 수 있어야만 한다는 뜻이다.

6 통일과 관련된 비용 파악

자료 분석

> 통일과 관련된 비용으로 [㉠], [㉡]이/가 있다. [㉠]은/는 분단에 따른 대립과 갈등으로 인해 지불하는 유·무형의 비용으로 편익을 기대하기 어렵다. [㉡]은/는 통일 이후에 제도의 통합, 화폐의 통합 등을 위해 통일 한국이 지불하는 비용이다.

㉠은 분단으로 인해 남북한이 부담하는 유·무형의 비용이라는 점에서 소모적 성격의 비용인 분단 비용이다. ㉡은 통일 이후 이질적 요소의 통합을 위해 지출되는 비용인 점에서 통일 비용이다. 통일 비용은 통일 과정과 이후 남북한 간 격차를 해소하고 이질적인 요소를 통합하는 데 부담해야 할 비용이다.

선택지 바로 보기

① ㉠은 통일로 얻게 되는 비경제적 보상과 혜택이다. (×)
→ 통일 편익에 대한 설명이다.

② ㉡은 ㉠을 증가시키지만 긴장 완화에 도움이 된다. (×)
→ 통일 비용은 통일 과정과 이후에 발생하므로 분단 비용을 증가시키지 않는다.

③ ㉡은 통일 이후 남북한 간 경제적 격차를 해소하는 데 부담해야 할 비용이다. (○)
→ 통일 비용은 남북한 간의 사회, 경제적 격차를 해소하고 이질적 요소를 통합하는 데 사용되는 비용이다.

④ ㉡은 ㉠과 달리 민족 구성원 모두의 손해로 이어지는 소모적인 성격의 비용이다. (×)
→ 통일 비용은 투자적인 성격의 생산적 비용이다. 소모적 성격의 비용은 분단 비용이다.

⑤ ㉠, ㉡은 모두 통일로 인한 편익을 기대할 수 없는 비용이다. (×)
→ 분단 비용과 달리 통일 비용은 통일로 인한 편익을 기대할 수 있는 비용이다.

7 칸트의 영구 평화론 이해

자료 분석

> 국가 간의 영구 평화를 위한 예비 조항은 다음과 같다. 첫째, 전쟁에 대비하여 물자를 비밀리에 간직해 두고서 맺어진 평화 조약을 인정해서는 안 된다. 둘째, 어떠한 독립 국가도 다른 국가의 소유가 될 수 없다. 셋째, 상비군은 철폐되어야 한다. … (중략) … 여섯째, 어떠한 국가도 전쟁 중에 장래의 평화 시기에 상호 신뢰를 불가능하게 할 것이 틀림없는 행위를 해서는 안 된다.

제시문은 칸트가 제시한 영구 평화를 위한 예비 조항이다. 칸트는 이를 통해 국가 간의 전쟁을 유발할 수 있는 전쟁 물자, 상비군, 예산, 국가 간의 물리적 개입, 적대 행위 등을 금지해야 한다고 주장하였다.

선택지 바로 보기

① 이방인이 평화적으로 행동하면 환대해야 하는가? (×)
→ 칸트가 긍정의 대답을 할 질문이다. 칸트는 타국에서 온 이방인이 평화적으로 행동한다면 우호적으로 대해야 한다고 보았다.

② 군비 경쟁을 통해 영구 평화를 실현하는 것은 불가능한가? (×)
→ 칸트가 긍정의 대답을 할 질문이다. 칸트는 국가들이 전쟁 대비를 위한 군비 경쟁을 지속한다면 영구 평화를 실현하기는 어렵다고 보았다.

③ 비민주적 국가에 대한 폭력적 개입은 정당화될 수 있는가? (○)
→ 칸트가 부정의 대답을 할 질문이다. 칸트는 어떤 국가도 다른 국가의 제도와 통치에 폭력적으로 개입해서는 안 된다고 보았다.

④ 국가 간 적대 행위의 일시적 중지는 평화 상태로 보기 어려운가? (×)
→ 칸트가 긍정의 대답을 할 질문이다. 칸트는 국가 간 적대 행위의 일시적 중지를 진정한 평화 조약으로 인정할 수 없다고 보았다.

⑤ 영구 평화의 실현 과정에서 개별 국가의 주권을 인정해야 하는가? (×)
→ 칸트가 긍정의 대답을 할 질문이다. 칸트는 개별 주권 국가로 이루어진 국제 연맹을 통해 영구 평화를 실현하려 하였다.

8 **롤스의 해외 원조에 대한 입장 파악**
제시문을 주장한 사상가는 고통받는 사회가 질서 정연한 사회가 될 때까지 원조해야 한다고 본 점을 통해 롤스임을 알 수 있다.
ㄱ. 롤스는 원조가 만민의 도덕적 의무라고 보았다. 원조를 자선의 관점에서 본 것은 노직이다.
ㄴ. 롤스는 경제적 빈곤 여부와 무관하게 정의의 원칙이 확립된 질서 정연한 사회는 원조의 대상에서 제외된다고 보았다.
오답 피하기 ㄷ. 롤스는 국가들의 부와 복지 수준이 다양할 수 있으며 부의 불평등은 인정되어야 하므로 국가 간 부의 수준을 조정하여 그 수준을 동일하게 만드는 것이 원조의 목적이라고 보지 않았다. 롤스가 제시한 원조의 목적은 고통받는 사회가 질서 정연한 사회가 되게 하는 것이다.
ㄹ. 롤스는 원조를 통해 고통받는 사회의 정치 문화를 개선해야 한다고 보았다. 공리의 증진은 싱어의 주장과 관련된다.

창의·융합·코딩 전략
54~57쪽

01 ⑤	**02** ⑤	**03** ③	**04** ③
05 ①	**06** ⑤	**07** ②	**08** ⑤
09 ④	**10** ④	**11** ⑤	**12** ①

01 **도덕주의와 심미주의의 입장 비교**
(가)는 예술가에게 윤리적 공감은 독창성을 잃게 한다고 본 점에서 심미주의의 입장을 가진 와일드의 주장임을 알 수 있다. (나)의 그림은 피카소의 '한국에서의 학살'로 전쟁의 참상을 고발한 작품이다.
⑤ 예술 작품을 통해 전쟁의 참상을 고발한 것은 도덕주의와 참여 예술론에 가깝다. 이에 대해 심미주의는 예술이 예술 이외의 목적을 위해 수단이 되어서는 안 된다고 비판할 수 있다.
오답 피하기 ①, ③ 심미주의는 예술이 윤리의 인도를 받아야 한다거나 도덕적 가치를 표현해야 한다고 보지 않으므로 (가)의 입장에서 제시할 견해로 적절하지 않다.
② 도덕주의의 입장에서 심미주의에 대해 제기할 수 있는 비판이다.
④ 심미주의는 예술이 사회에 어떤 변화를 불러일으키기보다는 미적 가치를 구현하는 데 주력해야 한다고 본다.

02 **공장식 축산에 대한 싱어의 입장 파악**
(가)를 주장한 사상가는 이익 평등 고려의 원칙을 제시한 점으로 보아 싱어이다.
⑤ 싱어는 쾌고 감수 능력을 지닌 동물의 이익 관심과 인간의 이익 관심을 평등하게 고려해야 한다고 보았다. 이익 평등 고려 원칙에 근거하면 동물의 생명은 인간의 식욕이나 영양보다 큰 이익이다.
오답 피하기 ① 싱어는 고통을 느낄 수 있는 능력이 있는 동물을 존중해야 한다고 주장하므로 동물의 생명을 박탈하여 만든 육식에 대해 반대할 것이다.
② 싱어는 좁은 장소에 동물을 모아 기르는 공장식 축산이 동물들에게 고통을 주므로 옳지 않다고 볼 것이다.
③ 싱어는 특정 종에 소속되었다는 사실을 근거로 행해지는 차별과 착취는 종 차별주의라고 보았다. 따라서 인간에게 동물을 죽일 권리가 있다고 주장하지 않을 것이다.
④ 싱어는 이성의 소유 여부와 상관없이 쾌고 감수 능력을 가진 존재의 이익 관심을 평등하게 고려해야 한다고 보므로 이성을 가진 존재가 우월한 도덕적 지위를 지닌다고 주장하지 않을 것이다.

03 **공정 여행의 특징 이해**
엽서를 쓴 '나'는 현지인에게 보탬이 되는 방식으로 행동하는 윤리적 여행, 즉 공정 여행을 하고 있다고 말하고 있다.

선택지 바로 보기

① 여행 산업 종사자 전체의 인권을 보호해야 한다. (×)
→ 공정 여행의 관점을 가진 사람들은 여행자의 즐거움뿐만 아니라 여행 산업 종사자 전체의 인권을 보호해야 한다고 본다.
② 현지인의 삶을 이해하고 소통하려고 노력해야 한다. (×)
→ 공정 여행의 관점을 가진 사람들은 관광지에 살고 있는 현지인의 삶을 이해하고 그들과 소통해야 한다고 본다.
③ 대기업 주도의 관광지 개발로 관광 산업을 활성화해야 한다. (○)
→ 공정 여행의 관점을 가진 사람들은 대기업 주도의 관광 산업이 지역 경제에 도움이 되지 않으며 환경까지 파괴한다고 비판한다.
④ 관광객이 소비한 돈이 여행지의 빈곤 문제 해결에 도움이 되어야 한다. (×)
→ 공정 여행의 관점을 가진 사람들은 여행자가 지불한 돈이 현지인의 생활에 도움이 되어야 한다고 본다.
⑤ 온실가스를 배출하는 교통수단의 사용을 줄여 환경 보존에 기여해야 한다. (×)
→ 공정 여행의 관점을 가진 사람들은 여행을 위한 교통수단도 친환경적이어야 한다고 본다.

더 알아보기 공정 여행

공정 여행은 기존 여행이 단순히 즐기기만 하는 여행으로, 환경 오염, 낭비, 문명 파괴 등의 문제를 일으키는 점을 반성하면서 등장하였다. 즉, 기존 여행 방식의 폐해에 대한 문제 의식에 뿌리를 두고 등장한 착한 여행이 바로 공정 여행이다. 공정 여행은 여행자들이 주민들에게 조금이라도 도움이 되는 여행을 할 수 있을지를 고민하는 여행 방식이다. 유명한 관광지도 누군가에게는 조상 대대로의 역사가 묻어 있는 삶의 터전이기에 여행자에게는 이를 인식하고 최대한 존중해야 할 책임이 있다고 보기 때문이다.

04 **하버마스의 담론 윤리 이해**
대화의 사상가는 모든 당사자의 동의를 얻을 수 있는 규범만이 타당하다고 보므로 담론 윤리를 주장한 하버마스이다.
③ 하버마스는 이상적 대화 상황이 이루어지기 위해서는 참여자가 타인을 기만하거나 속여서는 안 된다고 보았다.

오답 피하기 ① 하버마스는 더 나은 주장에 근거한 합리적인 논증을 통해 합의가 이루어져야 한다고 보았다.
② 하버마스는 대화 참여자의 표현이 이해 가능성을 사실로 전제해야 한다고 보았다.
④ 하버마스는 대화 참여자는 규범적으로 정당한 의견을 제시해야 한다고 보았다.
⑤ 하버마스는 이상적 대화 상황에서는 참여자들이 자유롭고 평등한 토의를 할 수 있다고 보았다.

05 북한 인권에 대한 입장 비교

자료 분석

갑 : 인권은 어떤 나라에 살더라도 보장되어야 한다. 북한 정부가 자국민의 인권을 유린하거나 인권을 보장할 역량과 의지가 부족할 경우 국제 사회가 인도적 차원에서 개입해야 한다.
을 : 인권도 보장되어야 하고 개별 국가의 주권도 보장되어야 한다. 북한 정부도 타국과 마찬가지로 외교 관계와 내정에서 최고 권위를 가지므로 타국으로부터 간섭을 받지 않을 권리가 있다.

갑은 북한 인권 문제에 대해 인권의 보편적 원칙에 따라 국제 사회의 개입이 필요하다고 본다. 반면, 을은 북한 인권 문제에 대한 국제 사회의 개입은 북한 내정에 대한 간섭이기 때문에 북한 당국이 스스로 해결하도록 해야 한다고 본다. 인권은 누구나 누려야 할 보편적 가치이지만 북한의 경우 인권 보장의 의무를 제대로 이행하고 있지 못하기 때문에 북한 인권 문제에 대한 국제 사회의 개입 문제를 놓고 갑, 을과 같은 찬반 의견이 대립한다.

선택지 바로 보기

ㄱ. A : 북한 인권 문제에 대해 국제 사회가 개입할 수 있다. (○)
→ 갑만의 입장이다. 갑은 인권 보장을 위해 국제 사회가 개입할 수 있다고 보지만 을은 북한 정부가 타국의 간섭을 받지 않을 권리가 있다고 본다.
ㄴ. B : 인권은 인간이라면 누구나 누려야 할 보편적 가치이다. (○)
→ 갑과 을은 모두 인권이 보장되어야 한다고 본다.
ㄷ. B : 북한 주민의 인권 상황 개선은 북한 정부에게 일임해야 한다. (×)
→ 을만의 입장이다. 갑은 국제 사회가 북한 인권 문제에 개입할 수 있다고 본다.
ㄹ. C : 인권 상황이 열악한 북한의 주권을 보장해서는 안 된다. (×)
→ 을은 북한 정부가 외교와 내정에서 최고 권위를 가진다고 보므로 을의 입장이라고 볼 수 없다.

06 국제 평화에 대한 칸트의 입장 이해

그림의 강연자는 환대권에 대해 주장하면서, 우호의 방식에 의해 인류가 세계 시민적 체제에 가까이 갈 수 있다고 본 점을 통해 칸트임을 알 수 있다.
⑤ 칸트는 이방인이 다른 나라의 영토에 도착했을 때 평화적으로 행동하는 한 환대를 받을 권리인 환대권이 있다고 보았다. 이를 근거로 이방인이 평화적으로 처신하는 한 적으로 간주하지 말고 우호적으로 대해야 한다고 주장하였다.
오답 피하기 ① 칸트는 모든 사람에게 환대권을 보장해야 한다고 보았다.
② 칸트는 이방인이 환대를 받을 수는 있지만 영속적인 체류권을 요구할 권리는 없다고 보았다.
③ 칸트는 다른 지역과 평화로운 관계를 맺을 수 있다고 보았다.
④ 칸트는 환대권이 세계 시민적 체제의 실현에 도움이 된다고 보았다.

07 아도르노의 문화 산업론 이해

갑은 대중문화에 대해 획일화된 문화 상품의 대량 생산, 문화 산업론 등의 주제를 제시한 점으로 보아 아도르노임을 알 수 있다.
② 아도르노가 부정의 대답을 할 질문이다. 아도르노는 현대 예술이 감상자에게 고유한 미적 체험이 아니라 몰개성적이고 획일화된 경험을 제공할 뿐이라고 지적하였다.
오답 피하기 ① 아도르노가 긍정의 대답을 할 질문이다. 아도르노는 문화 산업이 예술의 창조성을 제약한다고 보았다.
③ 아도르노가 긍정의 대답을 할 질문이다. 아도르노에 따르면, 문화 산업이 매체가 제공하는 문화 상품을 그대로 수용하고 소비할 것을 장려한다고 보았다. 즉, 획일화된 문화 상품을 제공함으로써 대중의 적극적, 반성적, 비판적 사고를 방해한다.
④ 아도르노가 긍정의 대답을 할 질문이다. 아도르노는 문화 산업이 기존 자본주의 체제를 유지하고 재생산하는 기능을 한다고 보았다.
⑤ 아도르노가 긍정의 대답을 할 질문이다. 아도르노는 문화 산업이 이윤을 획득하기 위한 목적으로 문화 상품을 생산한다고 보았다.

더 알아보기 아도르노의 문화 산업 비판

아도르노는 상업화된 예술을 문화 산업이라고 비판하면서 현대 예술이 자본에 종속되어 문화 산업으로 획일화되었다고 주장하였다. 이로 인해 하나의 상품으로 전락한 예술 작품을 감상하는 것이 감상자에게 고유한 미적 체험을 제공하는 것이 아니라 표준화된 소비 양식이 될 뿐이라고 지적하였다. 또한, 문화가 이윤 추구의 도구가 되면서 문화 산업이 사물화된 의식을 조장하고 대중을 무력화하여 독점 자본주의 체제가 유지되고 재생산될 수 있도록 기능한다고 주장하였다.

08 푸드 마일리지에 대한 이해

㉠은 푸드 마일리지이다. 푸드 마일리지는 음식 재료가 산지에서 소비지까지 수송되는 거리를 말한다.
ㄴ. 로컬 푸드 운동은 지역에서 생산된 식재료를 지역에서 소비하는 것으로, 이를 통해 식재료의 이동 거리를 줄이고 푸드 마일리지를 줄일 수 있다.
ㄷ. 푸드 마일리지의 계산 방법으로 식재료의 생산지와 소비지의 거리를 파악할 수 있다.
ㄹ. 식재료의 이동 거리가 길수록 운송으로 인한 대기 오염이 증가한다. 따라서 푸드 마일리지가 낮은 식재료를 활용하여 대기 오염을 적게 유발하는 선택을 할 수 있다.

오답 피하기 ㄱ. 푸드 마일리지가 높을수록 식재료의 이동 거리가 길다.

09 톨스토이의 예술관 이해

갑은 예술과 윤리의 관계에서 도덕주의를 주장한 톨스토이이다.

④ 톨스토이는 현대 예술의 사명이 인간 세계를 사랑의 세계가 되도록 하는 것이라고 보았다.

오답 피하기 ① 톨스토이는 도덕주의의 입장에서 예술이 윤리적 가치를 표현해야 한다고 보았다.

②, ③, ⑤ 심미주의의 입장이다.

10 동화주의와 샐러드 볼 이론의 입장 비교 이해

갑은 이주민 문화를 포기하고 주류 문화에 따를 수 있게 한다는 주장에서 다문화 사회에 대한 동화주의, 을은 이주민의 고유 문화가 주류 문화와 대등한 가치를 지님을 인정한다는 주장에서 샐러드 볼 이론임에 근거하고 있음을 알 수 있다.

선택지 바로 보기

① 갑은 이주민이 주류 문화를 받아들여서는 안 된다고 본다. (×)
→ 동화주의에서는 이주민이 자기 문화를 포기하고 주류 문화를 받아들여야 한다고 본다.

② 갑은 이주민 문화가 비주류 문화로 공존해야 한다고 본다. (×)
→ 동화주의에서는 이주민이 출신국의 언어, 문화, 사회적 특성을 포기해야 한다고 본다.

③ 을은 이주민이 출신국의 문화를 포기해야 한다고 본다. (×)
→ 동화주의의 주장이다. 샐러드 볼 이론에서는 이주민이 자신의 문화를 포기하지 않고 유지할 것을 주장한다.

④ 을은 사회 내의 다양한 문화들이 조화될 수 있다고 본다. (○)
→ 샐러드 볼 이론에서는 사회 내의 다양한 문화들이 서로 대등하게 공존할 수 있다고 본다.

⑤ 갑, 을은 주류 문화의 우위를 전제로 비주류 문화를 인정할 수 있다고 본다. (×)
→ 동화주의에서는 비주류 문화를 인정하지 않으며, 샐러드 볼 이론에서는 다양한 문화들이 우열 없이 대등하다고 본다.

더 알아보기 샐러드 볼 이론과 국수 대접 이론

샐러드 볼 이론은 다른 맛을 가진 채소와 과일들이 서로 조화를 이루어 만들어진 샐러드처럼 다양한 사회 구성원들이 상호 공존하며 각각이 색깔과 향기를 지니고 조화로운 통합을 이룰 수 있다는 이론이다. 반면 국수 대접 이론은 국수가 주된 역할을 하고 고명이 부수적인 역할을 하여 맛을 내듯이 주류 문화와 비주류 문화가 공존해야 한다고 보는 입장이다. 동화주의와 달리, 샐러드 볼 이론과 국수 대접 이론은 이주민 문화와의 공존을 인정한다는 점에서 공통적이다. 하지만 샐러드 볼 이론은 모든 문화의 대등한 상호 공존을 강조하는 반면, 국수 대접 이론은 대등한 공존이 아니라 주류 문화와 비주류 문화로서의 공존을 강조한다는 측면에서 다르다.

11 통일에 대한 찬반 논거 파악

그림의 (가)는 통일 반대 논거와 연결되어 있으므로 통일을 반대하는 논거가 들어가야 한다.

⑤ 통일을 반대하는 사람들은 막대한 통일 비용으로 인해 남북한 주민들이 엄청난 경제적 부담을 지게 될 수 있고 경제 위기를 겪게 될 수 있다고 주장한다.

오답 피하기 ①, ②, ③, ④ 통일을 통해 실현할 수 있는 긍정적 결과이므로 통일을 찬성하는 입장의 논거이다.

12 롤스의 해외 원조에 대한 입장 파악

자료 분석

> 생활과 윤리 사상가 카드
> – 해외 원조 편
> 갑, 사회 정의를
> 자유주의적 입장에서 탐구하다
> ㅇ원조에 대한 입장 : 불리한 여건으로 '고통받는 사회'를 '질서 정연한 사회'가 되도록 도와야 함
> ㅇ주요 저서 : 『정의론』, 『만민법』

자유주의적 입장에서 사회 정의를 탐구하고 『만민법』, 『정의론』 등을 저술한 사상가는 롤스이다. 롤스는 질서 정연한 사회의 만민은 불리한 여건으로 고통받는 사회를 원조할 의무가 있다고 주장하였다. 그는 원조를 통해 질서 정연한 사회가 되면 그 사회가 여전히 상대적으로 빈곤하더라도 더 이상 원조할 필요가 없다고 보았다.

선택지 바로 보기

ㄱ. 원조는 만민의 의무이지만 장단점이 있다. (○)
→ 롤스는 원조가 의무라고 보지만, 고통받는 사회가 질서 정연해지면 더 이상 원조할 필요가 없다고 주장하였다.

ㄴ. 원조 대상국에 인권 향상을 권유할 수 있다. (○)
→ 롤스는 인권에 대한 강조가 무능한 정치 체제나 인권에 무감각한 통치자들의 행동을 바꿀 수 있다고 보았다.

ㄷ. 원조를 결정할 때 차등의 원칙을 적용해야 한다. (×)
→ 롤스는 원조 결정과 국제적 분배 정의에는 차등의 원칙을 적용하지 않아야 한다고 보았다.

ㄹ. 원조를 통해 모든 인류의 복지 수준을 동일하게 만들어야 한다. (×)
→ 롤스는 모든 인류의 복지 수준을 동일하게 만드는 것이 아니라 고통받는 사회가 질서 정연한 사회가 되도록 하는 것이 원조의 목적이라고 보았다.

후편 마무리 전략

신유형·신경향 전략

60~63쪽

01 ③	02 ③	03 ①	04 ④	05 ③
06 ⑤	07 ④	08 ⑤	09 ②	10 ②
11 ②	12 ④			

01 과학 기술자의 책임에 대한 입장 비교

갑은 과학 기술자가 내적 책임뿐만 아니라 외적 책임, 즉 사회적 책임까지 져야 한다고 본다. 을은 과학 기술자의 책임은 내적 책임만으로 충분하며 외적 책임을 강요하는 것은 과도한 책임을 부과하는 것이라고 본다.

ㄴ. 을은 과학 기술자에게 사회적 책임, 즉 외적 책임까지 부과하는 것은 과도하다고 보아 내적 책임만을 지면 된다고 본다.

ㄷ. 갑은 을과 달리 과학 기술자가 과학 기술의 결과 활용에 대해 심사숙고해야 하며, 과학 기술로 인한 부작용이나 문제점에 대해서도 책임 의식을 지녀야 한다고 본다.

오답 피하기 ㄱ. 갑은 과학 기술에 대한 도덕적 가치 판단이 필요하며 과학 기술을 바람직한 방향으로, 즉 인류의 행복 증진이나 인간의 존엄성 실현에 어긋나지 않는지 검토할 필요가 있다고 본다.

ㄹ. 갑, 을은 과학 기술의 영향력에 대한 과학 기술자의 책임 여부에 대해서는 서로 다른 입장이지만 모두 과학 기술의 영향력이 타인과 사회, 인류 전체에까지도 영향을 미칠 수 있다는 점은 인정한다.

02 아퀴나스, 레건의 입장 비교

갑은 인간이 동물을, 동물이 식물을 이용하는 것이 적법하고 옳으며 신의 명령에도 부합한다고 주장한 점에서 아퀴나스, 을은 일부 동물이 삶의 주체로서 도덕적 권리를 지닌다고 본 점에서 레건이다.

③ 레건에 따르면, 한 살 이상 정도의 포유류는 자신의 삶을 영위할 수 있는 능력을 가진 삶의 주체가 될 수 있으므로 인간처럼 내재적 가치를 지닌다.

오답 피하기 ① 아퀴나스는 인간만이 도덕적 지위를 지닐 수 있다고 본 인간 중심주의 관점을 가지고 있지만, 인간만이 아니라 동식물도 일정한 목적을 추구하는 존재라고 보았다.

② 생태 중심주의자로서 대지 윤리를 제시한 레오폴드의 주장이다.

④ 레건은 쾌고 감수 능력을 삶의 주체가 되고 내재적 가치를 지니기 위한 충분한 조건이 아니라 필요한 조건 중 하나로 보았다.

⑤ 인간 중심주의자 아퀴나스는 동물의 도덕적 권리를 인정하지 않았다.

03 샐러드 볼 이론 파악

제시문은 무슬림의 음식 문화인 할랄을 소개하며 샐러드 볼 이론의 입장에서 무슬림의 음식 문화를 대하는 방법을 질문하고 있다.

㉠, ㉡ 샐러드 볼 이론은 다양한 문화가 서로 대등하게 조화를 이루어야 한다고 본다. 따라서 다른 문화권의 고유한 음식 문화를 존중해야 하며, 친구의 음식 문화를 경험해 보면서 문화의 공존을 실천해야 한다고 조언할 것이다.

오답 피하기 ㉢ 샐러드 볼 이론의 입장에서는 무슬림에게 금지된 돼지고기를 권유하는 것은 그들의 음식 문화를 존중하지 않는 것이므로 그런 행동을 해서는 안 된다고 조언할 것이다.

㉣ 샐러드 볼 이론의 입장에서는 다양한 문화를 서로 인정하고 상호 대등한 공존을 추구하므로 이민자 고유의 음식 문화를 포기하라고 조언하지 않을 것이다.

04 싱어의 해외 원조에 대한 입장 파악

마인드 맵의 키워드인 '원조 의무', '이익 평등 고려의 원칙', '공리주의', '세계 시민주의적 관점'을 종합해 보면 갑 사상가는 싱어이다.

④ 싱어는 원조를 통해 얻는 이익이 비용보다 클 경우 원조 대상자의 소속 공동체가 자신의 소속 공동체인지, 자신과 가까운지, 부유한지 등과 상관없이 고통받는 빈민은 원조해야 한다고 보았다.

오답 피하기 ① 싱어는 원조의 주체가 개인이 될 수도 있다고 보았다.

② 싱어는 공리주의의 관점에서 인류 전체의 고통의 감소와 행복의 증진을 원조의 목표로 삼았다.

③ 싱어는 도덕적으로 큰 희생이 없다면 어려움을 겪는 이들에 대한 원조의 의무를 실천해야 한다고 보았다.

⑤ 싱어는 원조 대상자와의 거리에 상관없이 고통을 겪고 있는 이들에게 원조해야 한다고 보았다.

더 알아보기 싱어의 해외 원조에 대한 입장

> 사치품과 부질없는 것에 낭비할 만큼 돈을 충분히 가진 사람들은 모두 넉넉한 양식과 깨끗한 식수, 비바람을 피할 보금자리, 기본적인 의료 혜택을 얻는 데 어려움을 겪는 사람들에게 자신의 소득의 일부를 나누어 주어야 한다. 이런 기준을 충족시키지 못하는 사람들은 전 지구적인 의무를 공정하게 나누어 지지 않는 것이며, 심각하게 도덕적으로 잘못된 일을 행하는 것으로 간주되어야 한다. – 싱어, 『실천 윤리학』

싱어는 도덕적으로 큰 희생이 없다면 타국의 빈민을 돕는 해외 원조를 실천해야 한다고 보았다. 그것이 인류 전체의 공리 증진이라는 측면에 부합하기 때문이다.

05 요나스의 책임 윤리 이해

제시문은 현세대의 존재를 위해 미래 세대의 비존재를 선택할 수 없다고 본 점, 새로운 명법이 인류의 생명을 위태롭게 해서는 안 된다고 말한다고 한 점을 통해 책임 윤리를 제시한 요나스의 주장임을 알 수 있다.

③ 요나스는 인간만이 책임질 수 있는 유일한 존재라고 보았으므로 자연은 책임의 주체가 될 수 없다.

오답 피하기 ① 요나스는 미래 세대에 대한 현세대의 일방적 책임을 강조하였다.
② 요나스는 현대 과학 기술이 산출한 행위들의 규모가 너무 새롭고, 이로 인하여 새로운 윤리 문제들이 발생하고 있는데 그 정도가 인류의 미래를 위협할 수준에 이르렀다고 보았다.
④ 요나스는 기존의 전통적 윤리학으로는 새로운 과학 기술 시대의 문제를 해결하기 어렵기 때문에 자연과 미래 세대를 포함하는 새로운 윤리인 책임 윤리가 필요하다고 주장하였다.
⑤ 요나스는 현세대의 잘못으로 인류가 존속할 수 없을지도 모른다는 사실에 대해 두려움을 갖고 겸손한 태도를 지니며 검소한 생활과 절제하는 소비 습관을 길러야 한다고 주장하였다.

06 세계화와 지역화에 대한 입장 파악

제시문의 '나'는 세계화가 문화의 다양성과 경제적 번영을 가져올 것이라고 주장하고 있다. 반면에 '어떤 사람들'은 지역의 고유한 전통과 특색을 그대로 유지해야 한다는 지역화를 주장하고 있다.
⑤ '나'는 세계화가 다양한 문화의 공존과 질적 향상을 가져올 것이라고 보고 세계화를 지지하는 입장으로, 세계화에 반대하고 지역화를 강조하면서 지역의 전통을 그대로 고수하는 사람들의 폐쇄성과 이로 인한 갈등 발생 가능성을 비판할 것이다.
오답 피하기 ① 세계화를 반대하는 입장에서 제시할 주장이다. 세계화를 반대하는 입장에서는 세계적 문화 교류가 각 지역이나 나라의 고유 정체성을 약화시키고 문화를 획일화할 수 있다고 비판한다.
② 지역화를 주장하는 사람들은 지역의 이익과 발전을 추구하므로 '어떤 사람들'에게 제기할 비판으로 적절하지 않다.
③ 세계화를 반대하는 입장에서 제시할 주장이다. 세계화를 반대하는 입장에서는 자본과 기술을 보유하고 있는 선진국이 경쟁에서 유리해져 국가 간 빈부 격차가 심화될 것이라고 비판한다.
④ '나'는 여러 문화의 교류와 공존을 지지하는 세계화에 찬성하는 입장이므로 타 문화를 거부해야 한다고 주장하지 않는다.

07 국제 정의 실현 방안 파악

제시문에서는 반인도주의적 범죄를 저지른 개인을 국제 사법 재판소에서 처벌함으로써 국제 정의 중 형사적 정의를 실현할 수 있다고 주장한다.
④ 제시문에서는 국제 사법 재판소가 집단 살해죄를 처벌한다고 밝히고 있다.
오답 피하기 ① 제시문에 국제 사법 재판소가 전쟁 중에 행해진 전쟁 범죄를 처벌한다는 점이 나타나 있다.
② 제시문에서는 국제 사법 재판소를 통해 국제 정의 중 형사적 정의가 실현될 수 있다고 주장한다.
③ 제시문에서는 국제 사법 재판소가 반인도주의적 범죄를 다룬다고 밝히고 있다.
⑤ 제시문에서는 형사적 정의가 법에 따라 정당한 제재를 가함으로써 실현될 수 있다고 주장하고 있다.

08 레오폴드, 레건, 칸트의 입장 비교

(가)의 갑은 인간이 생명 공동체인 대지의 구성원이라고 본 점에서 대지 윤리를 제시한 레오폴드, 을은 삶의 주체가 된다는 것은 목적 추구를 위한 행위 능력을 갖는다는 것으로 이해한 점에서 레건, 병은 생명 없는 대상에 대한 파괴가 자신에 대한 인간의 의무와 대립한다고 본 점에서 칸트이다.
⑤ 칸트의 입장에서는 레오폴드에게 인간은 인간 자신에 대해서만 직접적 의무를 지며, 자연에 대한 인간의 의무는 간접적 의무일 뿐임을 간과한다고 비판을 제기할 수 있다.
오답 피하기 ① 레건은 인간 이외의 일부 동물이 삶의 주체로 도덕적 권리를 지닐 수 있다고 보았으므로 적절한 비판이 아니다.
② 레오폴드는 생태 중심주의 입장에서 생명 공동체의 온전성, 안정성, 아름다움에 기여하는 것이 옳다고 주장하였으므로 적절한 비판이 아니다.
③ 칸트는 지각과 의식이 없는 존재는 내재적 가치를 지니지 않는다고 보았으므로 적절한 비판이 아니다.
④ 칸트는 인간이 동물을 함부로 학대하거나 자연을 함부로 훼손하지 않을 의무가 있다고 보았으므로 적절한 비판이 아니다.

09 정보 공유를 강조하는 입장 이해

제시문은 저작권 보호를 주장하는 입장을 비판하면서 정보 공유의 필요성을 강조하고 있다.
② 제시문에서는 정보를 공공재로 인정하고 사람들의 자유로운 공유와 활용이 활성화될 때 정보 사회가 풍요로워지고 발전할 것이라고 본다.
오답 피하기 ①, ③, ④ 지적 재산권의 강화를 통해 양질의 정보 생산, 창작자의 의욕 고취 등을 이룰 수 있다고 보며, 정보에 대한 경제적 보상과 대가 지불을 강조하는 것은 저작권 보호를 강조하는 입장에서 제시할 내용이다.
⑤ 제시문의 '어떤 사람들'은 지식과 정보에 대한 배타적 권리를 보장하는 것이 사회 정의에 부합한다고 주장한다. 제시문에서는 '어떤 사람들'의 주장을 비판하면서 지식과 정보를 새롭게 창출하고 만들어 낸 노력과 시간은 인정하지만, 그에 대한 배타적 소유권을 인정하는 것은 바람직하지 않다고 본다.

10 레건, 테일러, 레오폴드의 입장 비교

(가)의 갑은 인간 이외의 일부 동물도 도덕적 권리를 지닌다고 본 점을 통해 레건, 을은 내재적 가치를 지닌 모든 생명체를 존중해야 한다고 본 점을 통해 테일러, 병은 인간이 대지 공동체의 구성원이자 시민이라고 본 점을 통해 레오폴드임을 알 수 있다.
② 생명 중심주의자 테일러는 인간과 일부 동물이 도덕적 고려의 대상이 될 수 있다고 보는 동물 중심주의자인 레건에게 식물도 도덕적 고려의 대상이 될 수 있음을 간과하고 있다는 비판을 제기할 수 있다.
오답 피하기 ① 테일러는 지각과 의식이 없어도 도덕적 존중의 대상이 될 수 있다고 보았으므로 테일러에 대한 비판으로 부적절하다.

③ 테일러는 인간이 다른 생명체에게 해를 끼쳤을 경우 마땅히 그 피해를 보상해야 한다는 보상적 정의의 의무를 지녀야 한다고 주장하였으므로 테일러에 대한 비판으로 부적절하다.
④ 무생물을 도덕적 고려의 범위에 포함시켜야 하는가에 대해 생명 중심주의자 테일러는 부정, 생태 중심주의자 레오폴드는 긍정하였다. 따라서 테일러가 레오폴드에게 제시할 비판으로 부적절하다.
⑤ 레건은 동물 중심주의자로서 인간만이 도덕적 지위를 지니는 것은 아니며 일부 동물도 도덕적 고려의 대상이 될 수 있다고 주장하였으므로 레건에 대한 비판으로 부적절하다.

11 플라톤의 예술에 대한 입장 파악

활동지의 답변 내용 중 젊은이에 대한 시가 교육의 중요성을 강조하는 점을 볼 때 사상가는 예술과 윤리의 관계에 있어서 도덕주의를 주장한 플라톤이다.

선택지 바로 보기

ㄱ. 훌륭한 성품의 모습을 작품 속에 새겨 놓아야 하네. (○)
→ 도덕주의자인 플라톤은 예술가가 작품 속에 훌륭한 성품의 모습을 담아야 한다고 보았다.
ㄴ. 미적 가치를 충실하게 표현하는 것에만 힘써야 하네. (×)
→ 심미주의에서 주장할 내용이다. 플라톤은 예술가가 도덕적 가치를 예술을 통해 표현해야 한다고 보았다.
ㄷ. 시를 통해 영혼 안의 선(善)을 사랑하는 감각을 일깨워야 하지. (○)
→ 플라톤은 시인이 시를 통해 젊은이의 도덕성을 함양해야 한다고 보았다.
ㄹ. 도덕적 선을 권장하기보다는 예술의 자율성을 중시해야 하지. (×)
→ 심미주의에서 주장할 내용이다. 플라톤은 도덕주의의 입장에서 예술이 올바른 품성의 함양을 위한 삶의 모범을 제공해야 하며, 선을 권장해야 한다고 보았다.

더 알아보기 플라톤의 예술에 대한 입장

예술 작품이 몸에 좋은 곳에서 불어오는 미풍처럼 그들에게 좋은 영향을 주며, 이럴 때부터 곧장 자기도 모르는 사이에 아름다운 말을 닮고 사랑하고 공감하도록 그들을 이끌어 준다. – 플라톤, 『국가』

12 틸리히의 종교관 이해

자료 분석

- 종교란 최고의 존재를 지향하는 특별한 상징이나 의식 또는 감정의 체계 이상의 것이다. 종교란 궁극적 관심으로서 인간의 실존의 의미에 관하여 '죽느냐 사느냐'의 질문을 던지는 것이며, 이 질문에 대하여 해답이 제시되는 상징을 갖는다.
- 모든 분야에서의 궁극적 진지성, 그것이 바로 종교의 핵심이다. 도덕의 영역에서는 도덕적 욕구에 대한 무조건적 진지성이 바로 종교이며, …(중략)… 예술의 영역에서는 궁극적 의미를 예술 작품으로 표현하고 싶은 무한한 욕망이 바로 종교이다.

틸리히는 종교가 궁극적 관심에 붙잡힌 상태라고 보았다. 그는 종교가 궁극적 관심으로 삶과 죽음의 의미에 대해 질문하고 그 대답을 찾는다고 보았다.

선택지 바로 보기

① 종교는 궁극적 관심에 붙잡힌 상태인가? (×)
→ 틸리히는 종교가 궁극적 관심에 붙잡힌 상태라고 보았다.
② 종교는 궁극적 의미를 예술로 표현하려 하는가? (×)
→ 틸리히는 종교가 궁극적 의미를 예술 작품으로 표현하고 싶은 무한한 욕망이라고 보았다.
③ 종교는 삶과 죽음의 의미에 대하여 묻는 것인가? (×)
→ 틸리히는 종교가 '죽느냐 사느냐'의 질문을 던지고 그 해답을 찾는 것이라고 보았다.
④ 종교는 인간의 실존의 의미에 대해서는 침묵하는가? (○)
→ 틸리히는 종교가 인간의 실존의 의미에 대해 질문하고 해답을 찾으려 한다고 보았다.
⑤ 종교는 인간 이상의 존재를 지향하는 상징 이상의 것인가? (×)
→ 틸리히는 종교가 최고의 존재를 지향하는 특별한 상징이나 의식 또는 감정의 체계 이상의 것이라고 보았다.

01 ④	02 ④	03 ④	04 ①	05 ④	06 ①	07 ④	08 ①	09 ②	10 ②	11 ④	12 ③	13 ②	14 ③

01 과학 기술의 가치 중립성 논쟁 파악

㉠에 들어갈 내용으로 가장 적절한 것은?

> 과학 기술은 인간의 삶과 불가분의 관계에 있으므로 과학 기술을 연구하고 활용하는 전 과정을 독립적인 영역으로 여겨서는 안 된다. 또한 과학 기술은 궁극적으로 인간의 존엄성 실현이라는 윤리적 목적을 지향해야 한다. 그런데 어떤 사람들은 과학 기술은 윤리와는 다르게 사실을 다루는 분야이기 때문에 과학 기술에 대한 가치 판단을 유보해야 한다고 본다. 나는 이러한 입장이 [㉠]고 생각한다.

① 과학 기술에는 주관적 가치가 개입될 수 없음을 간과한다
② 과학 기술은 그 자체로 좋은 것도 나쁜 것도 아니라는 점을 간과한다
③ 과학 기술의 정당화 과정에서는 가치가 개입되어서는 안 됨을 간과한다
④ 과학 기술 연구 주제 선정 과정에서도 윤리적 가치 판단이 필요함을 간과한다
⑤ 과학 기술을 윤리적 관점에서 규제하려는 시도는 왜곡된 결과를 초래할 수 있음을 간과한다

출제 의도 파악하기

과학 기술에 대한 가치 판단이 필요하다는 입장의 주장을 이해할 수 있다.

문제 해결 Point 쏙쏙

- 과학 기술의 연구 및 활용 전 과정을 독립된 영역으로 여기면 안 됨 → 과학 기술의 가치 중립성 반대
- 과학 기술은 사실을 다루는 분야이므로 가치 판단은 유보해야 함 → 과학 기술의 가치 중립성 주장

선택지 바로 알기

① 과학 기술에는 주관적 가치가 개입될 수 없음을 간과한다 (×)
ㄴ 과학 기술의 가치 중립성을 주장하는 입장에서는 과학 기술은 객관적인 관찰과 실험, 논리적 사고를 통해 지식을 얻기 때문에 주관적 가치가 개입될 수 없다고 본다.

② 과학 기술은 그 자체로 좋은 것도 나쁜 것도 아니라는 점을 간과한다 (×)
ㄴ 과학 기술의 가치 중립성을 주장하는 입장에서는 과학 기술은 그 자체로 좋은 것도 나쁜 것도 아닌 중립적인 것으로 본다.

③ 과학 기술의 정당화 과정에는 가치가 개입되어서는 안 됨을 간과한다 (×)
ㄴ 과학 기술의 가치 중립성을 주장하는 입장에서는 과학 기술의 정당화 과정에서 주관적 가치가 개입되어서는 안 됨을 인정한다.

④ 과학 기술 연구 주제 선정 과정에서도 윤리적 가치 판단이 필요함을 간과한다 (○)
ㄴ 과학 기술의 가치 중립성을 반대하는 입장에서는 과학 기술에 대한 가치 판단을 유보해야 한다는 주장에 대해 과학 기술의 연구 주제 선정 과정, 연구 결과의 활용 면에서도 윤리적 가치 판단이 필요함을 간과하고 있다고 비판할 수 있다.

⑤ 과학 기술을 윤리적 관점에서 규제하려는 시도는 왜곡된 결과를 초래할 수 있음을 간과한다 (×)
ㄴ 과학 기술의 가치 중립성을 주장하는 입장에서는 과학 기술을 윤리적 관점에서 규제하려는 시도가 과학 기술의 발달을 저해할 수 있으며 왜곡된 결과를 초래할 수 있다는 점을 인정한다.

개념 +

과학 기술의 가치 중립성 논쟁

과학 기술의 가치 중립성 주장	• 과학 기술 그 자체는 좋은 것도 나쁜 것도 아님 • 과학 기술은 객관적 관찰, 실험, 논리적 사고 등으로 지식을 획득하므로 주관적 가치가 개입될 수 없음
과학 기술에 대한 가치 판단 필요	• 과학 기술의 정당화 과정 : 과학 기술의 객관적 타당성을 인정받기 위한 과정이므로 연구자의 주관적 가치가 개입되어서는 안 됨 • 연구 대상의 선정 및 결과 활용 과정 : 개인의 가치관, 기업의 이익, 정치적 목적 등 다양한 가치 개입 가능

02 요나스의 책임 윤리 이해

다음을 주장한 사상가의 입장만을 | 보기 |에서 있는 대로 고른 것은?

> 어떤 존재가 앞으로 존재할 것이라는 가능성을 근거로 권리를 가지지는 않습니다. 실제로 존재하기 이전에는 어떤 생명도 존재할 권리를 가지지 않습니다. 존재에 대한 권리 주장은 존재를 통해 비로소 시작됩니다. 그러나 우리가 추구하는 윤리는 바로 아직 존재하고 있지 않은 것과 연관되어 있으며, 이 윤리가 제시하는 책임의 윤리는 권리와 호혜성의 모든 이념과 상관이 없어야만 합니다.

| 보기 |

ㄱ. 현세대의 책임은 자녀에 대한 부모의 책임과 마찬가지로 일방적 책임이다.

ㄴ. 아직 존재하지 않는 미래 세대에게 책임을 부과하거나 책임을 물을 수는 없다.

ㄷ. 새로운 시대의 책임 윤리는 인간과 자연의 호혜성에 기초한 조화와 협력으로 완성된다.

ㄹ. 현세대와 미래 세대의 책임의 관계는 호혜적 관계에 있지 않고 일방적 책임의 성격을 지닌다.

① ㄱ, ㄴ　② ㄱ, ㄷ　③ ㄷ, ㄹ　④ ㄱ, ㄴ, ㄹ　⑤ ㄴ, ㄷ, ㄹ

출제 의도 파악하기

호혜성에 기초한 전통 윤리학의 한계를 넘어 미래 세대에 대한 일방적 책임을 강조하는 새로운 책임 윤리를 제시한 요나스의 입장을 이해할 수 있다.

문제 해결 Point 쏙쏙

- 아직 존재하고 있지 않은 것 → 미래 세대
- 권리와 호혜성의 모든 이념과 상관이 없어야만 함 → 현세대의 미래 세대에 대한 일방적 책임 강조 → 요나스의 책임 윤리

선택지 바로 알기

ㄱ. 현세대의 책임은 자녀에 대한 부모의 책임과 마찬가지로 일방적 책임이다. (○)
　↳ 요나스는 미래 세대에 대한 현세대의 일방적 책임을 강조하였다.

ㄴ. 아직 존재하지 않는 미래 세대에게 책임을 부과하거나 책임을 물을 수는 없다. (○)
　↳ 요나스는 아직 존재하지 않는 미래 세대는 책임의 주체가 될 수 없다고 보았다.

ㄷ. 새로운 시대의 책임 윤리는 인간과 자연의 호혜성에 기초한 조화와 협력으로 완성된다. (×)
　↳ 요나스는 자신의 책임 윤리가 호혜성과 무관하다고 보았다.

ㄹ. 현세대와 미래 세대의 책임의 관계는 호혜적 관계에 있지 않고 일방적 책임의 성격을 지닌다. (○)
　↳ 요나스는 현세대의 미래 세대에 대한 일방적 책임만이 성립된다고 보았다.

개념 +

요나스의 책임 윤리

요나스는 인간만이 책임질 수 있는 유일한 존재이며, 책임질 수 있는 능력은 곧 책임을 이행해야 한다는 당위로 이어진다고 주장하였다. 이러한 책임은 미래 세대가 아닌 현세대에게만 부과되는데, 이는 자녀에 대한 부모의 책임과 마찬가지로 일방적인 책임이다. 요나스는 현세대의 책임을 '일차적으로 미래 세대의 존재를 보장하는 것, 이차적으로는 그들의 삶의 질을 배려하는 것'이라고 주장하였다. 따라서 인류 존속을 위해 현세대의 잘못으로 미래 세대가 생존할 수 없을지도 모른다는 사실에 대해 두려움을 갖고 겸손한 태도를 지니며 검소한 생활과 절제하는 소비 습관을 길러야 한다고 강조하였다.

03 사이버 공간에서의 익명성이 주는 긍정적 측면 이해

다음에서 강조하는 내용으로 가장 적절한 것은?

> 사이버 공간의 익명성이 주는 표현의 자유와 새로운 가능성은 주목할 만한다. 물론 익명성에 근거한 무책임한 행동으로 인해 발생한 피해와 사회에 끼치는 해악은 경계해야 하지만, 이를 이유로 익명성 보장에 지나친 제약을 가하는 순간 사이버 공간이 지닌 큰 장점을 잃을 수 있다. 따라서 익명성으로 인해 발생한 문제점에 대한 경계심을 잃지 않으면서도 익명성이 가져오는 장점들을 잘 살려야 한다. 표현의 자유, 토론의 자유, 새로운 자아 정체성 탐색, 다양한 실험, 자유롭고 참신한 정책 제안, 수직적 인간관계의 한계를 넘어서 수평적 인간관계에서 가능한 다양한 비판과 대안 제시 등은 익명성이 지닌 장점이라고 할 수 있다.

① 익명성이 지닌 부정적 측면은 긍정적 측면과 양립 불가능하다.
② 익명성은 사회에 끼치는 해악과 무관하게 최대한 보장되어야 한다.
③ 익명성에 근거한 무책임한 언행에 대한 법적 규제가 강화되어야 한다.
④ 익명성 보장이 가져다주는 긍정적 측면을 살리는 지혜와 노력이 필요하다.
⑤ 익명성으로 인한 문제점은 개인의 도덕성과 양심에 호소하는 것이 합리적이다.

출제 의도 파악하기

사이버 공간에서 익명성으로 인한 부정적 측면과 긍정적 측면을 함께 고려하여 나아가야 할 바람직한 방향을 이해할 수 있다.

문제 해결 Point 쏙쏙

- 익명성으로 인한 문제점 → 무책임한 언행, 비도덕적 행위
- 익명성 보장으로 인한 장점 → 표현과 토론의 자유, 다양한 실험, 새로운 자아 정체성 탐색, 자유롭고 참신한 정책 제안 등

선택지 바로 알기

① 익명성이 지닌 부정적 측면은 긍정적 측면과 양립 불가능하다. (×)
ㄴ 제시문에서는 익명성이 지닌 부정적 측면에 유의하면서도 긍정적 측면을 잘 살려 나가야 한다고 강조함으로써 두 측면의 양립이 가능하다고 본다.

② 익명성은 사회에 끼치는 해악과 무관하게 최대한 보장되어야 한다. (×)
ㄴ 제시문에서는 익명성 보장이 가져오는 긍정적 측면도 잘 살려야 하지만 익명성이 가져오는 사회적 해악에 대한 경계심을 잃어서는 안 된다고 본다.

③ 익명성에 근거한 무책임한 언행에 대한 법적 규제가 강화되어야 한다. (×)
ㄴ 제시문은 익명성 보장이 초래한 문제점에 대한 법적 규제에 대해 다루고 있지 않다. 단지 문제점들에 대한 경계심을 잃지 않은 가운데 익명성 보장이 가져올 장점들을 잘 살려야 한다고 본다.

④ 익명성 보장이 가져다주는 긍정적 측면을 살리는 지혜와 노력이 필요하다. (○)
ㄴ 제시문은 익명성 보장으로 인한 긍정적 측면, 즉 장점들을 잘 살려 나가는 지혜와 노력이 필요하다고 본다.

⑤ 익명성으로 인한 문제점은 개인의 도덕성과 양심에 호소하는 것이 합리적이다. (×)
ㄴ 제시문에서는 익명성으로 인한 문제점을 해결하기 위한 노력에 대해서는 다루고 있지 않다.

04 정보 공유론과 정보 사유론 입장 비교

갑, 을의 입장으로 옳지 않은 것은?

> 갑 : 정보는 개인의 시간과 노력이 들어간 고유한 창작물입니다. 아무런 시간이나 노력을 들이지 않고 다른 사람의 성과물을 사용하는 것은 정당하지 못한 것처럼 정보를 허락 없이 그리고 아무런 경제적 대가를 지불하지 않고 사용하는 것은 도덕적으로 정당화될 수 없습니다.
>
> 을 : 정보는 개인의 시간과 노력이 들어간 창작물인 동시에 인류가 함께 공동으로 이룩한 지적인 자산입니다. 따라서 정보를 한두 사람이나 소수의 사람만이 독점하는 것은 잘못입니다. 다만 창작자의 노력을 인정하는 차원에서 동의와 허락을 구한다면 경제적 대가를 지불할 필요 없이 자유롭게 사용할 수 있어야 합니다.

① 갑 : 정보에 대한 배타적 소유권은 인정될 수 없다.
② 갑 : 정보는 상품이나 재화처럼 생산 · 매매될 수 있다.
③ 을 : 정보를 사유재로만 인식하려 해서는 안 된다.
④ 을 : 정보를 통해 경제적 이익을 취하는 행위는 허용될 수 없다.
⑤ 갑, 을 : 다른 사람의 시간과 노력이 들어간 창작물인 정보를 동의나 허락 없이 사용하는 것은 정당화될 수 없다.

출제 의도 파악하기

정보 사유론과 정보 공유론의 입장의 특징을 서로 비교할 수 있다.

문제 해결 Point 쏙쏙
- 정보는 개인의 고유한 창작물, 창작자에 합당한 경제적 대가 지불 → 정보 사유론
- 정보는 인류가 공동으로 이룩한 지적 자산 → 정보 공유론

선택지 바로 알기

① 갑 : 정보에 대한 배타적 소유권은 인정될 수 없다. (○)
└ 갑은 정보를 사유재로 볼 수 있으며 정보에 대한 배타적 소유권을 인정할 수 있다고 본다.

② 갑 : 정보는 상품이나 재화처럼 생산·매매될 수 있다. (×)
└ 갑은 정보가 상품이나 재화처럼 생산되고 매매될 수 있다고 본다.

③ 을 : 정보를 사유재로만 인식하려 해서는 안 된다. (×)
└ 을은 정보를 사유재로만 인식해서는 안 되며, 인류의 공동 자산인 공유재로도 인식해야 한다고 본다.

④ 을 : 정보를 통해 경제적 이익을 취하는 행위는 허용될 수 없다. (×)
└ 을은 동의나 허락을 받으면 경제적 대가 지불 없이 정보를 자유롭게 사용할 수 있어야 한다고 보므로 정보를 통한 경제적 이윤의 추구는 허용되어서는 안 된다고 본다.

⑤ 갑, 을 : 다른 사람의 시간과 노력이 들어간 창작물인 정보를 동의나 허락 없이 사용하는 것은 정당화될 수 없다. (×)
└ 갑, 을은 정보 이용의 대가 지불에 관한 입장은 서로 다르지만 타인의 시간과 노력이 들어간 창작물인 정보를 창작자의 동의나 허락 없이 함부로 사용해서는 안 된다고 보는 점에서는 공통적이다.

개념 +

저작권 보호와 정보 공유

저작권 보호	• 정보 생산에 필요한 시간과 노력, 비용에 대한 정당한 대가 지불이 필요함 • 창작자의 노력에 대한 경제적 이익 보장 → 창작 의욕 고취, 지적 산물 생산 증가 도모 • 비판점 : 창작자에 대한 배타적 독점권 부여로 정보의 자유로운 교류 방해
정보 공유	• 모든 저작물은 인류가 생산한 정보와 지식을 활용하여 구성된 공공재 → 공익을 위해 사용되어야 함 • 저작물에 대한 과도한 권리 행사 → 새로운 창작 방해, 정보 격차에 따른 불평등 유발 우려 • 비판점 : 창작자의 노력을 충분히 고려하지 못함, 창작물의 질적 수준 저하 우려

05 테일러의 생명 중심주의 이해

다음을 주장한 사상가의 입장으로 옳은 것은?

> 살아 있는 모든 존재는 자신의 고유한 선을 자신의 방식대로 추구하는 목적론적 삶의 중심이다. 지각과 의식이 없어도 내재적 가치를 지닐 수 있다.

① 인간의 생명과 동물의 생명은 항상 동일한 가치로 평가되어야 한다.

② 생태계의 온전성을 위해 개별 생명체의 희생을 언제나 감수해야 한다.

③ 모든 생명체는 도덕적 행위와 도덕적 책임의 주체이므로 존중받아야 한다.

④ 자연에 대한 존중을 실천하고 생태계를 조작하려는 시도를 하지 말아야 한다.

⑤ 모든 생명체는 자기 고유의 선을 추구하는 합리적·이성적 존재로 대우받아야 한다.

출제 의도 파악하기

모든 생명체의 내재적 가치를 인정한 테일러의 입장을 이해할 수 있다.

문제 해결 Point 쏙쏙

모든 생명체는 목적론적 삶의 중심, 지각과 의식이 없어도 내재적 가치를 지님 → 테일러

선택지 바로 알기

① 인간의 생명과 동물의 생명은 항상 동일한 가치로 평가되어야 한다. (×)
└→ 테일러는 인간의 생명과 동물의 생명이 모든 상황에서 동일한 가치로 평가되어야 한다고 주장한 것은 아니다. 그는 인간의 생명이 위협을 받을 때는 동물의 생명을 희생할 수 있다고 보았다.

② 생태계의 온전성을 위해 개별 생명체의 희생을 언제나 감수해야 한다. (×)
└→ 테일러는 생명 중심주의자로서 전체 생태계가 아니라 개별 생명체에 중점을 두었다.

③ 모든 생명체는 도덕적 행위와 도덕적 책임의 주체이므로 존중받아야 한다. (×)
└→ 테일러는 모든 생명체를 도덕적으로 고려하고 존중해야 한다고 보았지만, 모든 생명체가 도덕적 책임의 주체라고 주장하지는 않았다.

④ 자연에 대한 존중을 실천하고 생태계를 조작하려는 시도를 하지 말아야 한다. (○)
└→ 테일러는 자연에 대한 존중을 강조하였으며 그중에서 생태계를 조작, 개조, 통제하려는 시도를 하지 말아야 한다는 불간섭의 의무를 제시하였다.

⑤ 모든 생명체는 자기 고유의 선을 추구하는 합리적·이성적 존재로 대우받아야 한다. (×)
└→ 테일러는 모든 생명체가 자기 고유의 선을 추구하는 존재이지만 모두가 합리적·이성적 존재라고 규정하지는 않았다.

개념 +

테일러의 생명 중심주의의 특징

테일러는 모든 생명체가 각기 고유한 방식으로 자신의 목적을 지향하고 있으며, 그 목적을 실현하기 위해 환경에 적응하고자 애쓰는 존재이므로 모든 생명체를 목적론적 삶의 중심이라고 주장하였다. 또한 모든 생명체는 의식의 유무, 유용성 등과 상관없이 고유한 선을 지니므로 인간은 이들을 도덕적으로 고려할 의무를 지닌다고 보았다. 한편, 테일러의 이러한 주장은 생명 중심주의에 근거한 것인데, 생명 중심주의는 생태계 전체가 아니라 개별 생명체에 중점을 두고 있다는 한계를 지닌다.

06 칸트의 인간 중심주의 입장 이해

다음을 주장한 사상가의 입장만을 |보기|에서 있는 대로 고른 것은?

순전한 이성에 의해 판단하면 인간은 통상 순전히 인간에 대한 의무 외에 다른 의무를 갖지 않습니다. 왜냐하면 인간의 어떤 주체에 대한 의무는 이 주체의 의지에 의한 도덕적 강요이니 말입니다.

보기
ㄱ. 인간만이 자율적이며 도덕적 행위의 주체이다.
ㄴ. 인간의 자연에 대한 의무는 간접적 의무일 뿐이다.
ㄷ. 인간만이 도덕적 지위를 지닌 존재라고 보아서는 안 된다.
ㄹ. 인간은 동물 학대나 자연 훼손을 함부로 하지 않을 의무를 지니지 않는다.

① ㄱ, ㄴ ② ㄱ, ㄷ ③ ㄷ, ㄹ
④ ㄱ, ㄴ, ㄹ ⑤ ㄴ, ㄷ, ㄹ

출제 의도 파악하기
인간 중심주의 사상가 칸트의 입장을 이해할 수 있다.

문제 해결 Point 쏙쏙
인간은 인간에 대한 의무만을 지님, 순수한 이성, 자연에 대한 간접적 의무 → 칸트

선택지 바로 알기
ㄱ. 인간만이 자율적이며 도덕적 행위의 주체이다. (○)
↳ 칸트는 자율적이고 이성에 따른 행동을 할 수 있는 인간만이 도덕적 행위의 주체라고 보았다.
ㄴ. 인간의 자연에 대한 의무는 간접적 의무일 뿐이다. (○)
↳ 칸트는 인간의 동물, 자연에 대한 의무는 간접적 의무라고 보았다.
ㄷ. 인간만이 도덕적 지위를 지닌 존재라고 보아서는 안 된다. (×)
↳ 칸트는 인간만이 도덕적 지위를 지닌 존재라고 보았으며 자연의 도덕적 지위는 부정하였다.
ㄹ. 인간은 동물 학대나 자연 훼손을 함부로 하지 않을 의무를 지니지 않는다. (×)
↳ 칸트는 인간성 실현을 위해 인간에게 동물 학대나 자연 훼손을 함부로 하지 않을 의무가 있다고 보았다.

07 레건의 동물 중심주의 이해

다음을 주장한 사상가의 입장만을 |보기|에서 있는 대로 고른 것은?

욕구, 지각, 기억, 감정 등 일련의 특징을 지니고 자신의 고유한 삶을 살아가는 삶의 주체만이 도덕적 권리를 지닙니다.

보기
ㄱ. 도덕적 무능력자도 내재적 가치를 지닐 수 있다.
ㄴ. 인간만이 삶의 주체로서 도덕적 권리를 지니는 것은 아니다.
ㄷ. 내재적 가치를 갖는 존재는 수단이 아니라 목적으로 대우받아야 한다.
ㄹ. 모든 동물은 삶의 주체이므로 인간을 위한 수단으로 취급당해서는 안 된다.

① ㄱ, ㄴ ② ㄱ, ㄹ ③ ㄷ, ㄹ
④ ㄱ, ㄴ, ㄷ ⑤ ㄴ, ㄷ, ㄹ

출제 의도 파악하기
동물 중심주의자로서 레건의 주장을 이해할 수 있다.

문제 해결 Point 쏙쏙
- 자신의 고유한 삶을 살아가는 삶의 주체 → 레건
- 삶의 주체는 도덕적 권리와 내재적 가치를 지님

선택지 바로 알기
ㄱ. 도덕적 무능력자도 내재적 가치를 지닐 수 있다. (○)
↳ 레건은 일부 동물이 도덕적 무능력자이지만 삶의 주체로서 내재적 가치를 지닌다고 주장하였다.
ㄴ. 인간만이 삶의 주체로서 도덕적 권리를 지니는 것은 아니다. (○)
↳ 레건은 일부 동물이 삶의 주체로서 내재적 가치를 지니므로 도덕적으로 존중받을 권리를 가진다고 보았다.
ㄷ. 내재적 가치를 갖는 존재는 수단이 아니라 목적으로 대우받아야 한다. (○)
↳ 레건은 의무론에 기초하여 삶의 주체는 내재적 가치를 지니며, 이러한 존재는 목적으로 대우받아야 한다고 보았다.
ㄹ. 모든 동물은 삶의 주체이므로 인간을 위한 수단으로 취급당해서는 안 된다. (×)
↳ 레건은 일부 포유동물이 삶의 주체라고 강조하였다.

08 플라톤과 에드거 앨런 포의 예술에 대한 입장 비교

갑, 을이 서로에게 제기할 수 있는 비판으로 가장 적절한 것은?

> 갑 : 추한 것과 나쁜 리듬, 부조화는 나쁜 성품을 닮은 반면, 그 반대되는 것들은 좋은 성품을 닮았고 그것을 모방한 것이다. 젊은이들은 아름다운 작품을 만나 자신도 모르는 사이에 아름다운 말과의 닮음과 친근함, 조화로 이끌리게 된다.
>
> 을 : 예술의 목표는 진리라는 생각 때문에 시(詩)만을 위한 시는 시적 품위가 결여된 것으로 여겨졌다. 그러나 예술이란 본래 심미적 가치만을 추구하기에 시 그 자체 외의 어떠한 다른 목적도 염두에 두지 않고 쓰인 시만이 진정한 시이다.

	비판 방향	대답
①	갑이 을에게	예술은 올바른 품성 함양을 위한 삶의 모범을 제공해야 함을 모르고 있다.
②	갑이 을에게	예술은 그 어떤 것에도 제한받지 않는 독립성을 지녀야 함을 모르고 있다.
③	갑이 을에게	예술은 그 자체가 목적으로 다른 것을 위한 수단이 될 수 없음을 모르고 있다.
④	을이 갑에게	예술의 심미적 가치는 도덕적 가치에 의해 제어되어야 함을 모르고 있다.
⑤	을이 갑에게	예술이 도덕적 가치를 추구할 때 심미적 가치가 더 고양된다는 사실을 모르고 있다.

출제 의도 파악하기

도덕주의와 심미주의의 입장을 바탕으로 플라톤과 에드거 앨런 포의 주장을 서로 비교할 수 있다.

문제 해결 Point 쏙쏙

- 도덕적 가치를 담은 예술은 좋은 교육적 효과를 가짐 → 플라톤의 예술관 → 도덕주의
- **도덕주의** : 작품을 통해 도덕성을 실현하고자 함
- 예술은 미적 가치만을 추구해야 함, 다른 목적을 위한 수단이 아님 → 에드거 앨런 포의 예술관 → 심미주의
- **심미주의** : 예술의 자율성을 바탕으로 작품에 미적 가치를 구현하고자 함

선택지 바로 알기

① 예술은 올바른 품성 함양을 위한 삶의 모범을 제공해야 함을 모르고 있다. (○)
↳ 도덕주의는 예술이 도덕적 모범을 담고 있어야 한다고 보므로 미적 가치만을 추구하는 심미주의에 대한 적절한 비판이다.

② 예술은 그 어떤 것에도 제한받지 않는 독립성을 지녀야 함을 모르고 있다. (×)
↳ 심미주의는 '예술을 위한 예술'을 추구하여 예술의 자율성과 독립성을 주장한다.

③ 예술은 그 자체가 목적으로 다른 것을 위한 수단이 될 수 없음을 모르고 있다. (×)
↳ 심미주의는 예술이 도덕적 가치의 추구, 사회적 영향력 등과 같은 다른 목적을 위한 수단이 되어서는 안 된다고 본다.

④ 예술의 심미적 가치는 도덕적 가치에 의해 제어되어야 함을 모르고 있다. (×)
↳ 도덕주의는 예술이 윤리의 인도를 받아야 한다고 본다.

⑤ 예술이 도덕적 가치를 추구할 때 심미적 가치가 더 고양된다는 사실을 모르고 있다. (×)
↳ 심미주의는 미적 가치의 추구만이 목적일 뿐이므로 도덕적 가치가 심미적 가치를 고양한다고 보지 않으므로 을이 제시할 비판으로 적절하지 않다.

개념 +

도덕주의의 특징과 한계점

예술과 윤리의 관계에 대한 도덕주의는 예술 작품이 도덕적 품성을 함양하고 도덕적 교훈이나 본보기를 제공해야 한다고 본다. 하지만 도덕주의가 지나치게 강조될 경우 예술에서 미적 요소가 경시될 수 있고 예술의 자율성이 침해될 수 있는 한계점을 지닌다.

09 볼노브의 주거에 대한 입장 이해

다음을 주장한 사상가의 입장만을 | 보기 | 에서 고른 것은?

> 외부 공간은 인간이 세계에 나가 활동하는 공간이고, 보호받지 못하는 공간, 위험과 희생의 공간이다. 그래서 인간에게는 집이라는 공간이 필요하다. 그곳은 인간이 위협에 대한 경계심을 내려놓을 수 있는 안정과 평화의 영역이고, 뒤로 물러나 긴장을 풀 수 있는 공간이다.

보기

ㄱ. 집은 외부의 위험에서 벗어난 평화의 공간이다.
ㄴ. 인간이 체험할 수 있는 공간은 내부 공간뿐이다.
ㄷ. 집은 원치 않는 낯선 이의 접근을 막아 주는 개인 공간이어야 한다.
ㄹ. 인간은 공간을 구분한 이후에 거주함을 잃고 영원한 망명자가 되었다.

① ㄱ, ㄴ　② ㄱ, ㄷ　③ ㄴ, ㄷ　④ ㄴ, ㄹ　⑤ ㄷ, ㄹ

출제 의도 파악하기

볼노브의 주거에 대한 입장을 파악할 수 있다.

문제 해결 Point 쏙쏙

- **외부 공간** : 보호받지 못하는 공간, 위험과 희생의 공간
- **내부 공간** : 안정과 평화의 영역, 긴장을 풀 수 있는 공간 → 집

선택지 바로 알기

ㄱ. 집은 외부의 위험에서 벗어난 평화의 공간이다. (○)
　↳ 볼노브는 집을 안정과 평화의 공간이라고 보았다.
ㄴ. 인간이 체험할 수 있는 공간은 내부 공간뿐이다. (×)
　↳ 볼노브는 내부 공간과 외부 공간이 모두 인간의 체험 공간이며 인간 삶의 기본이라고 보았다.
ㄷ. 집은 원치 않는 낯선 이의 접근을 막아 주는 개인 공간이어야 한다. (○)
　↳ 볼노브는 집이 외부의 위협과 같은 타인의 접근을 막아 주는 공간이어야 한다고 보았다.
ㄹ. 인간은 공간을 구분한 이후에 거주함을 잃고 영원한 망명자가 되었다. (×)
　↳ 볼노브에 따르면, 인간은 공간을 구분하고 내부 공간, 즉 집이라는 공간을 얻어 거주함을 얻게 되었다.

10 순자와 묵자의 음악관 이해

갑 사상가가 을 사상가에게 제기할 수 있는 비판으로 가장 적절한 것은?

> 갑 : 음악이란 즐거움으로 인도하는 방편이다. 쇠와 돌과 실과 대나무로 만든 악기들은 덕(德)으로 인도하는 방편이다. 음악이 바르게 연주되면 백성들이 올바른 길로 향하게 된다.
> 을 : 군자들이 천하의 이로움을 일으키고 천하의 해를 제거하고자 한다면, 마땅히 음악과 같은 물건을 금하여 없애야 한다. 귀는 음악이 즐거운 것을 알지만 백성들의 이로움과 부합되지 않는다.

① 음악 연주가 사회 질서를 불안정하게 함을 간과한다.
② 음악이 백성의 도덕적 실천에 도움이 됨을 간과한다.
③ 음악이 듣는 이에게 즐거움을 줄 수 있음을 간과한다.
④ 음악은 사회적 이익을 감소시키는 해악임을 간과한다.
⑤ 음악 연주에 백성이 동원되어 생산 활동에 방해가 됨을 간과한다.

출제 의도 파악하기

묵자의 음악관에 대한 순자의 비판 내용을 파악할 수 있다.

문제 해결 Point 쏙쏙

- 음악이 바르게 연주되면 백성들이 올바른 길로 향함 → 순자
- 음악이 백성들의 이로움에는 도움 되지 않음 → 묵자

선택지 바로 알기

① 음악 연주가 사회 질서를 불안정하게 함을 간과한다. (×)
　↳ 순자는 음악이 사회 질서를 안정되게 한다고 보았다.
② 음악이 백성의 도덕적 실천에 도움이 됨을 간과한다. (○)
　↳ 순자는 음악을 통해 백성들을 선하게 할 수 있다고 보았다.
③ 음악이 듣는 이에게 즐거움을 줄 수 있음을 간과한다. (×)
　↳ 순자, 묵자 모두 음악이 즐거움을 줄 수 있다는 점에 긍정하였다.
④ 음악은 사회적 이익을 감소시키는 해악임을 간과한다. (×)
　↳ 묵자는 음악이 생산 활동을 방해하여 사회적 이익을 감소시킨다고 보았다.
⑤ 음악 연주에 백성이 동원되어 생산 활동에 방해가 됨을 간과한다. (×)
　↳ 묵자는 음악 연주를 위해 백성의 노동력이 활용되어 생산 활동에 방해가 된다고 보았다.

11 엘리아데의 종교관 이해

다음을 주장한 사상가의 입장으로 적절하지 않은 것은?

> 우주는 존재와 신성성의 여러 양태를 제시합니다. 존재 현현(顯現)과 성현(聖顯)이 서로 만나는 것입니다. 종교적 인간에게 초자연적인 것은 자연적인 것과 불가분하게 연결되어 있습니다. … (중략) … 성스러운 돌은 그것이 신성하기 때문에 존경받는다. 돌의 진정한 본질을 계시하는 것은 돌의 존재 양식 안에 나타난 신성성입니다.

① 하늘과 대지는 성스러움의 여러 양상을 보여 준다.
② 성스러운 돌은 성현이기 때문에 신앙의 대상이 된다.
③ 종교적 인간에게 자연은 종교적 의미로 충만해 있다.
④ 세속적 삶에서 성스러움을 체험하는 것은 불가능하다.
⑤ 종교적 인간은 자연을 통해 초자연적인 것을 파악한다.

출제 의도 파악하기

엘리아데의 종교관을 이해할 수 있다.

문제 해결 Point 쏙쏙

- 종교적 인간에게는 자연적인 것과 초자연적인 것이 분리되어 있지 않음 → 세속의 세계와 성스러움의 세계가 공존함 → 엘리아데의 종교관
- 자연물에 성스러움이 드러났으므로 그것을 숭배함

선택지 바로 알기

① 하늘과 대지는 성스러움의 여러 양상을 보여 준다. (×)
↳ 엘리아데는 하늘과 대지, 즉 우주는 성스러움을 지닌 유기체이며, 이것은 존재와 신성성의 여러 양태를 제시한다고 주장하였다.

② 성스러운 돌은 성현이기 때문에 신앙의 대상이 된다. (×)
↳ 엘리아데에 따르면 성스러운 돌은 돌의 존재 양식 안에 나타난 신성성, 다시 말해 성현이기 때문에 신앙의 대상이 되어 숭배된다.

③ 종교적 인간에게 자연은 종교적 의미로 충만해 있다. (×)
↳ 엘리아데에 따르면, 종교적 인간에게 초자연적인 것과 자연적인 것은 불가분의 관계로 연결되어 있기 때문에 자연은 종교적 의미로 충만해 있다.

④ 세속적 삶에서 성스러움을 체험하는 것은 불가능하다. (○)
↳ 엘리아데에 따르면, 종교적 인간은 일상적인 삶 속에서 성현을 체험할 수 있다.

⑤ 종교적 인간은 자연을 통해 초자연적인 것을 파악한다. (×)
↳ 엘리아데에 따르면, 자연은 항상 그것을 초월하는 무엇인가를 표현하고 있으므로 종교적 인간은 자연을 통해 초자연적인 것을 파악할 수 있다.

개념 +

엘리아데의 종교관

엘리아데는 인간을 종교적 존재로 보았다. 특히 스스로를 종교적 존재가 아니라고 여기는 사람들마저도 일상생활 속에서는 성스러운 행위를 지속한다고 주장하였다. 또한 엘리아데는 성과 속이 분리되어 있지 않으며 일상적인 삶 자체가 언제든지 성현이 될 수 있다고 보았다. 이러한 관점에서 세속과 성스러움의 세계가 조화를 이루는 종교 생활을 강조하였다.

용어 +

종교적 존재 : 인간은 시간, 장소, 인간적 한계를 넘어서기를 갈망하며, 그러한 한계들을 극복하기 위해 초월적 존재와 연관을 맺고자 하는 존재임

12 하버마스의 담론 윤리 이해

다음을 주장한 사상가의 입장으로 옳지 않은 것은?

> 논증의 일반적 전제 조건들로부터 보편주의적 도덕의 내용을 획득하고자 하는 담론 윤리 전략의 전망이 밝은 까닭은 바로 담론이 구체적 생활 형식들을 넘어서는 수준 높은 의사소통 형식을 서술하기 때문입니다. 이 형식 속에서 의사소통 지향적 행위의 가정들은 일반화되고 추상화될 뿐만 아니라 그 한계가 제거됩니다. 다시 말해서 그것들은 언어 능력과 행위 능력을 갖춘 모든 주체들을 포함하는 이상적 의사소통 공동체로 확장되는 것입니다.

① 합리적 논증으로 보편적 도덕 규범을 얻을 수 있다.
② 개인들의 평등한 권리와 존엄성을 존중해야 한다.
③ 주관적 견해를 극복한 사람만이 담론에 참여해야 한다.
④ 규범의 타당성을 검토할 때 결과에 대해 고려해야 한다.
⑤ 개인은 모든 주장에 대해 입장 표명을 할 수 있는 무제한적 자유를 가진다.

출제 의도 파악하기

하버마스의 담론 윤리의 특징을 파악할 수 있다.

문제 해결 Point 쏙쏙

- 논증의 일반적 전제 조건들로부터 보편주의적 도덕의 내용을 획득하고자 함 → 담론 윤리
- 하버마스의 담론 윤리에서 언어 능력과 행위 능력을 갖춘 모든 주체는 이상적 담화 상황에 참여할 수 있는 모든 주체를 뜻함

선택지 바로 알기

① 합리적 논증으로 보편적 도덕 규범을 얻을 수 있다. (×)
ㄴ 하버마스는 상호 간의 논증적인 토론을 통해 보편적 합의에 도달할 수 있다고 보았다.

② 개인들의 평등한 권리와 존엄성을 존중해야 한다. (×)
ㄴ 하버마스는 대화에 참여하는 개인들의 평등한 권리와 존엄성을 존중해야 한다고 보았다.

③ 주관적 견해를 극복한 사람만이 담론에 참여해야 한다. (○)
ㄴ 하버마스는 자신의 주관적 견해를 담론 과정에서 극복할 수 있다고 보았다.

④ 규범의 타당성을 검토할 때 결과에 대해 고려해야 한다. (×)
ㄴ 하버마스는 규범의 타당성 여부를 판단할 때 결과에 대한 고려를 해야 한다고 보았다.

⑤ 개인은 모든 주장에 대해 입장 표명을 할 수 있는 무제한적 자유를 가진다. (×)
ㄴ 하버마스는 주장에 대해 입장 표명을 할 수 있는 무제한적인 개인적 자유가 없다면 담론에서 성취된 동의가 일반적일 수 없다고 보았다.

개념 +

이상적 담화 상황의 규칙

하버마스가 제시한 이상적 담화 상황의 규칙은 첫째, 언어 능력과 행위 능력을 갖춘 모든 주체는 담론에 참여할 수 있어야 한다. 둘째, 누구나 어떤 주장에 대해서도 문제를 제기할 수 있고, 어떤 주장이라도 담론에 부칠 수 있다. 또한, 자기의 생각과 원하는 바를 표현할 수 있어야 한다. 셋째, 어떤 담론의 참가자도 담론의 내적·외적 강제에 의해 위의 권리들을 행사하는 데 방해받아서는 안 된다.

13 국제 관계에 대한 현실주의와 이상주의 비교

(가), (나)의 입장으로 가장 적절한 것은?

> (가) 국가의 이익이 도덕성과 충돌할 때 도덕성보다 국가의 이익을 우선시해야 한다. 왜냐하면 국익을 지키는 것이 국가의 의무이기 때문이다.
> (나) 국가는 국제 분쟁에서 도덕성을 고려해야 하며, 국가의 이익보다 인간의 존엄성, 자유, 평등 등 보편적 가치를 우선하여 달성해야 한다.

① (가) : 국제 분쟁을 억제하고 평화를 실현할 수 있는 방법은 없다.
② (가) : 국제 관계에서 한 국가의 권력은 다른 국가의 권력에 의해서만 견제될 수 있다.
③ (나) : 국제 정치는 국익을 증진하기 위한 권력 투쟁이다.
④ (나) : 국제 분쟁은 국가 간의 세력 균형을 유지해야 해결할 수 있다.
⑤ (가), (나) : 국제 관계는 무정부적 상태가 아니라 국제기구와 국제법의 통제하에 있다.

출제 의도 파악하기

국제 관계에 대한 현실주의와 이상주의 관점의 특징을 파악하고 서로 비교할 수 있다.

문제 해결 Point 쏙쏙

- 도덕성보다 국익, 국익을 지키는 것이 국가의 의무 → 현실주의
- 도덕성 우선, 국익보다 보편적 가치 우선 달성 → 이상주의

선택지 바로 알기

① (가) : 국제 분쟁을 억제하고 평화를 실현할 수 있는 방법은 없다. (×)
└, 현실주의는 세력 균형을 통해 평화를 실현할 수 있다고 본다.
② (가) : 국제 관계에서 한 국가의 권력은 다른 국가의 권력에 의해서만 견제될 수 있다. (○)
└, 현실주의는 국제 관계가 힘의 논리의 지배를 받는다고 본다.
③ (나) : 국제 정치는 국익을 증진하기 위한 권력 투쟁이다. (×)
└, 국익 증진을 위한 노력은 현실주의의 주장과 가깝다.
④ (나) : 국제 분쟁은 국가 간의 세력 균형을 유지해야 해결할 수 있다. (×)
└, 현실주의의 입장이다. 이상주의는 국제 분쟁 해결을 위해 국가, 개인, 비정부 기구, 국제기구 등 다양한 주체들의 노력을 강조한다.
⑤ (가), (나) : 국제 관계는 무정부적 상태가 아니라 국제기구와 국제법의 통제하에 있다. (×)
└, 현실주의는 국제 관계에서 국가를 통제할 중앙 권위가 존재하지 않는다고 본다. 국제 기구나 국제법 등의 역할을 인정하는 것은 이상주의와 관련된다.

개념 +

국제 평화 실현의 방법

현실주의는 국제 평화가 힘의 논리에 의한 세력 균형을 통해 전쟁을 예방 또는 억지함으로써 실현할 수 있다고 본 반면, 이상주의는 국가 간의 이성적 대화와 협력을 바탕으로 도덕, 여론, 법률, 제도를 통해 실현할 수 있다고 본다.

용어 +

세력 균형 : 국가들 사이의 세력이 비등하여 어떠한 국가도 무력 도발을 할 수 없는 상태

14 노직, 싱어, 롤스의 해외 원조에 대한 입장 비교

(가)의 갑, 을, 병 사상가들의 입장에서 서로에게 제기할 수 있는 비판을 (나) 그림으로 표현할 때, A~F에 해당하는 내용으로 가장 적절한 것은?

(가)	갑 : 원조는 개인의 자유로운 선택의 영역이다. 개인의 정당한 소유권을 타인의 삶과 행복을 위해 침해해서는 안 된다. 을 : 원조는 세계 시민의 의무이다. 이익 평등 고려의 원칙에 따라 빈곤으로 고통받는 모든 사람들에게 원조해야 한다. 병 : 원조는 고통받는 사회들을 질서 정연한 사회로 가입시키는 것이다. 원조는 목적을 달성하면 중단될 수 있다.
(나)	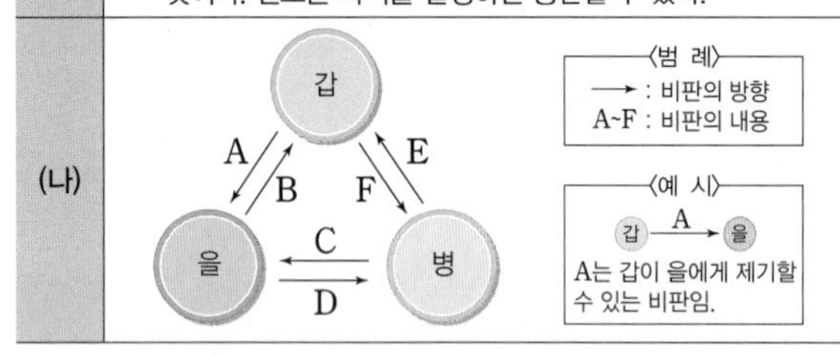

① B : 원조는 개인의 자발적 선택에 따른 자선 행위임을 간과한다.
② C : 원조가 중단되는 차단점이 존재하지 않음을 간과한다.
③ D : 적절한 정치 문화를 갖추지 못한 사회에서 빈곤으로 죽어 가는 개인들의 고통을 방치할 수 있음을 간과한다.
④ A, F : 도덕적으로 큰 희생 없이 타국의 빈민을 도울 수 있다면 도와야 함을 간과한다.
⑤ B, E : 원조의 의무를 실행하기 위한 과세는 강제 노동과 같음을 간과한다.

출제 의도 파악하기

노직, 싱어, 롤스의 해외 원조관의 특징을 비교하여 파악할 수 있다.

문제 해결 Point 쏙쏙

자선		노직 : 원조는 개인의 자율적 선택에 따른 자선
의무	싱어	고통을 감소시키고 쾌락을 증진시키기 위해 고통받는 자들에게 원조할 의무가 있음
	롤스	고통받는 사회가 질서 정연한 사회가 되는 것이 원조의 목적 → 목적이 성취되면 더 이상의 원조는 불필요함

선택지 바로 알기

① B : 원조는 개인의 자발적 선택에 따른 자선 행위임을 간과한다. (×)
ㄴ 노직은 원조가 의무가 아니라 개인의 선택에 따른 자선 행위여야 한다고 보았으므로 노직에 대한 비판으로 적절하지 않다.

② C : 원조가 중단되는 차단점이 존재하지 않음을 간과한다. (×)
ㄴ 롤스는 원조가 중단되는 차단점이 존재한다고 보았는데, 그것은 고통받는 사회가 질서 정연한 사회가 된 때이다.

③ D : 적절한 정치 문화를 갖추지 못한 사회에서 빈곤으로 죽어 가는 개인들의 고통을 방치할 수 있음을 간과한다. (○)
ㄴ 싱어는 정치 문화의 발전을 강조하는 롤스의 입장이 지금 당장 질병이나 기아로 죽어 가는 개인들의 고통을 방치할 수 있다고 지적하였다.

④ A, F : 도덕적으로 큰 희생 없이 타국의 빈민을 도울 수 있다면 도와야 함을 간과한다. (×)
ㄴ 싱어는 도덕적으로 큰 희생이 없다면 타국의 빈민을 도와야 한다고 보았는데 그것이 인류 전체의 공리 증진이라는 측면에 부합하기 때문이다. 따라서 A에 부적절한 비판이다.

⑤ B, E : 원조의 의무를 실행하기 위한 과세는 강제 노동과 같음을 간과한다. (×)
ㄴ 노직은 원조를 의무가 아닌 개인의 선택으로 보았으므로 원조나 복지를 구현하기 위해 개인의 선택과 무관한 세금을 부과하는 것은 강제 노동과 같다고 보았다.

용어 +

고통받는 사회 : 팽창적이지도 공격적이지도 않은 반면에, 정치적이며 문화적인 전통들, 즉 인적 자본과 기술 수준, 종종 질서 정연한 사회가 되는 데 필요한 물질적·과학 기술적 자원을 결핍하고 있는 사회

01 ⑤ 02 ② 03 ① 04 ③ 05 ③ 06 ⑤ 07 ⑤ 08 ② 09 ⑤ 10 ① 11 ④ 12 ④

01 과학 기술에 대한 베이컨과 요나스의 입장 비교

갑, 을 사상가들의 입장만을 |보기|에서 있는 대로 고른 것은?

갑 : 과학의 목적은 자연을 인간의 의도에 맞도록 변형함으로써 인간의 활동 영역을 넓히는 것이다. 인간은 자연의 사용자이자 해석자로서 자연을 경험적으로 연구해야 한다.

을 : 과학을 통해 이제까지 전혀 알려지지 않은 힘을 부여받고, 경제를 통해 끊임없는 충동을 부여받아 마침내 사슬로부터 풀려난 프로메테우스는 자신의 권력이 인간에게 불행이 되지 않도록 자발적 통제를 통해 자신의 권력을 제어할 수 있는 하나의 윤리학을 요청한다.

보기

ㄱ. 갑은 인간이 자연을 수단으로 볼 수 있지만 인간과 자연의 평등한 관계 유지에 힘써야 한다고 본다.

ㄴ. 을은 호혜성에 기초한 기존의 전통적 윤리학은 새로운 과학 기술 시대의 문제점을 해결하기에 한계를 지닌다고 본다.

ㄷ. 갑은 을과 달리 인간이 인간의 이익을 위해 자유롭게 자연을 활용해야 한다고 본다.

ㄹ. 을은 갑과 달리 과학 기술 발달로 인한 자연 파괴와 이로 인한 인류 존속에 대한 두려움을 가져야 한다고 본다.

① ㄱ, ㄴ ② ㄱ, ㄷ ③ ㄷ, ㄹ
④ ㄱ, ㄴ, ㄹ ⑤ ㄴ, ㄷ, ㄹ

출제 의도 파악하기

자연을 자유롭게 이용할 것을 강조한 베이컨과 자연 파괴에 대한 두려움을 가질 것을 강조한 요나스의 입장을 비교할 수 있다.

문제 해결 Point 쏙쏙

- 인간은 자연의 사용자 및 해석자 → 베이컨
- 자발적 통제를 통해 자신의 권력을 제어할 수 있는 윤리학 요청 → 과학 기술 시대의 새로운 책임 윤리 필요성 제기 → 요나스

선택지 바로 알기

ㄱ. 갑은 인간이 자연을 수단으로 볼 수 있지만 인간과 자연의 평등한 관계 유지에 힘써야 한다고 본다. (×)
ㄴ 베이컨은 인간과 자연의 평등한 관계를 강조하지 않았다. 인간을 자연보다 우월한 존재로 보아 자연을 인간의 노예로 비유하였다.

ㄴ. 을은 호혜성에 기초한 기존의 전통적 윤리학은 새로운 과학 기술 시대의 문제점을 해결하기에 한계를 지닌다고 본다. (○)
ㄴ 요나스는 인간 상호 간의 호혜성에 기초한 전통적 윤리학의 한계를 지적하고 새로운 책임 윤리의 필요성을 제기하였다.

ㄷ. 갑은 을과 달리 인간이 인간의 이익을 위해 자유롭게 자연을 활용해야 한다고 본다. (○)
ㄴ 베이컨에 따르면 자연은 인간의 이익을 위한 도구이므로 마음껏 활용될 수 있다. 반면, 요나스는 인간이 인간의 이익을 위해 자연을 함부로 훼손하면 현세대뿐 아니라 미래 세대의 생존에도 위협이 된다고 경고하였다.

ㄹ. 을은 갑과 달리 과학 기술 발달로 인한 자연 파괴와 이로 인한 인류 존속에 대한 두려움을 가져야 한다고 본다. (○)
ㄴ 베이컨은 자연을 정복해 인간의 물질적 생활을 향상시키는 것을 과학의 목적으로 파악했을 뿐, 그로 인한 문제점은 지적하지 않았다. 반면, 요나스는 과학 기술 발달로 인한 환경 파괴의 심각성, 미래 세대의 생존과 삶의 질을 위협할 수 있는 위험성을 지적하고 이에 대한 두려움을 가지고 절제하는 삶이 필요하다고 보았다.

용어 +

호혜성 : 서로 이익이나 혜택을 주고받는 성격으로, 요나스는 전통적 윤리학의 특징을 '호혜성'이라고 규정함

02 과학 기술에 대한 하이데거의 입장 이해

다음을 주장한 사상가의 입장만을 | 보기 |에서 고른 것은?

현대 기술의 본질은 기술적인 것이 아닙니다. 우리는 어디서나 부자유스럽게 기술에 붙들려 있습니다. 최악의 경우는 기술을 중립적으로 고찰할 때이며, 이 경우 우리는 무방비 상태로 기술에 내맡겨져 전적으로 기술의 본질에 대해 맹목적이게 됩니다.

보기

ㄱ. 현대 기술의 본질에 대한 자각과 비판적 성찰이 필요하다.

ㄴ. 현대 기술은 전적으로 인간의 자율적 규제를 받는 대상이다.

ㄷ. 현대 기술은 감추어져 있는 존재의 모습을 드러내 주는 수단이다.

ㄹ. 현대 기술은 인간의 의도에 따라 긍정적 혹은 부정적 요소를 산출하는 수단일 뿐이다.

① ㄱ, ㄴ ② ㄱ, ㄷ ③ ㄴ, ㄷ ④ ㄴ, ㄹ ⑤ ㄷ, ㄹ

출제 의도 파악하기

과학 기술의 가치 중립성 논쟁에 대한 하이데거의 입장을 파악할 수 있다.

문제 해결 Point 쏙쏙

기술을 중립적으로 고려하면 무방비 상태로 기술에 내맡겨져서 위험함 → 하이데거

선택지 바로 알기

ㄱ. 현대 기술의 본질에 대한 자각과 비판적 성찰이 필요하다. (○)
└ 하이데거는 과학 기술을 가치 중립적인 것으로 여기면 위험하므로 현대 기술의 본질에 대해 반성적 성찰과 경계가 필요하다고 보았다.

ㄴ. 현대 기술은 전적으로 인간의 자율적 규제를 받는 대상이다. (×)
└ 하이데거는 현대 기술을 인간의 통제와 규제를 받는 대상으로만 보지 않았으며, 오히려 인간이 기술에 종속될 수 있음을 경고하였다.

ㄷ. 현대 기술은 감추어져 있는 존재의 모습을 드러내 주는 수단이다. (○)
└ 하이데거는 기술이 단순한 가치 중립적 도구가 아니라 감추어져 있는 존재의 모습을 드러내 주는 수단이라고 보았다.

ㄹ. 현대 기술은 인간의 의도에 따라 긍정적 혹은 부정적 요소를 산출하는 수단일 뿐이다. (×)
└ 과학 기술의 가치 중립성을 지지한 야스퍼스의 입장이다. 하이데거는 기술의 인간 지배와 종속을 경계해야 할 필요가 있다고 보았다.

개념 +

야스퍼스와 하이데거의 과학 기술에 대한 입장 비교

- 과학 기술은 ○○ 수단이자 도구이다.
  └ 야스퍼스는 과학 기술이 선도 악도 아닌 가치 중립적 도구라고 본 반면, 하이데거는 감추어져 있는 존재의 모습을 드러내 주는 수단이라고 보았다.
- 과학 기술은 인간을 지배할 수 (있다, 없다).
  └ 야스퍼스는 기술이 공허한 힘이며 목적에 대한 수단이므로 인간과 무관하게 광기를 부리거나 인간을 지배할 수 없다고 본 반면, 하이데거는 기술을 가치 중립적인 것으로 고찰할 때 인간이 종속당할 수 있다고 지적하였다.

03 사이버 공간에서 표현의 자유로 인한 문제 해결 방안 파악

(가)의 갑, 을의 입장에서 볼 때, (나)의 ㉠에 들어갈 진술로 옳지 않은 것은?

(가)	갑 : 사이버 공간에서 표현의 자유로 인해 발생하는 부작용들에 대해서는 인터넷 사용자 개개인의 양심에 호소하고 도덕성을 바탕으로 설득하고 홍보해 나갈 때 충분히 예방할 수 있다. 을 : 사이버 공간에서 표현의 자유로 인해 발생하는 부작용들에 대해 각 개인의 도덕성에만 호소하는 것은 한계가 있으므로 법적, 제도적, 기술적 장치까지 동원하여 예방해 나가야 할 것이다.
(나)	사이버 공간에서 표현의 자유로 인해 발생하는 문제는 (㉠)

① 갑 : 시장의 원리에 의해 자연스럽게 해결될 것이다.
② 갑 : 개인의 자발적 규제를 중심으로 해결될 수 있다.
③ 을 : 해결하려면 구성원들의 도덕성 함양이 필요하다.
④ 을 : 개인적 차원뿐 아니라 사회적 차원의 해결 방법을 모색해야 한다.
⑤ 갑, 을 : 해결되어야만 건전한 사이버 공간을 만들 수 있다.

출제 의도 파악하기

사이버 공간에서 표현의 자유로 인해 생긴 문제점을 해결하기 위해 자율적 규제를 강조하는 입장과 법적, 제도적, 기술적 규제를 강조하는 입장을 비교할 수 있다.

문제 해결 Point 쏙쏙
- 개인의 양심과 도덕성에 호소 → 자율적 규제
- 법적, 제도적, 기술적 장치 동원 → 법적, 제도적, 기술적 규제

선택지 바로 알기

① 갑 : 시장의 원리에 의해 자연스럽게 해결될 것이다. (○)
ㄴ 갑은 표현의 자유로 인한 문제가 시장의 원리에 따라 저절로 해결되는 것이 아니라 개인의 자율적 규제를 통해 해결될 것이라고 본다.

② 갑 : 개인의 자발적 규제를 중심으로 해결될 수 있다. (×)
ㄴ 갑은 개인의 자발적 규제를 강조하고 있다.

③ 을 : 해결하려면 구성원들의 도덕성 함양이 필요하다. (×)
ㄴ 을도 갑과 마찬가지로 개개인의 도덕성 함양이 필요하다는 점은 인정한다.

④ 을 : 개인적 차원뿐 아니라 사회적 차원의 해결 방법을 모색해야 한다. (×)
ㄴ 을은 표현의 자유로 인한 문제를 개인적 차원만으로는 해결하기 어렵다고 보고 사회적 차원의 법적, 제도적 규제도 필요하다고 본다.

⑤ 갑, 을 : 해결되어야만 건전한 사이버 공간을 만들 수 있다. (×)
ㄴ 갑, 을 모두 사이버 공간에서 표현의 자유로 인한 부작용 문제를 해결할 필요가 있다고 본다.

개념 +

사이버 공간에서 표현의 자유를 추구하는 바람직한 자세

표현의 자유는 자아실현의 토대가 되고 인간 존엄성을 실현하는 바탕이 된다. 또한, 민주주의를 실현하는 기초이며, 국민의 알 권리를 충족시키기 위해 보장되어야 하는 가치이다. 따라서 현실 공간뿐만 아니라 사이버 공간에서도 기본적 권리로서 보장되어야 한다. 하지만 표현의 자유를 지나치게 강조할 경우 개인의 인격권을 침해하는 등 개인적·사회적 차원에서 많은 문제를 일으킬 수 있다. 그러므로 타인의 인권을 침해하지 않고 사회 질서를 어지럽히지 않는 범위 내에서 표현의 자유를 누려야 한다.

BOOK 2

04 싱어, 레건, 레오폴드의 입장 비교

갑, 을, 병 사상가들의 입장으로 옳은 것은?

> 갑 : 우리는 쾌고 감수 능력을 지닌 존재의 고통을 차별하지 말아야 하며, 종 차별주의에서 벗어나 이익 평등 고려의 원칙을 적용해야 한다.
> 을 : 우리는 지각, 기억, 믿음 등을 지닌 삶의 주체의 내재적 가치를 존중해야 한다. 그들의 가치는 도덕적 행위 능력과 무관하게 존중되어야 한다.
> 병 : 우리는 대지를 사랑과 존중으로 대상으로 보아야 한다. 대지에 대한 인간의 윤리적 관계는 대지에 대한 사랑, 존경, 감탄 없이는 지속될 수 없다.

① 갑 : 동물과 식물 그리고 무생물의 이익 관심을 모두 동등하게 고려해야 한다.
② 을 : 도덕적 행위자만이 도덕적 지위를 갖는다.
③ 병 : 인간은 도덕 공동체의 정복자가 아니라 동료 구성원이자 시민임을 인정해야 한다.
④ 갑, 을 : 모든 동물은 쾌고 감수 능력을 지닌 삶의 주체로 존중받아야 한다.
⑤ 갑, 을, 병 : 이성은 없지만 지각과 의식이 있다면 삶의 주체이며 도덕적 고려의 대상이다.

출제 의도 파악하기

동물 중심주의자 싱어와 레건, 생태 중심주의자 레오폴드의 입장을 비교 이해하고 공통점과 차이점을 파악할 수 있다.

문제 해결 Point 쏙쏙

- 이익 평등 고려의 원칙, 종 차별주의 금지 → 싱어
- 삶의 주체의 내재적 가치, 도덕적 행위 능력과 무관한 존중 → 레건
- 대지에 대한 사랑과 존중 → 레오폴드

선택지 바로 알기

① 갑 : 동물과 식물 그리고 무생물의 이익 관심을 모두 동등하게 고려해야 한다. (×)
ㄴ 싱어는 식물과 무생물은 쾌고 감수 능력을 지니지 않으므로 이익 관심을 갖지 않는다고 보았다.

② 을 : 도덕적 행위자만이 도덕적 지위를 갖는다. (×)
ㄴ 레건은 일부 동물은 도덕적 무능력자라고 하더라도 삶의 주체로서 내재적 가치를 가지므로 도덕적 지위를 지닐 수 있다고 보았다.

③ 병 : 인간은 도덕 공동체의 정복자가 아니라 동료 구성원이자 시민임을 인정해야 한다. (○)
ㄴ 레오폴드에 따르면, 대지 윤리는 인류의 역할을 도덕 공동체의 정복자가 아니라 동료 구성원이자 시민으로 변화시킨다.

④ 갑, 을 : 모든 동물은 쾌고 감수 능력을 지닌 삶의 주체로 존중받아야 한다. (×)
ㄴ 싱어는 쾌고 감수 능력을 지닌 동물이 이익 관심을 가진다고 보았으며, 레건은 일부 성장한 포유동물이 삶의 주체로서 도덕적 지위를 지닌다고 주장하였다.

⑤ 갑, 을, 병 : 이성은 없지만 지각과 의식이 있다면 삶의 주체이며 도덕적 고려의 대상이다. (×)
ㄴ 레오폴드는 지각과 의식이 없는 무생물도 도덕적 고려의 대상이라고 보았다.

개념 +

싱어와 레건의 동물 중심주의 비교

싱어	• 쾌고 감수 능력의 소유 여부 : 도덕적 고려의 대상인지를 판단하는 기준 → 도덕적 고려의 대상이 되기 위한 필요충분조건 • 이익 평등 고려의 원칙 : 쾌고 감수 능력을 지닌 존재의 이익 관심을 동등하게 고려해야 함 → 인간과 동물의 이익 관심은 '동일하게'가 아닌 '동등하게' 고려되어야 함 • 종 차별주의 비판 : 이익 평등 고려의 원칙에 근거하여 동물의 고통을 저급하게 여기거나 무시하는 행위를 비판함
레건	• 일부 동물은 도덕적 무능력자이지만 자기 삶을 영위할 수 있는 삶의 주체로서 내재적 가치를 지님 → 도덕적으로 존중받을 권리를 가짐 • 의무론에 기초하여 내재적 가치를 지닌 대상은 수단이 아닌 목적으로 대우해야 한다고 봄 → 동물이 인간을 위한 수단으로 취급되어서는 안 됨

05 레오폴드, 테일러, 베이컨의 입장 비교

(가)의 갑, 을, 병 사상가들의 입장을 (나) 그림으로 탐구할 때, A~D에 해당하는 적절한 질문만을 |보기|에서 있는 대로 고른 것은?

(가)
갑 : 인류는 대지 공동체의 평범한 구성원이 되어야 한다. 이러한 인류의 역할은 동료 구성원과 대지 공동체 자체에 대한 존중을 필연적으로 수반한다.
을 : 생명체가 목적론적 삶의 중심이라는 것은 그 활동이 목표 지향적이라는 뜻으로, 생명 활동을 성공적으로 수행하는 항상적인 경향성이 있다는 말이다.
병 : 자연을 사냥해서 노예로 만들어 인간의 이익에 봉사하도록 해야 한다. 지식은 인간이 자연을 의도에 맞게 변형하여 자연에 대한 지배력을 강화하는 데 유용하다.

(나)

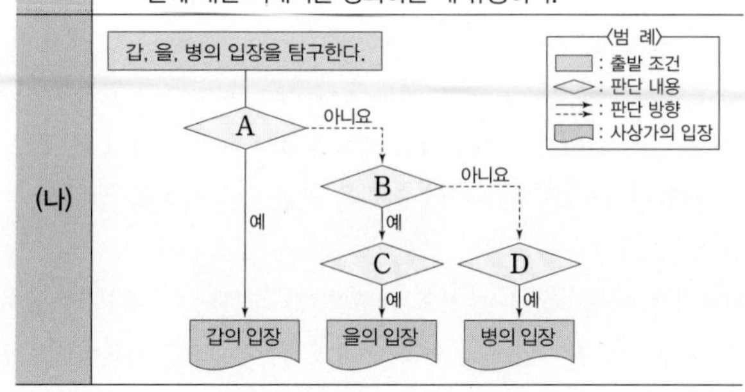

| 보기 |

ㄱ. A : 인간을 위해 생태계를 조작, 통제하려는 시도를 해서는 안 되는가?
ㄴ. B : 인간이 자연보다 우월하다는 생각에서 벗어나야 하는가?
ㄷ. C : 인간이 다른 생명체에게 해를 끼쳤을 경우 마땅히 피해를 보상해야 하는가?
ㄹ. D : 인간은 자연의 해석자나 지배자로서의 권리를 포기해야 하는가?

① ㄱ, ㄴ ② ㄱ, ㄹ ③ ㄴ, ㄷ
④ ㄱ, ㄷ, ㄹ ⑤ ㄴ, ㄷ, ㄹ

출제 의도 파악하기

생태 중심주의자 레오폴드, 생명 중심주의자 테일러, 인간 중심주의자 베이컨의 입장을 비교 이해하고 공통점과 차이점을 파악할 수 있다.

문제 해결 Point 쏙쏙

- 대지 공동체의 구성원, 대지 공동체에 대한 존중 → 레오폴드
- 생명체는 목적론적 삶의 중심, 목표 지향적 활동의 항상적 경향성 → 테일러
- 자연은 인간의 이익을 위해 봉사하는 노예 → 베이컨

선택지 바로 알기

ㄱ. A : 인간을 위해 생태계를 조작, 통제하려는 시도를 해서는 안 되는가? (×)
↳ 생명 중심주의자 테일러가 긍정의 대답을 할 질문이다. 테일러는 자연 존중의 네 가지 의무 중 하나로 불간섭의 의무를 주장하면서 인간을 위한 생태계의 조작 및 통제 행위를 반대하였다.

ㄴ. B : 인간이 자연보다 우월하다는 생각에서 벗어나야 하는가? (○)
↳ 테일러는 긍정, 베이컨은 부정의 대답을 할 질문이다.

ㄷ. C : 인간이 다른 생명체에게 해를 끼쳤을 경우 마땅히 피해를 보상해야 하는가? (○)
↳ 테일러가 긍정의 대답을 할 질문이다. 테일러는 자연 존중의 네 가지 의무 중 하나로 보상적 정의의 의무를 주장하면서 인간이 다른 생명체에 해를 끼쳤을 경우 마땅히 그 피해를 보상해야 한다고 주장하였다.

ㄹ. D : 인간은 자연의 해석자나 지배자로서의 권리를 포기해야 하는가? (×)
↳ 베이컨이 부정의 대답을 할 질문이다. 베이컨은 자연을 인류 복지를 위한 수단으로 보고 인간은 이러한 자연의 해석자이자 지배자라고 보았다.

개념 +

테일러가 제시한 '자연 존중의 의무'

악행 금지의 의무	어떤 생명체에게도 피해를 끼치지 않아야 함 → 가장 기본적인 의무
불간섭의 의무	개별 유기체의 자유를 간섭하거나 생태계를 조작, 통제, 개조하려는 시도를 하지 말아야 함
성실의 의무	인간의 즐거움과 쾌락을 위해 야생 동물을 사냥, 낚시하거나 덫을 놓는 등의 기만행위를 금지해야 함
보상적 정의의 의무	인간이 다른 생명체에게 해를 끼쳤을 경우 마땅히 피해를 보상해야 함

06 윤리적 소비와 합리적 소비 비교

갑은 긍정, 을은 부정의 대답을 할 질문으로 가장 적절한 것은?

우리는 환경, 인권 등의 윤리적 가치를 실현하는 소비를 해야 합니다. 재화나 서비스를 만들고 유통하는 전체 과정을 윤리적 가치에 따라 판단하여 소비해야 합니다.

우리는 자신의 경제력 안에서 최선의 제품을 구매하는 소비를 해야 합니다. 자신의 소득 범위에서 자기 욕구를 이해하고 상품 정보를 파악하여 가장 좋은 재화를 선택하여 소비해야 합니다.

① 최적의 효용을 가져오는 상품을 구매해야 하는가?
② 자신의 경제력을 초과한 소비는 하지 말아야 하는가?
③ 최소 비용으로 최대 만족을 얻는 상품을 구매해야 하는가?
④ 생태적으로 악영향을 주는 최저가 제품도 소비할 수 있는가?
⑤ 가격이 더 높아도 생산자의 인권을 존중하는 상품을 선택해야 하는가?

출제 의도 파악하기

윤리적 소비와 합리적 소비의 특징을 비교할 수 있다.

문제 해결 Point 쏙쏙

- 윤리적 가치에 따라 판단하여 소비 → 윤리적 소비
- 소득 범위에서 가장 좋은 재화 선택 → 합리적 소비

선택지 바로 알기

①, ②, ③ (×)
→ 을이 긍정의 대답을 할 질문이다.
④ 생태적으로 악영향을 주는 최저가 제품도 소비할 수 있는가? (×)
→ 윤리적 소비는 친환경적인 제품을 소비해야 한다고 본다.
⑤ 가격이 더 높아도 생산자의 인권을 존중하는 상품을 선택해야 하는가? (○)
→ 갑은 긍정, 을은 부정의 대답을 할 질문이다. 윤리적 소비의 입장에서는 인권이라는 윤리적 가치에 근거하여 비용이 더 들어도 생산자의 인권을 존중하는 상품을 선택해야 한다고 볼 것이다. 반면에 합리적 소비의 입장에서는 최소 비용을 기준으로 상품을 선택할 것이다.

07 아도르노와 벤야민의 대중문화에 대한 입장 비교

갑, 을 사상가들의 입장으로 옳지 않은 것은?

> 갑 : 독점하에서의 대중문화는 모두 획일적인 모습을 하고 있으며, 그렇게 독점에 의해 만들어지는 대중문화의 윤곽은 서서히 드러난다. 대중문화의 조정자들은 독점을 숨기려 하지 않는다. 영화나 라디오는 더 이상 예술인 척 할 필요가 없다. 대중 매체는 사업일 뿐이다.
> 을 : 예술 작품의 기술적 복제 가능성의 시대에 위축되는 것은 예술 작품의 '아우라'이다. 복제 기술은 복제를 대량화하여 복제 대상이 일회적으로 나타나는 대신 대량으로 나타나게 한다. 또한 복제 기술은 수용자가 복제품을 쉽게 접하게 한다.

① 갑 : 문화 산업은 대중에게 획일화된 미적 체험을 제공한다.
② 갑 : 대중문화는 변화 없는 반복적인 오락물을 생산하는 장사가 되었다.
③ 을 : 문화의 대중화는 대중의 예술 비평 활동을 촉진시킨다.
④ 을 : 복제 기술은 예술에 대한 대중의 접근 가능성을 제고시킨다.
⑤ 갑, 을 : 대중은 대중문화를 바탕으로 주체적인 문화 생산자로 성장한다.

출제 의도 파악하기

아도르노와 벤야민의 대중문화에 대한 입장을 비교할 수 있다.

문제 해결 Point 쏙쏙

- 아도르노 → 산업화된 대중문화는 문화 소비자의 주체성과 자발성을 약화시킴
- 벤야민 → 복제 기술을 통해 신비성이 사라진 예술 작품은 대중의 자유로운 비평의 대상이 됨

선택지 바로 알기

①, ② (×)
↳ 아도르노의 주장으로 적절하다.
③, ④ (×)
↳ 벤야민의 주장으로 적절하다.
⑤ 갑, 을 : 대중은 대중문화를 바탕으로 주체적인 문화 생산자로 성장한다. (○)
↳ 아도르노는 대중문화가 문화 수용자의 주체성과 자발성을 상실하게 한다고 보았다.

08 음식에 대한 에피쿠로스의 입장 이해

다음 글의 입장으로 적절한 것만을 | 보기 |에서 고른 것은?

> 빵과 물은 그것을 필요로 하는 배고픈 사람에게 큰 쾌락을 제공한다. 사치스럽지 않고 단순한 음식에 길들여지는 것은 우리에게 건강을 주며, 꼭 필요한 것들에 대해 주저하지 않게 해 준다. 그리고 나중에 우리가 사치스러운 것들과 마주쳤을 때 우리를 강하게 만들어 준다. 삶을 즐겁게 만드는 것은 계속 욕구를 만족시키는 일이나 풍성한 식탁을 가지는 일이 아니라 멀쩡한 정신으로 사려 깊게 헤아려 보는 것이다.

보기
ㄱ. 음식을 절제하는 태도가 즐거운 삶을 가능하게 한다.
ㄴ. 단순한 음식은 건강을 해치므로 익숙해져서는 안 된다.
ㄷ. 화려한 음식을 탐닉하기보다 이성으로 식욕을 분별해야 한다.
ㄹ. 음식으로 얻는 쾌락을 최대화하기 위해 가능한 많은 음식을 섭취해야 한다.

① ㄱ, ㄴ ② ㄱ, ㄷ ③ ㄴ, ㄷ ④ ㄴ, ㄹ ⑤ ㄷ, ㄹ

출제 의도 파악하기
음식에 대한 에피쿠로스의 입장을 이해할 수 있다.

문제 해결 Point 쏙쏙
삶의 진정한 쾌락은 절제와 이성적 사고에서 나옴 → 에피쿠로스

선택지 바로 알기
ㄱ. 음식을 절제하는 태도가 즐거운 삶을 가능하게 한다. (○)
└ 에피쿠로스에 따르면, 단순한 음식에 길들여져 음식을 절제할 줄 아는 태도를 가질 때 즐거운 삶을 살 수 있다.
ㄴ. 단순한 음식은 건강을 해치므로 익숙해져서는 안 된다. (×)
└ 에피쿠로스에 따르면, 단순한 음식에 길들여지면 건강해지며 꼭 필요한 것들에 대해 주저하지 않게 된다.
ㄷ. 화려한 음식을 탐닉하기보다 이성으로 식욕을 분별해야 한다. (○)
└ 에피쿠로스에 따르면, 음식을 탐닉하기보다 사려 깊은 이성으로 분별할 줄 알아야 한다.
ㄹ. 음식으로 얻는 쾌락을 최대화하기 위해 가능한 많은 음식을 섭취해야 한다. (×)
└ 에피쿠로스에 따르면, 삶을 즐겁게 만드는 것은 풍성한 식탁이나 계속된 욕구 충족이 아니다.

09 샐러드 볼 이론과 국수 대접 이론 비교

다음 대화에서 갑, 을의 입장으로 가장 적절한 것은?

갑: 샐러드 볼에 각기 다른 재료들이 섞여 각자 고유의 맛을 지키면서도 하나의 샐러드가 되듯이, 여러 민족의 문화가 평등하게 조화되어 다양함이 공존하는 사회를 완성해야 합니다.

을: 국수와 국물이 중심 역할을 하고 고명이 색다른 맛을 더해주듯이, 주류 문화가 중심 역할을 하고 이주민은 자신의 문화적 정체성을 유지하며 공존하는 사회를 완성해야 합니다.

① 갑 : 문화 간 공존은 주류 문화의 우위를 인정할 때 가능하다.
② 갑 : 문화 차이에 따른 갈등 방지가 문화적 역동성보다 중요하다.
③ 을 : 이주민의 고유한 문화와 주류 문화를 평등하게 인정해야 한다.
④ 을 : 주류 문화와 비주류 문화를 통합하여 새로운 문화를 형성해야 한다.
⑤ 갑, 을 : 타 문화에 대한 존중과 관용을 통해 문화적 다양성을 실현할 수 있다.

출제 의도 파악하기
샐러드 볼 이론, 국수 대접 이론의 특징을 비교하여 이해할 수 있다.

문제 해결 Point 쏙쏙
- 다양한 문화가 평등하게 조화되어 공존함 → 샐러드 볼 이론
- 주류 문화가 중심, 이주민 문화의 공존 → 국수 대접 이론

선택지 바로 알기
① 갑 : 문화 간 공존은 주류 문화의 우위를 인정할 때 가능하다. (×)
└ 샐러드 볼 이론은 주류 문화와 비주류 문화의 우열 구분을 반대한다.
② 갑 : 문화 차이에 따른 갈등 방지가 문화적 역동성보다 중요하다. (×)
└ 샐러드 볼 이론은 문화적 다양성과 역동성을 중시한다.
③ 을 : 이주민의 고유한 문화와 주류 문화를 평등하게 인정해야 한다. (×)
└ 샐러드 볼 이론의 입장이다.
④ 을 : 주류 문화와 비주류 문화를 통합하여 새로운 문화를 형성해야 한다. (×)
└ 용광로 이론의 입장이다.
⑤ 갑, 을 : 타 문화에 대한 존중과 관용을 통해 문화적 다양성을 실현할 수 있다. (○)
└ 샐러드 볼 이론과 국수 대접 이론은 모두 다양한 문화에 대한 존중을 바탕으로 문화적 다양성을 실현해야 한다고 본다.

BOOK 2

10 칸트와 갈퉁의 평화 사상 비교

갑, 을 사상가의 입장으로 가장 적절한 것은?

> 전쟁의 화근이 될 수 있는 내용을 암암리에 유보한 채로 맺은 어떠한 평화 조약도 결코 평화 조약으로 간주되어서는 안 됩니다. 조약이란 모든 적대 행위의 종식을 뜻하는 영구적 평화가 아닌 한낱 일시적 중지인 휴전에 불과한 것입니다.

> 전쟁은 단지 하나의 특정한 형태의 폭력일 뿐입니다. 평화를 전쟁의 반대로 보는 것, 즉 평화 연구를 전쟁 회피 연구로 제한하는 것은 편협한 것입니다. 직접적 폭력은 물론 구조적 폭력과 문화적 폭력이 사라져야 진정한 평화가 실현됩니다.

① 갑 : 평화를 실현하기에 적합한 정치 제도가 존재한다.
② 갑 : 평화를 원하는 국가는 타 독립국을 소유할 수 있다.
③ 을 : 경제적 억압과 착취는 문화적 폭력의 한 형태이다.
④ 을 : 직접적 폭력을 제거함으로써 인간 안보가 실현된다.
⑤ 갑, 을 : 참된 평화는 전쟁의 완전한 종식을 통해 실현된다.

출제 의도 파악하기

평화에 대한 칸트와 갈퉁의 입장을 서로 비교하여 이해할 수 있다.

문제 해결 Point 쏙쏙

- 조약은 영구적 평화가 아닌 휴전에 불과 → 전쟁의 완전 종식이 평화 → 칸트
- 직접적 폭력뿐만 아니라 구조적 폭력과 문화적 폭력까지 제거 → 적극적 평화의 실현 → 갈퉁

선택지 바로 알기

① 갑 : 평화를 실현하기에 적합한 정치 제도가 존재한다. (○)
↳ 칸트는 영구 평화를 위한 확정 조항을 통해 모든 국가의 시민적 정치 체제는 공화 정체이어야 한다고 주장하는 등 평화를 실현하기에 적합한 정치 체제와 국제기구가 존재한다고 보았다.

② 갑 : 평화를 원하는 국가는 타 독립국을 소유할 수 있다. (×)
↳ 칸트는 영구 평화를 위한 예비 조항에서 어떤 독립국도 타국가의 소유가 될 수 없다고 주장하였다.

③ 을 : 경제적 억압과 착취는 문화적 폭력의 한 형태이다. (×)
↳ 갈퉁에 따르면, 경제적 억압과 착취는 문화적 폭력이 아니라 구조적 폭력의 한 형태이다.

④ 을 : 직접적 폭력을 제거함으로써 인간 안보가 실현된다. (×)
↳ 갈퉁은 직접적 폭력뿐만 아니라 구조적·문화적 폭력이 모두 제거된 상태가 적극적 평화 상태이며, 이것이 실현될 때 인간 안보가 실현된다고 보았다.

⑤ 갑, 을 : 참된 평화는 전쟁의 완전한 종식을 통해 실현된다. (×)
↳ 갈퉁은 전쟁은 특정 형태의 폭력 중 하나이며, 전쟁의 반대가 평화가 아니라고 주장하면서 전쟁의 종식만으로는 참된 평화인 적극적 평화가 실현되지 않는다고 보았다.

개념 +

갈퉁이 주장한 폭력과 평화

직접적 폭력		언어적 폭력, 신체적 폭력
간접적 폭력	구조적 폭력	부정의한 사회 제도나 구조를 통하여 이루어지는 폭력
	문화적 폭력	문화적 영역이 직접적 폭력이나 구조적 폭력을 정당화하는 데 이용되는 형태의 폭력

갈퉁이 주장한 폭력의 구분은 위의 내용과 같다. 갈퉁은 범죄, 테러, 전쟁 등과 같은 직접적 폭력이 사라진 상태를 소극적 평화로 보았다. 하지만 궁극적으로 지향해야 할 것은 직접적·간접적 폭력이 모두 제거되어, 모든 사람이 인간다운 삶을 누릴 수 있는 상태인 적극적 평화라고 주장하였다.

11 롤스의 해외 원조에 대한 입장 이해

다음을 주장한 사상가의 입장으로 옳지 않은 것은?

> 원조의 목적은 고통받는 사회가 자신의 문제들을 합당하고 합리적으로 관리할 수 있도록 도와서, 결과적으로 질서 정연한 국제 사회의 구성원이 되도록 하는 것입니다. 이것은 원조의 목표를 구성합니다. 목표가 성취된 이후에는 현재의 질서 정연한 사회가 여전히 상대적으로 빈곤하다고 할지라도 더 이상의 원조는 필요하지 않습니다. 원조의 궁극적 목적은 고통받는 사회들의 자유와 평등을 확립하는 것입니다.

① 질서 정연한 사회는 인권을 옹호하는 정치 문화를 가지고 있다.
② 인권을 강조하는 것은 기근의 발생을 예방하는 데 도움이 된다.
③ 부족한 자원과 빈약한 부를 가진 사회도 질서 정연해질 수 있다.
④ 빈민이 존재한다는 사실은 만민에게 원조 의무를 부과하는 근거가 된다.
⑤ 만민은 고통받는 사회가 자신의 문제를 합당하게 관리하도록 도와야 한다.

출제 의도 파악하기

해외 원조에 대한 롤스의 주장을 이해할 수 있다.

문제 해결 Point 쏙쏙
- 원조의 목적 → 고통받는 사회에 자유와 평등 확립 → 롤스
- 원조의 지속 여부 → 고통받는 사회가 질서 정연해지면 더 이상의 원조는 필요하지 않음

선택지 바로 알기

① 질서 정연한 사회는 인권을 옹호하는 정치 문화를 가지고 있다. (×)
 ㄴ 롤스에 따르면, 질서 정연한 사회는 구성원들의 선(善)을 증진해 주고 구성원들이 공유하는 정의관에 의해 효과적으로 규제되는 사회로서 구성원의 인권을 옹호하는 정치 문화를 가지고 있다.

② 인권을 강조하는 것은 기근의 발생을 예방하는 데 도움이 된다. (×)
 ㄴ 롤스는 인권을 강조하게 되면 고통받는 사회의 정치 지도자가 사회의 빈곤과 기근에 더 관심을 가지게 된다고 보았다.

③ 부족한 자원과 빈약한 부를 가진 사회도 질서 정연해질 수 있다. (×)
 ㄴ 롤스는 자원이 부족하거나 부를 갖추지 못해도 적절한 정치 문화를 가지고 있다면 질서 정연해질 수 있다고 보았다.

④ 빈민이 존재한다는 사실은 만민에게 원조 의무를 부과하는 근거가 된다. (○)
 ㄴ 롤스는 고통받는 사회가 질서 정연한 사회가 되면 그 사회에 빈민이 존재하더라도 더 이상 원조할 필요가 없다고 보아 원조의 차단점이 존재한다고 주장하였다.

⑤ 만민은 고통받는 사회가 자신의 문제를 합당하게 관리하도록 도와야 한다. (×)
 ㄴ 롤스는 고통받는 사회가 자신의 문제를 합당하게 관리할 수 있는 질서 정연한 사회가 되도록 돕는 것이 원조의 목적이라고 보았다.

개념 +

싱어와 롤스의 해외 원조관 비교

싱어는 공리주의에 근거하여, 굶주림과 죽음을 방치하는 것은 인류 전체의 고통을 증가시키는 것이라고 보았다. 그래서 고통을 감소시키고 쾌락을 증진하는 것이 인류의 의무이므로 원조를 통해 얻는 이익이 비용보다 클 경우 어떤 공동체의 구성원인지에 상관없이 도움을 주어야 한다고 주장하였다. 이처럼 싱어는 해외 원조에서 고통받고 있는 사람들의 복지 측면을 중시하였다.

한편, 롤스는 부의 정도와 상관없이 불리한 여건으로 고통받는 사회를 질서 정연한 사회가 되도록 돕는 것이 원조의 목적이라고 보았다. 따라서 질서 정연한 사회가 되었다면 상대적으로 빈곤하다고 하더라도 더 이상의 원조를 할 필요는 없다고 주장하였다. 이처럼 롤스는 해외 원조에서 사회 정의의 실현 측면을 중시하였다.

12 통일과 관련한 비용 이해

다음 토론의 핵심 쟁점으로 가장 적절한 것은?

갑작스러운 통일로 동독 경제가 붕괴하여 서독 주민은 사회적 비용을 부담했고, 동독 주민은 서독 정부의 일방적 지시에 불만을 가졌습니다. 이처럼 통일 비용이 통일 편익보다 클 것이므로 통일은 우리 민족에게 이득이 되지 않습니다.

준비되지 않은 상태로 통일이 진행되었지만, 독일 정부의 지원으로 동독 주민은 서독 주민과 크게 다르지 않은 생활 수준을 누리고 있습니다. 그리고 현재 독일인은 사회적 · 경제적으로 큰 이득을 보고 있습니다.

현재 독일인은 통일 편익을 얻고 있지만, 체제 통합에 사용된 비용은 선진국인 독일에게도 지나치게 과도했습니다. 또한 서독과 동독의 주민 간의 갈등도 하나의 통일 비용이라고 할 수 있습니다.

통일은 엄청난 국방비의 절감을 가능하게 하였고, 이 재원을 동독에 사용할 수 있었습니다. 통일 편익은 통일 이후에 지속적으로 증가하지만, 통일 비용은 더 이상 증가하지 않기에 통일은 매우 큰 이득이며 큰 성공이 될 것입니다.

① 현재 독일인은 통일로 인한 이익을 얻는가?
② 독일은 준비가 부족한 상태로 통일하였는가?
③ 통일 과정에서 체제 통합을 위한 비용이 발생하는가?
④ 통일은 우리에게 비용보다 많은 이익을 가져다주는가?
⑤ 동독 주민의 생활 수준 향상을 위해 재원이 투입되었는가?

출제 의도 **파악하기**

독일 통일의 사례를 바탕으로 통일 비용과 통일 편익의 성격을 비교하여 이해할 수 있다.

> 문제 해결 Point **쏙쏙**
> - **통일 비용** : 체제 통합에 드는 비용이므로 한시적으로 발생함
> - **통일 편익** : 통일로 얻게 되는 이익이므로 지속적으로 발생함

선택지 **바로 알기**

① 현재 독일인은 통일로 인한 이익을 얻는가? (×)
↳ 갑, 을 모두 현재 독일인이 통일 편익을 얻고 있다고 본다.

② 독일은 준비가 부족한 상태로 통일하였는가? (×)
↳ 갑, 을 모두 독일이 준비되지 않은 상태로 갑작스러운 통일을 하였다고 본다.

③ 통일 과정에서 체제 통합을 위한 비용이 발생하는가? (×)
↳ 갑, 을 모두 통일 과정에서 통일 비용이 발생한다고 본다.

④ 통일은 우리에게 비용이 많은 이익을 가져다주는가? (○)
↳ 갑은 통일 비용이 통일 편익보다 클 것이라고 보지만, 을은 통일 비용보다 통일 편익이 클 것이라고 본다. 따라서 '통일은 우리에게 비용보다 많은 이익을 가져다주는가?'는 토론의 핵심 쟁점으로 적절하다.

⑤ 동독 주민의 생활 수준 향상을 위해 재원이 투입되었는가? (×)
↳ 갑, 을 모두 동독 주민을 위한 재원이 투입되었다고 본다.

용어 +

- **통일 비용** : 통일 과정과 그 이후 남북한 간의 격차를 해소하고 이질적 요소를 통합하는 데 부담해야 할 비용으로, 투자적 성격의 생산적 비용
- **통일 편익** : 통일로 얻게 되는 경제적·비경제적 보상과 혜택

◀ 정답은 이안에 있어!

실전에 강한

수능전략

수능에 꼭 나오는

필수 유형 ZIP 1

천재교육

수능전략

사·회·탐·구·영·역

생활과 윤리

수능에 꼭 나오는

필수 유형 ZIP 1

구성과 특징

수능 필수 유형 ZIP은 필수 유형과 필수 개념으로 구성되어 있습니다.

필수 유형은 수능에 빈출되는 문제 유형을 주제별로 파악할 수 있도록 지문, 그래프 등을 철저하게 분석하였고, 발문, 자료와 연결하여 출제할 수 있는 선택지를 직접 풀어 봄으로써 수능 문제에 대한 적응력을 최대한 높이고자 하였다.

필수 유형

18 여성주의와 배려 윤리

문제 해결 전략

여성이 제2의 성으로 분류되고 '여성다움'을 강요받아 왔다고 비판한 점에서 보부아르의 주장이다. 보부아르 외에 도덕적 판단에서 여성의 도덕적 특징이 중요하다고 강조한 배려 윤리 사상가 길리건, 나딩스 등의 주장을 잘 파악할 필요가 있다. 여성주의 윤리, 배려 윤리 사상가들의 입장을 묻는 문제가 종종 출제되고 있다.

필수 유형

그림의 강연자가 긍정의 대답을 할 질문으로 가장 적절한 것은?

인간에게 정해진 본성은 없습니다. 그럼에도 남성은 운명적인 여성성이라는 속임수로 여성을 지배하고 강제했습니다. 여성의 자연스러운 출산마저 사회는 모성의 의무로 강요했습니다. 그러나 실존적인 인간은 타인으로부터 하찮은 존재로 취급되면 반드시 자기의 주권을 회복하려 합니다. 이때 여성은 남성의 지배에서 벗어나려 하고 남성은 계속 지배하려 하므로 갈등이 발생합니다. 이 갈등은 남성과 여성이 자율적인 존재로서 동등한 관계임을 인정하고, 이것이 사회적 성과로 이어져 새로운 여성이 탄생해야 끝이 납니다.

인간에게 정해진 본성은 없는데 여성은 남성의 속임수로 강제되었다고 본 점에서 보부아르의 주장이다. 보부아르에 따르면, 여성성은 ❶ [ ] 중심의 가치관이 반영된 사회적 산물이며, 여성이 사회의 지배에서 벗어나고자 하면서 갈등이 발생하였다.

필수 자료 해석

보부아르는 저서 『제2의 성』에서 '여성은 태어나는 것이 아니라 ❷ [ ] 것이다.'라고 지적하면서 여성다움이 사회적 산물이라고 주장하였다. 따라서 여성도 남성과 마찬가지로 자유롭고 ❸ [ ]인 존재임을 깨닫고 실존적 자유를 회복해야 하며, 여성이 남성과 ❹ [ ] 관계에 있다는 점을 인정한 것을 강조하였다.

답 ❶ 남성 ❷ 만들어지는 ❸ 주체적 ❹ 동등한

필수 선택지

위 지문을 보고 옳으면 ○표, 틀리면 ×표를 하고 그 까닭을 쓰시오.

① 남녀의 역할은 전통과 관습에 따라 규정해야 한다. ( )
② 여성은 수동적 삶을 통해 실존적 자유를 회복해야 한다. ( )
③ 여성성은 남성 중심의 가치관이 반영된 사회적 산물이다. ( )
④ 남성들은 여성들로 하여금 타자로서 살도록 강제해 왔다. ( )
⑤ 생물학적 차이를 이유로 부당하게 차별하는 것은 잘못이다. ( )
⑥ 여성도 남성과 마찬가지로 타자가 아닌 주체로 대우받아야 한다. ( )
⑦ 남성은 주체로서, 여성은 타자로서의 정체성을 확고히 해야 한다. ( )

답 ① ×(잘못된 전통과 관습에서 벗어날 것 주장) ② ×(수동적 삶이 아니라 주체적 삶) ③ ○ ④ ○ ⑤ ○ ⑥ ○ ⑦ ×(여성도 타자가 아닌 주체)

필수 유형 ZIP 1 23

수능에서 자주 출제되는 주제를 선정하였다.

해당 문제를 풀기 위한 핵심 설명과 함께 출제 경향성을 나타냈다.

자료 부분에 대한 해설을 상세히 다루었고, 빈칸 문제를 통해 핵심 개념을 파악할 수 있게 하였다.

필수 자료에 대한 전반적인 해설과 함께 빈칸 채우기 문제를 통해 자료에 대한 적응력을 높일 수 있도록 하였다.

발문, 필수 자료와 관련하여 출제될 수 있는 모든 선택지를 제시하여, 문제에 대한 적응력을 높일 뿐만 아니라 중요 문제에 대한 복습도 가능하도록 구성하였다.

필수 개념은 수능에서 출제될 수 있는 핵심 개념을 최대한 압축적으로 정리하여 빠른 시간 내에 주제의 핵심을 쉽게 파악할 수 있도록 구성하였다.

해당 대단원에서 나올 수 있는 개념을 자료나 내용으로 일목요연하게 정리하였다.

필요한 경우 핵심 내용을 도표로 정리하여 학생들이 정리하고 공부하는 데 용이하도록 하였다.

빈칸을 제시하여 문제를 풀어 봄으로써 보다 확실하게 핵심어를 확인할 수 있도록 하였다.

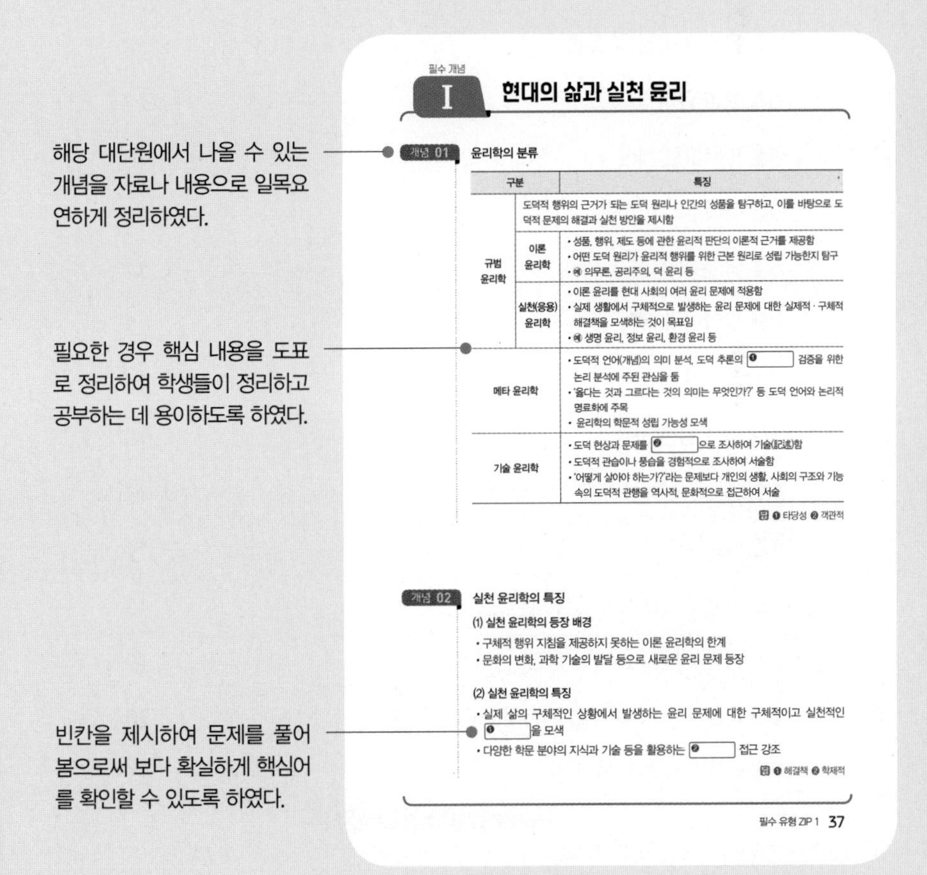

필수 개념

I 현대의 삶과 실천 윤리

개념 01 윤리학의 분류

구분		특징
규범 윤리학		도덕적 행위의 근거가 되는 도덕 원리나 인간의 성품을 탐구하고, 이를 바탕으로 도덕적 문제의 해결과 실천 방안을 제시함
	이론 윤리학	• 성품, 행위, 제도 등에 관한 윤리적 판단의 이론적 근거를 제공함 • 어떤 도덕 원리가 윤리적 행위를 위한 근본 원리로 성립 가능한지 탐구 • 예 의무론, 공리주의, 덕 윤리 등
	실천(응용) 윤리학	• 이론 윤리를 현대 사회의 여러 윤리 문제에 적용함 • 실제 생활에서 구체적으로 발생하는 윤리 문제에 대한 실제적 · 구체적 해결책을 모색하는 것이 목표임 • 예 생명 윤리, 정보 윤리, 환경 윤리 등
메타 윤리학		• 도덕적 언어(개념)의 의미 분석, 도덕 추론의 ❶ ______ 검증을 위한 논리 분석에 주된 관심을 둠 • '옳다는 것과 그르다는 것의 의미는 무엇인가?' 등 도덕 언어와 논리적 명료화에 주목 • 윤리학의 학문적 성립 가능성 모색
기술 윤리학		• 도덕 현상과 문제를 ❷ ______으로 조사하여 기술(記述)함 • 도덕적 관습이나 풍습을 경험적으로 조사하여 서술함 • '어떻게 살아야 하는가?'라는 문제보다 개인의 생활, 사회의 구조와 기능 속의 도덕적 관행을 역사적, 문화적으로 접근하여 서술

답 ❶ 타당성 ❷ 객관적

개념 02 실천 윤리학의 특징

(1) 실천 윤리학의 등장 배경
• 구체적 행위 지침을 제공하지 못하는 이론 윤리학의 한계
• 문화의 변화, 과학 기술의 발달 등으로 새로운 윤리 문제 등장

(2) 실천 윤리학의 특징
• 실제 삶의 구체적인 상황에서 발생하는 윤리 문제에 대한 구체적이고 실천적인 ❶ ______을 모색
• 다양한 학문 분야의 지식과 기술 등을 활용하는 ❷ ______ 접근 강조

답 ❶ 해결책 ❷ 학제적

필수 유형 ZIP 1 37

차례 ❶권

필수 유형

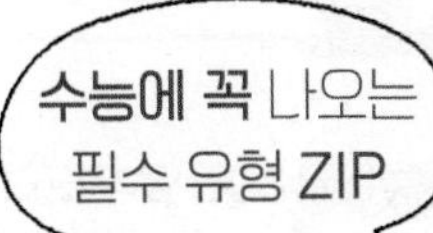
수능에 꼭 나오는
필수 유형 ZIP

필수 유형

01 이론 윤리학과 실천 윤리학

문제 해결 전략

규범 윤리학은 도덕적 원리의 정당화를 강조하는 이론 윤리학, 도덕적 문제 해결을 강조하는 실천 윤리학으로 구분된다는 점을 알아야 한다. 이론 윤리학, 실천 윤리학, 메타 윤리학, 기술 윤리학을 다양한 조합으로 비교하는 문제가 자주 출제된다.

필수 유형

(가), (나)의 입장으로 가장 적절한 것은?

근본적인 도덕 원리에 대한 이론적 탐구를 중시한 점에서 이론 윤리학이다. 이론 윤리학은 윤리적 행위를 위한 근본 ❶ [ ] 로 성립 가능한 도덕 원리를 탐구한다.

(가) 윤리학은 의무론, 공리주의, 덕 윤리와 같이 인간이 준수해야 할 근본적인 도덕 원리에 대한 이론적 탐구를 주요한 과제로 삼아야 한다.

(나) 윤리학은 생명 윤리, 환경 윤리, 정보 윤리와 같이 시대의 변화에 따라 다양한 영역에서 나타나는 윤리 문제 해결에 우선적으로 관심을 두고 연구해야 한다.

→ 다양한 윤리 영역에서 나타나는 윤리 문제에 대해 도덕 원리에 근거한 실질적인 ❷ [ ] 마련에 관심을 둔다는 점에서 실천 윤리학이다.

필수 자료 해석

이론 윤리학은 도덕 원리의 탐구와 도덕적 정당화의 ❸ [ ] 를 강조하는 이론 윤리학으로, 의무론, 공리주의, 덕 윤리 등이 있다. 실천 윤리학은 ❹ [ ] 을 적용하여 구체적이고 실질적인 해결 방안을 모색하려는 윤리학으로, 생명 윤리, 가족 윤리, 정보 윤리, 환경 윤리, 문화 윤리, 평화 윤리 등이 있다.

답 ❶ 원리 ❷ 해결책 ❸ 이론적 근거 ❹ 윤리 이론

필수 선택지

위 지문을 보고 옳으면 ○표, 틀리면 ×표를 하고 그 까닭을 쓰시오.

① (가)는 도덕 관습에 대한 객관적 기술을 주된 목적으로 한다. (　　)

② (가)는 도덕적 딜레마의 해결보다 도덕 이론의 정립을 강조한다. (　　)

③ (가)는 도덕 문제에 응용되는 보편적 도덕 원리의 정립을 강조한다. (　　)

④ (가)는 윤리학의 학문적 성립 가능성의 탐구가 윤리학의 핵심 목표라고 본다. (　　)

⑤ (나)는 도덕적 명제의 논리 구조와 의미 분석을 탐구 목적으로 본다. (　　)

⑥ (나)는 윤리적 문제를 해결하기 위해 학제적 연구가 필요하다고 본다. (　　)

⑦ (나)는 윤리 문제의 원인을 분석하고 이에 대한 해결책을 찾고자 한다. (　　)

⑧ (나)는 윤리학의 핵심 과제를 도덕 관행의 발생 과정의 인과적 서술로 본다. (　　)

답 ① ×(기술 윤리학) ② ○ ③ ○ ④ ×(메타 윤리학) ⑤ ×(메타 윤리학) ⑥ ○ ⑦ ○ ⑧ ×(기술 윤리학)

필수 유형

02 메타 윤리학과 기술 윤리학

문제 해결 전략

도덕적 언어의 의미 분석을 강조하면 메타 윤리학, 도덕 현상과 문제의 명확한 기술을 강조하면 기술 윤리학이다. 이론 윤리학, 실천 윤리학, 메타 윤리학, 기술 윤리학을 종합적으로 비교하는 문제가 자주 출제된다.

필수 유형

갑, 을, 병의 입장에 대한 설명으로 가장 적절한 것은?

갑 : 윤리학의 본질은 모든 행위자들에게 타당한 도덕 규칙과 표준들의 체계를 탐구하고 제시하는 데 있다.

을 : 윤리학의 본질은 도덕적 용어들의 의미를 분석하고 도덕적 추론 규칙과 인식론적 방법을 탐구하는 데 있다.

병 : 윤리학의 본질은 개인 생활과 사회 구조 및 기능과 관련된 도덕 현상에 대해 과학적으로 기술하는 데 있다.

갑은 보편 타당한 도덕 규칙과 체계를 탐구하여 제시하는 데 중점을 두는 점에서 규범 윤리학을 강조하고 있다.

을은 도덕적 언어의 의미 분석과 도덕적 추론의 ❶ [　　　] 분석에 주된 관심을 두는 점에서 메타 윤리학을 강조하고 있다.

병은 도덕 현상과 문제를 명확하게 ❷ [　　　]하는 데 중점을 두는 점에서 기술 윤리학을 강조하고 있다.

필수 자료 해석

메타 윤리학은 도덕적 논의의 ❸ [　　　], 논리적, 인식론적 구조를 밝히는 데 주안점을 두는 윤리학이다. 기술 윤리학은 도덕적 관습이나 현상에 대해 명확하게 기술하고 기술된 현상 간의 인과 관계를 설명하는 데 주안점을 두며, 이를 가치 ❹ [　　　]으로 서술해야 한다고 보는 윤리학이다.

답 ❶ 타당성(정당성) ❷ 설명 ❸ 의미론적 ❹ 중립적

필수 선택지

위 지문을 보고 옳으면 ○표, 틀리면 ×표를 하고 그 까닭을 쓰시오.

① 을은 도덕적 논증의 타당성 검토에 주력해야 한다고 본다. (　　　)

② 을은 윤리학의 학문적 탐구 성립 가능성을 탐구해야 한다고 본다. (　　　)

③ 을은 실천적 규범을 통해 현실의 도덕 문제를 해결해야 한다고 본다. (　　　)

④ 병은 각 사회의 도덕 현상에 대한 객관적 기술을 중시한다. (　　　)

⑤ 병은 도덕 현상이나 도덕 관행에 대한 객관적 기술이 중요하다고 본다. (　　　)

⑥ 병은 도덕 풍습에 대한 경험 과학적 분석이나 설명보다 도덕 이론의 정립과 정당화에 주력해야 한다고 본다. (　　　)

답 ① ○ ② ○ ③ ×(실천 윤리학) ④ ○ ⑤ ○ ⑥ ×(이론 윤리학)

필수 유형

03 윤리적 성찰 및 토론

문제 해결 전략

숙고 혹은 성찰하지 않는 삶은 살아갈 가치가 없다는 말을 통해 소크라테스의 주장임을 알 수 있다. 윤리적 성찰이나 토론에 관한 문제는 종종 출제된다.

필수 유형

다음을 주장한 사상가의 입장에서 〈사례〉 속 A에게 제시할 충고로 가장 적절한 것은?

재물이나 명성과 명예는 최대한 많아지도록 마음을 쓰면서도 지혜와 진리, 자신의 영혼이 최대한 훌륭해지도록 하는 일에 대해서는 마음을 쓰지 않는 것을 부끄러워해야 한다. 숙고하지 않는 삶을 살 가치가 없다.

→ 숙고하지 않는 삶을 살 가치가 없다고 말한 점에서 소크라테스임을 알 수 있다. 소크라테스는 재물, 명성, 명예보다 지혜와 진리를 추구하고 자신의 ❶ (   )이 훌륭해지도록 하는 일에 힘써야 한다고 주장하였다.

〈사 례〉

제2차 세계 대전 당시 유대인 학살의 실무 책임자였던 피고 A는 재판 과정에서 자신이 명령받은 일을 하지 않았다면 양심에 가책을 받았을 것이라고 말했다. 이에 많은 사람은 그를 악마같다고 비난했으나, 그는 맡은 일을 성실히 수행했을 뿐인데 자신이 비난받는 이유를 모르겠다고 항변했다.

→ 자신은 명령받은 대로 했을 뿐이라는 주장을 통해 자신의 행동에 대한 ❷ (   )이나 성찰을 하지 않았음을 알 수 있다.

필수 자료 해석

소크라테스는 물질적 가치의 추구에만 몰두하는 사람들을 비판하고 지혜, 진리, 영혼의 탁월성과 같은 ❸ (   ) 가치를 추구해야 한다고 보았으며, ❹ (   )하지 않는 삶을 살 가치가 없다고 주장하였다.

답 ❶ 영혼 ❷ 반성 ❸ 정신적 ❹ 숙고(성찰, 반성)

필수 선택지

위 지문을 보고 옳으면 ○표, 틀리면 ×표를 하고 그 까닭을 쓰시오.

① 영혼의 훌륭함보다 명성과 명예를 추구해야 한다. (   )

② 물질적 가치보다 정신적 가치와 선한 삶을 추구해야 한다. (   )

③ 인간은 자신의 삶을 성찰하고 변화시킬 수 있는 존재이다. (   )

④ 자신의 행동이 진리 추구에 어긋나지 않는지 검토해야 한다. (   )

⑤ 성찰하는 삶은 직책에서 주어진 임무를 비판 없이 따르는 것이다. (   )

⑥ 상관의 명령은 어떤 경우에도 거역하지 않는 것이 숙고하는 삶의 핵심이다. (   )

답 ① ×(영혼의 훌륭함을 추구해야 함) ② ○ ③ ○ ④ ○ ⑤ ×(직책에 따른 임무도 성찰의 대상임) ⑥ ×(상관의 명령에 대한 성찰도 필요함)

필수 유형

04 동양 윤리적 접근

문제 해결 전략

인(仁)과 예(禮), 경(敬)과 성(誠), 사단(四端)과 사덕(四德)을 강조한 유교 윤리, 연기(緣起)의 법칙을 깨달아 자비(慈悲)를 실천할 것을 강조한 불교 윤리, 무위자연(無爲自然)의 삶, 도(道)에 따르는 삶, 자연의 흐름에 따르는 삶을 강조한 도가 윤리의 특징을 잘 구분할 줄 알아야 한다. 유교, 불교, 도가 윤리적 접근과 관련하여 공자, 맹자, 석가모니, 노자, 장자 등의 입장을 비교하여 파악하는 문제가 자주 출제된다.

필수 유형

(가) 사상의 입장에서는 긍정, (나) 사상의 입장에서는 부정의 대답을 할 질문으로 가장 적절한 것은?

→ 수양 방법으로 경(敬)을 제시하며, 자신을 먼저 수양한 후 타인을 편안하게 한다는 ❶ [ ] 의 삶의 자세를 강조한 점에서 유교 윤리이다.

(가) 자신의 수양을 경(敬)으로써 하며, 자신을 수양하여 다른 이를 편안하게 한다. 요순(堯舜)도 자신을 수양하여 백성을 편안하게 하는 일은 항상 부족하다 여기고 노력하였다.

(나) 배우면 날마다 쌓이고, 도에 따르면 날마다 덜어진다. 덜고 또 덜면 무위(無爲)에 이른다. 무언가 일삼으려 하면 오히려 부족하며, 일삼지 않아야 천하를 취할 수 있다.

→ 일삼으려 하지 말고 채우려 하지 말고 덜어내는 삶을 강조한 점에서 인위적으로 어떤 일을 도모하지 않는 ❷ [ ] 의 삶을 살아야 한다고 강조한 도가 윤리임을 알 수 있다.

필수 자료 해석

유교 사상은 인간이 하늘로부터 도덕적 본성을 받은 존재이지만 욕구 때문에 잘못된 행동을 할 수 있으므로 이를 극복하기 위한 수양 방법으로 경(敬)과 ❸ [ ] 을 강조하였다. 도가 사상은 타고난 본성에 따라 자연스러운 삶을 살아야 한다고 보았으며, 제물의 경지에 도달하기 위한 좌망과 ❹ [ ] 의 실천을 강조하였다.

답 ❶ 수기안인(修己安人) ❷ 무위 ❸ 성(誠) ❹ 심재(心齋)

필수 선택지

위 지문을 보고 옳으면 ○표, 틀리면 ×표를 하고 그 까닭을 쓰시오.

① (가)는 소국과민 사회를 이상 사회로 제시한다. ( )
② (가)는 연기를 깨달아 자비를 실천할 것을 강조한다. ( )
③ (가)는 도덕적 인격 완성과 도덕적 이상 사회 실현을 강조한다. ( )
④ (나)는 도에 따르는 삶, 무위자연의 삶을 강조한다. ( )
⑤ (나)는 사회적 지위에 따른 예의와 규범을 중시한다. ( )
⑥ (나)는 사회 혼란의 원인이 인위적 규범과 제도라고 본다. ( )
⑦ (나)는 인을 실현하려는 군자와 선비를 이상적 인간상으로 제시한다. ( )

답 ① ×(도가 사상의 이상 사회임) ② ×(불교 사상임) ③ ○ ④ ○ ⑤ ×(유교 사상임) ⑥ ○ ⑦ ×(유교 사상의 이상적 인간상임)

필수 유형

05 의무론적 접근

문제 해결 전략

'의무로부터 비롯된 행위', '선의지에 따른 행위'를 강조한 점에서 칸트의 의무론적 윤리에 관한 내용임을 알 수 있다. 칸트의 의무론적 윤리를 공리주의 윤리, 덕 윤리 등과 다양하게 조합하여 비교·분석하는 문제, 구체적 상황에 대한 조언을 찾는 문제가 자주 출제된다.

→ 단지 의무에 맞는 행위가 아니라 ❶ ______ 에서 비롯된 행위가 도덕적 가치를 지닌다고 본 점에서 칸트이다.

필수 유형

다음 사상가의 관점에서 〈사례〉 속 A에게 해 줄 수 있는 조언으로 가장 적절한 것은?

의무에 맞는 것이기는 하지만 의무로부터 나온 것이 아닌 행위는 도덕적 가치를 가지지 못한다. 행위는 그 자체로 선한 의지에서 비롯된 경우에만 도덕적 가치를 지닐 수 있다.

〈사 례〉

천성적으로 동정심이 많은 A는 평소 남을 돕는 일에 기쁨을 느끼며 봉사 활동에 참여해 왔다. 그런데 A는 최근 겪은 슬픈 일로 인해 봉사 활동에 계속 참여할지를 고민하고 있다.

필수 자료 해석

칸트는 도덕성을 판단할 때 행위의 결과보다 ❷ ______ 를 중시하였다. 그리고 오로지 ❸ ______ 의식과 그 자체로 선한 선의지에서 비롯된 행위만이 도덕적 가치를 지닌다고 보았다. 또한, 칸트에 따르면, 인간은 이성적이고 자율적 존재로서 보편적인 도덕 법칙을 의식할 수 있다. 이때 도덕 법칙은 실천 이성이 인간에게 부과한 자율적 명령이자 인간이라면 누구나 모든 상황에서 예외 없이 따라야 하는 무조건적이고 절대적인 명령, 즉 ❹ ______ 이다.

답 ❶ 선의지 ❷ 동기 ❸ 의무 ❹ 정언 명령

필수 선택지

위 지문을 보고 옳으면 ○표, 틀리면 ×표를 하고 그 까닭을 쓰시오.

① 정언 명령에 따라 행위해야 한다. (　　)

② 보편적 도덕 법칙에 따라 행위해야 한다. (　　)

③ 다수의 행복 증진 여부가 선악의 판단 기준이다. (　　)

④ 행위의 결과를 고려하여 옳고 그름을 판단해야 한다. (　　)

⑤ 선한 목적을 위해 조건적인 명령에 따라 행위해야 한다. (　　)

⑥ 사회적 칭찬과 인정을 받는 행위만이 도덕적 가치를 지닌다. (　　)

⑦ 이성적이고 자율적인 인간은 보편적 도덕 법칙을 인식할 수 있다. (　　)

⑧ 동정심이나 쾌락을 추구하는 인간의 경향성을 따른 행위는 도덕적 가치가 없다. (　　)

답 ① ○ ② ○ ③ ×(보편적 도덕 법칙 준수 여부) ④ ×(행위의 동기 중시) ⑤ ×(무조건적인 정언 명령에 따를 것) ⑥ ×(선의지에 따른 행위) ⑦ ○ ⑧ ○

필수 유형

06 공리주의적 접근

문제 해결 전략

'공동체 전체의 행복 추구', '공리의 원리' 등을 통해 공리주의 사상가의 입장임을 파악할 수 있다. 벤담의 양적 공리주의와 밀의 질적 공리주의 구분, 행위 공리주의와 규칙 공리주의의 구분을 묻는 문제가 종종 출제되며, 현실 상황의 구체적 사례를 제시하고 공리주의 관점에서의 판단을 찾는 문제도 자주 출제되고 있다.

필수 유형

다음 사상가의 관점에서 〈사례〉 속 A에게 해 줄 수 있는 조언으로 가장 적절한 것은?

공동체의 행복은 공동체 구성원들의 행복의 총합이다. 어떤 행동이 공동체의 행복을 증가시키는 경향이 감소시키는 경향보다 더 클 경우, 그 행동은 공리의 원리에 일치한다고 말할 수 있다. 우리는 마땅히 이 원리에 일치하는 행동을 해야 한다.

→ 사회는 개인들의 집합체로서, 개개인의 쾌락의 합이 곧 ❶ [　　　] 의 쾌락이라고 본 점에서 벤담의 주장이다. 벤담은 '최대 다수의 최대 행복'을 추구하는 ❷ [　　　] 의 원리를 도덕과 입법의 기본 원리로 제시하였다.

〈사 례〉

고등학생 A는 자전거를 사기 위해 용돈을 모으고 있다. 그러다가 TV에서 '난민 돕기 운동' 광고를 보고 모아 둔 용돈을 기부해야 할지 고민하고 있다.

필수 자료 해석

공리주의에서는 관련 ❸ [　　　] 의 쾌락이나 행복을 최대한 증진하고 고통이나 불행을 최소화하도록 행위할 것을 강조한다. 벤담은 쾌락의 양적 차이와 쾌락 계산을 강조한 양적 공리주의를, 밀은 쾌락의 ❹ [　　　] 차이를 강조한 질적 공리주의를 제시하였다.

답 ❶ 사회 전체 ❷ 공리 ❸ 이해 당사자들 ❹ 질적

필수 선택지

위 지문을 보고 옳으면 ○표, 틀리면 ×표를 하고 그 까닭을 쓰시오.

① 공리주의는 공익이 사익의 총합보다 크다고 본다. (　　　)
② 공리주의는 행위의 결과를 고려하는 결과주의 입장이다. (　　　)
③ 공리주의는 행복을 삶의 목적으로 설정해서는 안 된다고 본다. (　　　)
④ 공리주의는 자기 희생이 따르는 모든 행위를 비도덕적으로 본다. (　　　)
⑤ 공리주의는 최대 행복의 원리를 도덕과 입법의 원리로 제시한다. (　　　)
⑥ 벤담은 쾌락과 고통의 양을 계산할 수 있다고 보았다. (　　　)
⑦ 밀은 모든 쾌락은 한 종류뿐이며 질적으로 동일하다고 보았다. (　　　)
⑧ 밀은 쾌락의 양적 차이뿐 아니라 질적 차이도 고려해야 한다고 보았다. (　　　)

답 ① ×(공익은 사익의 총합임) ② ○ ③ ×(행복이 삶의 목적임) ④ ×(사회 전체 행복에 기여하는 희생은 바람직한 행위라고 봄) ⑤ ○ ⑥ ○ ⑦ ×(벤담의 입장임) ⑧ ○

필수 유형

07 덕 윤리적 접근

문제 해결 전략

갑의 주장이 '공동체의 역사 속에서의 도덕적 정체성', '유덕한 성품'을 강조한 점을 통해 매킨타이어임을 알 수 있다. 매킨타이어, 아리스토텔레스의 덕 윤리를 의무론적 접근, 공리주의적 접근 등과 비교 분석하거나 상호 비판하는 문제가 자주 출제된다.

필수 유형

갑 사상가가 을 사상가에게 제기할 수 있는 비판으로 가장 적절한 것은?

갑 : '나는 무엇을 해야만 하는가?'라는 물음에 앞서 '나는 어떤 이야기 또는 이야기들의 부분인가?'라는 물음에 답해야 한다. 나의 삶의 역사는 공동체의 역사 속에 있고, 나의 도덕적 정체성은 공동체 구성원의 자격 속에서 발견된다.

을 : '나는 무엇을 해야만 하는가?'라는 물음에 대한 적절한 대답은 공리의 원리를 따르는 것이라고 하겠다. 이 원리는 고통과 쾌락의 양을 계산하여, 구성원들의 이익 총합으로서의 공동체 이익을 증진시키도록 행위할 것을 요구한다.

→ 개인의 삶의 역사는 ❶ ___ 의 역사 속의 한 부분이라고 보는 점에서 매킨타이어이다.

→ 구성원들의 쾌락과 고통의 ❷ ___ 을 계산하여 구성원들의 이익 총합을 증진할 것을 강조한 점에서 공리주의 사상가 벤담이다.

필수 자료 해석

현대 덕 윤리는 의무론과 공리주의가 행위자 내면의 ❸ ___ 과 인성의 중요성을 간과하였다고 비판하면서 ❹ ___ 의 성품을 먼저 평가하고 이를 근거로 행위의 옳고 그름을 판단해야 한다고 본다. 대표적인 현대 덕 윤리학자 매킨타이어는 공동체의 전통과 역사를 중시하여 도덕 판단에서 구체적 · 맥락적 사고를 중시하였다.

답 ❶ 공동체 ❷ 양 ❸ 도덕성 ❹ 행위자

필수 선택지

위 지문을 보고 옳으면 ○표, 틀리면 ×표를 하고 그 까닭을 쓰시오.

① 갑은 공동체의 이익은 개개인의 이익의 총합일 뿐이라고 본다. (　　)

② 갑은 도덕 판단에서 구체적 · 맥락적 사고를 중시해야 한다고 본다. (　　)

③ 갑은 도덕 판단에서 인간의 욕구나 감정을 고려해서는 안 된다고 본다. (　　)

④ 갑은 윤리적으로 옳은 결정을 하려면 유덕한 성품을 길러야 한다고 본다. (　　)

⑤ 갑은 역사적 특수성보다 행위의 결과를 고려하여 선악을 판단해야 한다고 본다. (　　)

⑥ 갑은 을에 비해 보편적 도덕 원리를 행위 기준으로 삼을 것을 강조한다. (　　)

⑦ 갑은 행위자의 품성을, 을은 행위의 유용성을 중시한다. (　　)

답 ① ×(공리주의의 관점) ② ○ ③ ×(자연적 감정을 중시함) ④ ○ ⑤ ×(역사적 특수성을 중시함) ⑥ ×(을이 더 강조함) ⑦ ○

필수 유형

08 동양의 죽음관

문제 해결 전략

목숨을 위해 인(仁)을 해치지 않아야 함을 강조한 유교, 인과응보와 윤회(輪回)를 강조한 불교, 삶과 죽음에 연연하지 않고 정신적 자유를 추구할 것을 강조한 도가 사상의 특징을 명확히 구분할 줄 알아야 한다. 유교, 불교, 도가의 삶과 죽음에 대한 주요 입장을 종합적으로 비교하는 문제가 자주 출제된다.

필수 유형

(가)~(다) 사상의 입장으로 옳지 않은 것은?

목숨을 부지하고자 ❶ [   ]을 해치는 일이 없어야 한다고 본 점에서 유교 사상이다.

(가) 아침에 도(道)를 깨달으면 저녁에 죽어도 좋다. 뜻있는 선비는 살아남고자 하여 인(仁)을 해치는 일이 없다.

(나) 진인(眞人)은 삶을 기뻐하지도 않고, 죽음을 싫어하지도 않는다. 착한 일을 행하여 명성을 가까이하지도 말고, 악한 짓을 행하여 형벌을 가까이하지도 말아야 한다.

→ 삶과 죽음에 연연하지 않은 진인의 삶을 강조한 점에서 도가 사상이다.

(다) 전생(前生)에 뿌려진 씨앗은 이번 생에 받는 것이고, 다음 생에 거둘 열매는 이번 생에 행하는 바로 그것이다.

→ ❷ [   ]과 현세, 내세가 연관되어 있다고 보는 점에서 불교 사상이다.

필수 자료 해석

유교 사상은 죽음을 자연의 과정으로 여기면서도 애도하는 것을 마땅한 일로 여긴다. 불교 사상은 죽음이 생로병(生老病)과 함께 ❸ [   ]이라고 보며, 석가모니는 죽음이 윤회의 과정으로 현세의 업보가 죽음 이후의 삶을 결정한다고 본다. 도가 사상은 삶과 죽음이 ❹ [   ]가 모였다가 흩어지는 자연적이고 필연적인 과정이므로 죽음을 슬퍼할 필요가 없다고 주장하였다.

답 ❶ 인(仁) ❷ 전생 ❸ 고통 ❹ 기

필수 선택지

위 지문을 보고 옳으면 ○표, 틀리면 ×표를 하고 그 까닭을 쓰시오.

① (가)는 죽음을 의식하지 말고 인의예지(仁義禮智)를 행해야 한다고 본다. (   )

② (나)는 삶과 죽음은 모두 고통의 연속일 뿐이라고 본다. (   )

③ (나)는 삶과 죽음의 변화는 계절의 변화처럼 자연스러운 것이라고 본다. (   )

④ (나)는 죽음은 윤회의 일부이며, 현생의 업보가 내생을 결정한다고 본다. (   )

⑤ (다)는 삶과 죽음은 기가 모이고 흩어지는 연속적 과정이라고 본다. (   )

⑥ (다)는 남을 도우며 선하게 살아야 내세의 행복을 기약할 수 있다고 본다. (   )

답 ① ○ ② ×((다)의 주장) ③ ○ ④ ×((다)의 주장) ⑤ ×((나)의 주장) ⑥ ○

필수 유형

09 서양의 죽음관

문제 해결 전략

죽음을 감각의 상실, 원자의 해체 등으로 본 점을 통해 에피쿠로스, 육체의 속박으로부터 영혼이 벗어나 순수한 이데아의 세계로 들어가는 것이라고 본 점을 통해 플라톤임을 파악할 수 있어야 한다. 서양 윤리 사상가 중에서 에피쿠로스, 플라톤, 하이데거 등의 입장을 파악하고 서로 비교하는 문제, 동서양 사상가들의 죽음관을 비교하는 문제가 자주 출제된다.

필수 유형

갑, 을 사상가들의 입장으로 가장 적절한 것은?

→ 죽음은 ❶ ______ 의 상실로 인간에게 아무것도 아니라고 주장한 점에서 에피쿠로스이다.

갑 : 모든 좋고 나쁨은 감각에 달려 있는데 죽으면 감각을 잃는다. 따라서 죽음은 우리에게 아무것도 아니다. 현자는 사려 깊음을 통해 죽음을 무서워하지 않고 마음의 평안을 추구한다.

을 : 죽음은 진리 추구를 방해하는 육체에서 영혼이 분리되는 것이다. 평생에 걸쳐 최대한 죽음과 가장 가까운 상태로 영혼을 정화하며 살고자 했던 사람이 그토록 열망하는 지혜를 얻을 수 있는 곳으로 가는 것이 죽음이다.

→ 죽음이 육체에 갇혀 있던 ❷ ______ 이 해방되어 죽음 이후에 순수한 지혜를 얻을 수 있다고 본 점에서 플라톤이다.

필수 자료 해석

에피쿠로스는 살아있을 때는 죽음을 경험할 수 없고, 죽은 후에는 감각이 사라져 죽음을 경험할 수 없으므로 죽음은 인간에게 아무것도 아니며, 따라서 죽음을 ❸ ______ 필요가 없다고 보았다. 플라톤은 죽음을 통해 육체로부터 영혼이 해방되어 ❹ ______ 의 세계에 들어갈 수 있으며, 인간이 더 순수하게 사유하게 된다고 보았다.

답 ❶ 감각 ❷ 영혼 ❸ 두려워 할 ❹ 이데아

필수 선택지

위 지문을 보고 옳으면 ○표, 틀리면 ×표를 하고 그 까닭을 쓰시오.

① 갑은 죽음을 모든 감각의 상실이라고 본다. (　　　)

② 갑은 죽음 이후에 참된 쾌락을 얻을 수도 있다고 본다. (　　　)

③ 갑은 현자는 사려 깊음을 통해 죽음을 두려워하지 않는다고 본다. (　　　)

④ 갑은 삶과 죽음은 아무런 차이가 없으며 죽음을 두려워할 필요가 없다고 본다. (　　　)

⑤ 을은 죽음을 육체의 속박에서 영혼이 해방되는 것이라고 본다. (　　　)

⑥ 을은 죽음이 영혼과 육체가 결합하여 완전한 이데아의 세계에 들어가는 것이라고 본다. (　　　)

⑦ 을은 갑과 달리 죽음을 두려움의 대상으로 보아야 한다고 본다. (　　　)

답 ① ○ ② ×(감각의 상실로 쾌락을 누릴 수 없음) ③ ○ ④ ×(삶과 죽음의 차이를 인정함) ⑤ ○ ⑥ ×(영혼과 육체의 분리되어 영혼이 이데아의 세계에 감) ⑦ ×(죽음을 두려워 할 필요가 없음)

필수 유형

10 인공 임신 중절

문제 해결 전략

태아의 부분적 도덕적 지위를 인정하여 임신 중절을 허용할 수 있다는 입장, 인간으로서의 잠재성을 지닌 태아를 해치는 것은 옳지 않으므로 임신 중절을 허용할 수 없다는 입장 등을 잘 비교하여 파악해야 한다. 임신 중절을 찬성하는 입장과 반대하는 입장을 비교하여 묻는 문제가 종종 출제된다.

태아가 인간 생명체인 점은 인정되지만 완전한 ❶ [ ] 는 아니기 때문에 인공 임신 중절을 허용할 수 있다고 본다.

필수 유형

갑, 을의 입장으로 적절한 것만을 〈보기〉에서 있는 대로 고른 것은?

갑 : 태아는 인간 생명체이지만 완전한 인격체는 아니기에 부분적인 도덕적 지위만을 가집니다. 따라서 태아를 함부로 죽이는 것은 안 되지만, 임신부의 질병 등으로 현재 상황이 좋지 않고 나중에 더 좋은 상황에서 임신하려는 경우라면 임신 중절은 허용됩니다.

을 : 태아가 잠재적인 인간이라는 사실은 부정될 수 없습니다. 잠재성이 중요한 이유는 태아를 죽이는 것이 미래의 합리적이고 자의적인 존재를 죽이는 것이기 때문입니다. 따라서 인간으로서의 잠재성을 지닌 태아를 해치는 것은 옳지 않습니다.

→ 태아는 ❷ [ ] 인 인간이자 미래의 합리적이고 자의적인 존재이므로 인공 임신 중절을 허용할 수 없다고 본다.

필수 자료 해석

인공 임신 중절을 찬성하는 입장에서는 여성이 자기 몸에 대한 소유권을 가지며 태아는 여성 몸의 일부라는 소유권 논거, 여성은 자기 삶을 자율적으로 결정할 수 있다는 ❸ [ ] 논거 등을 제시한다. 반면, 인공 임신 중절을 반대하는 입장에서는 모든 인간의 생명은 존엄하며 태아 역시 인간이라는 ❹ [ ] 논거, 잘못이 없는 인간인 태아를 해치는 것은 도덕적으로 옳지 않다는 무고한 인간의 신성불가침 논거 등을 제시한다.

답 ❶ 인격체 ❷ 잠재적 ❸ 자율권 ❹ 존엄성

필수 선택지

위 지문을 보고 옳으면 ○표, 틀리면 ×표를 하고 그 까닭을 쓰시오.

① 갑은 임신부의 질병 등의 문제가 생기면 임신 중절을 허용할 수 있다고 본다. (　　)

② 을은 태아가 합리적이고 자의식을 지닌 존재라고 본다. (　　)

③ 을은 태아가 잠재성을 지닌 존재일 뿐이므로 임신 중절이 허용된다고 본다. (　　)

④ 갑, 을은 태아의 도덕적 지위를 인정하고 있다. (　　)

⑤ 갑, 을은 태아를 함부로 죽여서는 안 되는 존재라고 본다. (　　)

⑥ 갑, 을은 태아가 생명체이지만 완전한 인격체가 아니기 때문에 임신 중절을 허용할 수 있다고 본다. (　　)

답 ① ○ ② ×(현재가 아닌 미래의 합리적이고 자의식적인 존재라고 봄) ③ ×(임신 중절 반대) ④ ○ ⑤ ○ ⑥ ×(갑만의 입장임)

필수 유형

11 뇌사와 심폐사의 윤리적 쟁점

문제 해결 전략

심폐사를 죽음의 기준으로 제시하는 입장에서는 심장 박동의 불가역적 정지를 강조한 반면, 뇌사를 죽음의 기준으로 제시하는 입장에서는 한정 의료 자원의 효율적 활용, 장기 기증의 활성화 등을 주장한다. 죽음의 기준으로 뇌사와 심폐사를 제시하는 토론을 통해 핵심 쟁점을 파악하게 하는 문제, 상호 비판하는 내용을 찾는 문제가 자주 출제된다.

필수 유형

(가)의 입장에서 (나)의 입장에 대해 제기할 수 있는 비판으로 가장 적절한 것은?

(가) 심장 박동과 호흡이 비가역적으로 정지된 심폐사만을 죽음으로 인정해야 한다. 심폐사는 죽음에 대한 전통적인 판정 기준으로, 죽음의 시점을 확실하게 적시할 수 있어서 누가 보더라도 죽음을 판정할 수 있다는 장점이 있다.

(나) 뇌의 모든 기능을 상실한 사람은 결국 수일 내에 심폐사에 이르게 된다. 뇌사자에게 불필요한 치료를 억지로 지속하는 것은 뇌사자를 비인간적으로 대우하는 것일 뿐만 아니라, 한정된 의료 자원을 소모하면서 장기를 기증할 기회도 잃게 하므로 뇌사를 죽음으로 인정해야 한다.

(가)는 심장 박동과 호흡이 완전히 멈춘 ❶ [ ] 만을 죽음의 판정 기준으로 삼아야 한다고 본다.

(나)는 뇌 기능의 상실은 수일 내에 심폐사로 이어진다는 점을 제시하면서 ❷ [ ] 가 사실상 인간의 기능이나 존엄성을 상실한 죽음이라고 본다.

필수 자료 해석

뇌사를 죽음의 기준으로 제시하는 입장에서는 한정된 의료 자원의 ❸ [ ] 활용, 장기 기증의 가능성 등을 주장한다. 이러한 주장에 대해 심폐사를 죽음의 기준으로 제시하는 입장에서는 생명의 ❹ [ ] 을 경시하는 태도라고 비판하면서 죽음에 대한 명확한 적시가 가능한 심폐사를 강조한다.

답 ❶ 심폐사 ❷ 뇌사 ❸ 효율적 ❹ 존엄성

필수 선택지

위 지문을 보고 옳으면 ○표, 틀리면 ×표를 하고 그 까닭을 쓰시오.

① (가)는 죽음에 대한 전통적인 판정 기준을 존중해야 한다고 본다. (　　)

② (가)는 인간의 존엄성이 뇌의 기능 여부에 전적으로 의존한다고 본다. (　　)

③ (나)는 심폐사만이 죽음의 판정 기준으로 적합하다고 본다. (　　)

④ (나)는 의료 자원의 효율적 이용을 추구할 필요가 있다고 본다. (　　)

⑤ (나)는 장기 이식을 위해서 뇌사를 죽음으로 보아야 한다고 본다. (　　)

⑥ (나)는 뇌사와 장기 기증을 연관지어 고려해서는 안 된다고 본다. (　　)

답 ① ○ ② ×((나)의 입장) ③ ×((가)의 입장) ④ ○ ⑤ ○ ⑥ ×(연결하여 고려함)

필수 유형

12 장기 기증

문제 해결 전략

장기 기증의 효용성을 강조하는 입장, 장기 기증의 동의를 중시하는 입장, 장기 기증의 부작용을 우려하는 입장 등 다양한 입장들을 잘 파악해 두어야 한다. 장기 기증에 대한 찬성과 반대의 입장, 뇌사자와 관련한 장기 기증 등을 묻는 문제가 종종 출제된다

필수 유형

다음 토론의 핵심 쟁점으로 가장 적절한 것은?

→ 뇌사자가 사전에 직접 장기 기증 ❶ [ ] 의사를 밝힌 경우에만 장기 이식이 가능해야 한다고 본다.

갑 : 장기 이식을 기다리는 환자들은 증가하는 데 반해 장기 기증자는 줄어드는 불균형이 심각합니다. 뇌사자의 장기 기증 활성화를 위한 노력이 필요합니다.

을 : 동의합니다. 다만 뇌사자가 사전에 장기 기증 동의 의사를 밝힌 경우에만 장기 이식이 이루어져야 합니다.

갑 : 아닙니다. 장기 기증 활성화를 위해서는 뇌사자가 사전에 거부 의사를 밝히지 않았다면 이를 잠정적 동의로 간주하여 장기 이식이 가능하게 해야 합니다.

을 : 그렇지 않습니다. 그럴 경우에는 개인의 자율성이 침해될 가능성이 커집니다.

→ 뇌사자의 ❷ [ ] 동의만으로도 장기 이식이 가능하도록 해야 한다고 본다.

필수 자료 해석

장기 기증 활성화를 강조하는 입장에서는 뇌사자가 사전에 ❸ [ ] 의사를 밝히지 않았다면 잠정적으로 동의한 것으로 간주하여 장기 이식이 가능하게 해야 한다고 본다. 반면 장기 기증은 반드시 기증자 본인이 사전에 ❹ [ ] 동의를 해야만 가능하도록 해야 한다는 입장도 존재한다.

답 ❶ 동의 ❷ 잠정적 ❸ 거부 ❹ 직접적

필수 선택지

위 지문을 보고 옳으면 ○표, 틀리면 ×표를 하고 그 까닭을 쓰시오.

① 갑은 장기 기증자가 거부하면 장기 기증을 할 수 없다고 본다. (　　)

② 갑은 장기 기증자의 자발적 의사 표현은 중요한 고려 사항이 아니라고 본다. (　　)

③ 갑은 명시적 동의와 묵시적 동의 모두 장기 기증의 요건을 만족시킨다고 본다. (　　)

④ 을은 장기 기증은 기증자의 명시적 동의를 바탕으로 이루어져야 한다고 본다. (　　)

⑤ 을은 뇌사자의 어떠한 의사 표시도 없는 경우 장기 기증이 이루어질 수 없다고 본다. (　　)

⑥ 갑은 을과 달리 장기 기증의 수요와 공급의 불균형 문제가 심각하다고 본다. (　　)

답 ① ○ ② ×(자발적 의사 표현 여부가 가장 중요함) ③ ○ ④ ○ ⑤ ○ ⑥ ×(갑, 을 모두 동의)

필수 유형

13 안락사의 윤리적 쟁점

문제 해결 전략

소극적 안락사만을 허용하고 적극적 안락사를 반대하는 입장, 모든 종류의 안락사를 반대 혹은 찬성하는 주장들의 근거를 파악할 수 있어야 한다. 다양한 입장을 비교 분석하거나 상호 비판 내용을 묻는 문제가 자주 출제된다.

필수 유형

갑의 입장에서 을의 주장에 대해 제시할 수 있는 적절한 견해만을 〈보기〉에서 있는 대로 고른 것은?

→ 적극적 안락사

갑 : 회생 불가능한 환자의 불필요한 고통을 없애는 방법에는 인위적 개입으로 죽음을 앞당기는 것과 연명 치료 중단으로 죽음에 이르게 두는 것이 있다. 전자는 비도덕적인 살인이기에 금지되지만, 후자는 자연의 과정을 따르는 것이므로 허용될 수 있다.

→ 소극적 안락사

을 : 인간의 생명은 절대적인 가치를 지닌다. 인간 생명의 존엄성은 불필요한 고통을 없앤다는 명분으로도 절대 훼손되어서는 안 된다. 인위적으로 죽음을 앞당기거나 연명 치료를 중단하는 것은 모두 인간 생명의 존엄성을 경시하므로 허용될 수 없다.

갑은 ❶ [ ] 안락사는 허용할 수 없으나 소극적 안락사는 허용할 수 있다고 본다. 을은 인간 생명의 ❷ [ ]을 강조하면서 소극적 안락사와 적극적 안락사 모두 허용할 수 없다고 본다.

필수 자료 해석

적극적 안락사만을 반대하는 입장에서는 인간 생명을 ❸ [ ]으로 단축시키는 행위가 비도덕적이며, 의료인의 의무에 부합하지 않는다고 주장한다. 모든 종류의 안락사를 반대하는 입장에서는 어떤 명분으로도 죽음을 앞당기거나 ❹ [ ]를 중단하는 것은 인간 존엄성을 해치는 행위이므로 허용될 수 없다고 본다.

답 ❶ 적극적 ❷ 존엄성 ❸ 인위적 ❹ 연명 치료

필수 선택지

위 지문을 보고 옳으면 ○표, 틀리면 ×표를 하고 그 까닭을 쓰시오.

① 갑은 인위적인 약물 투여를 통한 안락사는 비도덕적이라고 본다. ( )

② 갑은 환자가 요청하는 경우 적극적 안락사를 허용해야 한다고 본다. ( )

③ 갑은 안락사를 허용하는 순간 인간 생명의 존엄성이 훼손된다고 본다. ( )

④ 을은 소극적 안락사는 자연스러운 조치이므로 허용될 수 있다고 본다. ( )

⑤ 을은 소극적 안락사와 적극적 안락사가 모두 허용될 수 있다고 본다. ( )

⑥ 갑, 을은 모든 연명 치료 중단이 비도덕적이라고 본다. ( )

⑦ 갑, 을 모두 적극적 안락사를 허용해서는 안 된다고 본다. ( )

답 ① ○ ② ×(적극적 안락사에 반대함) ③ ×(소극적 안락사는 허용함) ④ ×(갑의 입장) ⑤ ×(모든 안락사 반대) ⑥ ×(을만의 입장) ⑦ ○

필수 유형

14 생명 복제의 윤리적 쟁점

문제 해결 전략

인간 개체 복제는 반대하지만 배아 복제는 허용하는 입장, 모든 인간 복제를 반대 혹은 찬성하는 주장들의 근거를 파악할 수 있어야 한다. 인간 배아 복제나 인간 개체 복제에 대한 찬반, 더불어 동물 복제에 대한 찬반 등 다양한 입장을 비교하는 문제가 출제된다.

필수 유형

다음 토론의 핵심 쟁점으로 가장 적절한 것은?

갑 : 생태계를 파괴하지 않는 한 동물 복제는 허용되어야 합니다. 동물 복제는 멸종 동물의 복원과 희귀 동물의 보존뿐만 아니라 식량난 해결에도 도움이 되기 때문입니다.

을 : 전적으로 동의합니다. 하지만 인간 복제는 허용되어서는 안 됩니다. 인간 복제는 '인간이 인간을 만드는 일'로 인간 존엄성에 어긋나기 때문입니다. → 인간 개체 복제 반대

갑 : 인간 개체 복제는 인간 존엄성에 위배되지만, 질병 치료를 위한 인간 배아 복제는 그렇지 않습니다. 배아는 도덕적 지위를 지닌 인간으로 볼 수 없습니다. → 배아 복제 찬성

을 : 인간 배아는 성인으로서의 도덕적 지위를 갖지는 않지만, 인간으로 발달할 잠재성을 지닌 존재입니다. 따라서 인간 배아 복제 역시 허용될 수 없습니다. → 배아 복제 반대

갑은 인간 ❶ [ ] 복제는 허용될 수 없지만 인간 배아 복제는 허용될 수 있다고 본다. 을은 인간 개체 복제뿐만 아니라 배아가 잠재성을 지닌 존재라는 근거를 바탕으로 인간 ❷ [ ] 복제도 허용될 수 없다고 본다.

필수 자료 해석

배아 복제 허용에 찬성하는 입장에서는 복제 과정에서 이용되는 배아는 완전한 인간이 아니며, 인간 배아를 도덕적 ❸ [ ]를 지닌 인간으로 볼 수 없다고 본다. 반면, 배아 복제는 허용될 수 없다는 입장에서는 인간 배아가 인간으로 발달한 ❹ [ ]을 지닌 존재라는 점을 강조하며, 배아 복제를 위한 난자 확보 과정에서 여성의 건강권과 인권을 훼손할 우려가 있다고 주장한다.

답 ❶ 개체 ❷ 배아 ❸ 지위 ❹ 잠재성

필수 선택지

위 지문을 보고 옳으면 ○표, 틀리면 ×표를 하고 그 까닭을 쓰시오.

① 갑은 인간 배아 복제가 인간 존엄성에 위배된다고 본다. (　　)

② 갑은 질병 치료를 위한 배아 복제는 허용될 수 있다고 본다. (　　)

③ 을은 인간 개체 복제가 허용되어서는 안 된다고 본다. (　　)

④ 을은 인간 복제가 인간 존엄성을 훼손하는 것이라고 본다. (　　)

⑤ 을은 모든 인간 복제는 인간 존엄성을 훼손하지 않는다고 본다. (　　)

⑥ 갑, 을은 생태계를 파괴하지 않는 동물 복제가 허용되어야 한다고 본다. (　　)

답 ① ×(위배되지 않는다고 봄) ② ○ ③ ○ ④ ○ ⑤ ×(훼손한다고 봄) ⑥ ○

필수 유형

15 유전자 치료 및 변형 기술의 윤리적 쟁점

문제 해결 전략

치료를 위한 유전자 변형 기술만을 허용하는 입장, 치료를 위한 유전자 변형 기술뿐만 아니라 자질 강화를 위한 유전자 변형 기술까지 허용하는 입장 등 다양한 입장을 구분할 수 있어야 한다. 유전자 변형 기술에 대한 다양한 입장을 비교하여 묻거나 각 입장의 공통점과 차이점을 종합적으로 분석하는 문제가 자주 출제된다.

필수 유형

(가)의 입장에 비해 (나)의 입장이 갖는 상대적 특징을 그림의 ㉠~㉤ 중에서 고른 것은?

(가) 치료를 위한 유전자 변형 기술은 미래 자녀의 동의를 확보할 수 있다고 추정되므로 허용될 수 있다. 그러나 자질 강화를 위한 유전자 변형 기술은 허용될 수 없다. 자녀가 동의하지 않은 자질 강화를 통해 부모가 선택한 삶을 살도록 하는 것은 그들의 자유를 침해하기 때문이다.

(나) 치료를 위한 유전자 변형 기술뿐만 아니라 자질 강화를 위한 유전자 변형 기술도 허용되어야 한다. 부모는 자녀의 출산에 있어서 선택의 자유를 갖는다. 미래 자녀의 동의를 추정할 수 없더라도 부모의 선택은 자녀를 위한 것이므로 자녀의 권리를 침해할 소지는 없다.

(가), (나) 모두 치료를 위한 유전자 변형 기술을 허용해야 한다는 입장이다. 하지만 자질 강화를 위한 유전자 변형 기술에 대해서 갑은 자녀의 ❶ [ ] 를 침해하는 행위이므로 반대, 을은 부모가 자녀를 위해 선택하는 것이므로 자녀의 ❷ [ ] 를 침해할 소지가 없다고 보아 찬성한다.

필수 자료 해석

자질 강화를 위한 유전자 변형 기술에 대해 찬성하는 입장에서는 개인의 선호와 자율적 ❸ [ ] 에 따른 것은 존중해야 하며, 인간의 생식적 ❸ [ ] 의 범위를 넓혀 줄 것이라고 본다. 반대하는 입장에서는 유전자 변형 기술의 주체가 ❹ [ ] 가 아닌 현세대라는 문제를 지적하며, 유전적 기획에 의한 출생이 ❹ [ ] 의 자율적 삶을 제약할 수 있다고 본다.

답 ❶ 자유 ❷ 권리 ❸ 선택 ❹ 미래 세대

필수 선택지

위 지문을 보고 옳으면 ○표, 틀리면 ×표를 하고 그 까닭을 쓰시오.

① (가)는 모든 유전자 변형 기술이 자녀의 권리를 침해하는 것이라고 본다. (　　)

② (나)는 자질 강화를 위한 유전자 변형 기술이 자녀의 권리를 침해하지 않는다고 본다. (　　)

③ (가)는 (나)에 비해 부모의 자유로운 선택의 범위를 확대하고자 한다. (　　)

④ (나)는 (가)에 비해 미래 자녀의 동의를 중시하는 정도가 낮다. (　　)

⑤ (나)는 (가)에 비해 유전자 변형 기술의 허용 범위를 확대하고자 한다. (　　)

답 ① ×(치료를 위한 유전자 변형 기술은 자녀의 권리를 침해하지 않음) ② ○ ③ ×(확대가 아니라 축소) ④ ○ ⑤ ○

필수 유형

16 동물 실험과 동물 권리

문제 해결 전략

동물의 고통을 최소화하면서 동물 실험을 허용해야 한다는 입장, 동물에게 고통을 주는 동물 실험을 금지하고 대안을 강구해야 한다는 입장이 나타나 있다. 동물의 고통, 동물 실험의 효과, 동물의 권리 등과 관련하여 동물 실험 찬반 논쟁 문제가 자주 출제된다. 동물 실험이나 동물 권리 등과 관련하여 싱어, 레건, 코헨의 입장을 묻는 문제도 출제될 가능성이 있다.

필수 유형

(가), (나)의 입장으로 적절한 것만을 〈보기〉에서 고른 것은?

(가) 인간의 행복을 위해서는 질병을 극복할 수 있는 신약이 개발되어야 한다. 개발 과정에서 인간에게 미칠 수 있는 신약의 부작용을 최소화하기 위해서는, 설령 동물에게 고통을 준다 해도 동물 실험은 불가피하다. 다만, 고통은 악(惡)이므로 연구자는 동물에게 가하는 고통을 최소화해야 한다.

→ 동물 실험을 허용하되, 실험으로 인한 동물의 ❶ [ ]을 최소화해야 한다고 본다.

(나) 질병은 극복되어야 할 인류의 과제이다. 하지만 인간과 동물은 질병의 종류와 증상이 매우 다르기 때문에, 동물 실험은 그 효과가 의심스러우며 신약 개발에 도움이 되지 않는다. 특히 인간처럼 쾌고 감수 능력을 지닌 동물에 고통을 주는 동물 실험을 금지하고 그 대안을 강구해야 한다.

→ 동물 실험의 효과가 확실하지 않으며 ❷ [ ]을 지닌 동물에게 고통을 주는 동물 실험을 금지해야 할 필요가 있다고 본다.

필수 자료 해석

동물 실험을 찬성하는 입장에서는 인간과 동물이 생물학적으로 유사하여 동물 실험의 결과를 인간에게 적용할 수 있으며, 동물 실험으로 인간의 생명과 건강을 보호할 ❸ [ ]을 얻을 수 있다고 주장한다. 반대하는 입장에서는 인간과 동물이 생물학적으로 유사하지 않다고 보며, 동물 실험의 ❹ [ ] 방법이 존재한다고 주장한다. 또 동물 실험 외에 다른 가능한 연구의 기회를 막아 오히려 의학적 발전을 늦추고 있음을 지적한다.

답 ❶ 고통 ❷ 쾌고 감수 능력 ❸ 이익 ❹ 대안적

필수 선택지

위 지문을 보고 옳으면 ○표, 틀리면 ×표를 하고 그 까닭을 쓰시오.

① (가)는 인간의 복지가 동물들의 이익 관심보다 우선한다고 본다. ( )

② (가)는 인간의 고통과 동물의 고통을 동일하게 취급해야 한다고 본다. ( )

③ (나)는 인간은 생물학적으로 대부분의 질병을 동물과 공유한다고 본다. ( )

④ (가), (나)는 인류의 질병을 극복하기 위해 노력해야 한다고 본다. ( )

⑤ (가), (나)는 동물에게 고통을 가하는 것은 도덕적으로 악하다고 본다. ( )

답 ① ○ ② ×(동일하게 취급할 것을 강조하지 않음) ③ ×(동물의 질병과 인간의 질병 간 종류, 증상 차이가 크다고 봄) ④ ○ ⑤ ○

필수 유형

17 성과 사랑의 관계

문제 해결 전략

성과 사랑의 관계에 대해 결혼과 출산 중심의 성 윤리인 보수주의 입장, 쾌락과 계약 중심의 성 윤리인 자유주의 입장이 나타나 있다. 이들 입장과 함께 사랑 중심의 성 윤리인 중도주의 입장의 공통점과 차이점을 세부적으로 묻는 문제가 자주 출제된다.

필수 유형

갑, 을의 입장으로 가장 적절한 것은?

❶ [ ]과 출산 중심의 성 윤리로 보수주의 입장이다.

갑 : 도덕적 판단에서 성(性)행위를 여타 행위와 구별해야 할 이유가 존재한다. 성행위는 출산과 양육의 책임을 발생시킬 수 있기 때문에 부부의 사랑이 전제된 성행위만이 정당하다.

쾌락과 ❷ [ ] 중심의 성 윤리로 자유주의 입장이다.

을 : 도덕적 판단에서 성행위를 여타 행위와 구별해야 할 이유는 없다. 자율성의 원칙, 해악금지의 원칙 이외에 성행위의 도덕적 정당화에 필요한 추가적 원칙은 없다.

필수 자료 해석

사랑과 성의 관계에 대한 보수주의 입장은 결혼을 통해 이루어지는 성적 관계만이 정당하다고 본다. 자유주의 입장은 타인에게 해악을 주지 않는 범위에서 성인들의 자발적 ❸ [ ]에 따른 성적 자유를 허용한다. 중도주의 입장은 ❹ [ ]을 동반한 성적 자유를 인정하고, 그에 대한 책임을 주장한다.

답 ❶ 결혼 ❷ 계약 ❸ 동의 ❹ 사랑

필수 선택지

위 지문을 보고 옳으면 ○표, 틀리면 ×표를 하고 그 까닭을 쓰시오.

① 갑은 성의 생식적 가치보다 쾌락적 가치가 중요하다고 본다. (　　)

② 갑은 서로의 인격이 존중된 성행위도 정당하지 않을 수 있다고 본다. (　　)

③ 갑은 성의 자기 결정권 존중은 성행위 정당화의 충분조건이라고 본다. (　　)

④ 갑은 성행위의 전제 조건에 사회의 공식적인 승인인 결혼이 포함되어야 한다고 본다. (　　)

⑤ 을은 결혼이 없는 성적 행위도 정당화될 수 있다고 본다. (　　)

⑥ 을은 성행위를 정당화하는 데 필요한 도덕적 제약은 없다고 본다. (　　)

⑦ 을은 성행위와 관련된 타인에게 피해를 끼치지 않아야 할 의무를 지켜야 한다고 본다. (　　)

⑧ 갑, 을은 성행위의 본질이 사회의 안정과 종족의 보존에 있다고 본다. (　　)

답 ① ×(생식적 가치를 더 강조함) ② ○ ③ ×(충분조건이 아님) ④ ○ ⑤ ○ ⑥ ×(두 가지 제약을 둠) ⑦ ○ ⑧ ×(을의 입장이 아님)

필수 유형

18 여성주의와 배려 윤리

문제 해결 전략

여성이 제2의 성으로 분류되고 '여성다움'을 강요받아 왔다고 비판한 점에서 보부아르의 주장이다. 보부아르 외에 도덕적 판단에서 여성의 도덕적 특징이 중요하다고 강조한 배려 윤리 사상가 길리건, 나딩스 등의 주장을 잘 파악할 필요가 있다. 여성주의 윤리, 배려 윤리 사상가들의 입장을 묻는 문제가 종종 출제되고 있다.

필수 유형

그림의 강연자가 긍정의 대답을 할 질문으로 가장 적절한 것은?

필수 자료 해석

인간에게 정해진 본성은 없는데 여성은 남성의 속임수로 강제되었다고 본 점에서 보부아르의 주장이다. 보부아르에 따르면, 여성성은 ❶ [　　] 중심의 가치관이 반영된 사회적 산물이며, 여성이 사회의 지배에서 벗어나고자 하면서 갈등이 발생하였다.

보부아르는 저서 『제2의 성』에서 '여성은 태어나는 것이 아니라 ❷ [　　] 것이다.'라고 지적하면서 여성다움이 사회적 산물이라고 주장하였다. 따라서 여성도 남성과 마찬가지로 자유롭고 ❸ [　　]인 존재임을 깨닫고 실존적 자유를 회복해야 하며, 여성이 남성과 ❹ [　　] 관계에 있다는 점을 인정한 것을 강조하였다.

답 ❶ 남성 ❷ 만들어지는 ❸ 주체적 ❹ 동등한

필수 선택지

위 자료를 보고 옳으면 ○표, 틀리면 ×표를 하고 그 까닭을 쓰시오.

① 남녀의 역할은 전통과 관습에 따라 규정해야 한다. (　　)

② 여성은 수동적 삶을 통해 실존적 자유를 회복해야 한다. (　　)

③ 여성성은 남성 중심의 가치관이 반영된 사회적 산물이다. (　　)

④ 남성들은 여성들로 하여금 타자로서 살도록 강제해 왔다. (　　)

⑤ 생물학적 차이를 이유로 부당하게 차별하는 것은 잘못이다. (　　)

⑥ 여성도 남성과 마찬가지로 타자가 아닌 주체로 대우받아야 한다. (　　)

⑦ 남성은 주체로서, 여성은 타자로서의 정체성을 확고히 해야 한다. (　　)

답 ① ×(잘못된 전통과 관습에서 벗어날 것 주장) ② ×(수동적 삶이 아니라 주체적 삶) ③ ○ ④ ○ ⑤ ○ ⑥ ○ ⑦ ×(여성도 타자가 아닌 주체)

필수 유형

19 성의 자기 결정권

문제 해결 전략

타인의 권리 침해만 없으면 성의 자기 결정권을 올바르게 행사한 것이라는 입장, 경제적 이익을 위해 성을 도구화하면 성의 자기 결정권을 올바르게 행사한 것이 아니라는 입장이 나타나 있다. 성의 자기 결정권의 올바른 행사에 대한 판단 기준을 핵심 쟁점으로 다루는 문제가 종종 출제된다.

필수 유형

다음 토론의 핵심 쟁점으로 가장 적절한 것은?

갑 : 인간은 누구나 자신에 관한 일을 스스로 결정하고 행동할 권리를 지니며, 성(性)과 관련된 부분에도 이러한 자기 결정권을 행사할 수 있습니다.

을 : 동의합니다. 다만 경제적 이익을 얻기 위해 자신의 성적 이미지를 상품화하는 행위는 성을 도구화하는 것으로 올바른 성의 자기 결정권을 행사했다고 볼 수 없습니다.

갑 : 아닙니다. 성적 이미지를 이용해 경제적 이익을 추구하는 과정에서 타인의 권리를 침해하지 않았다면, 이는 성의 자기 결정권을 올바르게 행사한 것으로 볼 수 있습니다.

을 : 하지만 타인의 권리를 침해하지 않더라도 인간의 존엄성을 훼손하는 행위는 윤리적으로 문제가 됩니다. 성을 도구화하는 것은 성의 인격적 가치를 왜곡하여 인간의 존엄성을 훼손하므로 올바른 성의 자기 결정권의 행사로 볼 수 없습니다.

필수 자료 해석

갑은 타인의 ❶ [ ] 침해만 없다면 자신의 성적 이미지를 경제적 이익 창출의 ❷ [ ]로 사용해도 올바른 성의 자기 결정권 행사라고 본다. 반면, 을은 그러한 행위 자체가 인간의 존엄성을 훼손하는 행위이므로 타인의 권리 침해 여부와 무관하게 올바른 성의 자기 결정권 행사가 아니라고 본다.

성의 자기 결정권은 외부의 부당한 압력, 강요 없이 스스로의 의지와 판단에 따라 자신의 성적 행동을 결정할 수 있는 권리이다. 이를 올바르게 행사하지 못하면 타인의 성의 자기 결정권을 침해하거나 ❸ [ ]의 결과를 초래할 수 있다. 따라서 서로의 권리를 존중하고 자기 결정에 ❹ [ ]지는 자세가 필요하다.

답 ❶ 권리 ❷ 도구 ❸ 생명 훼손 ❹ 책임

필수 선택지

위 지문을 보고 옳으면 ○표, 틀리면 ×표를 하고 그 까닭을 쓰시오.

① 갑은 경제적 이익을 위한 성의 도구화는 어떤 경우에도 정당화될 수 없다고 본다. (   )

② 을은 성을 도구화하는 것은 인간 존엄성을 훼손하는 것이라고 본다. (   )

③ 갑, 을은 성의 자기 결정권을 누구나 올바르게 행사해야 한다고 본다. (   )

④ 갑, 을은 성의 자기 결정권 행사를 제한할 수 있는 조건이 있다고 본다. (   )

답 ① ×(타인의 권리만 침해하지 않으면 정당화됨) ② ○ ③ ○ ④ ○

필수 유형

20 결혼과 가족의 윤리

문제 해결 전략

인(仁), 예(禮), 효제충신(孝悌忠信), 서(恕) 등은 유교 사상에서 강조하는 덕목이다. 과거와 현재의 부부 윤리, 가족 윤리를 비교하여 차이점과 공통점을 파악하는 문항, 유교 사상에서의 부부 윤리나 효에 대한 이해를 묻는 문항이 자주 출제된다.

필수 유형

다음은 동양 사상가의 가상 편지이다. ㉠에 대한 이 사상가의 입장으로 옳은 것은?

> ○○에게
> 그동안 잘 지냈는가. 자네가 부모님께 정성을 다하는 모습을 보니 스승의 입장에서 무척 자랑스럽네. 일전에 내가 강조했듯이 [㉠]은/는 제(悌)와 함께 인(仁)의 근본이라네. [㉠]은/는 개나 말을 기르는 것과 달리 부모님의 속마음까지 살펴서 공경으로 모시는 것이지. 또한 형제자매 간에 서로 우애 있게 지내는 것도 좋은 방법이라고 할 수 있다네. [㉠]와/과 제를 제대로 행하는 사람이 윗사람을 무시하는 일은 드물다네. 부디 [㉠]의 실천을 통해 군자가 될 수 있도록 부단히 힘써 주길 바라네. …(후략)

▸유교 사상에서는 자녀의 부모에 대한 공경인 효와 형제자매 간 우애 있게 지내는 ❶ [　　] 가 인의 근본이라고 본다. 따라서 편지의 ㉠에 들어갈 말은 ❷ [　　] 이다.

필수 자료 해석

유교 사상에서는 ❸ [　　] 의 덕목을 실천하는 구체적인 방법으로 효, 제, 충, 신, 서 등을 강조하였다. 특히 부모님에 대한 ❹ [　　] 인 효는 형제자매 간의 우애를 뜻하는 제로 이어지고 웃어른 공경과도 밀접한 관련을 맺고 있다고 본다.

답 ❶ 제 ❷ 효 ❸ 인 ❹ 공경

필수 선택지

위 지문을 보고 옳으면 ○표, 틀리면 ×표를 하고 그 까닭을 쓰시오.

① 효는 상경여빈의 예를 통해 완성된다. (　　)

② 효는 자신의 이해(利害)관계에 따라 공경하는 것이다. (　　)

③ 효는 사회적 관계에서의 예절인 장유유서의 윤리로 이어질 수 없다. (　　)

④ 부모에게 효도하고 형제간 우애 있게 지내는 것이 인의 실천 방법이다. (　　)

답 ① ×(부부관계의 예절임) ② ×(이해관계와 무관하게 공경하는 것) ③ ×(효, 제가 웃어른 공경으로 이어짐) ④ ○

필수 유형

21 동양의 직업관

문제 해결 전략

항산(恒産), 항심(恒心)의 개념을 가지고 선비와 백성을 구분한 점을 통해 맹자, 각자의 적성과 능력에 따라 사회적 역할을 분담하는 예(禮)에 따를 것을 강조한 점을 통해 순자임을 파악할 수 있다. 정명(正名)을 강조한 공자, 항산의 보장을 강조한 맹자, 예에 따른 역할 분담을 강조한 순자 등의 입장을 비교 분석하는 문제가 자주 출제된다.

필수 유형

동양 사상가 갑, 을의 입장으로 가장 적절한 것은?

→ 선비와 달리 백성은 일정한 ❶ [　　] 이 있어야 일정한 마음을 가질 수 있다고 본 점에서 맹자이다.

갑 : 선비는 일정한 생업이 없더라도 일정한 마음을 가질 수 있다. 그러나 백성은 일정한 생업이 없으면 이로 인해 일정한 마음을 가질 수 없다.

을 : 농부는 밭일에, 상인은 장사에, 목수는 그릇 만드는 일에 정통하지만 수장은 될 수 없다. 오직 예에 정통한 사람만이 수장이 될 수 있다.

→ 예에 정통한 사람이 수장이 될 수 있다고 보면서 ❷ [　　] 의 원리를 강조한 점에서 순자이다.

필수 자료 해석

맹자는 사회적 분업과 직업 간 상호 보완성을 강조했으며, 선비와는 달리 일반 ❸ [　　] 은 생업 보장, 즉 항산의 보장이 도덕적 마음, 즉 항심의 보존의 전제 조건이라고 보았다. 순자는 각자 적성과 능력에 따라 사회적 역할을 분담하는 '예'를 따라야 한다고 보았다. 그래서 농부, 상인, 목수 등의 사람들은 그 일에 정통하지만 ❹ [　　] 이 될 수는 없으며 예에 정통한 사람만이 수장이 될 수 있다고 주장하였다.

답 ❶ 생업 ❷ 역할 분담 ❸ 백성 ❹ 수장

필수 선택지

위 지문을 보고 옳으면 ○표, 틀리면 ×표를 하고 그 까닭을 쓰시오.

① 갑은 대인과 소인의 역할 분담이 필요하다고 본다. (　　)
② 갑은 백성은 항산이 없으면 항심도 갖기 어렵다고 본다. (　　)
③ 갑은 직업 종사자는 누구도 항심을 지닐 수 없다고 본다. (　　)
④ 갑은 군주가 백성의 생업 보장보다 법적 규제에 힘써야 한다고 본다. (　　)
⑤ 을은 정신 노동이 육체 노동보다 우위에 있다고 본다. (　　)
⑥ 을은 예에 정통한 사람은 통치에 힘써야 한다고 본다. (　　)
⑦ 을은 무위자연의 도를 본받아 직업 차별을 하지 말아야 한다고 본다. (　　)
⑧ 갑, 을은 생산과 통치에 대한 역할 분담이 필요하다고 본다. (　　)

답 ① ○ ② ○ ③ ×(항산이 있으면 항심 보존이 가능함) ④ ×(백성의 생업 보장 우선시) ⑤ ×(정신 노동이 우위에 있다고 강조하지는 않음) ⑥ ○ ⑦ ×(무위자연은 도가 사상의 주장) ⑧ ○

필수 유형

22 서양의 직업관

문제 해결 전략

신의 소명(召命)으로서의 직업 생활에 충실할 것을 강조한 점을 통해 칼뱅, 자본주의 사회에서 강제된 노동과 노동 소외 현상을 비판한 점을 통해 마르크스의 입장임을 파악할 수 있다. 이외에도 자신의 고유한 기능을 발휘할 것을 강조한 플라톤, 프로테스탄트 윤리를 강조한 베버, 원죄에 대한 속죄의 의미를 강조한 중세 그리스도교 윤리 등 다양한 입장의 직업관을 서로 비교하는 문제가 자주 출제된다.

필수 유형

갑, 을 사상가들의 입장으로 옳은 것은?

→ 직업을 신이 부여한 ❶ [ ] 이라고 본 점에서 칼뱅이다.

갑 : 신은 사람들에게 각자 해야 할 일들을 정해 주셨다. 사람은 충실한 직업 생활을 통해 신에게 영광을 돌려야 하며, 자신의 부를 가난한 사람들과 나눌 수 있어야 한다.

을 : 자본주의 사회에서 노동자는 생계를 위해 임금을 받고 일을 해야 하기 때문에 소외가 발생한다. 기술적 분업의 확대는 노동자의 능력을 온전히 발휘하지 못하게 만든다.

→ 자본주의 사회에서 발생하는 노동자의 노동 ❷ [ ] 현상을 비판한 점에서 마르크스이다.

필수 자료 해석

칼뱅은 신이 부여한 소명인 직업에 성실하게 임하고 검소한 생활을 통해 부를 축적한 것은 신의 축복이나 ❸ [ ] 으로 받아들일 수 있다고 주장하였다. 마르크스는 자본주의가 생산 수단을 소유한 자본가가 생산 수단이 없는 ❹ [ ] 를 착취하는 구조라고 지적하였다. 또한 인간은 노동을 통해 자기 본질을 실현하는데, 자본주의 체제에서는 불가능하다고 강조하였다.

답 ❶ 소명 ❷ 소외 ❸ 은총 ❹ 노동자

필수 선택지

위 지문을 보고 옳으면 ○표, 틀리면 ×표를 하고 그 까닭을 쓰시오.

① 갑은 노동을 통한 부의 축적이 구원의 조건이라고 본다. (　　)

② 갑은 노동은 신의 거룩한 부르심에 대한 응답이라고 본다. (　　)

③ 갑은 신의 영광을 위해 세속적 직업에서 떠나야 한다고 본다. (　　)

④ 갑은 직업을 통해 신과 이웃에 대한 사랑의 실천이 가능하다고 본다. (　　)

⑤ 을은 생산 수단의 공유를 추구해야 한다고 본다. (　　)

⑥ 을은 기술적 분업으로 생산성 향상을 추구해야 한다고 본다. (　　)

⑦ 을은 노동 소외를 극복하고 노동의 본질을 회복해야 한다고 본다. (　　)

⑧ 갑, 을은 노동이 신이 인간에게 내린 형벌일 뿐이라고 본다. (　　)

답 ① ×(구원의 조건은 아님. 징표가 될 수는 있음) ② ○ ③ ×(세속적 직업을 통해 신의 영광을 드러낼 수 있다고 봄) ④ ○ ⑤ ○ ⑥ ×(기술적 분업 반대) ⑦ ○ ⑧ ×(갑, 을 입장이 아님)

필수 유형

23 기업의 사회적 책임

문제 해결 전략

기업의 사회적 책임을 이윤 극대화로만 본 점을 통해 프리드먼, 기업의 폭넓은 사회적 책임을 인정한 점을 통해 애로의 입장임을 파악할 수 있다. 프리드먼, 보겔, 애로 등 기업의 사회적 책임에 대한 다양한 사상가의 입장을 비교하는 문제가 자주 출제된다.

필수 유형

갑, 을 사상가들의 입장으로 가장 적절한 것은?

기업의 사회적 책임이 오직 기업의 이윤 ❶ [   ]에 있을 뿐이라고 본 점에서 프리드먼이다.

갑 : 기업이 가지는 유일한 사회적 책임은 속임수나 부정행위 없이 공개적이고 자유로운 경쟁에 전념하는 것이다. 주주들을 위해 되도록 돈을 많이 버는 것 말고 다른 사회적 책임을 받아들이는 현상은 자유 사회의 근간을 근본적으로 허무는 것이다.

을 : 기업은 법의 테두리 안에서 경영을 해야 할 뿐만 아니라 자선 사업, 환경 보호 활동 등 사회 구성원으로서의 사회적 책임도 이행해야 한다. 이럴 때 기업은 소비자의 신뢰를 얻게 될 것이고, 이로 인해 장기적으로 기업의 이익도 증진될 것이다.

기업이 사회적 책임을 수행할 때 기업에게 ❷ [   ] 이익이 될 것이라고 본 점에서 애로이다.

필수 자료 해석

프리드먼은 기업은 이윤 창출을 위해 존재하므로 기업의 유일한 사회적 책임은 속임수나 부정행위 없이 ❸ [   ]에 전념하여 이윤을 추구하는 것이라고 보았다. 반면, 애로는 기업이 이윤 추구 외의 ❹ [   ] 책임을 수행할 때 장기적으로 기업 이익 증진에 도움이 될 것이라고 보았다.

답 ❶ 극대화(추구) ❷ 장기적으로 ❸ 경쟁 ❹ 사회적

필수 선택지

위 지문을 보고 옳으면 ○표, 틀리면 ×표를 하고 그 까닭을 쓰시오.

① 갑은 주주들과 소비자의 이익을 동등하게 고려해야 한다고 본다. (   )

② 갑은 기업의 사회적 책임은 기업의 이윤 극대화일 뿐이라고 본다. (   )

③ 갑은 기업의 자선 활동은 기업의 사회적 책임에 포함된다고 본다. (   )

④ 갑은 기업에게 자선이나 환경 보호 같은 사회적 책임을 지게 하는 것은 무리한 요구라고 본다. (   )

⑤ 을은 기업의 설립 목적이 이윤 추구라고 본다. (   )

⑥ 을은 기업의 본질은 사회 구성원들의 복지 향상에 있다고 본다. (   )

⑦ 을은 기업의 환경 보호 활동은 기업 이미지 제고와 무관하다고 본다. (   )

⑧ 갑, 을은 기업은 합법적으로 이윤을 창출해야 할 책임을 진다고 본다. (   )

답 ① ×(동등하게 고려할 것을 주장하지 않음) ② ○ ③ ×(자선 활동을 포함시키지 않음) ④ ○ ⑤ ○ ⑥ ×(이윤 추구임) ⑦ ×(이미지 제고에 기여) ⑧ ○

필수 유형

24 청렴 및 공직자 윤리

문제 해결 전략

목민관, 공적 사용, 친척과 친구 단속 등의 내용을 통해 정약용임을, 구성원들의 각자의 덕 발휘, 사유 재산 금지 등의 내용을 통해 플라톤임을 파악해야 한다. 공직자 윤리와 관련하여 공사, 정약용, 플라톤 등의 입장을 묻는 문제가 자주 출제된다.

필수 유형

갑, 을 사상가들의 입장으로 옳은 것은?

갑 : 목민관은 책객을 두어 회계를 맡겨서는 안 된다. 관부의 회계는 공적 사용과 사적 사용이 모두 기입되기 때문이다. 그리고 관내의 친척과 친구를 단속하여 의심과 비방이 생기지 않도록 하되, 서로의 정(情)을 잘 유지해야 한다.

을 : 나라가 올바르게 되려면 그 구성원들이 각자의 덕을 발휘해야 한다. 이들 중 통치자들은 그 어떤 사유 자산도 가져서는 안 된다. 통치자들은 공동생활을 하며, 공동체를 위해 유익한 것에 대한 지식을 가지고 다른 시민들을 보살펴야 한다.

갑은 공적 업무에 사사로운 ❶ (　　　　) 이 개입되어서는 안 된다고 본 점에서 정약용이다.

을은 통치자는 ❷ (　　　　) 을 가지면 안 되며 공동생활을 해야 한다고 본 점에서 플라톤이다.

필수 자료 해석

정약용은 공직자가 절용과 ❸ (　　　　) 의 자세를 지녀야 한다고 보았다. 특히 공적 업무와 사적 용무의 경계를 명확히 해야 한다고 보았다. 플라톤에 따르면, 통치자는 나라의 정책 결정, 시민의 복지 기획 등의 활동으로 구성원들이 자기 역할과 기능을 잘 수행할 수 있도록 해야 하며, 이를 잘 수행하기 위해 철인(哲人)으로서의 ❹ (　　　　) 의 덕을 갖추어야 한다.

답 ❶ 감정 ❷ 사유 재산 ❸ 청렴 ❹ 지혜

필수 선택지

위 지문을 보고 옳으면 ○표, 틀리면 ×표를 하고 그 까닭을 쓰시오.

① 갑은 공직자의 청렴은 공무 수행의 필수적 덕목이 아니라고 본다. (　　　)

② 갑은 공적 업무와 사적 업무의 경계를 정하지 말아야 한다고 본다. (　　　)

③ 갑은 공직자가 절약하지 않고 탐욕을 부리면 부정부패해진다고 본다. (　　　)

④ 을은 시민들이 통치에 직접 참여해야 한다고 본다. (　　　)

⑤ 을은 통치자, 방위자, 생산자 모두 절제의 덕이 필요하다고 본다. (　　　)

⑥ 을은 통치자가 지혜, 방위자가 용기의 덕을 갖추어야 한다고 본다. (　　　)

⑦ 갑, 을은 올바른 통치를 위해 공직자의 사유 재산을 금지해야 한다고 본다. (　　　)

답 ① ×(청렴은 우선적이고 필수적인 덕목임) ② ×(명확히 구분해야 함) ③ ○ ④ ×(직접 민주 정치에 부정적임) ⑤ ○ ⑥ ○ ⑦ ×(갑의 입장은 아님)

필수 유형

25 니부어의 사회 윤리

문제 해결 전략

집단 속의 개인의 도덕성, 국가 이기주의, 개인으로서의 각 사람들의 도덕성 등의 표현을 통해 니부어임을 파악할 수 있다. 니부어의 사회 윤리적 관점에 대해서는 집단 이기주의, 개인과 집단의 도덕성 등 다양한 주제를 통해 꾸준히 출제되고 있다.

필수 유형

다음 사상가의 입장으로 적절하지 않은 것은?

개인으로서 각 사람들은 그들이 서로 사랑하고 봉사해야 할 것과 서로 간의 정의를 확립해야 한다는 사실을 믿고 있다. 그런데 집단으로서의 개인들은 스스로 집단의 힘이 명하는 것이면 무엇이든 따른다. 가장 높은 수준의 종교적 선의지를 지닌 개인들로 이루어진 국가도 사랑을 실천하지 못한다. 그들의 선의지는 조국에 대한 충성이라는 여과를 거쳐 국가 이기주의를 확대하는 경향까지 생겨나게 한다.

사회 집단의 ❶ ＿＿＿＿이 개개인의 도덕성보다 현저히 떨어진다고 본 점에서 니부어의 주장이다. 니부어는 개인적으로 도덕적인 사람도 소속 집단의 ❷ ＿＿＿＿을 위해 비도덕적으로 행동하기 쉽다고 보았다.

필수 자료 해석

니부어는 개인의 도덕적 행위는 집단의 도덕성을 결정하지 못하며 오히려 집단의 ❸ ＿＿＿＿와 제도가 개인의 행위의 도덕성을 결정할 수도 있다고 보았다. 니부어는 이렇게 집단 속에서 이기적으로 변해가는 인간의 성향과 힘의 불균등한 분배로 인해 부정의가 지속되므로 선의지의 지도를 받는 ❹ ＿＿＿＿을 동원하여 정의를 실현해야 한다고 주장하였다.

답 ❶ 도덕성 ❷ 이익 ❸ 구조 ❹ 외적 강제력

필수 선택지

위 지문을 보고 옳으면 ○표, 틀리면 ×표를 하고 그 까닭을 쓰시오.

① 사회 정의 실현을 위해 강제적 수단이 필수적이다. (　　)
② 개인 간 도덕적 관계 수립은 설득과 조정으로는 불가능하다. (　　)
③ 사회 정의는 사회적 억제와 힘을 통해 실현되어서는 안 된다. (　　)
④ 국가 간 이해관계는 설득만으로 합리적으로 조정되지 않는다. (　　)
⑤ 개인의 이타심과 애국심은 국가 간 정의로운 행동을 보장한다. (　　)
⑥ 진정한 정의는 개인의 선의지만으로도 충분히 달성될 수 있다. (　　)
⑦ 국가의 이기심은 도덕적 개인이 모인 사회를 비도덕적으로 만든다. (　　)
⑧ 집단 간 대립 상황에서도 개인은 비이기적 태도를 취할 수 있다고 본다. (　　)

답 ① ○ ② ×(가능할 수 있음) ③ ×(사회적 억제나 힘을 통해서라도 실현해야 함) ④ ○ ⑤ ×(보장하지 못함) ⑥ ×(달성되기 어려움) ⑦ ○ ⑧ ○

필수 유형

26 사회 정의와 분배적 정의

문제 해결 전략

취득과 이전에서의 정의를 강조한 점을 통해 노직임을, 원초적 상황에서 합의를 도출한다는 점에서 롤스임을, 정의가 일종의 비례이며 비율과 비율의 균등성이라는 표현을 통해 아리스토텔레스임을 파악할 수 있다. 이외에도 정의와 관련하여 마르크스, 왈처 등의 입장을 묻는 문제가 매 시험 비교적 고난도로 지속적으로 출제되고 있다.

필수 유형

(가)의 갑, 을, 병 사상가들의 입장을 (나) 그림으로 탐구할 때, A~D에 해당하는 적절한 질문만을 〈보기〉에서 있는 대로 고른 것은?

❶ [ ]로서의 정의를 주장하는 점에서 노직이다.

갑 : 정의는 자신이 선택하는 바에 따라 소유권이 행사되는 것이다. 취득과 이전에서의 정의의 원칙을 따라 소유물을 취득한 자는 그것에 대한 소유권이 있다.

을 : 정의의 원칙은 원초적 상황에서 합의로 도출된다. 정의로운 사회에서는 시민들에게 공통된 정의감이 존재하며 시민적 유대와 체제의 안정성이 보장된다.

병 : 정의는 동등한 사람에게 동등한 몫을 분배하는 것이다. 분배에서의 옳음은 일종의 비례인데 그것은 비율과 비율의 균등성을 의미한다.

원초적 상황에서 도출된 정의의 원칙에 따른 분배를 주장한 점에서 ❷ [ ]으로서의 정의를 주장한 롤스이다.

기하학적 비례의 동등함을 추구하는 점에서 아리스토텔레스이다.

필수 자료 해석

노직은 개인은 취득, 이전, 교정의 원칙에 따라 정당하게 소유한 소유물에 대해서는 ❸ [ ] · 절대적 권리를 지닌다고 주장하였다. 롤스는 ❹ [ ]을 쓴 원초적 입장에 놓인 사람들이 합의한 정의의 원칙에 따른 분배를 정의롭다고 보았다. 아리스토텔레스는 기하학적 비례의 동등함을 추구하는 분배적 정의를 추구하였다.

답 ❶ 소유 권리 ❷ 공정 ❸ 배타적 ❹ 무지의 베일

필수 선택지

위 지문을 보고 옳으면 ○표, 틀리면 ×표를 하고 그 까닭을 쓰시오.

① 갑은 재화가 개인의 자유로운 선택에 의해서만 이전된다고 본다. ( )
② 갑은 분배 결과의 정당성은 분배 과정의 정당성에 근거한다고 본다. ( )
③ 을은 정의로운 사회의 시민은 타인의 이익에 무관심하다고 본다. ( )
④ 을은 차등의 원칙만 충족한다면 어떤 분배 결과도 정당하다고 본다. ( )
⑤ 병은 분배적 정의를 산술적 비례의 균등을 추구하는 것으로 본다. ( )
⑥ 병은 분배와 교환의 정의는 모두 비례의 동등함을 따라야 한다고 본다. ( )
⑦ 갑, 을은 정의로운 사회에서도 경제적 불평등이 존재할 수 있다고 본다. ( )

답 ① ×(교정의 원리를 통해서도 이전 가능) ② ○ ③ ×(원초적 입장의 당사자의 성향임) ④ ×(충분한 조건이 아님) ⑤ ×(기하학적 비례의 균등함) ⑥ ○ ⑦ ○

필수 유형

27 교정적 정의 - 형벌

문제 해결 전략

종신 노역형이 사형보다 범죄 억제력이 더 높다고 본 점을 통해 베카리아, 공리의 원리를 강조한 점을 통해 벤담, 보복법과 응보를 강조한 점을 통해 칸트임을 파악할 수 있다. 형벌의 강도보다 지속성을 강조한 베카리아, 공리의 원리에 따른 형벌의 집행을 주장한 벤담, 형벌에서 응보주의적 관점을 강조한 칸트 등 다양한 주장의 공통점과 차이점을 찾는 문제, 서로에게 제기할 비판을 파악하는 문제가 빠짐없이 출제되고 있다.

필수 유형

(가)의 갑, 을, 병 사상가들의 입장에서 서로에게 제기할 수 있는 비판을 (나) 그림으로 표현할 때, A~F에 해당하는 내용으로 가장 적절한 것은?

→ 형벌의 범죄 ❶ [ ] 측면을 강조한 베카리아이다.

갑 : 형벌은 사람들이 유사한 범죄 행위를 못하도록 억제하는 것이다. 범죄에 대한 억제력의 측면에서 사형보다 종신 노역형이 더 효과적이다.

을 : 형벌은 해악이다. 하지만 공리의 원리에 따르면 더 큰 악을 제거하리라고 보장하는 한에서는 형벌이 허용되어야 한다. → 형벌의 대한 공리의 원리 적용을 주장한 벤담이다.

병 : 형벌은 범죄자나 시민 사회의 어떤 다른 선을 촉진하기 위한 수단으로 가해질 수는 없다. 오직 보복법만이 형벌의 질과 양을 정확히 제시할 수 있다.

→ 응보적 측면에서의 형벌을 강조한 칸트이다.

필수 자료 해석

베카리아는 형벌을 통한 범죄 억제력에 중점을 두어 사형보다 종신 노역형이 고통의 본보기를 오랫동안 보일 수 있어서 효과적이라고 주장하였다. 벤담은 ❷ [ ]의 관점에서 위법의 이익보다 처벌의 손실이 더 크도록 형벌을 부과해야 한다고 주장하였다. 칸트는 처벌의 본질은 범죄 행위에 대한 응당한 보복을 가하는 것이라는 ❸ [ ]주의적 관점에서 범죄 행위에 상응하는 ❹ [ ] 형벌을 부과해야 한다고 주장하였다.

답 ❶ 억제력 ❷ 공리주의 ❸ 응보 ❹ 동등한

필수 선택지

위 지문을 보고 옳으면 ○표, 틀리면 ×표를 하고 그 까닭을 쓰시오.

① 갑은 생명 존엄성을 위해 어떤 경우에도 사형이 인정될 수 없다고 본다. (　　　)

② 을은 형벌이 그 자체로 선하며 범죄 억제를 위한 유용한 수단이라 본다. (　　　)

③ 병은 형벌의 본질이 범죄 행위에 상응하는 응분의 처벌을 가하는 것이라고 본다. (　　　)

④ 갑, 을 모두 형벌이 법률을 통해서만 집행되어야 한다고 본다. (　　　)

⑤ 갑, 을은 공리성을 고려하여 형벌의 집행을 결정해야 한다고 본다. (　　　)

⑥ 병은 갑, 을과 달리 형벌이 정의 실현의 수단이라고 본다. (　　　)

답 ① ×(특수한 경우 사형이 인정된다고 봄) ② ×(형벌은 그 자체로 악임) ③ ○ ④ ○ ⑤ ○ ⑥ ×(갑, 을, 병 모두 동의할 내용임)

필수 유형

28 교정적 정의 - 사형

문제 해결 전략

일반 의지의 반영, 사회 계약의 파기 등의 내용을 통해 루소임을, 일반 의사의 대표, 자신을 죽일 권리를 국가에 양도할 사람은 없음 등의 내용을 통해 베카리아임을 파악할 수 있다. 사형과 관련하여 사형제 유지를 주장한 루소, 칸트 등의 입장과 사형제 폐지를 주장한 베카리아의 입장을 서로 비교하는 문항이 계속 출제되고 있다.

필수 유형

갑, 을 사상가들 모두 부정의 대답을 할 질문으로 옳은 것은?

갑 : 법은 공공의 이익을 지향하는 일반 의지를 반영해야 합니다. 누구든지 자신의 생명을 지키기 위해 생명의 위험을 무릅쓸 권리를 갖습니다. 사회 계약을 파괴한 살인범은 도덕적 인격이 아닌 공중의 적으로 사형에 처해져야 합니다.

을 : 법은 특수 의사의 총합인 일반 의사를 대표합니다. 인간은 자신을 죽일 권리가 없는 이상, 그 권리를 사회에 양도할 수 없습니다. 사형은 한 시민의 존재를 파괴하는 부적절한 전쟁 행위이므로 종신 노역형으로 대체되어야 합니다.

갑은 ❶ [ ] 을 파괴한 살인자는 공중의 적이므로 사형에 처해져야 한다고 주장한 점에서 루소이다.

을은 자신을 죽일 권리가 없으므로 ❷ [ ] 나 국가에 양도할 수 없으며, 사형은 종신 노역형으로 대체되어야 한다고 주장한 점에서 베카리아이다.

필수 자료 해석

루소는 사회 계약설의 관점에서 살인범은 ❸ [ ] 이므로 그에 대한 사형은 계약자인 시민의 생명과 안전을 확보하기 위해 정당하다고 보았다. 반면 베카리아는 생명은 양도할 수 없으므로 사회 계약을 근거로 사형 제도를 정당화할 수 없다고 지적하였다. 그리고 공리주의 관점에서 사형보다 종신 노역형이 범죄 예방과 사회 전체의 ❹ [ ] 에 부합하므로 사형 제도를 폐지해야 한다고 주장하였다.

답 ❶ 사회 계약 ❷ 사회 ❸ 공중의 적 ❹ 이익 증진

필수 선택지

위 지문을 보고 옳으면 ○표, 틀리면 ×표를 하고 그 까닭을 쓰시오.

① 갑은 살인범에 대한 사형이 정당하다고 본다. (　　)

② 갑은 사형은 살인범의 시민 자격의 박탈 차원에서 가해지는 형벌이라고 본다. (　　)

③ 을은 사형이 범죄 억제 효과가 전혀 없는 형벌이라고 본다. (　　)

④ 을은 형벌이 최대 다수의 최대 행복을 지향해야 한다고 본다. (　　)

⑤ 을은 사형이 살인범의 인간 존엄성을 존중하는 형벌이라고 본다. (　　)

⑥ 을은 시민의 동의를 바탕으로 한 국가만 사형 집행권을 갖는다고 본다. (　　)

답 ① ○ ② ○ ③ ×(종신 노역형에 비해 범죄 억제력이 떨어질 뿐이며 효과가 없는 것이 아님) ④ ○ ⑤ ×(칸트의 입장임) ⑥ ×(시민들이 동의, 양도하지 않는다고 봄)

필수 유형

29 동서양의 국가관

문제 해결 전략

자연 상태를 전쟁 상태로 제시한 점을 통해 홉스임을, 생명, 자유, 재산권의 더 확실한 보장을 위한 계약을 강조한 점을 통해 로크임을 파악할 수 있다. 공자, 맹자, 순자 등이 제시한 유교의 국가관, 홉스, 로크, 루소 등이 제시한 사회 계약론의 국가관, 공리주의의 국가관, 플라톤, 아리스토텔레스의 국가관을 비교·분석하는 문제가 출제된다.

필수 유형

갑, 을 사상가들의 공통된 입장으로 가장 적절한 것은?

▶ 자연 상태를 만인의 만인에 대한 ❶ [ ] 상태로 본 점에서 홉스이다.

갑 : 자연법이 있어도 권력이 없다면 또는 권력이 있어도 시민의 안전을 보장할 정도로 충분히 강력하지 않으면 인간은 비참한 자연 상태에서 벗어날 수 없다.

을 : 자연법상의 모든 권리를 누릴 자유가 있어도 권력이 없으면 권리를 누리기 어렵다. 이에 사람들은 재산의 보존을 주된 목적으로 하는 시민 사회의 일원이 된다.

▶ 자연 상태에서 자연권을 누릴 수는 있으나 더 확실한 보장을 위해 ❷ [ ]을 맺어 국가를 형성하게 된다고 본 점에서 로크이다.

필수 자료 해석

홉스는 ❸ [ ] 존재인 인간이 생명과 재산을 보호하기 위해 자신의 권리를 국가에 양도하는 계약을 하게 된다고 보았다. 로크는 개인의 생명과 자유, ❹ [ ]을 더 확실하게 보장받음으로써 더 평화롭고 안전한 삶을 살기 위해 계약을 하게 된다고 보았다.

답 ❶ 투쟁 ❷ 계약 ❸ 이기적 ❹ 재산권

필수 선택지

위 지문을 보고 옳으면 ○표, 틀리면 ×표를 하고 그 까닭을 쓰시오.

① 갑은 모든 인간은 태어날 때부터 자유롭고 평등한 존재라고 본다. (　　)

② 갑은 국가를 선한 본성을 가진 인간을 보호하기 위한 수단으로 본다. (　　)

③ 을은 국가를 시민의 안전한 삶을 보장하기 위한 절대 권력체로 본다. (　　)

④ 을은 국가를 자연의 산물이자 인간의 평화로운 삶을 위한 수단으로 본다. (　　)

⑤ 갑은 을과 달리 자연 상태를 투쟁 상태로 본다. (　　)

⑥ 갑, 을은 국가 권력에 대한 시민의 저항을 허용하지 않는다. (　　)

⑦ 갑, 을은 국가를 인위적 계약을 통해 만들어진 것이라고 본다. (　　)

⑧ 갑, 을은 국가 상태에서 시민의 생명과 안전이 더 잘 보장된다고 본다. (　　)

답 ① ○ ② ×(인간은 이기적 존재라고 봄) ③ ×(홉스의 입장임) ④ ×(인위적 산물이라고 봄) ⑤ ○ ⑥ ×(홉스, 로크 모두 저항이 필요한 상황에서 허용 가능하다고 봄) ⑦ ○ ⑧ ○

필수 유형

30 시민 불복종에 대한 롤스의 입장

문제 해결 전략

공동체의 정의감에 호소함, 거의 정의로운 사회 등의 표현으로 롤스임을 파악할 수 있다. 시민 불복종에 대한 롤스의 입장은 소로, 싱어 등의 주장과 함께 공통점과 차이점을 파악하는 문제, 서로에게 제기할 비판을 찾는 문제 등으로 자주 출제된다.

필수 유형

다음 서양 사상가의 입장으로 옳지 않은 것은?

시민 불복종은 신중하고 양심적인 정치적 신념의 표현이며, 공동체의 정의감에 호소하여 자유로운 협동이 침해되었다는 것을 정당하게 알리는 행위이다. 이를 통해 우리는 타인에게 호소함으로써 그들이 우리 입장에서 다시 생각해 보도록 할 수 있다. 이러한 호소가 갖는 힘은 사회를 평등한 개인들 간의 협동 체제로 보는 민주주의적 관점에서 비롯된다. 시민 불복종에 참여하고자 하는 성향은 거의 정의로운 사회에 안정을 가져다준다.

시민 불복종이 공동체의 정의감에 호소하는 ❶ [ ] 이고 정치적인 신념의 표현이라고 본 점에서 롤스이다. 롤스는 거의 ❷ [ ] 사회에서의 시민 불복종을 주장하였다.

필수 자료 해석

롤스는 거의 정의로운 사회일 경우 그 부정의가 지나치지만 않으면 부정의한 법도 구속력이 있음을 인정해야 한다고 주장하였다. 그리고 시민 불복종이 법에 대한 ❸ [ ] 의 한계 내에서 ❹ [ ] 가 심각한 법이나 정책에 대해 불복종을 드러내는 것이어야 하며, 사회적 다수에 의해 공유된 정의관이 불복종의 기준이라고 보았다.

답 ❶ 양심적 ❷ 정의로운 ❸ 충실성 ❹ 부정의

필수 선택지

위 지문을 보고 옳으면 ○표, 틀리면 ×표를 하고 그 까닭을 쓰시오.

① 양심에 어긋나는 법에 즉시 불복종해야 한다. (   )

② 시민 불복종은 최후의 수단으로 사용되어야 한다. (   )

③ 시민 불복종 자체는 위법이므로 처벌을 감수해야 한다. (   )

④ 시민 불복종은 양심적이고 정의로운 합법적인 저항이다. (   )

⑤ 공리주의적 관점에서 시민 불복종의 결과를 따져 보아야 한다. (   )

⑥ 시민 불복종은 부정의한 법이나 정책을 바로잡는 데 기여한다. (   )

⑦ 부패한 체제의 변혁도 시민 불복종의 영역으로 간주할 수 있다. (   )

⑧ 시민 불복종은 법에 대한 충실성의 한계 내에서 이루어져야 한다. (   )

답 ① ×(소로의 입장임) ② ○ ③ ○ ④ ×(위법 행위임) ⑤ ×(싱어의 입장임) ⑥ ○ ⑦ ×(체제 변혁은 시민 불복종으로 간주하지 않음) ⑧ ○

필수 유형

31 시민 불복종에 대한 소로의 입장

문제 해결 전략

법에 대한 존경심보다 정의에 대한 존경심을 강조한 내용을 통해 소로임을 파악할 수 있다. 시민 불복종에 대한 소로, 롤스, 싱어의 입장을 각각 파악하거나 서로 비교하여 공통점과 차이점을 찾는 문제가 지속적으로 출제되고 있다.

필수 유형

갑, 을 사상가들의 입장으로 적절한 것만을 〈보기〉에서 있는 대로 고른 것은?

갑 : 시민 불복종은 전체 유권자에게 다수의 정의감을 근거로 법이나 정부 정책이 부정의함으로 호소하는 것이다. 이것은 거의 정의로운 사회의 구성원에게 요구되는 의무이다.

❶ [ ] 에 대한 존경심을 길러서 개인의 ❷ [ ] 에 따라 불의한 법에 저항할 수 있다고 본 점에서 소로이다.

거의 정의로운 사회 구성원의 다수의 공적인 정의관을 시민 불복종의 근거로 제시한 점에서 롤스이다.

을 : 시민은 한순간도 자신의 양심을 입법자에게 맡길 수 없다. 법에 대한 존경심보다 정의에 대한 존경심을 길러야 한다. 부당한 정부 밑에서 의로운 사람이 있을 곳은 감옥뿐이다.

필수 자료 해석

소로는 법보다 정의에 대한 존경심을 기르는 것이 바람직하다고 보았다. 그래서 악법에 대한 불복종은 정의롭고 도덕적인 행위이므로 양심에 따라 부당한 법이나 정책에 ❸ [ ] 저항해야 한다고 주장하였다.

답 ❶ 정의 ❷ 양심 ❸ 즉각

필수 선택지

위 지문을 보고 옳으면 ○표, 틀리면 ×표를 하고 그 까닭을 쓰시오.

① 을은 개인의 양심이 시민 불복종의 근거라고 본다. (　　　)

② 을은 시민 불복종이 다수의 정의관에 근거해야 한다고 본다. (　　　)

③ 을은 시민 불복종을 거의 정의로운 사회에서 이루어지는 행위로 본다. (　　　)

④ 을은 부당한 정부의 정책을 그대로 따르는 것은 양심과 정의를 저버리는 행위라고 본다. (　　　)

⑤ 을은 자신의 양심에 따라 불의한 법에 즉각 저항하고 불복종을 표현할 수 있다고 본다. (　　　)

⑥ 을은 갑과 달리 시민 불복종으로 인한 처벌에 저항할 수 있다고 본다. (　　　)

⑦ 을은 갑과 달리 시민 불복종 여부는 법의 부정의한 정도를 고려해야 한다고 본다. (　　　)

답 ① ○ ② ×(롤스의 입장) ③ ×(롤스의 입장) ④ ○ ⑤ ○ ⑥ ×(처벌을 감수해야 함) ⑦ ×(롤스의 입장임)

필수 개념

현대의 삶과 실천 윤리

개념 01 윤리학의 분류

구분		특징
규범 윤리학		도덕적 행위의 근거가 되는 도덕 원리나 인간의 성품을 탐구하고, 이를 바탕으로 도덕적 문제의 해결과 실천 방안을 제시함
	이론 윤리학	• 성품, 행위, 제도 등에 관한 윤리적 판단의 이론적 근거를 제공함 • 어떤 도덕 원리가 윤리적 행위를 위한 근본 원리로 성립 가능한지 탐구 • ㉠ 의무론, 공리주의, 덕 윤리 등
	실천(응용) 윤리학	• 이론 윤리를 현대 사회의 여러 윤리 문제에 적용함 • 실제 생활에서 구체적으로 발생하는 윤리 문제에 대한 실제적 · 구체적 해결책을 모색하는 것이 목표임 • ㉠ 생명 윤리, 정보 윤리, 환경 윤리 등
메타 윤리학		• 도덕적 언어(개념)의 의미 분석, 도덕 추론의 ❶ ______ 검증을 위한 논리 분석에 주된 관심을 둠 • '옳다는 것과 그르다는 것의 의미는 무엇인가?' 등 도덕 언어와 논리적 명료화에 주목 • 윤리학의 학문적 성립 가능성 모색
기술 윤리학		• 도덕 현상과 문제를 ❷ ______ 으로 조사하여 기술(記述)함 • 도덕적 관습이나 풍습을 경험적으로 조사하여 서술함 • '어떻게 살아야 하는가?'라는 문제보다 개인의 생활, 사회의 구조와 기능 속의 도덕적 관행을 역사적, 문화적으로 접근하여 서술

답 ❶ 타당성 ❷ 객관적

개념 02 실천 윤리학의 특징

(1) 실천 윤리학의 등장 배경

• 구체적 행위 지침을 제공하지 못하는 이론 윤리학의 한계
• 문화의 변화, 과학 기술의 발달 등으로 새로운 윤리 문제 등장

(2) 실천 윤리학의 특징

• 실제 삶의 구체적인 상황에서 발생하는 윤리 문제에 대한 구체적이고 실천적인 ❶ ______ 을 모색
• 다양한 학문 분야의 지식과 기술 등을 활용하는 ❷ ______ 접근 강조

답 ❶ 해결책 ❷ 학제적

개념 03 유교 윤리적 접근

(1) 도덕적 인격의 완성

인(仁)	타고난 내면적 도덕성 → 사람을 사랑하는 것
사단(四端)	• 누구에게나 주어진 네 가지 선한 마음으로 이를 확충해야 함 • 측은지심, 수오지심, 사양지심, 시비지심
경(敬)과 성(誠)	• 인간은 하늘로부터 ❶ ______ 을 부여받은 존재 → 지나친 욕구로 인해 잘못된 행동을 할 수 있음 • 경과 성의 수양으로 극복하여 예(禮)를 회복하고 인으로 돌아가야 함[克己復禮]
이상적 인간상	도덕성을 바탕으로 지속적으로 수양하면 누구나 도덕적으로 완성된 인간이 될 수 있음 → 성인(聖人), 군자(君子)

(2) 도덕적 이상 사회의 실현

• 효제(孝悌), 충서(忠恕), 오륜(五倫) 등의 덕목 → 가족과 타인에 대한 존중과 배려 강조
• 형벌, 무력보다 도덕과 예의로 백성을 교화하는 정치인 ❷ ______ 중시
• 대동(大同) 사회: 도덕이 확립되고 모두가 더불어 잘 사는 이상 사회

답 ❶ 도덕적 본성 ❷ 덕치(德治)

개념 04 불교 윤리적 접근

(1) 세계관과 인간관

연기적 세계관	• 연기(緣起): 모든 존재와 현상에는 일정한 원인과 조건이 있음 → 모든 것은 상호 관계 속에서 존재함 • 연기의 법칙을 깨달으면 ❶ ______ 의 마음이 생기고 탐욕에서 벗어날 수 있음
평등적 세계관	살아 있는 모든 존재에는 불성(佛性)이 있으므로 모든 생명은 평등함
주체적 인간관	인간은 누구나 삼학(三學)과 같은 수행으로 깨달음을 얻을 수 있음

(2) 이상적 경지와 이상적 인간상

이상적 경지	세상의 모든 것이 고정된 것이 아님을 깨닫는 수행을 통해 깨달음을 얻어 고통과 번뇌에서 벗어나면 열반(涅槃)에 도달할 수 있음
이상적 인간상	대승 불교에서 제시하는 이상적 인간상으로, 깨달음을 얻어 중생을 구제하고자 하는 사람 → ❷ ______

답 ❶ 자비(慈悲) ❷ 보살(菩薩)

개념 05 도가 윤리적 접근

(1) 노자의 도가 윤리: 자연의 순리를 따르는 삶

무위자연(無爲自然)	• 인위적으로 강제하지 않고 자연스러움을 따르는 것 → ❶ [ ] 의 특성 • 이상적 삶의 모습
소국과민(小國寡民)	인위적인 문명의 발달이 없고 무위의 다스림이 이루어지는 사회

(2) 장자의 도가 윤리: 평등적 세계관

• 이상적 경지

제물	• 세상 만물을 차별하지 않고 한결같이 바라봄 • 좌망(坐忘)과 심재(心齋)를 통해 도달 가능
소요유	일체의 분별과 ❷ [ ] 을 없앰으로써 도달하게 되는 절대 자유의 경지

• 장자는 지인(至人), 진인(眞人), 신인(神人), 천인(天人)을 이상적 인간상으로 제시함

답 ❶ 도(道) ❷ 차별

개념 06 의무론적 접근

(1) 자연법 윤리

스토아 학파	• 자연법: 인간 ❶ [ ] 에 의거하는 절대적인 법 → 모든 인간에게 자연적으로 주어진 보편적인 법 • '선을 행하고 악을 피하라.'는 자연법 윤리를 강조함
아퀴나스	인간이 본성적으로 지닌 자연적 성향: 자기 보존, 종족 보존, 신과 사회에 대한 진리 파악

(2) 칸트의 의무론

• 오직 도덕 법칙에 따라야 한다는 의무 의식에 근거한 행위만 도덕적 가치를 지님
• 도덕 법칙의 형식과 내용

형식	정언 명령: 행위 결과와 무관하게 행위 그 자체가 선(善)이므로 무조건 수용해야 하는 도덕적 명령 → 조건적 이유가 없는 명령
내용	• 보편주의: 네 의지의 준칙(격률)이 언제나 동시에 보편적 입법의 원리가 될 수 있도록 행위하라. • 인격주의: 너 자신과 다른 모든 사람의 인격을 결코 단순히 수단으로만 취급하지 말고 언제나 동시에 ❷ [ ] 으로 대우하도록 행위하라.

답 ❶ 본성 ❷ 목적

개념 07

공리주의적 접근

(1) **도덕의 원리:** 쾌락의 증진과 고통의 감소, 즉 행복을 가져다주는 ❶ [ ] 을 기준으로 윤리적 규칙 도출 → '최대 행복의 원리'가 옳은 행위의 결정 기준

(2) **고전적 공리주의**

벤담	• '최대 다수의 최대 행복'을 도덕과 입법의 원리로 제시 • 양적 공리주의: 모든 쾌락은 질적으로 같으며 양적인 차이만 있다고 보아 쾌락을 ❷ [ ] 할 수 있다고 주장함
밀	• 질적 공리주의: 쾌락은 양적 차이와 질적 차이 모두 고려해야 함 • 정상적 인간이라면 누구나 질적으로 높고 고상한 쾌락을 추구할 것이라고 주장함

(3) **현대의 공리주의**

행위 공리주의	유용성의 원리를 개별적 행위에 적용하여 개별적 행위가 가져올 행복에 따라 옳은 행위를 결정함 → '어떤 행위가 최대의 유용성을 낳는가?'
규칙 공리주의	유용성의 원리를 행위의 규칙에 적용하여 최대의 행복을 가져오는 행위의 규칙에 따른 행위를 옳은 행위로 결정함 → '어떤 규칙이 최대의 유용성을 낳는가?'

답 ❶ 유용성(공리) ❷ 계산

개념 08

덕 윤리적 접근, 도덕 과학적 접근

(1) **덕 윤리적 접근**

• 등장 배경: 근대 윤리가 행위자 내면의 도덕성과 인성의 중요성을 간과함, 공동체가 중시하는 용기나 진실성 등을 경시함을 극복하고자 함

• 특징

행위자 중심	• 행위자 성품을 평가하고 이를 토대로 행위의 옳고 그름을 판단함 • 윤리적으로 옳고 선한 결정을 하기 위해 유덕한 ❶ [ ] 을 길러야 함 → 옳고 선한 행위를 습관화하여 자기 행위로 내면화해야 함
덕 강조	자연적 감정과 동기 중시 → 인간의 욕구나 감정, 인간관계에 주목

(2) **도덕 과학**

신경 윤리학	도덕 판단 과정에서 이성과 정서의 역할, 자유 의지나 공감 능력의 여부 등을 과학적 측정 방법을 통해 입증
진화 윤리학	이타적 행동 및 성품 관련 도덕성은 자연 선택을 위한 ❷ [ ] 의 결과로 봄

답 ❶ 품성 ❷ 진화

개념 09 **도덕적 탐구 방법과 윤리적 성찰**

(1) 도덕적 탐구 방법

- 도덕적 탐구: 도덕적 사고를 통해 도덕적 의미를 새롭게 구성하는 지적 활동
- 방법: 윤리적 쟁점 또는 딜레마 확인 → 자료 수집 및 분석 → 입장 채택 및 정당화 근거 제시 → 최선의 대안 도출 → 반성적 성찰 및 입장 정리

(2) 윤리적 성찰

- 윤리적 성찰: 자신의 정체성과 가치관에 관해 윤리적 관점에서 ❶ ________ 하고 살피는 태도
- 중요성: 도덕적 자각의 계기 제공, 인격 함양에의 도움 등

(3) 윤리적 성찰의 방법

유교	• 거경(居敬): 마음을 한곳으로 모아 흐트러짐이 없게 하는 것 • 일일삼성(一日三省): 하루에 세 번 반성하는 것
불교	참선: 인간의 참된 삶과 맑은 본성을 깨닫기 위해 수행하는 것
소크라테스	• 성찰하는 삶의 중요성 강조 • "❷ ________ 하지 않는 삶은 살 가치가 없다."라고 강조 • 산파술: 끊임없는 질문을 통해 자신의 무지를 자각하게 돕는 것
아리스토텔레스	• 행위와 태도를 성찰하는 방법 제시 → 중용 • '마땅한 때에 마땅한 일에 대하여, 마땅한 사람에게, 마땅한 동기로' 느끼거나 행동해야 함

답 ❶ 반성 ❷ 성찰

개념 10 **토론을 통한 성찰과 윤리적 실천**

(1) 토론의 필요성

- 인식과 판단에서의 ❶ ________ 가능성을 줄임
- 당면한 윤리 문제에 대해 바람직한 해결 방안을 찾을 수 있음
- 주관적인 의견이 토론을 통해 보편적인 앎의 형태로 나아갈 수 있음

(2) 윤리적 실천: 올바른 도덕 판단이 반드시 ❷ ________ 으로 연결되는 것은 아님 → 선한 의지를 바탕으로 옳은 행동을 지속적으로 실천하여 옳은 행위를 습관화해야 함

답 ❶ 오류 ❷ 실천

필수 개념

생명과 윤리

개념 11

삶과 죽음의 윤리적 의미

(1) 출생의 윤리적 의미

- 인간의 자연적 성향의 실현 과정
- 도덕적 주체로 사는 삶의 출발점
- 가족 및 사회 구성원으로 사는 삶의 시작

(2) 죽음의 윤리적 의미

구분	내용
유교	• 죽음은 자연의 과정이자 애도의 대상 • 공자: 죽음보다 도덕적 삶에 관심을 가질 것 강조
불교	• 죽음[死]을 생로병(生老病)과 함께 ❶ ( ) 의 하나로 봄 • 부처: 죽음은 윤회의 과정으로, 현세의 업보가 죽음 이후의 삶을 결정한다고 봄
도가	• 삶과 죽음은 ❷ ( ) 의 모임과 흩어짐 • 삶과 죽음은 자연스러운 순환 과정 → 죽음을 두려워할 필요가 없음
플라톤	죽음으로서 영혼은 육체로부터 해방되어 이데아의 세계에 들어감
에피쿠로스	• 죽음은 인간을 구성하던 원자가 흩어져 개별 원자로 돌아가는 것 • 인간은 죽음을 경험할 수 없으므로 죽음을 두려워할 필요가 없음
하이데거	죽음을 외면하지 말고 직시해야 함 → 죽음 앞으로 미리 달려가 봄으로써 삶을 더 유의미하게 살 수 있음

답 ❶ 고통 ❷ 기

개념 12

인공 임신 중절의 윤리적 쟁점

(1) **인공 임신 중절**: 태아가 모체 밖에서는 생명을 유지할 수 없는 시기에 태아를 인공적으로 모체에서 분리하여 임신을 종결하는 행위

(2) 인공 임신 중절의 윤리적 쟁점

구분	내용
찬성	• 소유권 근거: 여성은 자기 몸에 대한 소유권을 가지며 태아는 여성 몸의 일부임 • 생산 근거: 여성은 태아를 생산 → 태아에 대한 권리를 여성이 지님 • 자율권 근거: 인간은 자기 신체에 대해 자율적으로 ❶ ( ) 할 권리가 있음
반대	• 잠재성 근거: 태아는 임신 순간부터 성인으로 발달할 ❷ ( ) 을 가지므로 인간의 지위를 지님 • 존엄성 근거: 모든 인간의 생명은 존엄하므로 태아의 생명도 존엄함 • 무고한 인간의 신성불가침 근거: 잘못이 없는 인간을 해치는 행위는 비도덕적임 → 태아는 무고한 인간이므로 해쳐서는 안 됨

답 ❶ 선택 ❷ 잠재성

개념 13 자살과 안락사의 윤리적 쟁점

(1) 자살의 윤리적 문제

- 자기 생명을 스스로 훼손함
- 인격을 훼손하고 자아실현의 가능성을 없앰
- 주변 사람에게 슬픔과 고통을 주고, 사회 공동체의 결속을 약화시킴

(2) 안락사의 유형과 윤리적 쟁점

- 안락사의 유형

환자의 동의 여부	자발적 안락사, 반자발적 안락사, 비자발적 안락사
시술 행위의 적극성 여부	• 적극적 안락사: 구체적 행위로 환자의 생명을 단축시킴 • 소극적 안락사: 무의미한 연명 치료를 중단하고 ❶ [ ] 죽음을 받아들이게 함

- 안락사의 윤리적 쟁점

찬성	• 환자의 ❷ [ ]과 삶의 질 중시 • 공리주의 관점: 연명 치료는 환자 본인과 가족에게 심리적 · 경제적 부담을 줌, 제한된 의료 자원의 비효율적 사용으로 사회 전체의 이익에 부합하지 않음
반대	• 인간은 죽음을 인위적으로 선택할 권리를 갖지 않음 • 자연의 질서에 부합하지 않으며, 인간 생명의 존엄성을 훼손하는 일 • 생명을 살릴 의무를 지닌 의료인이 환자의 죽음을 앞당기는 의료 행위를 해서는 안 됨

답 ❶ 자연스러운 ❷ 자율성

개념 14 뇌사의 윤리적 쟁점

(1) **뇌사**: 뇌간을 포함한 뇌의 활동이 회복 불가능할 정도로 정지된 상태

(2) **뇌사의 윤리적 쟁점**: 뇌사를 죽음의 판정 기준으로 보아야 하는가?

찬성	• 뇌 기능이 정지하면 수일 내 심폐 기능도 정지함 → 뇌사는 이미 죽음의 단계에 들어선 것 • 의료 자원의 효율적 이용에 도움 • 뇌사자의 장기를 장기 ❶ [ ]에 활용 가능
반대	• 연명 의료 기기를 이용하면 심폐 기능이 유지되므로 죽음에 이른 것이 아님 • 의료 자원의 효율적 활용, 장기 이식을 위한 뇌사 인정은 생명 존엄성을 경시하는 것 • 뇌사 판정의 ❷ [ ]도 존재함

답 ❶ 이식 ❷ 오류 가능성

개념 15

생명 복제 문제

(1) **생명 복제**: 동일한 유전 형질을 가진 생명체를 만들어 내는 기술

(2) **생명 복제의 구분**: 동물 복제와 인간 복제로 구분, 인간 복제는 배아 복제와 개체 복제로 구분

(3) 동물 복제에 대한 입장

찬성	• 우수한 동물 품종 개발, 희귀 동물 보존, 멸종 동물 복원 가능 • 복제로 얻을 수 있는 유용한 결과나 행복 증진에 관심
반대	• 자연의 질서에 어긋남, 종의 ❶ ______ 을 해침 • 동물의 생명이 인간의 유용성을 위한 도구가 될 우려가 있음

(4) 인간 배아 복제에 대한 윤리적 쟁점

• 배아 복제: 배아 줄기세포를 얻기 위해 복제 후 배아 단계까지만 발생을 진행시킴
• 윤리적 쟁점

찬성	• 배아는 아직 완전한 인간이 아님 • 획득한 줄기세포를 인체 조직과 장기 복구, 질병 치료 등에 활용 가능함
반대	• 배아는 인간의 생명이므로 보호되어야 함 • 난자 확보 과정에서 여성의 인권 및 건강권 훼손 우려

(5) 인간 개체 복제에 대한 윤리적 쟁점

• 개체 복제: 복제를 통해 새로운 인간 개체를 탄생시킴
• 윤리적 쟁점

찬성	• 불임 부부가 자녀를 가질 수 있음 • 복제 인간도 독자적인 삶을 살아갈 수 있음
반대	• 복제를 원한 사람의 의도에 따라 복제된 인간을 이용할 수 있음 → 인간 존엄성 훼손 • 한 사람의 체세포로부터 인간이 복제되면 인간의 상호 의존성이 파괴됨 → 자연스러운 ❷ ______ 과정에 위배됨 • 복제된 인간은 체세포 제공자와 유전 형질이 같으므로 개별 인간이 갖는 고유성을 갖기 어려움 → 인간의 고유성 위협 • 체세포와 난자의 제공자와 복제 인간 사이의 가족 관계에 혼란 초래

답 ❶ 다양성 ❷ 출산

개념 16 유전자 치료 문제

(1) **유전자 치료의 구분**: 유전 물질을 ❶ [ ] 에 삽입하는 체세포 유전자 치료, ❷ [ ] 에 삽입하는 생식 세포 유전자 치료로 구분

(2) **유전자 치료의 윤리적 쟁점**

- 체세포 유전자 치료: 치료를 위해 주입된 유전자는 주로 환자 개인에게만 영향을 미치므로 제한적으로 허용됨
- 생식 세포 유전자 치료

찬성	• 병의 유전을 막아 다음 세대의 병을 예방함, 유전병 퇴치 등 의학적으로 유용함 • 새로운 치료법 개발을 통해 경제적 효용 가치 산출 가능
반대	• 미래 세대의 동의 여부 불확실 • 인간의 유전자를 조작하는 우생학을 부추김 • 고가의 치료비로 그 혜택이 일부 사람에 치중되어 분배 정의에 어긋날 우려

답 ❶ 체세포 ❷ 배아

개념 17 동물 실험과 동물 권리 문제

(1) **동물 실험의 윤리적 쟁점**

찬성	• 인간과 동물의 지위는 근본적으로 다르므로 인간은 동물을 이용할 수 있음 • 인간과 동물은 생물학적으로 유사하여 동물 실험의 결과를 인간에게 적용할 수 있음 • 동물 실험으로 인간의 생명과 건강 보호가 가능함
반대	• 인간과 동물의 존재 지위는 별 차이가 없음 • 인간과 동물은 생물학적으로 유사하지 않아 동물 실험 결과의 즉각적 적용 불가능 • 컴퓨터 모의실험 등 대안적 방법 존재

(2) **동물 권리 논쟁**: 동물의 도덕적 권리를 인정하는가

인정	• 벤담: 동물도 고통을 느끼므로 도덕적으로 고려해야 함 • 싱어: 동물은 ❶ [ ] 을 갖고 있으므로 동물의 이익도 평등하게 고려해야 함 • 레건: 한 살 이상의 포유동물은 삶의 주체가 될 수 있음 → 인간처럼 내재적 가치를 지님
부정	• 아리스토텔레스: 식물은 동물을 위해, 동물은 인간을 위해 존재함 • 아퀴나스: 동물은 도덕적으로 고려 받을 권리를 갖지 않음 • 데카르트: 동물은 '자동인형', '움직이는 기계'에 불과함 • 칸트: 동물에 대한 인간의 의무는 ❷ [ ] 의무임 • 코헨: 동물은 윤리 규범의 고안 능력이나 자율성 등이 없으므로 도덕적 권리를 소유할 수 없음

답 ❶ 쾌고 감수 능력 ❷ 간접적

개념 18 사랑과 성 윤리, 결혼과 가족의 윤리

(1) 사랑과 성의 관계에 대한 다양한 관점

보수주의	• 결혼과 출산 중심의 성 윤리 • 성은 부부간의 신뢰와 사랑을 전제로 할 때만 도덕적임
중도주의	• 사랑 중심의 성 윤리 • ❶ [ ] 을 동반한 성적 자유는 인정될 수 있음
자유주의	• 자발적 동의 중심의 성 윤리 • 타인에게 해악을 주지 않는 범위에서 성인들의 자발적 동의에 따른 성적 자유를 허용

(2) 성과 관련된 윤리 문제

성차별	• 의미: 남녀 간 차이를 잘못 이해하여 발생하는 차별 • 문제점: 여성과 남성 모두의 자아실현 방해, 인간으로서의 평등성과 존엄성 훼손, 인권 침해 초래
성의 자기 결정권	• 의미: 인간이 외부나 타인의 부당한 압력 혹은 강요 없이 스스로의 의지와 판단에 따라 자신의 성적 행동을 결정할 수 있는 권리 • 문제점: 잘못된 권리 행사는 타인의 성의 자기 결정권 침해, 생명 훼손의 부도덕한 결과를 초래할 수 있음
성 상품화	• 의미: 성 자체를 상품처럼 사고팔거나 다른 상품을 얻기 위한 수단으로 성을 이용하는 행위 • 찬성: 누구나 자신의 성적 매력을 표현할 권리를 지님, 상품에 성적 이미지를 부여하여 판매 이익을 높이는 것은 자본주의에 부합함 • 반대: 성의 인격적 가치 훼손, 외모 지상주의 조장

(3) 결혼과 가족의 윤리

• 부부 윤리

전통 사회	• 남녀 간의 역할을 구분하면서도 서로 존중할 것 강조 • 부부유별, 부부상경(夫婦相敬), ❷ [ ]
오늘날	각자의 주체성과 자유 존중, 양성 평등 강조

• 가족 윤리

전통 사회	부자유친(父子有親), 부자자효(父慈子孝)
부모 자녀	부모는 자애를, 자녀는 효도를 실천해야 함
형제자매	형우제공(兄友弟恭)을 실천해야 함

답 ❶ 사랑 ❷ 상경여빈(相敬如賓)

사회와 윤리

개념 19 직업의 중요성

(1) **직업의 의미**: 자기 적성과 능력에 따라 일정 기간 지속적으로 종사하는 일, 경제적 재화를 취득하며 사회적 역할을 수행하는 일

(2) 직업의 의의와 중요성

구분	내용
개인적 측면	• 생계유지에 필요한 경제적 기반을 확보함 • 잠재적 능력을 발휘하여 ❶ [ ]에 이바지
사회적 측면	직업 행위를 바탕으로 ❷ [ ]으로서의 역할을 수행하고 사회발전에 기여

(3) **직업 생활과 행복한 삶**: 행복한 직업 생활을 하려면 바람직한 직업관을 가지고, 타인을 배려하고 서로 존경과 사랑을 주고받아야 함

답 ❶ 자아실현 ❷ 사회 구성원

개념 20 동서양의 직업관

(1) 동양의 직업관

사상가	내용
공자	자신의 직분에 충실해야 하는 정명(正名) 강조
맹자	• 사회적 분업과 직업 간의 상호 보완성 강조 • 직업을 통한 경제적 안정[恒産(항산)]이 도덕적 삶[恒心(항심)]의 기반이 된다고 봄
순자	각자의 적성과 능력에 따라 사회적 역할을 분담하는 ❶ [ ]에 따를 것을 강조

(2) 서양의 직업관

사상	내용
플라톤	• 각자 고유한 기능에 따라 사회적 역할을 분담해야 함 • 직업을 통해 자신의 고유한 기능을 발휘하면 덕(德)의 실현 가능
중세 그리스도교	• 노동은 원죄에 대한 벌로써 신이 부과함 • 속죄의 차원에서 노동을 해야 한다고 강조
칼뱅	• 직업은 신의 부르심[召命(소명)] • 자신의 직업에 충실히 임하는 것이 바로 신의 명령을 따르는 것이라고 봄 • 직업적 성공을 통한 부의 축적은 신의 축복임 → 이익을 추구하는 경제 활동을 정당화하는 데 기여함
마르크스	• 인간은 노동을 통해 자기 본질을 실현함 • 자본주의 체제의 분업화된 노동은 ❷ [ ]를 발생시킨다고 비판함

답 ❶ 예(禮) ❷ 인간 소외

개념 21 기업가와 근로자의 윤리

(1) 기업의 책임

소극적 책임	합법적 테두리 내에서 기업 본연의 목적인 ❶ [　　] 을 창출해야 함
적극적 책임	• 기업은 사회의 핵심 기관이므로 그에 상응하는 사회적 책임을 져야 함 • 이익의 사회 환원, 환경 보호에의 참여, 인류애 구현 등

(2) 기업의 사회적 책임에 대한 입장 비교

프리드먼	• 기업의 유일한 사회적 책임은 이윤 극대화 • 이윤 극대화 외의 사회적 책임 강요는 자유 시장 경제의 틀을 깨뜨리는 행위이며, 소유주나 주주의 권익 보호를 막는 행위임
애로	• 기업의 본질은 이윤 추구임 • 사회의 일원으로서 기업은 사회적 책임을 이행해야 하며, 이는 기업의 장기적 이익 확보에 이바지

(3) **기업가 윤리**: 근로자의 권리 존중, 소비자에 대한 책임, 건전한 이윤 추구, 공익적 가치의 실현 등

(4) **근로자 윤리**: 성실한 업무 수행, 동료와 ❷ [　　] 형성, 근로 계약 준수, 기업가와 협력 추구

답 ❶ 경제적 이윤 ❷ 연대 의식

개념 22 전문직과 공직자의 윤리

(1) 전문직 윤리

• 전문직의 특징: 전문성, ❶ [　　], 자율성
• 전문직 윤리: 높은 수준의 도덕성과 직업 윤리가 요구됨, 전문적 지식과 능력, 기술 등을 사회 발전을 위해 사용하는 책임감을 가져야 함

(2) 공직자 윤리

• 공직자: 국민으로부터 권한을 위임받은 ❷ [　　] 으로서 법에 규정된 공권력을 지님 → 사회와 국가에 대한 영향력이 큼
• 공직자 윤리: 공사(公私)를 구분하여 공익을 우선 실현하기 위해 노력하는 봉공(奉公)과 봉사(奉仕), 공정한 직무 수행, 직무를 통해 부당 이득을 취하지 않는 청렴 정신 등

답 ❶ 독점성 ❷ 대리인

개념 23

부패 방지와 청렴 문화 정착

(1) **부패**: 개인의 이익을 위해 자신의 직위를 이용하는 위법 행위

(2) **청렴**

- 의미: 성품과 품행이 맑으며 탐욕이 없는 것
- 청렴을 강조하는 전통 윤리: ❶ [ ] 정신, 봉공(奉公) 정신, 견리사의(見利思義)

(3) **청렴 문화 정착을 위한 노력**

- 제도적 보완과 ❷ [ ]의 확충을 통한 청렴 문화 정착 노력 필요
- 청렴한 사회를 만들기 위한 제도적 노력: 불공정한 관행이나 불합리한 제도 개선, 내부 고발 제도 확립, 시민 단체 감시 활동, 공직 사회의 자정 노력과 공직 기강 확립 등

답 ❶ 청백리(淸白吏) ❷ 사회적 자본

개념 24

개인 윤리와 사회 윤리

(1) **사회 윤리의 등장 배경**: 개인의 양심이나 도덕성의 회복만으로는 해결하기 어려운 윤리 문제 발생(예 계층 갈등, 빈부 격차, 인종 차별 등)

(2) **개인 윤리와 사회 윤리**

- 문제 원인과 해결책

구분	문제 원인	문제에 대한 해결책
개인 윤리	개인의 도덕성 결핍, 실천 의지의 결여	개인의 도덕적 판단 능력, 실천 의지, 도덕적 습관 함양
사회 윤리	개인보다 ❶ [ ]와 제도의 문제	개인의 도덕성 함양과 더불어 사회의 구조적 모순과 잘못된 제도의 개선

- 개인 윤리와 사회 윤리의 관계: 현대 사회의 윤리 문제를 해결하려면 개인적 차원의 도덕성 함양과 사회적 차원의 구조와 제도의 개선이 함께 필요함

(3) **니부어의 사회 윤리**

- 도덕적 개인도 소속된 사회의 이익을 위해 비도덕적으로 행동하기 쉽다고 봄
- 개인의 도덕적 행위는 집단의 도덕성을 결정하지 못함. 하지만 집단의 구조와 제도는 개인 행위의 도덕성을 결정할 수 있음
- 문제 해결을 위해 정치적 ❷ [ ]에 의한 방법도 병행되어야 한다고 봄

답 ❶ 사회 구조 ❷ 강제력

개념 25

사회 정의의 의미와 종류

(1) **사회 정의의 의미**: 본래 각자의 합당한 ❶ [ ]을 규정하는 것, 사회를 구성하고 유지하는 공정한 도리

(2) **정의에 대한 논의**

소크라테스	질서가 잘 잡힌 영혼이 추구하는 본성
플라톤	지혜, 용기, 절제가 완전한 조화를 이룰 때 나타나는 최고의 덕목
아리스토텔레스	• 각자가 자신의 것을 취하며 법이 정하는 대로 따르는 것 • 일반적(보편적) 정의: 법을 준수함으로써 공익을 실현하는 것 • 부분적(특수적) 정의: 일반적 정의 실현을 위해 돈이나 명예의 분배 상황, 잘못의 교정 상황, 물건의 교환 상황에 적용되는 것

(3) **사회 정의의 종류**

분배적 정의	• 각자가 자신의 몫을 누릴 수 있게 하는 것 • 사회적 · 경제적 가치를 공정하게 분배하여 실현됨
교정적 정의	위법과 불공정함을 바로잡아 ❷ [ ]을 확보하는 것

답 ❶ 몫 ❷ 공정함

개념 26

분배의 다양한 기준과 장단점

기준	장점	단점
절대적 평등	기회와 혜택의 균등 보장	• 생산 의욕과 효율성 저하 • 개인의 ❶ [ ] 약화
필요	• 인간 존엄성 보장 • 사회적 약자의 보호 용이	• 모든 사람의 필요를 충족시키기 어려움 • 경제적 효율성 저하
능력	능력이 뛰어난 사람에게 적절한 보상과 대우를 할 수 있음	• 능력의 획득에 선천적인 요소 개입 • 능력 평가 기준의 모호함
업적	• 객관적 평가와 측정 용이 • 동기 부여와 생산성 향상	• 서로 다른 종류의 업적에 대한 양과 질의 평가가 어려움 • ❷ [ ]를 배려하기 어려움

답 ❶ 책임 의식 ❷ 사회적 약자

개념 27

분배적 정의에 대한 다양한 관점

(1) 아리스토텔레스

- 기하학적 비례의 동등함을 추구함
- 각 사람의 가치에 따라 분배되는 것이 정의롭다고 봄

(2) 마르크스

- 능력에 따라 일하고 ❶ ______ 에 따라 분배해야 한다고 주장함
- 실질적 필요의 충족을 통해 인간다운 삶의 보장 도모

(3) 롤스의 '공정으로서의 정의'

- 무지의 베일을 쓴 원초적 상황

의미	정의의 원칙을 구성하기 위한 공정한 절차로서 제시한 가상적 상황
특징	• 자연적 · 사회적 우연성이 배제된 상황 → 자신의 자연적 · 사회적 조건을 모르기 때문에 자신이 가장 불리한 상황에 놓일 것을 염두에 두고 정의의 원칙에 합의함 • 원초적 상황 속 개인은 타인의 이익에는 무관심하며, 자기 이익에만 관심이 있는 ❷ ______ 인간

- 정의의 두 원칙

제1원칙	평등한 자유의 원칙	모든 사람은 평등한 기본적 자유를 가져야 함
제2원칙	차등의 원칙	사회적 · 경제적 불평등은 최소 수혜자에게 최대 이익이 되도록 편성될 때 정당화됨
	기회균등의 원칙	사회적 · 경제적 불평등의 계기가 되는 직위와 직책은 모든 사람에게 열려 있어야 함

(4) 노직의 '소유 권리로서의 정의'

- 개인은 정당하게 소유한 소유물에 대해 배타적 · 절대적 권리를 지님
- 국가를 포함한 어떤 누구도 개인의 소유권을 침해할 수 없다고 봄 → 복지, 기부 등을 위한 과세는 소유권을 침해하는 부당한 행위로 간주
- 개인의 권리 보호 역할만을 수행하는 ❸ ______ 강조
- 소유 권리의 원칙

취득의 원칙	노동을 통해 정당하게 취득한 재화는 취득한 사람에게 소유 권리가 있음
이전의 원칙	타인에 의해 자유로이 이전받은 재화에 대한 정당한 소유 권리가 있음
교정의 원칙	재화를 취득하고 양도받는 과정에서 과오나 잘못된 절차에 의한 소유가 발생했을 때는 이를 바로잡아야 함

답 ❶ 필요 ❷ 합리적 ❸ 최소 국가

(5) 왈처의 '복합 평등으로서의 정의'

• 다양한 삶의 영역에서 각기 다른 공정한 기준에 따라 사회적 가치가 분배될 때 사회 정의가 실현된다고 봄

• 개인이 속한 공동체의 ❶ [ ] 에 맞는 가치 분배의 기준과 절차에 따라야 함

• 사회적 가치들이 고유한 영역 안에 머무를 때 복합 평등이 실현되어 정의로운 사회가 된다고 주장함 ㉾ 부(富)는 경제 영역에, 권력은 정치 영역에 각각 머무르며 서로의 영역에 침범하거나 장악하지 않아야 정의로움

(6) 분배적 정의와 관련된 윤리적 쟁점: 우대 정책에 대한 논쟁

• 우대 정책: 차별 받아온 사회적 약자에게 직 · 간접적으로 혜택을 제공하여 사회적 이익의 공정한 분배를 실현하려는 제도

• 우대 정책에 대한 찬반 논쟁

찬성 입장	반대 입장
• 보상의 논리: 과거의 부당한 차별에 대한 보상 • 공리주의 논리: 사회 갈등 완화, 사회 전체의 이익 극대화 • 재분배의 논리: 자연적 · 사회적 운으로 발생한 불평등을 시정하여 기회의 평등 보장	• 특정 집단에 대한 부당한 특혜 • 업적주의 위배 • 잘못이 없는 ❷ [ ] 에 대한 보상 책임의 부당성 • 역차별로 새로운 사회 갈등 유발

답 ❶ 문화적 특수성 ❷ 현세대

개념 28 교정적 정의와 윤리적 쟁점

(1) 교정적 정의

• 사람 사이의 동등하지 않은 관계를 바로잡거나 위반 혹은 침해를 일으킨 사람에 대해 형벌을 가하여 ❶ [ ] 을 확보하는 것

• 손실이나 손해를 회복시키거나 범죄 행위에 대해 처벌함으로써 불균형과 부정의를 바로잡는 것

(2) 처벌에 대한 다양한 관점

응보주의	• 처벌의 본질: 범죄 행위에 대한 응당한 보복을 가하는 것 → 범죄 행위에 상응하는 동등한 형벌 부과 • 범죄 예방과 범죄자 교화에 상대적으로 무관심함
공리주의	• 처벌의 본질: 사회적 이익의 증진을 위한 수단 → 처벌의 사회적 효과 강조 • 위법의 이익보다 처벌의 손실이 더 크도록 형벌을 부과함 • 처벌의 ❷ [ ] 의 증명 어려움, 인간 존엄성 훼손 우려

답 ❶ 공정함 ❷ 예방적 효과

(3) 처벌에 대한 칸트와 벤담의 주장

구분	내용
칸트	• 응보주의에 근거하여 형벌이 인간을 수단으로 취급하는 것이 아님을 강조 • 형벌은 범죄자가 스스로 선택한 자율적 행위인 범죄에 대해 ❶ ______ 을 지우게 하는 것
벤담	• 공리주의에 근거하여 범죄의 예방 효과와 교화를 통해 사회적 효용을 최대화할 수 있는 형벌을 강조함 • 형벌로 예방 가능한 해악보다 형벌이 초래할 해악이 크면 안 됨

(4) 사형 제도에 대한 관점

구분	내용
칸트: 응보주의의 관점	• 사람의 목숨을 빼앗은 행위를 한 살인자에게 그 목숨을 빼앗는 사형은 응보적으로 정당하며, 다른 형벌은 정당하지 않음 • 사형은 살인자의 고통 받는 인격을 해방하여 인간의 존엄성을 실현하는 것으로 정당함
루소: 사회 계약설의 관점	• 살인자는 사회 계약을 파괴한 자이므로 공중의 적이며, 그에 대한 사형은 시민의 생명과 안전을 확보하기 위해 정당함 • 자발적 사회 계약에 따라 타인의 희생으로 자신의 생명을 보존하려는 사람은 타인을 위해 필요하다면 마땅히 자신의 생명을 희생해야 함
베카리아: 공리주의의 관점	• 사형보다 종신 노역형이 더 오랜 시간 본보기가 되므로 범죄 예방과 사회 전체 이익 증진에 부합함 • 자신을 죽일 권리는 없으므로 국가나 사회에 양도할 수 없음. 즉 생명의 위임은 사회 계약 내용에 포함될 수 없으므로 ❷ ______ 을 이유로 사형을 정당화할 수 없음

(5) 사형 제도에 대한 찬반 입장

구분	내용
찬성	• 국민의 자유, 재산, 생명, 안전 등을 지키기 위한 사회 방어 수단임 • 범죄 예방 효과가 큼 • 범죄에 대한 비례성의 원칙에 근거할 때 과도한 형벌이 아님 • 과학 수사와 제도 보완으로 오판 가능성을 줄이고 있음
반대	• 인간의 존엄성과 생명권을 침해하는 비인도적 형벌임 • 교화라는 형벌의 목적 자체를 실행할 수 없게 함 • 정적(政敵) 제거 수단으로 악용 가능함 • 범죄 예방 효과가 적음 • 오판 가능성의 존재

답 ❶ 책임 ❷ 사회 계약

개념 29 국가 권위의 정당성에 대한 관점

(1) 유교

- 군주의 통치권은 하늘로부터 주어진 것으로, 군주의 통치는 백성을 위해야 함
- 부모에게 효도하듯 국가에 충성할 의무가 있음

(2) 플라톤

- 개인이 타고난 기능은 국가를 통해 실현될 수 있음
- 이데아를 통찰한 통치자에게 복종하는 것이 정의로움

(3) **아리스토텔레스**: 인간은 본성적으로 ❶ [   ] 존재

(4) **사회 계약론**: 국가의 권위는 시민들의 자발적 합의로 형성된 것임 → 국가를 전제로 할 때 시민의 권리 보호 가능

(5) **공리주의**: 국가의 권위를 따를 때 ❷ [   ]을 실현할 수 있음

답 ❶ 정치적 ❷ 최대 다수의 최대 행복

개념 30 국가에 대한 정치적 의무의 도덕적 근거

(1) **인간의 본성**: 인간의 정치적 본성을 근거로 개인이 국가의 권위를 존중하고 정치적 의무를 져야 한다고 주장함(예 아리스토텔레스)

(2) **동의**: 시민의 자발적 동의와 계약으로 국가가 구성되었으므로 시민은 ❶ [   ]을 준수해야 하는 정치적 의무가 발생함(예 로크)

(3) **공공재와 혜택**: 국가는 공공재를 제공하며, 공동의 이익을 위해 만들어진 각종 제도나 법률, 규칙 등과 같은 관행의 혜택을 제공하므로 시민은 국가의 복종해야 함(예 흄)

(4) **자연적 의무**: 국가는 시민 권리의 보호, 행복의 증진, 공동선과 정의 등 ❷ [   ]의 실현에 기여하므로 시민은 국가에 복종해야 하는 자연적 의무가 발생함

답 ❶ 계약 ❷ 도덕적 선

개념 31 동서양 사상에 나타난 국가의 역할과 의무

(1) 국가의 역할과 의무

- 시민의 자유와 권리, 즉 생명, 재산, 인권 등을 보호해야 함
- 시민의 사회 보장과 복지를 증진해야 함

(2) 동양에서의 국가의 역할과 의무

공자	민본주의를 바탕으로 군주가 먼저 백성들에게 덕을 베풀어야 함
맹자	• 백성들이 도덕적인 삶[恒心(항심)]을 살 수 있도록 경제적으로 안정[恒産(항산)]시켜야 함 • 세금을 가볍게 하고 곤궁한 처지의 백성을 돌보아 민생 문제를 해결해야 함
묵자	서로 차별하지 않고 돌보며 상호 이익을 추구하여 천하가 혼란스럽지 않게 해야 함
한비자	• 이기적 존재인 인간은 엄격한 ❶ ______ 에 따라 통치해야 함 • 적절한 포상과 처벌로 질서를 유지해야 함
정약용	• 분쟁을 현명하게 해결해야 함 • 백성의 건강한 삶을 위한 통치자의 헌신 강조 • 애민(愛民)정신으로 노약자나 빈자(貧者)를 돌보고 구제해야 함

(3) 서양에서의 국가의 역할과 의무

• 국가의 역할과 의무에 대한 관점

소극적 국가관	• 자본주의 초기의 국가관 • 개인의 권리와 자유를 최대한 보장하기 위해 국가의 간섭이나 개입을 최소화해야 한다고 봄 • 시장에 대한 개입 최소화, 국방과 외교 등 질서 유지의 역할에만 집중할 것 강조 • 문제점: 심각한 빈부 격차 초래, 시민의 최소한의 인간다운 삶 영위 불가능 등
적극적 국가관	• 국가의 능동적 역할 강조 → 시민의 기본 욕구를 충족시키고 의료, 주택, 교육 등의 영역에서 복지를 제공하여 소극적 국가관의 한계를 극복하고자 함 • 문제점: 국가 개입의 확대로 국가 기능의 비대화와 비효율성, 복지 과잉으로 인한 도덕적 해이 현상 등 초래

• 국가의 역할과 의무에 대한 서양 사상가들의 관점

홉스	만인의 만인에 대한 투쟁 상태인 자연 상태에서 벗어나기 위해 사회 계약을 함 → 국가는 시민의 생명과 재산을 보호하고 사회 질서를 유지해야 함
로크	• 자연 상태에서 해결하기 힘든 ❷ ______ 을 해결하려고 공정한 재판관이자 집행관으로서 국가를 만듦 → 오류 가능성이 있는 인간의 분쟁을 해결해야 함 • 시민의 생명과 자유, 재산을 보호해야 함
루소	선한 본성을 지닌 개인의 생명을 보존하고 번영할 수 있도록 해야 함
밀	시민이 타인에게 해악을 끼칠 경우 외에는 시민의 자유와 기본권을 보장해야 함
롤스	평등한 자유의 원칙, 차등의 원칙, 기회균등의 원칙이 지켜질 수 있도록 해야 함

답 ❶ 법 ❷ 분쟁

개념 32 시민 불복종

(1) 시민 불복종의 의미와 특징

의미	부정의한 법을 개정하거나 정책을 변혁하려는 목적으로 행하는 의도적 위법 행위
특징	부정의한 법이나 정책을 공개적이고 의식적으로 위반함

(2) 시민 불복종에 대한 다양한 관점

소로	• 법보다 ❶ [ ]에 대한 존경심이 중요함 • 악법에 대한 불복종은 도덕적이고 정의로운 행동 • 양심에 따라 부정의에 대해 즉각 적극적으로 불복종해야 함
간디	• 부당한 법에 대한 불복종은 정당함 • 비폭력적이고 평화적인 방법을 사용해야 함
롤스	• 사회적 다수에 의해 공유된 ❷ [ ]이 불복종의 기준 • 거의 정의로운 사회에서 부정의한 법과 정책의 변화를 위해 전개되어야 함 • 부정의가 지나치지만 않으면 부정의한 법도 구속력이 있음을 인정해야 함
싱어	• 시민 불복종이 산출할 이익과 손해를 계산해야 함 • 불복종 행위의 성공 가능성을 고려해야 함
드워킨	헌법 정신에 반하는 법률에 대해서 시민은 저항할 수 있음

(3) 시민 불복종의 정당화 조건

• 합법적 방법이 더 이상 효과 없을 때 고려하는 최후의 수단이어야 함
• 비폭력적 방법을 사용해야 함
• 사회 정의 실현과 같은 공익을 목적으로 해야 함
• 공개적으로 이루어져야 함
• 위법 행위에 대한 처벌을 ❸ [ ]해야 함

(4) 시민 불복종의 한계

• 시민 불복종은 법을 어기는 행위 → 준법 의식의 약화, 국가와 사회 존립 위협 가능
• 시민 불복종의 주체인 일부 시민이 전체 시민의 의사를 대표하지 못할 수도 있음
• 불복종 과정에서 무고한 시민이 피해를 입을 수 있음

답 ❶ 정의 ❷ 정의관 ❸ 감수

수능전략 | 생활과 윤리

수능에 꼭 나오는

필수 유형 ZIP 1

실 전 에 강 한

수능전략

사탐 영역 **생활과 윤리**

수능에 꼭 나오는

필수 유형 ZIP 2

천재교육

수능전략

사·회·탐·구·영·역

생활과 윤리

수능에 꼭 나오는

필수 유형 ZIP 2

차례 ❷권

필수 유형

수능에 꼭 나오는
필수 유형 ZIP

필수 유형

01 과학 기술의 가치 중립성 논쟁

문제 해결 전략

기술은 선도 악도 아닌 공허한 힘일 뿐이라는 내용을 통해 야스퍼스임을, 기술에 속박되어 있으며 중립적으로 여기면 위험해질 수도 있다는 내용을 통해 하이데거임을 파악할 수 있다. 두 입장 간 공통점과 차이점을 묻는 문제가 출제된다.

필수 유형

서양 사상가 갑, 을의 입장으로 적절한 것만을 〈보기〉에서 고른 것은?

기술이 선도 아니고 악도 아닌 ❶ [ ] 도구일 뿐이라고 본 점에서 야스퍼스이다.

기술을 중립적인 것으로 볼 때 기술에 무방비 상태로 내맡겨질 수 있다고 본 점에서 하이데거이다.

필수 자료 해석

야스퍼스는 기술은 그저 수단일 뿐이며, 기술의 선악은 인간이 기술을 어떻게 ❷ [ ] 하는지, 기술로부터 어떤 것을 만들어 내는지에 달려 있다고 보았다. 하이데거는 기술은 가치 중립적 도구가 아닌 숨겨진 존재의 모습을 드러내 주는 수단이며, 기술을 중립적인 것으로 볼 때 인간이 기술에 ❸ [ ] 될 수 있다고 지적하면서 기술에 대한 윤리적 ❹ [ ] 이 필요하다고 보았다.

답 ❶ 가치 중립적 ❷ 활용 ❸ 종속 ❹ 성찰

필수 선택지

위 지문을 보고 옳으면 ○표, 틀리면 ×표를 하고 그 까닭을 쓰시오.

① 갑은 기술 그 자체는 가치 평가의 대상이 아니라고 본다. ( )

② 갑은 기술의 활용 결과는 가치 평가의 대상이 아니라고 본다. ( )

③ 갑은 기술은 가치 중립적 도구이며 공허한 힘일 뿐이라고 본다. ( )

④ 을은 인간이 어디서나 부자유스럽게 기술에 붙들려 있다고 본다. ( )

⑤ 을은 기술에 대해 무관심할 때 기술로부터 자유로워진다고 본다. ( )

답 ① ○ ② ×(결과는 평가의 대상이 됨) ③ ○ ④ ○ ⑤ ×(기술에 종속당할 수 있음)

필수 유형

02 과학 기술자의 책임 논쟁

문제 해결 전략

과학자가 과학 기술 활용에 대하여 책임을 져야 한다고 보는 입장, 과학 기술의 연구 개발 과정에서의 윤리만을 지키면 된다고 보는 입장임을 각각 파악할 수 있다. 과학자의 내적 책임만을 인정하는 입장과 과학자의 내적, 외적 책임을 모두 인정하는 입장을 비교하는 문제가 종종 출제된다.

필수 유형

갑, 을의 입장으로 적절한 내용을 〈보기〉에서 고른 것은?

갑 : 과학자의 연구는 사회에 영향을 미치므로 과학자는 과학 기술 활용에 대해 관심을 가져야 합니다. 따라서 과학 기술이 환경에 악영향을 끼친다면, 과학자는 과학 기술이 환경에 끼칠 위험성을 경고하고 기술적 조언을 제공해야 합니다.

→ 과학자가 과학 기술이 환경에 미치는 영향을 고려해야 한다고 본 점에서 과학자의 ❶ [ ] 책임을 강조하는 입장이다.

을 : 환경의 훼손은 과학 기술 활용의 결과이지 과학 기술 자체의 문제는 아닙니다. 과학 기술 활용의 결과는 과학자의 몫이 아니므로 과학자가 지켜야 할 의무는 연구 과정에서 과학적 지식의 진위를 객관적으로 판단하는 것에 국한되어야 합니다.

→ 과학자의 의무를 연구 과정에서의 객관적 판단으로 국한한 점에서 과학자의 ❷ [ ] 책임을 강조하는 입장이다.

필수 자료 해석

과학 기술자의 책임은 내적 책임과 외적 책임으로 구분할 수 있다. 내적 책임은 연구 과정에서 ❸ [ ] 원칙을 지키고 비윤리적 행위를 해서는 안 된다는 것이며, 외적 책임은 자신의 연구 결과가 사회에 미칠 영향에 대해 책임져야 한다는 것으로 ❹ [ ] 책임이라고도 한다.

답 ❶ 외적 ❷ 내적 ❸ 윤리적 ❹ 사회적

필수 선택지

위 지문을 보고 옳으면 ○표, 틀리면 ×표를 하고 그 까닭을 쓰시오.

① 갑은 과학 기술의 부작용을 사회에 알려야 한다고 본다. (   )

② 갑은 과학 기술자의 책임은 내적 책임에만 국한되어야 한다고 본다. (   )

③ 갑은 과학 기술자가 과학 기술의 위험성에 대해 경고하되 조언을 제공할 필요는 없다고 본다. (   )

④ 을은 과학 기술자의 폭넓은 사회적 책임을 강조한다. (   )

⑤ 을은 과학 기술자가 연구 과정에서 위조, 변조, 조작 등 비윤리적 행위를 해서는 안 된다고 본다. (   )

⑥ 갑은 을과 달리 과학 기술자가 인류 복지 증진 기여 등의 책임을 져야 한다고 본다. (   )

⑦ 을은 갑과 달리 과학 기술자는 사회적 책임으로부터 자유로울 수 있다고 본다. (   )

답 ① ○ ② ×(을의 입장) ③ ×(조언까지 요구함) ④ ×(갑의 입장) ⑤ ○ ⑥ ○ ⑦ ○

필수 유형

03 요나스의 책임 윤리

문제 해결 전략

'윤리의 토대에 대한 사고의 전환', '미래 세대의 권리', '정언적 책임' 등의 내용을 통해 요나스의 주장임을 파악할 수 있다. 새로운 과학 기술 시대의 새로운 윤리학의 요청을 강조한 요나스의 입장을 묻는 문제는 자주 출제되고 있다.

필수 유형

다음 사상가가 부정의 대답을 할 질문으로 옳은 것은?

윤리의 토대에 대한 우리의 사고 전환이 필요하다. 아직 존재하지 않지만 실존할 것으로 기대되는 미래 세대의 권리는 우리에게 응답의 의무를 부과한다는 점을 수용해야 한다. 이런 의무는 우리에게 그들에 대한 정언적 책임을 요청한다. 또한 우리는 목적 자체로 인정하는 영역을 인간을 넘어서까지 확장해야 하며, 이들에 대한 염려를 가지고 있는 선(善) 개념에 포함시켜야 한다.

현세대는 미래 세대의 존재를 보장하고 인류 ❶ [ ]에 대한 책임을 져야 한다고 본 점을 통해 ❷ [ ] 윤리를 제시한 요나스이다.

필수 자료 해석

요나스는 미래 세대의 생존과 삶의 질 향상을 위해 현세대가 ❸ [ ] 책임져야 한다고 주장하였다. 그래서 칸트의 인간 중심적 ❹ [ ]을 생태학적 ❹ [ ]으로 변형하여 "너의 행위의 결과가 미래에 지구상에서 인간이 살아갈 수 있는 가능성을 파괴하지 않도록 행위하라."라고 주장하였다.

답 ❶ 존속 ❷ 책임 ❸ 일방적으로 ❹ 정언 명령

필수 선택지

위 지문을 보고 옳으면 ○표, 틀리면 ×표를 하고 그 까닭을 쓰시오.

① 인간은 책임질 수 있는 유일한 존재이다. ( )

② 책임질 수 있는 능력은 책임져야 하는 당위로 연결된다. ( )

③ 인류의 지속적 존속을 무조건적 명령으로 인식해야 한다. ( )

④ 현세대와 미래 세대의 상호 협조가 책임 윤리의 전제 조건이다. ( )

⑤ 인간에 대한 책임과 다른 존재에 대한 책임은 양립 불가능하다. ( )

⑥ 미리 사유된 위험으로부터 새로운 윤리의 토대를 마련해야 한다. ( )

⑦ 현세대의 번영만이 미래 세대의 생존과 삶의 질을 보장하는 선결 조건이다. ( )

⑧ 인간과 자연의 상호 작용과 호혜적 책임만으로 환경 문제를 극복할 수 있다. ( )

답 ① ○ ② ○ ③ ○ ④ ×(현세대의 일방적 책임) ⑤ ×(양립 가능함) ⑥ ○ ⑦ ×(현세대의 번영을 강조하지 않음) ⑧ ×(자연은 책임질 수 있는 존재가 아님)

필수 유형

04 저작권 보호와 정보 공유론

문제 해결 전략

인류의 공동 자산이라는 표현을 통해 정보 공유론의 입장임을, 지식 생산에 대한 경제적 보상이라는 표현을 통해 정보 사유론 혹은 저작권 보호를 강조하는 입장임을 알 수 있다. 정보 공유론과 정보 사유론의 공통점과 차이점을 파악하는 문제, 그리고 절충안도 함께 제시하여 서로 비교하는 문제가 자주 출제된다.

필수 유형

→ 정보는 인류가 함께 이룩한 ❶ [ ]의 지적 자산이므로 사유될 수 없다고 보는 점에서 정보 공유론이다.

갑, 을의 입장을 〈보기〉에서 고른 것은?

갑 : 지적 창작물은 어느 누구의 소유물이 될 수 없다. 정보는 창의적인 아이디어가 끊임없이 부가되어 발전하는 것이다. 인류의 공동 자산인 정보는 모든 사람들이 자유롭게 사용할 수 있어야 한다.

을 : 지식 생산에 대한 경제적 보상을 통해 창작 의욕을 높일 필요가 있다. 저작자는 지식 재산권을 소유하면서도, 다른 사람과 함께 사용하기를 원하는 창작물에 대하여 저작자 표시 등의 조건 하에 누구나 활용하게 할 수 있다.

→ 창작자 개인의 ❷ [ ] 소유를 인정하면서도 정보 공유가 가능하다고 보는 절충적 입장이다.

필수 자료 해석

저작권 보호를 주장하는 입장에서는 정보 생산에 필요한 시간과 노력, 비용 등에 대해 정당한 대가를 지불하고, ❸ [ ]을 보장함으로써 창작 의욕을 고취할 수 있다고 주장한다. 반면, 정보 공유를 주장하는 입장에서는 모든 저작물은 인류 공동의 자산인 ❹ [ ]이므로 공익을 위해 사용되어야 한다고 주장한다. 이 두 입장을 절충하여 정보 사유는 인정하되, 부분적으로 정보 공유와 활용이 가능하게 해야 한다고 보는 입장도 있다.

답 ❶ 공동 ❷ 지식 재산권(지적 재산권) ❸ 경제적 이익 ❹ 공공재

필수 선택지

위 지문을 보고 옳으면 ○표, 틀리면 ×표를 하고 그 까닭을 쓰시오.

① 갑은 정보를 공공재나 공유재로 인식해야 한다고 본다. ( )
② 갑은 정보는 공유할수록 정보의 질이 하락한다고 본다. ( )
③ 을은 창작자의 창작 의욕을 고취시킬 필요가 있다고 본다. ( )
④ 을은 정보 사유와 정보 공유가 양립할 수는 없다고 본다. ( )
⑤ 을은 정보 창작자에게 대가나 보상이 필요하지 않다고 본다. ( )
⑥ 갑은 을과 달리 지적 창작물이 개인의 소유물이 될 수 없다고 본다. ( )
⑦ 을은 정보 창작자의 지식 재산권을 침해하지 말아야 한다고 본다. ( )
⑧ 을은 창작자의 허락 없이 자유로운 정보 공유가 가능하다고 본다. ( )

답 ① ○ ② ×(하락하지 않는다고 봄) ③ ○ ④ ×(양립 가능) ⑤ ×(경제적 보상이 필요하다고 봄) ⑥ ○ ⑦ ○ ⑧ ×(허락이나 동의, 저작자 표시가 필요하다고 봄)

필수 유형

05 잊힐 권리와 알 권리 논쟁

문제 해결 전략

자신이 원하지 않는 정보를 삭제할 수 있는 권리를 강조한 갑, 사람들이 알아야 할 정보라면 삭제를 금지해야 한다는 을의 입장 차이를 파악할 수 있다. 잊힐 권리와 알 권리를 둘러싼 논쟁은 각 주장의 근거를 비교하는 문제, 구체적 상황을 분석하는 문제 등으로 종종 출제된다.

필수 유형

갑, 을의 입장에 대한 옳은 설명을 〈보기〉에서 고른 것은?

갑 : 장발장은 전과자 신분을 숨기고 시장이 되었어. 하지만 정보 사회에서는 사람들이 잊거나 지우고 싶은 정보가 인터넷에 남아 있어서 타인이 볼 수 있지. 따라서 자신이 원하지 않는 정보를 삭제할 수 있는 '잊힐 권리'를 보장해야 해.

을 : 장발장이 아무리 시민을 위해 봉사했다 하더라도 그를 시장으로 뽑을 때 사람들이 그의 과거를 알아야만 했다고 봐. 정보 사회에서는 누구나 그러한 정보에 접근할 수 있어야지. 사람들이 알아야 할 정보라면 삭제를 금지해야 해.

갑은 당사자가 원하지 않는 정보를 삭제할 수 있거나 ❶ [   ]를 요청할 수 있는 권리인 '잊힐 권리'를, 을은 ❷ [   ]과 같은 특별한 목적과 관련하여 시민들이 알아야 할 정보라면 삭제하지 않고 유지하여 시민들의 '알 권리'를 보장할 것을 강조한다.

필수 자료 해석

정보의 유통 과정 전체에서 개인이 자기 정보를 결정하고 통제하는 권한을 가져야 한다는 정보 자기 결정권을 강조하는 방향으로 논의가 전개되면서 ❸ [   ]가 강조되고 있다. ❸ [   ]는 자신이 원하지 않는 민감한 정보가 사람들에게 공개되지 않도록 정보를 통제할 수 있는 권리이다. 하지만 공익과 관련해서는 시민의 ❹ [   ] 보장을 위해 이를 제한할 수 있다는 주장도 제기된다.

답 ❶ 삭제 ❷ 공익 ❸ 잊힐 권리 ❹ 알 권리

필수 선택지

위 지문을 보고 옳으면 ○표, 틀리면 ×표를 하고 그 까닭을 쓰시오.

① 갑은 잊힐 권리의 보장이 알 권리 침해로 이어진다고 본다. (   )

② 갑은 개인의 인격권 보장과 사생활의 가치가 중요하다고 본다. (   )

③ 을은 사생활 보호가 공익을 위해 제한될 수 있다고 본다. (   )

④ 을은 공인(公人)의 과거 행적을 시민들이 알아야 한다고 본다. (   )

⑤ 갑은 을에 비해 시민들의 올바른 판단을 돕기 위해 다양한 정보에 대한 접근이 용이해야 한다고 본다. (   )

⑥ 갑, 을은 자기 정보에 대한 배타적 관리권이 절대적임을 강조한다. (   )

답 ① ×(을의 입장임) ② ○ ③ ○ ④ ○ ⑤ ×(을이 더 강조할 내용임) ⑥ ×(을의 입장이 아님)

필수 유형

06 표현의 자유와 익명성 문제

문제 해결 전략

표현의 자유 보장과 익명성 보장을 강조한 갑, 익명성으로 인한 무책임한 언행의 문제를 지적한 을의 입장을 각각 파악할 수 있다. 표현의 자유에 근거하여 익명성의 보장을 강조하는 입장과 표현의 자유에 일정한 제약이 필요하므로 실명제 도입을 강조하는 입장 등 다양한 입장을 비교하는 문제가 종종 출제된다.

필수 유형

갑이 을에게 제기할 반론으로 가장 적절한 것은?

갑 : 디지털 익명성은 사람들이 자유롭게 자신의 삶을 계획하고 실현하는 데 매우 중요하기 때문에 일종의 선이라 할 수 있어. 사이버 공간에서 표현의 자유가 정당하게 행사되려면 익명성이 보장되어야 해.

→ 디지털 익명성이 사람들에게 ❶ [ ]로운 삶과 계획적인 삶을 영위하는 데 기여한다고 본다.

을 : 디지털 익명성은 사회에 해악을 끼치기 때문에 일종의 악이라 할 수 있어. 사이버 공간에서 익명의 표현은 범죄에 이용되거나 사회적 신뢰와 질서를 해치는 무책임한 행동을 일으키므로 금지되어야 해.

→ 디지털 익명성이 ❷ [ ]에 이용되거나 무책임한 행동으로 이어진다고 본다.

필수 자료 해석

표현의 자유를 강조하여 디지털 익명성을 주장하는 입장에서는 표현의 자유가 자아실현의 토대가 되고 인간 존엄성 실현의 바탕이 되기 때문에 타인의 인권을 침해하지 않고 ❸ [ ]를 어지럽히지 않는 범위 내에서 표현의 자유를 허용해야 한다고 본다. 하지만 이러한 표현의 자유를 지나치게 강조할 경우 타인의 ❹ [ ]을 침해하거나 사이버 폭력, 범죄 등에 악용될 수 있으므로 디지털 익명성을 제한해야 한다는 주장도 제기된다.

답 ❶ 자유 ❷ 범죄 ❸ 사회 질서 ❹ 인격권

필수 선택지

위 지문을 보고 옳으면 ○표, 틀리면 ×표를 하고 그 까닭을 쓰시오.

① 갑은 익명성은 그 자체로 가치 중립적이라고 본다. ( )

② 갑은 사이버 폭력의 증가가 디지털 익명성에 기인한다고 본다. ( )

③ 갑은 사이버 공간의 익명성 규제가 기본권을 훼손할 수 있다고 본다. ( )

④ 을은 익명성으로 인한 피해와 해악을 강조한다. ( )

⑤ 을은 디지털 익명성을 사회적 선으로 인정한다. ( )

⑥ 갑은 을과 달리 사이버 공간의 실명 공개가 표현의 책임성을 강화한다고 본다. ( )

⑦ 갑, 을은 익명성 보장이 사회 구성원들 간의 불신을 조장한다고 본다. ( )

답 ① ×(선(善)으로 봄) ② ×(갑이 아니라 을의 입장에 가까움) ③ ○ ④ ○ ⑤ ×(갑의 입장임) ⑥ ×(을의 입장임) ⑦ ×(갑의 입장이 아님)

필수 유형

07 미디어 리터러시

문제 해결 전략

관련 정보를 올바르게 판단하여 이용할 수 있는 능력이라는 표현을 통해 미디어 리터러시 관련 문제임을 파악할 수 있다. 뉴 미디어 시대에 미디어 리터러시를 갖추어야 한다는 내용이나 정보 격차에 대한 다양한 입장 등을 다루는 문제가 편지, 강연자, 토론 등 다양한 형식으로 종종 출제되고 있다.

필수 유형

다음 가상 편지의 입장으로 가장 적절한 것은?

○○에게

요즘 정보 탐색과 의견 공유를 위해 다양한 뉴 미디어를 이용하고 있더구나. 하지만 뉴 미디어 이용의 증가로 거짓 정보의 생산도 더불어 증가하고 있으니 뉴 미디어 내 정보를 제대로 판단하여 이용해야 한단다. 물론 거짓 정보를 줄이기 위한 기술적·제도적 장치도 마련되어 있으나, 정보를 소비하고 생산하는 주체인 뉴 미디어 이용자들이 비판적 이해력을 지니지 않는다면 거짓 정보의 생산을 막는 데에는 한계가 있단다. 따라서 너도 뉴 미디어 내 정보를 무조건 수용하기보다는 관련 정보를 올바르게 판단하여 이용할 수 있는 능력을 지니기 위해 노력하기 바란다.

→ 정보에 대한 올바른 판단 및 이용 능력, 즉 ❶ [ ] 를 길러 나가는 것이 더 중요하다고 강조하고 있다.

필수 자료 해석

정보 사회에서 매체의 내용을 ❷ [ ] 으로 해석하고 제대로 사용하고 바람직하게 표현하는 능력을 미디어 리터러시라고 한다. 이를 함양하려면 매체가 제공하는 정보를 제대로 평가할 수 있는 ❸ [ ] 능력과 자기 목적에 맞게 정보를 ❹ [ ] 하는 능력을 길러야 한다.

답 ❶ 미디어 리터러시 ❷ 비판적 ❸ 비판적 사고 ❹ 재조합

필수 선택지

위 지문을 보고 옳으면 ○표, 틀리면 ×표를 하고 그 까닭을 쓰시오.

① 최근 거짓 정보의 생산이 증가하고 있다. (　　　)

② 개인이 미디어 리터러시를 갖출 필요가 있다. (　　　)

③ 정보를 이해, 판단, 활용하는 능력을 길러야 한다. (　　　)

④ 뉴 미디어의 발달로 거짓 정보의 생산과 유통이 차단되었다. (　　　)

⑤ 뉴 미디어의 확산으로 정보 생산자와 소비자의 구분이 이전보다 명확해졌다. (　　　)

답 ① ○ ② ○ ③ ○ ④ ×(거짓 정보의 생산과 유통이 증가함) ⑤ ×(불명확해짐)

필수 유형

08 인간 중심주의

문제 해결 전략

동물은 인간을 위해 존재하고 인간의 선을 위한 동물의 이용이 신의 명령과도 부합한다는 내용을 통해 을이 인간 중심주의자인 아퀴나스임을 파악할 수 있다. 인간 중심주의 입장의 주요 특징이나 각 사상가별 주장의 특징을 파악하는 문제, 동물·생명·생태 중심주의와 비교하여 찾는 문제, 서로에게 제기할 비판을 파악하는 문제 등 다양한 조합과 형태로 매 시험 빠지지 않고 출제된다.

필수 유형

(가)의 사상가 갑, 을, 병의 입장을 (나) 그림으로 탐구할 때, A~D에 해당하는 질문으로 옳지 않은 것은?

갑 : 유엔의 '인권 선언'이 세계인의 인권 증진에 기여했듯이, 자연의 본래적 가치를 강조한 '지구 헌장'에 근거하여 환경 보전에 힘써야 한다. ▶생태 중심주의자의 주장이다.

을 : 동물의 선을 위해 식물을 이용하거나 인간의 선을 위해 동물을 이용하는 것은 모두 적법하고 옳다. 이는 신의 명령과도 부합한다.

병 : 살아 있는 모든 존재는 자기 보존과 행복을 향해 움직인다. 우리에게 도덕적 관심을 갖게 만드는 것은 유기체가 지닌 자연적인 목적 추구 능력이다.

▶인간의 선을 위해 식물이나 동물을 이용하는 것은 옳으며, 신의 명령에도 부합한다고 보는 점에서 아퀴나스의 주장이다.

▶생명 중심주의자 테일러의 주장이다.

필수 자료 해석

인간 중심주의는 인간만이 도덕적 지위를 지니며, 인간 이외의 존재는 인간 목적을 이루기 위한 ❶ (　　)이며, 인간의 이익에 이바지하는 한에서 가치를 가진다고 본다. 베이컨은 자연을 인류 복지를 위한 수단으로 보아 자연에 관한 ❷ (　　)의 활용을 강조하였다. 데카르트는 자연을 단순한 물질이나 ❸ (　　)로 간주하였다. 칸트는 이성적 존재인 인간만이 자율적으로 행동하는 도덕적 주체가 될 수 있으며, 자연이 인간의 도덕적 ❹ (　　) 증진에 이바지하므로 자연을 함부로 대해서는 안 된다고 주장하였다.

답 ❶ 수단 ❷ 지식 ❸ 기계 ❹ 감수성

필수 선택지

위 지문을 보고 옳으면 ○표, 틀리면 ×표를 하고 그 까닭을 쓰시오.

① 을은 생태계가 그 자체로 가치를 지닌다고 본다. (　　)

② 을은 자연이 인간과 동등한 관계를 맺어야 한다고 본다. (　　)

③ 을은 인간은 자연의 주인이자 정복자일 수 있다고 본다. (　　)

④ 을은 동물이 이성적 존재의 목적을 위해 존재한다고 본다. (　　)

답 ① ×(인간만이 그 자체로 가치를 지님) ② ×(동등한 관계로 보지 않음) ③ ○ ④ ○

필수 유형

09 동물 중심주의

문제 해결 전략

갑은 평등의 원리, 쾌고 감수 능력 등의 표현을 통해 싱어임을, 을은 삶의 주체, 도덕적 권리 등의 표현을 통해 레건임을 파악할 수 있다. 동물 중심주의 입장의 주요 특징이나 싱어, 레건 등 각 사상가별 주장의 특징을 파악하는 문제, 인간·생명·생태 중심주의와 비교하는 문제, 서로에게 제기할 비판을 파악하는 문제 등 다양한 조합과 형태로 매 시험 빠지지 않고 출제된다.

필수 유형

(가)의 갑, 을, 병 사상가들의 입장에서 서로에게 제기할 수 있는 비판을 (나) 그림으로 표현할 때, A~F에 해당하는 내용으로 가장 적절한 것은?

갑 : 평등의 원리는 한 존재의 고통과 다른 존재의 동일한 고통을 똑같이 취급할 것을 요구한다. 쾌고 감수 능력은 이익 관심을 갖기 위한 유일한 기준이다.

→ 쾌고 감수 능력이 어떤 존재가 이익 관심을 갖기 위한 ❶ [ ] 조건이라고 본 점에서 싱어이다.

을 : 일부 동물들은 삶의 주체로서 도덕적 권리를 갖는다. 이러한 권리를 가진 개체들은 다른 것들의 이익을 위해 의도적으로 해를 입어서는 안 된다.

→ 일부 포유동물이 자기 삶을 영위할 수 있는 ❷ [ ] 로서 도덕적 권리를 갖는다고 본 점에서 레건이다.

병 : 동물에 대한 감사는 직접적으로 볼 때 인간 자신에 대한 의무이다. 동물 학대는 타인과의 관계에서 도덕성에 이로운 자연적 소질을 약화시킬 수 있다.

→ 동물을 학대하지 않을 의무가 동물에 대한 직접적 의무가 아니라 인간에게 해를 입히지 않기 위한 간접적 의무라고 본 점에서 칸트이다.

필수 자료 해석

동물 중심주의는 도덕적 고려의 범위를 인간과 동물에까지 확대해야 한다고 본다. 싱어는 쾌고 감수 능력을 지닌 동물도 도덕적 고려의 대상이라고 주장하며, 이익 평등 고려의 원칙에 기초하여 동물의 고통을 무시하는 행위는 일종의 ❸ [ ] 라고 비판하였다. 레건은 일부 포유동물은 도덕적 무능력자이지만 자기 삶의 주체로서 내재적 가치를 지니므로 도덕적 지위를 가진 이들을 ❹ [ ] 으로 대우해야 한다고 주장하였다.

답 ❶ 필요충분 ❷ 삶의 주체 ❸ 종 차별주의 ❹ 목적

필수 선택지

위 지문을 보고 옳으면 ○표, 틀리면 ×표를 하고 그 까닭을 쓰시오.

① 갑은 인간만이 도덕적 고려의 대상은 아니라고 본다. ( )

② 갑은 인간과 동물의 이익 관심은 차이가 없다고 본다. ( )

③ 갑은 언어의 유무가 도덕적 고려를 위한 중요한 기준이 된다고 본다. ( )

④ 을은 인간 이외의 일부 유정물도 목적으로 대우해야 한다고 본다. ( )

⑤ 을은 도덕적 행위 능력과 무관하게 삶의 주체가 될 수 있다고 본다. ( )

답 ① ○ ② ×(인간과 동물의 이익 관심에는 차이가 있음) ③ ×(쾌고 감수 능력임) ④ ○ ⑤ ○

필수 유형

10 생명 중심주의

문제 해결 전략

모든 생명체가 고유의 선을 갖는다는 내용을 통해 갑이 테일러임을 파악할 수 있다. 생명 중심주의 입장의 주요 특징이나 테일러, 슈바이처 등 각 사상가별 주장의 특징을 파악하는 문제, 인간·동물·생태 중심주의와 비교하는 문제, 서로에게 제기할 비판을 파악하는 문제 등 다양한 조합과 형태로 매 시험 빠지지 않고 출제된다.

필수 유형

(가)의 갑, 을, 병 사상가들의 입장에서 서로에게 제기할 수 있는 비판을 (나) 그림으로 표현할 때, A~F에 해당하는 내용으로 가장 적절한 것은?

갑 : 모든 생명체는 고유의 선을 실현하기 위해 움직인다. 우리에게 도덕적 관심을 갖게 하는 것은 유기체가 지닌 목적 추구 능력이다.

을 : 자연 중에 생명은 없지만 아름다운 것을 파괴하거나 동물을 잔인하게 다루는 것은 인간의 자기 자신에 대한 의무에 어긋난다.

병 : 쾌고 감수 능력을 지닌 모든 존재는 자신의 이익 관심을 갖는다. 이러한 존재들을 차별할 수 있다고 생각하는 것은 인간의 편견에 불과하다.

→ 자연 훼손, 동물 학대 금지를 간접적 의무라고 본 칸트이다.

→ 모든 생명체는 자기 ❶ [　　] 추구 능력을 가진 점에서 도덕적 고려의 대상이라고 본 테일러이다.

→ 쾌고 감수 능력을 지닌 존재의 이익을 평등하게 고려해야 한다고 본 싱어이다.

필수 자료 해석

생명 중심주의는 도덕적 고려의 범위를 모든 생명체로 확대해야 한다고 본다. 테일러는 모든 생명체는 고유한 방식의 목적을 지향하는 존재이므로 목적론적 삶의 중심이며, 이들은 ❷ [　　]의 유무나 유용성에 무관하게 고유한 선을 지니므로 도덕적 고려의 대상이라고 주장하였다. 생명 ❸ [　　] 사상을 제시한 슈바이처는 모든 생명은 동등한 가치를 지니지만 불가피하게 생명을 해쳐야 할 선택의 상황이 있음을 인정하고 그 선택에 도덕적 ❹ [　　]을 느껴야 한다고 주장하였다.

답 ❶ 목적 ❷ 의식 ❸ 외경(畏敬) ❹ 책임

필수 선택지

위 지문을 보고 옳으면 ○표, 틀리면 ×표를 하고 그 까닭을 쓰시오.

① 갑은 생명체가 고유의 선, 내재적 가치를 지닌다고 본다. (　　)

② 갑은 유기체가 일관성을 가지고 목적을 추구한다고 본다. (　　)

③ 갑은 인간이 생명체보다 근본적으로 우월한 존재라고 본다. (　　)

④ 갑은 지각과 의식이 없어도 내재적 가치를 지닐 수 있다고 본다. (　　)

⑤ 갑은 생명체를 존중해야 하지만 생태계를 보호할 필요는 없다고 본다. (　　)

⑥ 갑은 생명체의 내재적 가치를 인정하고 자연을 존중해야 한다고 본다. (　　)

답 ① ○ ② ○ ③ ×(우월하지 않다고 봄) ④ ○ ⑤ ×(생태계 보호도 주장함) ⑥ ○

필수 유형

11 생태 중심주의

문제 해결 전략

대지 윤리와 생명 공동체의 표현을 통해 병이 레오폴드임을 파악할 수 있다. 생태 중심주의 입장의 주요 특징이나 레오폴드 등 각 사상가의 주장별 특징을 파악하는 문제, 인간·동물·생명 중심주의와 비교하는 문제, 서로에게 제기할 비판을 파악하는 문제 등 다양한 조합과 형태로 매 시험 빠지지 않고 출제된다.

필수 유형

(가)의 갑, 을, 병 사상가들의 입장을 (나) 그림으로 표현할 때, A~D에 해당하는 적절한 진술만을 〈보기〉에서 있는 대로 고른 것은?

→ 동물에 대한 학대가 인간의 의무에 위배된다고 본 칸트이다.

갑 : 동물에 대한 잔인한 학대는 인간 자신의 의무에 반한다. 동물의 고통에 대한 공감이 둔화되어 타인과의 관계에서의 도덕성에 이로운 자연적 소질이 사라지기 때문이다.

모든 생명체는 고유한 방식의 목적을 지향하는 존재라고 본 테일러이다.

을 : 인간은 자신을 공격하는 동물을 죽일 수 있다. 그러나 모든 생명체는 목적론적 삶의 중심이므로 이러한 행동은 정당방위처럼 최후의 수단이어야 한다.

병 : 생명 공동체가 살아남으려면 대지 윤리 외에 다른 길이 없다. 대지는 토양, 식물 및 동물이라는 회로를 통해 흐르는 에너지가 솟아나는 샘이다.

→ 생명 공동체의 범위를 토양, 물, 동식물 등을 포함한 ❶ [ ] 까지 확대하는 ❶ [ ] 윤리를 주장한 점에서 레오폴드이다.

필수 자료 해석

생태 중심주의는 인간·동물·생명 중심주의가 각 개체에 대한 존중을 강조하는 점을 비판하고, 무생물을 포함한 생태계 전체를 도덕적 고려의 대상으로 보아야 한다는 ❷ [ ] 적 입장을 가진다. 레오폴드의 대지 윤리에 따르면, 인간은 대지의 한 ❸ [ ] 일 뿐이며, 자연은 인간의 이해와 상관없이 가치를 지니므로 자연 전체가 도덕적 고려의 대상이 되어야 하며, 생태계 전체의 ❹ [ ] 관계와 균형이 중요하다.

답 ❶ 대지 ❷ 전일론 ❸ 구성원 ❹ 유기적

필수 선택지

위 지문을 보고 옳으면 ○표, 틀리면 ×표를 하고 그 까닭을 쓰시오.

① 병은 대지 윤리는 생명 공동체가 살아남을 수 있는 대안이라고 본다. (　　)

② 병은 생명 공동체가 무생물이 아닌 생명체들로만 구성된다고 본다. (　　)

③ 병은 무생물은 도덕적 고려의 대상이지 존중의 대상은 아니라고 본다. (　　)

④ 병은 생명 공동체의 온전함, 안정성, 아름다움에 기여하는 것이 옳다고 본다. (　　)

⑤ 병은 갑, 을과 달리 개체의 번영보다 생명 공동체의 온전함을 우선시한다. (　　)

답 ① ○ ② ×(무생물도 포함) ③ ×(도덕적 고려의 대상이자 존중의 대상임) ④ ○ ⑤ ○

필수 유형

12 심층 생태주의

문제 해결 전략

을은 생명 중심적 평등 강조를 통해 네스임을 알 수 있다. 심층 생태주의의 주요 특징이나 네스, 세션즈 등 각 사상가별 주장의 특징을 파악하는 문제, 인간·동물·생명 중심주의와 비교하여 공통점과 차이점을 찾는 문제, 서로에게 제기할 비판을 파악하는 문제 등 다양한 조합과 형태로 출제된다.

필수 유형

(가)의 사상가 갑, 을, 병의 입장을 (나) 그림으로 탐구할 때, A~D에 들어갈 질문으로 옳은 것은?

갑 : 어떤 생명이 지각과 기억이 있고, 쾌고를 느낄 수 있다면 삶의 주체로서 도덕적 권리를 지닌다. → 일부 동물이 삶의 주체로서 내재적 가치를 지닌다고 본 레건이다.

을 : 모든 생명을 상호 연결된 전체의 평등한 구성원으로 보는 '생명 중심적 평등'을 지향해야 한다. → '큰 자아실현'과 더불어 '❶ ______ 중심적 평등'을 제시한 점에서 네스이다.

병 : 모든 생명은 목적론적 삶의 중심이기 때문에 인간의 필요와 관계없이 고유한 가치를 지닌다. → 모든 생명체는 자기 목적을 지향하는 존재라고 본 테일러이다.

필수 자료 해석

심층 생태주의는 인간 중심주의적 환경 보호 운동에서 벗어나 세계관과 ❷ ______ 자체를 생태 중심적으로 바꿔야 한다고 보는 입장이다. 네스는 자신을 자연과의 상호 연관 속에서 존재하는 것으로 이해하는 ❸ ______, 모든 생명체를 상호 연결된 전체의 ❹ ______ 구성원으로 보는 생명 중심적 평등을 제시하였다. 또한, 심층 생태주의의 기본 원리 8개를 제시하기도 하였다.

답 ❶ 생명 ❷ 생활 양식 ❸ 큰 자아실현 ❹ 평등한

필수 선택지

위 지문을 보고 옳으면 ○표, 틀리면 × 표를 하고 그 까닭을 쓰시오.

① 을은 자신을 자연과는 별개의 존재로 이해해야 한다고 본다. ( )

② 을은 자연에 있는 모든 생명체가 내재적 가치를 지닌다고 본다. ( )

③ 을은 생명체는 보호해야 하지만 생태계를 보호할 필요는 없다고 본다. ( )

④ 을은 인간 이외의 생명의 안녕과 번영은 그 자체로 가치를 지닐 수 없다고 본다. ( )

⑤ 을은 심층 생태주의의 기본 원리에 동의하는 사람은 직접적으로 필요한 변화만을 실행해야 한다고 본다. ( )

답 ① ×(상호 연관 속에 존재하는 것) ② ○ ③ ×(생태계, 자연에 대한 존중과 보호를 강조) ④ ×(그 자체로 가치를 가짐) ⑤ ×(직간접적으로 필요한 변화의 실행 의무를 주장)

필수 유형

13 도덕주의와 심미주의 입장

문제 해결 전략

덕을 찬양하는 시만을 받아들여야 한다는 내용을 통해 플라톤임을, 예술가에게 도덕적 공감은 필요없다는 내용을 통해 와일드임을 파악할 수 있다. 예술과 윤리에 대한 도덕주의와 심미주의에 대한 문제는 플라톤, 톨스토이, 공자, 순자, 묵자, 정약용, 와일드, 스핑건, 칸트 등의 입장을 파악하거나 서로 비교하는 형태로 자주 출제된다.

필수 유형

갑, 을의 입장에서 〈사례〉 속 A에게 제시할 조언으로 가장 적절한 것은?

갑 : 신을 찬양하고 덕을 찬양하는 시(詩)만을 이 나라에 받아들여야 한다. 시를 통해 즐거움만 누리려 한다면 이성 대신 즐거움과 괴로움이 왕 노릇을 하게 될 것이다.

을 : 예술가는 도덕적 공감을 지니지 않는다. 예술가에게 도덕적 공감은 용납될 수 없는 구태의연한 양식에 불과하다. 예술가는 단지 아름다움의 창조자일 뿐이다.

〈사 례〉

A는 웹툰 작가로 포털 사이트에 작품을 연재할 예정이다. 어떤 작품을 그려야 할지 A는 고민하고 있다.

갑은 덕을 찬양하는 시만을 수용해야 하며, 즐거움만 누리면 ❶ ______ 보다 감정이 우위에 서게 될 수 있다는 점을 지적하므로 도덕주의자 플라톤이다. 을은 예술가는 도덕적 공감을 지니지 않으며 ❷ ______ 의 창조자일 뿐이라고 본 점에서 심미주의자 와일드이다.

필수 자료 해석

도덕주의는 예술이 도덕적 교훈이나 본보기를 제공해야 한다고 본다. 또한, 예술이 사회 발전에 이바지해야 한다는 ❸ ______ 과 관계된다. 반면, 심미주의는 예술이 미적 가치의 구현을 목적으로 해야 하며, 윤리적 평가로부터 자유로워야 한다고 본다. 또한, 예술의 자율성을 강조하는 ❹ ______ 과 관계된다고 본다.

답 ❶ 이성 ❷ 아름다움 ❸ 참여 예술론 ❹ 순수 예술론

필수 선택지

위 지문을 보고 옳으면 ○표, 틀리면 ×표를 하고 그 까닭을 쓰시오.

① 갑은 예술가에게 도덕적 공감은 매너리즘에 불과하다고 본다. (　　　)
② 갑은 예술이 사람들의 올바른 품성 형성에 기여해야 한다고 본다. (　　　)
③ 갑은 예술 작품이 즐거움만을 추구한다면 그릇된 것이라고 본다. (　　　)
④ 을은 예술과 도덕이 서로 분리된 영역임을 알아야 한다고 본다. (　　　)
⑤ 을은 예술이 사람들에게 권선징악의 뜻을 전달해야 한다고 본다. (　　　)
⑥ 을은 갑과 달리 예술이 도덕적 이상을 추구해야 한다고 본다. (　　　)

답 ① ×(을의 입장임) ② ○ ③ ○ ④ ○ ⑤ ×(도덕적 교훈을 제공할 필요가 없음) ⑥ ×(갑의 입장임)

필수 유형

14 예술에 대한 동양 사상가들의 입장

문제 해결 전략

예(禮)는 다름이며 악(樂)은 같음이라는 표현을 통해 예악을 강조한 유교 사상가 순자임을, 악이 천하의 이익에 도움이 되지 않는다고 본 점을 통해 묵자임을 파악할 수 있다. 예술에 대한 공자, 순자, 성악용, 묵자 등의 입장을 비교하는 문제가 출제된다.

필수 유형

갑, 을 사상의 입장으로 적절한 것만을 〈보기〉에서 있는 대로 고른 것은?

갑 : 악(樂)은 '같음'을, 예(禮)는 '다름'을 위한 것이다. 같으면 서로 친하게 되고, 다르면 서로 공경하게 된다. 악이 화합을 극진하게 하고 예가 순서를 극진하게 하여, 안으로 화합하고 밖으로 질서를 이룬다면, 백성은 그 안색을 보고 서로 다투지 않게 되며, 그 용모를 보고 업신여기지 않게 된다.

→ 예와 악이 사람들을 ❶ ______ 하게 하고 질서를 이루게 한다고 본 점에서 순자이다.

을 : 악(樂)은 비록 눈으로 보기에 아름답고 귀로 듣기에 즐거우나, 백성의 이익에는 부합하지 않는다. 악기를 연주하며 춤추는 것을 일삼는다면, 백성이 입고 먹을 재물은 어찌 얻을 수 있겠는가? 일찍이 여러 악기를 만들고 연주했어도 천하의 이익을 증진하는 데 도움이 되지 않았다.

→ 음악이 귀에는 즐거우나 백성들의 실질적 삶에는 이익이 되지 않는다고 본 점에서 ❷ ______ 을 주장한 묵자이다.

필수 자료 해석

유교 사상은 예술이 사람을 도야시키고 사회 질서를 안정시켜 개인과 사회의 관계를 ❸ ______ 롭게 만드는 데 기여한다고 본다. 반면, 묵자는 음악이 즐거움을 주긴 하지만 악기 제조, 연주와 감상 등을 위해 노동력과 재물이 낭비되어 오히려 백성이 입고 먹을 재물을 얻기 어렵게 하므로 백성의 실질적 삶과 천하의 ❹ ______ 에는 도움이 되지 않는다고 보았다.

답 ❶ 화합 ❷ 비악(非樂) ❸ 조화 ❹ 이익

필수 선택지

위 지문을 보고 옳으면 ○표, 틀리면 ×표를 하고 그 까닭을 쓰시오.

① 갑은 예와 악이 조화를 이룰 필요가 있다고 본다. (　　)

② 갑은 개인의 도덕성이 아닌 사회의 질서 화합만을 돕는다고 본다. (　　)

③ 갑은 예악이 통치자가 아닌 일반 백성들에게 필요한 것이라고 본다. (　　)

④ 을은 음악이 생산에 힘쓰지 못하게 방해한다고 본다. (　　)

⑤ 을은 음악은 아무런 효용을 발생시키지 않는다고 본다. (　　)

⑥ 갑, 을은 음악의 사회적 효용성을 고려하여 음악을 판단해야 한다고 본다. (　　)

답 ① ○ ② ×(개인, 사회에 모두 도움을 줄 수 있음) ③ ×(통치자에게도 필요하다고 봄) ④ ○ ⑤ ×(아름다움과 즐거움을 제공하는 면을 인정함) ⑥ ○

필수 유형

15 예술에 대한 서양 사상가들의 입장

문제 해결 전략

미적 판단과 도덕적 판단은 형식에 있어서 동일하다는 내용을 통해 칸트임을, 예술이 영혼을 위한 것이며 훌륭한 인격 형성에 기여해야 한다는 내용을 통해 플라톤임을 파악할 수 있다. 예술에 대한 플라톤, 와일드, 톨스토이, 칸트, 스핑건 등의 입장을 비교하는 문제, 동서양 사상가들의 예술에 대한 입장을 비교하는 문제가 출제된다.

필수 유형

갑, 을의 입장만을 〈보기〉에서 있는 대로 고른 것은?

갑 : 미적 판단과 도덕적 판단은 각기 고유성과 독자성을 지니지만 형식에 있어서 동일하므로 상징의 관계로 연결될 수 있다. 요컨대 둘 다 이해타산적 관점에서 벗어나고 자유의 체험을 내포하며 보편적인 타당성을 요청한다.

을 : 예술은 영혼의 눈에만 보이는 '아름다움의 실재'를 모방해야 한다. 그리고 예술은 영혼을 위한 것이어야 한다. 젊은이들은 예술을 통해 아름다움을 관조함으로써 영혼이 아름다움에 동화되어 훌륭한 인격을 형성하게 된다.

→ 미적 판단과 도덕적 판단은 각기 고유성과 독자성을 가지지만 ❶ [ ] 에 있어서는 동일하다고 본 점에서 칸트이다.

→ 예술가는 도덕적 ❷ [ ] 을 모방해야 하며, 예술이 올바른 품성 형성에 기여해야 한다고 본 점에서 플라톤이다.

필수 자료 해석

칸트는 미와 선은 형식이 유사하므로 미는 도덕성의 ❸ [ ] 이 된다고 보아 예술과 윤리의 조화를 강조하였다. 플라톤은 예술이 교훈을 포함하여 젊은이들의 올바른 ❹ [ ] 과 품성 형성에 기여해야 한다고 보았다.

답 ❶ 형식 ❷ 이상 ❸ 상징 ❹ 인격

필수 선택지

위 지문을 보고 옳으면 ○표, 틀리면 ×표를 하고 그 까닭을 쓰시오.

① 갑은 미와 선이 형식과 내용 면에서 동일하다고 본다. ( )

② 갑은 미는 도덕성을 고취하는 데 기여할 수 있다고 본다. ( )

③ 갑은 미와 도덕적 선은 서로 조화를 이룰 수 있다고 본다. ( )

④ 갑은 미와 선이 서로 분리된 영역으로 상통할 수 없다고 본다. ( )

⑤ 을은 가장 완전한 미의 세계는 현실 세계에 있다고 본다. ( )

⑥ 을은 미의 이데아는 이성에 의해 파악되는 객관적 실재라고 본다. ( )

⑦ 을은 이성으로만 볼 수 있는 미의 실재를 예술이 모방해야 한다고 본다. ( )

⑧ 갑, 을은 예술이 도덕적 평가로부터 자유로운 영역이라고 본다. ( )

답 ① ×(형식에 있어서만 동일하다고 봄) ② ○ ③ ○ ④ ×(미는 도덕성의 상징이라고 봄) ⑤ ×(현실이 아닌 이데아의 세계에 있다고 봄) ⑥ ○ ⑦ ○ ⑧ ×(심미주의 입장임)

필수 유형

16 예술의 상업화와 대중문화의 윤리적 문제

문제 해결 전략

현대의 예술 작품이 문화 상품으로 포장, 전락되었다는 내용을 통해 아도르노임을, 현대의 예술 작품이 복제가 가능하게 되어 '아우라'가 위축된다는 내용을 통해 벤야민임을 파악할 수 있다. 예술의 상업화 및 대중문화의 윤리적 문제와 관련하여 아도르노, 벤야민 등 다양한 사상가들의 입장을 비교 분석하는 문제가 종종 출제된다.

필수 유형

갑, 을 사상가들의 입장으로 가장 적절한 것은?

→예술의 상업화로 대중의 ❶ [　　　] 이 훼손됨을 비판한 점에서 아도르노이다.

갑 : 현대의 예술 작품은 문화 산업으로 포장되어 싼값에 제공됨으로써 대중의 의식을 포섭해 대중과 예술 모두를 소외시킨다. 그래서 문화 산업에서는 비평이 사라진 것처럼 존경도 사라진다.

을 : 현대의 예술 작품은 기술적 복제가 가능하게 되어 그 '아우라'가 위축된다. 복제 기술은 대중이 예술 작품을 보다 쉽게 접하게 하여 개별화된 미적 체험을 가능하게 한다.

→예술 작품의 대량 ❷ [　　　] 로 기존 예술 작품이 지녔던 아우라가 위축되었다고 지적한 점에서 벤야민이다.

필수 자료 해석

예술의 상업화는 특수 계층만 누려온 예술 작품에 일반 대중도 쉽게 접근할 수 있는 계기를 제공하지만, 작가 정신보다 대중성을 중시하여 예술의 자율성을 훼손하고 질적 저하를 초래하기도 한다. 아도르노는 이러한 상업화된 예술을 문화 산업이라 보아 하나의 상품으로 전락한 예술 작품을 감상하는 것은 ❸ [　　　] 된 소비 양식이라고 지적하였다. 벤야민은 예술 작품의 복제가 가능해짐에 따라 예술의 ❹ [　　　] 이 사라져간다고 주장하였다.

답 ❶ 주체성 ❷ 복제 ❸ 표준화 ❹ 신비감

필수 선택지

위 지문을 보고 옳으면 ○표, 틀리면 ×표를 하고 그 까닭을 쓰시오.

① 갑은 문화 산업이 개성의 표현을 장려한다고 본다. (　　)

② 갑은 문화 산업이 대중의 의식을 다양화한다고 본다. (　　)

③ 갑은 문화 산업이 대중의 적극적 사유를 불가능하게 한다고 본다. (　　)

④ 갑은 대중의 창작 욕구는 예술 작품의 반복적 소비를 통해 약화된다고 본다. (　　)

⑤ 을은 복제 기술 발달로 기존 예술 작품의 신비감이 감소된다고 본다. (　　)

⑥ 을은 복제 기술 발달로 대중의 개별화된 미적 체험이 가능해졌다고 본다. (　　)

⑦ 갑, 을은 대중문화를 향유하면서 대중은 주체적 문화 생산자가 된다고 본다. (　　)

답 ① ×(개성 표현을 어렵게 함) ② ×(대중의 의식을 획일화함) ③ ○ ④ ○ ⑤ ○ ⑥ ○ ⑦ ×(갑은 주체성과 자율성이 훼손된다고 봄)

필수 유형

17 음식 문화와 윤리

문제 해결 전략

소박한 음식, 사치스러운 것들에 동요하지 않음 등을 통해 에피쿠로스임을, 음식을 먹는 것이 중생과 함께 탐욕을 버리고 여윔을 방지하는 것에 족함을 깨닫는 길이라는 내용을 통해 불교 사상임을 파악할 수 있다. 음식 문화와 관련하여 유교 사상, 불교 사상, 에피쿠로스 등의 다양한 입장을 비교 분석하여 묻는 문제가 종종 출제된다.

필수 유형

(가), (나)의 입장으로 적절하지 않은 것은?

→소박한 음식을 먹는 것으로 만족하고 ❶ [ ] 를 해서는 안 된다고 본 점에서 에피쿠로스이다.

(가) 결핍으로 인한 고통이 제거된다면, 소박한 음식도 사치스러운 음식과 같은 쾌락을 준다. 그러므로 우리가 소박한 음식에 길들여지면 완전한 건강을 얻게 되며, 사치스러운 것들과 마주쳤을 때 동요하지 않게 된다.

(나) 사람들의 공(功)이 두루 쌓인 음식을 부족한 덕행으로는 감히 받기 어렵다. 음식을 먹는다는 것은 중생과 함께 탐욕을 버리고 몸의 여윔을 방지하는 것으로 족함을 깨달아, 도업(道業)을 이루고자 하는 것이다.

음식을 먹는다는 것이 ❷ [ ]의 과정이라고 본 점에서 불교 사상이다.

필수 자료 해석

에피쿠로스는 풍성한 식탁이나 과도한 음식 섭취가 우리에게 쾌락보다는 ❸ [ ]을 줄 수 있다고 보아 자연적이고 필수적인 욕구를 충족할 수 있는 소박한 식탁에 만족하면서 정신적 쾌락을 추구할 것을 강조하였다. 불교 사상에서는 음식을 먹는 것은 수행의 연장이므로 음식을 먹을 때 자기 ❹ [ ]의 자세를 가져야 한다고 강조한다.

답 ❶ 사치 ❷ 수행 ❸ 고통 ❹ 절제

필수 선택지

위 지문을 보고 옳으면 ○표, 틀리면 ×표를 하고 그 까닭을 쓰시오.

① (가)는 먹는 행위를 통해 허기를 면하는 것으로 만족해야 한다고 본다. (　　)

② (가)는 소박한 음식에 길들여져서는 참된 쾌락을 누릴 수 없다고 본다. (　　)

③ (나)는 음식을 먹는 것이 윤리적 성찰로 연결될 수 없다고 본다. (　　)

④ (나)는 먹는 행위를 통해 만물의 상호 연관성을 깨달아야 한다고 본다. (　　)

⑤ (나)는 음식으로 인한 쾌락을 누리는 것이 연기의 법을 깨닫는 데 도움이 된다고 본다. (　　)

⑥ (가), (나)는 먹는 행위를 통해 절제를 배워야 한다고 본다. (　　)

⑦ (가), (나)는 지나친 욕심이 고통의 원인이 될 수 있다고 본다. (　　)

답 ① ○ ② ×(소박한 음식을 통한 만족에 길들여져야 한다고 봄) ③ ×(성찰의 기회임) ④ ○ ⑤ ×(음식으로 인한 쾌락을 강조하지 않음) ⑥ ○ ⑦ ○

필수 유형

18 주거 문화와 윤리

문제 해결 전략

집이 거주 공간으로서 외부 세계와 구분되는 안식처라는 내용을 통해 볼노브임을 파악할 수 있다. 주거 문화와 관련하여 볼노브, 하이데거 등의 입장이 종종 출제된다.

필수 유형

다음 사회 사상가의 입장으로 적절하지 않은 것은?

거주함이란 인간이 위협적인 외부 세계로부터 되돌아갈 수 있는 고유 공간을 가짐을 의미한다. 내적 공간에서 인간은 경계심을 내려놓고 안정과 평화를 느끼며 다시 자신으로 돌아올 수 있게 된다. 이러한 아늑한 공간의 기본 형태는 보호하는 벽과 안전하게 해 주는 지붕이 있는 집이다. 이렇듯 인간은 특정한 공간 안에 자신의 존재를 정착시키며, 그 공간에 우리의 몸과 마음과 삶 전체를 깃들인다. 인간은 집 안에 거주하기 때문에 오로지 세상에서 거주할 수 있다. 거주 공간은 인간에게 나아감과 들어감의 중심이자 세계의 중심이다.

거주 공간으로서의 내적 공간, 즉 집은 ❶ [   ] 세계와 구분되는 안식처이며, 참된 자신을 회복하는 삶의 ❷ [   ]이 되어야 한다고 본 점에서 볼노브이다.

필수 자료 해석

볼노브는 거주 공간이 외부 세계에 대해 열릴 수 있는 ❸ [   ]의 공간이라고 보았다. 또한 ❹ [   ]가 인간 삶을 위한 기본 바탕이 된다고 보았다.

답 ❶ 외부 ❷ 중심 ❸ 닫힘 ❹ 주거

필수 선택지

위 지문을 보고 옳으면 ○표, 틀리면 ×표를 하고 그 까닭을 쓰시오.

① 거주 공간은 닫힘과 열림을 조화시킬 수 없다. (   )
② 거주 공간은 세상에 거주할 수 있는 기초가 된다. (   )
③ 거주 공간은 참된 자신을 찾는 공간이어야 한다. (   )
④ 거주 공간은 심신의 평온함을 보장하는 공간이어야 한다. (   )
⑤ 거주 공간은 세계에서 살아가기 위한 공적 영역이어야 한다. (   )
⑥ 거주 공간은 위협적인 외부 세계와 구분되는 안식처이어야 한다. (   )
⑦ 인간은 특정 공간에 정착하여 거주할 공간을 필요로 하지 않는다. (   )
⑧ 거주 공간은 외부 세계에 열려 있지 않은 폐쇄적 공간이어야 한다. (   )

답 ① ×(조화 가능) ② ○ ③ ○ ④ ○ ⑤ ×(사적 영역임) ⑥ ○ ⑦ ×(거주 공간을 필요로 하는 존재) ⑧ ×(열릴 수 있는 닫힘의 공간)

필수 유형

19 과시적 소비

문제 해결 전략

유한계급의 생활 예절과 가치 기준이 최하층까지 영향력을 미친다는 내용을 통해 베블런임을 파악할 수 있다. 현대 사회의 소비와 관련하여 과시적 소비, 동조 소비 등에 대한 문제와 이와 관련된 베블런 등의 입장을 묻는 문제가 종종 출제된다.

필수 유형

다음 사회 사상가의 입장으로 적절하지 않은 것은?

문명화된 사회에서 유한계급의 생활 예절과 가치 기준은 사회적 명성의 기준을 제공하고 최하층까지 영향력을 미친다. 명성을 획득하고 유지하는 방편은 과시적으로 재화를 소비하는 것인데 어떤 계급도 이 유혹을 떨쳐버리지 못한다. 왜냐하면 계급 분류 기준을 능가하도록 부추기는 차별적인 비교 관행이 소비 경쟁을 자극하기 때문이다. 인간은 자신을 차별화하여 타인의 부러움을 사려는 목적을 달성하기 위해 이러한 경쟁에 노력을 쏟아부으면서 갈수록 이기적으로 행동하고 편협해진다.

문명화된 사회에서 ❶ ☐ 은 자신들의 사회적 지위를 드러내기 위해 끊임없이 ❷ ☐ 소비에 몰입하며, 다른 계급들도 ❷ ☐ 소비를 하게 된다고 본 점에서 베블런이다.

필수 자료 해석

베블런은 자본주의 사회에서 거의 모든 계층의 사람들은 과시적 소비를 한다고 보았다. 이로부터 과시욕이나 ❸ ☐ 으로 인해 물건의 가격이 오르는 상황에서도 수요가 줄어들지 않는 현상을 '❹ ☐ 효과'라고 지칭하게 되었다.

답 ❶ 유한계급 ❷ 과시적 ❸ 허영심 ❹ 베블런

필수 선택지

위 지문을 보고 옳으면 ○표, 틀리면 × 표를 하고 그 까닭을 쓰시오.

① 가격이 오르는데도 수요량은 증가할 수 있다. (   )
② 베블런 효과는 자기 경제력의 범위 내에서 하는 소비이다. (   )
③ 자본주의 사회에서 하위층은 과시적 소비를 하지 못한다. (   )
④ 사회 전체의 부가 증가하면 과시적 소비 행태는 사라진다. (   )
⑤ 유한계급은 자신들의 사회적 지위를 드러내기 위해 소비한다. (   )
⑥ 경쟁적 소비 현상으로 인해 그릇된 소비 문화가 형성될 수 있다. (   )
⑦ 특정 계급에 국한되어 과시적 소비 욕구가 드러나는 것은 아니다. (   )
⑧ 대부분의 사람은 과시적 재화 소비의 유혹을 잘 떨쳐버리는 선택을 한다. (   )

답 ① ○ ② ×(경제력 범위를 벗어남) ③ ×(거의 모든 계층이 과시적 소비를 함) ④ ×(오히려 늘어남) ⑤ ○ ⑥ ○ ⑦ ○ ⑧ ×(많은 사람이 이 유혹을 떨쳐버리지 못함)

필수 유형

20 합리적 소비와 윤리적 소비

문제 해결 전략

효용성이 높은 제품 구매 등의 표현을 통해 합리적 소비임을, 인류 전체를 고려하는 소비라는 표현을 통해 윤리적 소비임을 알 수 있다. 합리적 소비와 윤리적 소비를 서로 비교하여 그 특징을 파악하는 문제가 다소 쉬운 난이도로 계속 출제되고 있다.

필수 유형

그림은 서술형 평가 문제와 학생 답안이다. ㉠~㉤ 중 옳지 않은 것은?

서술형 평가

◎ **문제** : 소비에 대한 (가), (나)의 특징을 비교하여 서술하시오.

자신의 ❶ [   ] 안에서 최선의 제품을 구매해야 한다고 본 점에서 합리적 소비이다.

(가) 올바른 소비를 위해서는 상품에 관련된 정보를 충분히 알아본 뒤, 주어진 예산의 범위 내에서 가장 효용성이 높은 제품을 합리적으로 구매해야 한다.

(나) 올바른 소비를 위해서는 불필요한 소비를 줄이면서 인간과 동물을 착취하고 환경에 해를 끼치는 상품의 구매를 거부하고, 인권, 사회 정의, 환경 등 인류 전체를 고려하는 소비를 실천해야 한다.

→ ❷ [   ] 가치에 따라 판단하며 소비해야 한다고 본 점에서 윤리적 소비이다.

필수 자료 해석

합리적 소비는 소득 범위 내에서 ❸ [   ]으로 최대의 만족을 추구하는 소비이다. 윤리적 소비는 평화, 인권, 사회 정의, 환경 등 인류의 보편적 가치를 중시하는 소비로서, ❹ [   ] 경제 체제의 실현에 기여한다.

답 ❶ 경제력(예산 범위) ❷ 보편적 ❸ 최소 비용 ❹ 정의로운

필수 선택지

위 지문을 보고 옳으면 ○표, 틀리면 ×표를 하고 그 까닭을 쓰시오.

① (가)는 제품의 이미지를 소비하여 인정과 과시 욕구를 충족시키려 한다. (　　)

② (가)는 자신의 욕구와 상품에 대한 정보를 바탕으로 소득 범위 내에서 최대 만족을 추구하는 소비이다. (　　)

③ (나)는 지속 가능한 환경을 위한 소비 활동을 지지한다. (　　)

④ (나)는 소비 활동을 통해 사회적 책임을 실천하고자 한다. (　　)

⑤ (나)는 가격 대비 효용성 최대화를 소비의 기본 전략으로 삼는다. (　　)

⑥ (가), (나)는 사치를 줄이고 절제하는 소비를 강조한다는 점에서 공통적이다. (　　)

답 ① ×(과시적 소비의 모습임) ② ○ ③ ○ ④ ○ ⑤ ×(합리적 소비의 모습에 가까움) ⑥ ○

필수 유형

21 다문화 사회와 다문화 정책

문제 해결 전략

통합성을 높이는 것, 기존 주류 문화의 질서에 편입 등의 내용을 통해 동화주의 입장임을, 다양한 문화가 동등한 자격으로 조화를 이루어야 한다는 내용을 통해 샐러드 볼 이론임을 파악할 수 있다. 동화주의 입장, 샐러드 볼 이론, 국수 대접 이론 등 다문화 정책에 대한 다양한 입장을 비교 분석하는 문제가 자주 출제된다.

필수 유형

그림은 서술형 평가 문제와 학생 답안이다. ㉠~㉤ 중 옳지 않은 것은?

서술형 평가

◎ **문제** : (가), (나)의 입장을 비교하여 서술하시오.

(가) 문화적 이질성을 제거하고 통합성을 높이는 것이 사회 발전에 도움이 된다. 따라서 이주민들이 거주국의 문화와 사회적 가치 등을 받아들여 기존 주류 문화의 질서에 편입되도록 해야 한다.

(나) 서로 다른 다양한 문화가 동등한 자격으로 조화를 이루는 것이 사회 발전에 이롭다. 따라서 이주민들이 그들만의 문화적 정체성을 보존하여 거주국의 문화와 조화를 이루도록 해야 한다.

→ 문화의 이질성보다 통합성을 강조하고 이주민이 주류 문화에 ❶ [ ] 또는 동화될 것을 강조하는 점에서 동화주의의 입장이다.

→ 다양한 문화가 ❷ [ ] 자격에서 조화를 이루어야 한다고 본 점에서 샐러드 볼 이론이다.

필수 자료 해석

동화주의는 다양한 문화권에서 온 이주민들의 문화를 기존의 문화에 흡수하여 사회 ❸ [ ]과 안정을 도모해야 한다고 본다. 샐러드 볼 이론은 다양한 과일과 채소가 어우러지듯이 다양한 문화들이 자신들의 고유한 ❹ [ ]을 유지하는 가운데 서로 대등한 자격, 동등한 입장에서 조화와 공존을 이루어야 한다고 본다.

답 ❶ 편입 ❷ 대등한 ❸ 통합 ❹ 정체성

필수 선택지

위 지문을 보고 옳으면 ○표, 틀리면 ×표를 하고 그 까닭을 쓰시오.

① (가)는 한 사회의 문화적 동질성 유지를 중시한다. (　　)

② (가)는 비주류 문화를 주류 문화에 편입하여 사회 안정을 도모한다. (　　)

③ (가)는 다문화 사회의 발전에 문화의 다양성 존중이 중요하다고 본다. (　　)

④ (나)는 각각의 문화가 갖는 정체성과 가치를 중시한다. (　　)

⑤ (나)는 주류 문화와 비주류 문화의 구분 및 공존을 강조한다. (　　)

⑥ (나)는 한 사회 내의 다양한 문화를 평등하게 인정할 것을 강조한다. (　　)

답 ① ○ ② ○ ③ ×(문화의 단일성 강조) ④ ○ ⑤ ×(국수 대접 이론의 입장임) ⑥ ○

필수 유형

22 종교에 대한 엘리아데의 입장

문제 해결 전략

종교적 인간, 성현(聖顯), 성스러움으로 가득 차 있음 등의 내용을 통해 엘리아데임을 파악할 수 있다. 성(聖)과 속(俗)의 조화를 강조한 엘리아데의 입장은 신의 존재를 부정한 도킨스, 종교 간 평화를 강조한 한스 큉의 입장과 함께 제시되어 비교 분석하는 형태로 자주 출제된다.

필수 유형

다음을 주장한 사상가의 입장으로 적절하지 않은 것은?

→ 일상적 삶 속에서 언제나 성스러움이 드러난다고 본 점에서 엘리아데이다.

종교적 인간에게는 모든 자연이 성현(聖顯)이 된다. 종교적 인간에게 자연은 항상 그것을 초월하는 무엇인가를 표현하고 있기 때문이다. 우주는 신의 창조물이고 세계는 신들의 손으로 완성된 것이어서 성스러움으로 가득 차 있다. 반면에 비종교적 인간은 초월성을 거절하며 성스러운 것을 자유를 획득하는 데 있어서의 가장 큰 장애물로 여긴다.

→ 세계는 ❶ ( ) 으로 가득 차 있다고 본 점에서 엘리아데이다.

필수 자료 해석

엘리아데는 성과 속이 분리되어 있지 않다고 보아 ❷ ( ) 과 성스러움의 세계가 조화를 이루는 종교 생활을 강조하였다. 또한, 인간을 ❸ ( ) 존재로 보았는데, 스스로를 ❹ ( ) 인간이라고 칭하는 이들도 종교적 인간의 후손이며 일상 속에서 무의식중에 종교적 행위를 하기 때문에 종교적 속성을 완전히 지워버린 존재는 아니라고 보았다.

답 ❶ 성스러움 ❷ 세속 ❸ 종교적 ❹ 비종교적

필수 선택지

위 지문을 보고 옳으면 ○표, 틀리면 × 표를 하고 그 까닭을 쓰시오.

① 신은 인간의 필요에 의해 만들어졌다. ( )

② 비종교적 인간은 탈신성화의 결과이다. ( )

③ 비종교적 인간도 신을 역사의 주체로 인정한다. ( )

④ 비종교적 인간은 종교적 인간과 무관한 존재이다. ( )

⑤ 종교적 인간에게 실재와 초자연적 실재는 공존한다. ( )

⑥ 종교적 인간은 세계를 초월한 절대자가 있다고 본다. ( )

⑦ 종교적 인간은 자연물 자체를 숭배의 대상으로 여긴다. ( )

⑧ 비종교적 인간은 자신을 역사의 주체로 보는 세속적 인간이다. ( )

답 ① ×(도킨스의 입장임) ② ○ ③ ×(종교적 인간의 특징임) ④ ×(종교적 인간의 후손이며 종교적 행위를 함) ⑤ ○ ⑥ ○ ⑦ ×(자연물에 드러나는 성스러움을 숭배함) ⑧ ○

23 종교와 윤리의 관계

문제 해결 전략

도덕의 최종 근거를 종교에서 찾아야 한다는 입장, 종교와 무관하게 인간의 이성 능력으로 도덕을 인식해야 한다고 보는 입장을 파악할 수 있다. 이 외에도 인간의 이성 능력을 도덕과 윤리의 바탕으로 보는 입장, 종교와 윤리는 상호 보완적인 관계라는 입장 등을 파악하는 문제가 출제된다.

필수 유형

그림의 토론 주제에 관한 갑, 을의 입장으로 적절하지 않은 것은?

→ 도덕의 최종 근거를 ❶ ______ 또는 신의 명령에서 찾아야 한다는 입장이다.

종교에 기대지 않고도 인간의 ❷ ______ 능력으로 도덕적 판단을 할 수 있다는 입장이다.

필수 자료 해석

종교와 윤리는 ❸ ______ 을 중시하고 사회 정의를 실현한 것에 관심을 갖는 점에서 공통적이다. 하지만, 종교는 ❹ ______ 과 초월적 문제를, 윤리는 도덕 규범이나 그 규범의 근거를 다룬다는 점, 종교는 신앙심에 근거한 신에 대한 의존을, 윤리는 이성이나 양심 등에 근거한 도덕적 실천을 강조한다는 점에서 다르다.

답 ❶ 종교 ❷ 이성 ❸ 인간 존엄성 ❹ 성스러움

필수 선택지

위 지문을 보고 옳으면 ○표, 틀리면 ×표를 하고 그 까닭을 쓰시오.

① 갑은 인간 이성은 불완전하다고 본다. (　　)

② 갑은 종교는 윤리에 의해 유보될 수 있다고 본다. (　　)

③ 갑은 도덕적 의무는 오류 가능성이 없는 신의 명령으로부터 나온다고 본다. (　　)

④ 을은 윤리적 판단에서 합리적 이성을 중시해야 한다고 본다. (　　)

답 ① ○ ② ×(종교, 즉 신의 명령이 완전하다고 봄) ③ ○ ④ ○

필수 유형

24 종교와 과학의 관계

문제 해결 전략

종교와 과학이 상호 의존적인 관계임을 강조한 입장과 증거가 있는 과학은 믿을 수 있지만 증거가 확실하지 않은 종교는 맹목적 믿음이라고 보는 입장 차이를 파악할 수 있다. 종교와 과학의 관계에 대한 다양한 입장을 비교하는 문제도 간혹 출제되므로 살펴봐야 한다.

필수 유형

갑, 을의 입장에 대한 옳은 설명만을 〈보기〉에서 있는 대로 고른 것은?

갑 : 과학은 종교에 의존해 우주를 이해할 수 있는 믿음을 소유하게 되고, 종교는 과학에 의존해 경이로운 우주의 질서를 발견하게 된다. 서로를 배제한 종교와 과학은 불완전할 뿐이다.

→ 과학과 종교는 상호 ❶ [ ] 관계라고 본다.

을 : 과학과 종교는 증거의 척도에서 양극단에 위치해 있다. 과학은 증거에 입각해 사실을 증명하려는 반면 종교는 증거에 맞서는 맹목적 믿음이기 때문이다. 증거가 있으면 믿게 되므로 증거가 없는 믿음은 무의미하다.

→ 과학은 ❷ [ ]가 있어 신뢰할 만하지만 종교는 그렇지 않으므로 맹목적 믿음에 가깝다고 본다.

필수 자료 해석

종교와 과학 간의 갈등은 종교가 ❸ [ ] 영역의 진리만을 인정하고 과학적 지식을 부정하려 하거나 과학이 과학적 지식만을 인정하고 종교적 권위를 부정하거나 무시하는 경우에 발생할 수 있다. 이러한 갈등을 해결하기 위해서는 우선, 종교와 과학 영역이 서로 다른 영역임을 인정해야 하며, 종교와 과학 모두 인간의 삶에서 ❹ [ ]를 추구한다는 공통점이 있음을 알고 상호 조화를 이룰 수 있다는 생각을 지녀야 한다.

답 ❶ 의존적 ❷ 증거 ❸ 초자연적 ❹ 진리

필수 선택지

위 지문을 보고 옳으면 ○표, 틀리면 ×표를 하고 그 까닭을 쓰시오.

① 갑은 과학과 종교가 양립 가능하다고 본다. ( )

② 갑은 과학과 종교가 독단적으로는 완전해질 수 없다고 본다. ( )

③ 갑은 종교는 과학에 기여할 수 있지만, 과학은 종교에 기여할 수 없다고 본다. ( )

④ 을은 과학이 종교를 포용할 수 있다고 본다. ( )

⑤ 을은 증거가 없는 믿음은 신뢰하기 어렵다고 본다. ( )

⑥ 을은 입증 가능한 것만이 믿음의 대상이 된다고 본다. ( )

⑦ 을은 과학적 증명이 초월적 신앙에 의존해야 한다고 본다. ( )

⑧ 을은 종교와 과학은 모두 맹목적 믿음의 대상이라고 본다. ( )

답 ① ○ ② ○ ③ ×(서로 도움을 주고받을 수 있다고 봄) ④ ×(서로 양극단에 위치에 있음) ⑤ ○ ⑥ ○ ⑦ ×(과학은 종교와 독립된 영역이라고 봄) ⑧ ×(종교만의 특성이라고 봄)

필수 유형

25 하버마스의 담론 윤리

문제 해결 전략

의사소통 행위의 가능성, 자유롭고 평등한 담론 등의 표현을 통해 담론 윤리를 주장한 하버마스임을 파악할 수 있다. 하버마스의 담론 윤리에 대한 문제는 주로 단독으로 다루어지며 자주 출제되고 있다.

필수 유형

그림의 강연자가 지지할 주장으로 가장 적절한 것은?

> 모든 사유의 출발점은 홀로 사유하는 '나'가 아니라 서로 대화를 주고받는 '우리'가 되어야 합니다. 사회적 존재인 인간에게는 타자를 단지 도구화하지 않고, 타자의 고유성을 인정하는 의사소통 행위의 가능성이 존재합니다. 의사소통 행위는 사회적 행위자들이 상호 이해를 목적으로 서로의 행위 계획을 조정하는 데에서 성립합니다. <u>모든 당사자들이 어떠한 강제도 없이 자유롭고 평등한 담론을 통해 동의할 수 있는 행위 규범들만이 정당화가 가능합니다.</u>

→ 자유롭고 ❶ [ ] 하게 참여하는 담론 과정을 통해 동의할 수 있는 규범만이 보편적인 도덕규범으로 정당화된다고 본 하버마스이다.

필수 자료 해석

하버마스는 담론 윤리를 통해 서로 이해하여 합의를 이루어 나가는 과정을 중시하였다. 그래서 ❷ [ ] 상황을 제시하였는데, 이는 모든 사람이 평등하게 논의에 참여하고 자유롭게 자신의 ❸ [ ] 을 제시할 수 있어야 하며, 논의에 참여한 사람들은 ❹ [ ] 을 가지고 발언해야 한다는 것이다.

답 ❶ 평등 ❷ 이상적 담화 ❸ 의견 ❹ 진실성

필수 선택지

위 지문을 보고 옳으면 ○표, 틀리면 ×표를 하고 그 까닭을 쓰시오.

① 담론 참여자는 타인의 의견을 거부할 수 없다. (　　)

② 담론 과정에서는 개인적 욕구를 배제해야 한다. (　　)

③ 인간은 이성을 통해 보편적 합의를 도출할 수 있다. (　　)

④ 주관적 견해를 극복한 후에 담론에 참여하는 것이 이상적이다. (　　)

⑤ 담론 윤리를 통해 서로 합의를 이루어 나가는 과정이 중요하다. (　　)

⑥ 타당한 규범은 대화에 참여한 다수에 의해 동의를 얻은 규범이다. (　　)

⑦ 행위 규범으로서의 올바름은 비판과 논증을 통해 정당화될 수 있다. (　　)

⑧ 담론 과정을 통해 모든 사람이 동의할 수 있는 규범만이 보편적 도덕규범이 될 수 있다. (　　)

답 ① ×(거부할 수 있음) ② ×(개인적 욕구, 바람 표출 가능) ③ ○ ④ ×(담론에 참여함으로써 주관적 견해를 극복 가능) ⑤ ○ ⑥ ×(다수가 아닌 모든 사람) ⑦ ○ ⑧ ○

필수 유형

26 통일 방법과 통일 비용 문제

문제 해결 전략

강연자는 급진적 방식이 아닌 점진적·단계적 통일을, 통일 비용을 줄이기 위한 방안 등을 제시한다. 통일 방법에 대한 다양한 의견, 통일 비용 문제와 통일의 정당성 논의 등의 주제가 자주 출제된다.

필수 유형

다음 강연자의 입장으로 가장 적절한 것은?

→ 통일이 가져올 긍정적 변화의 모습을 나열함으로써 통일의 정당성을 강조한다.

통일은 분단되기 이전으로 돌아가는 것이 아니라 미래를 향한 새 역사의 창조 작업입니다. 통일은 평화와 민족의 공동 번영, 이산가족의 고통 해소, 그리고 자유와 평등 신장 등에 기여할 것입니다. 그러므로 통일은 성취해야 하지만, 어떤 형태로든 통일이 되기만 하면 된다는 통일 지상주의를 추구해서는 안 됩니다. 또한 급진적 방식의 통일은 사회적 갈등과 많은 비용을 초래할 것입니다. 따라서 통일은 국민적 합의에 기초하여 평화적 방식에 따라 단계적으로 추진되어야 합니다. 이런 방식은 급진적 방식의 통일보다 통일 비용을 줄이고 더 많은 통일 편익을 가져올 것입니다. 이러한 점에서 문화, 예술 등 비교적 합의하기 쉬운 분야로부터 교류 협력을 시작하여 궁극적으로는 체제 통합으로 나아가야 합니다.

→ 통일 지상주의, 급진적 방식의 통일이 아닌 ❶ [ ]이고 평화적인 방식의 통일을 주장한다.

필수 자료 해석

통일과 관련한 비용 중 분단 비용은 분단으로 인해 남북한이 부담하는 유·무형의 모든 비용으로 분단 지속시 ❷ [ ]으로 발생하는 소모적 성격의 비용이다. 통일 비용은 통일 과정과 통일 이후 남북간 격차를 해소하고 이질적 요소를 통합하는 데 부담해야 할 비용으로 통일 이후 한시적으로 발생하는 투자적 성격의 ❸ [ ] 비용이다. ❹ [ ]은 통일로 얻게 되는 경제적·비경제적 보상과 혜택으로 통일 이후 지속적으로 발생한다. 따라서 통일을 체계적으로 준비하여 통일 비용을 줄이고 ❹ [ ]을 늘리도록 노력해야 한다.

답 ❶ 단계적 ❷ 영구적 ❸ 생산적 ❹ 통일 편익

필수 선택지

위 지문을 보고 옳으면 ○표, 틀리면 ×표를 하고 그 까닭을 쓰시오.

① 통일은 인도주의를 실현하는 길이다. ( )

② 통일 비용과 통일 편익을 고려해야 한다. ( )

③ 경제적 관점에서의 통일을 성취해야 한다. ( )

④ 점진적 통일 방식이 더 많은 비용을 초래한다. ( )

⑤ 통일은 이유와 방식을 불문하고 성취해야 할 민족 과업이다. ( )

답 ① ○ ② ○ ③ ×(인도적 측면도 강조함) ④ ×(급진적 방식) ⑤ ×(통일 지상주의 방식)

필수 유형

27 현실주의와 이상주의 입장

문제 해결 전략

잘못된 정책이나 제도에 의한 분쟁 발생, 이성적 존재로서의 국가 등의 표현을 통해 이상주의임을, 국가 간 힘의 균형, 다른 국가들에 대한 패권적 의지 강요 등의 표현을 통해 현실주의임을 파악할 수 있다. 국제 관계에 대한 현실주의와 이상주의 입장을 비교하는 문항은 거의 매 시험 빠짐없이 출제되고 있다.

필수 유형

(가), (나)의 입장으로 가장 적절한 것은?

→ 잘못된 정책이나 제도 등으로 생긴 국제 분쟁은 ❶ [ ] 존재인 국가들의 대화와 협력으로 해결하고 평화를 이룰 수 있다고 본 점에서 이상주의이다.

(가) 국제 평화를 실현하기 위해서는 이성적 존재인 국가들이 합리적인 대화와 협력을 하고, 세력 균형, 동맹, 비밀 외교 등을 영원히 제거해야 한다. 왜냐하면 이러한 잘못된 정책이나 제도에 의해 국제 분쟁이 발생하기 때문이다.

(나) 국제 분쟁을 억지하기 위해서는 국가 간 힘의 균형이 이루어져야 한다. 왜냐하면 한 국가나 국가들의 동맹이 우월한 힘을 갖게 되면 다른 국가들에 대해 패권적인 의지를 강요하게 될 위험이 커지기 때문이다.

→ 국가 간 힘의 ❷ [ ] 으로 분쟁을 예방할 수 있다고 본 점에서 현실주의이다.

필수 자료 해석

이상주의는 인간이 이성적이듯 국가도 이성적 · 합리적 존재라고 보아 ❸ [ ] 와 협력을 통해 전쟁을 억지할 수 있다고 본다. 반면, 현실주의는 인간이 이기적이듯이 국가도 이기적 존재라고 보아 세력 균형을 통해 전쟁을 억지하는 것이 ❹ [ ] 라고 본다.

답 ❶ 이성적 ❷ 균형 ❸ 대화 ❹ 평화

필수 선택지

위 지문을 보고 옳으면 ○표, 틀리면 ×표를 하고 그 까닭을 쓰시오.

① (가)는 국가 간 동맹과 힘의 균형을 통해서만 군비 경쟁은 종식된다고 본다. (   )

② (가)는 평화는 국가 간 이성적 대화와 협력을 바탕으로 법과 제도를 통해 만들어 갈 수 있다고 본다. (   )

③ (가)는 국가뿐만 아니라 개인, 국제기구, 비정부 기구 등 다양한 행위 주체들이 존재한다고 본다. (   )

④ (나)는 전쟁과 외교 정책의 최종 목표는 국익이라고 본다. (   )

⑤ (나)는 국제 사회는 무정부 상태라고 본다. (   )

⑥ (나)는 국제 관계에서 세력 균형은 평화를 영구적으로 보장한다고 본다. (   )

⑦ (가), (나)는 자국의 이익보다 세계 평화가 우선되어야 한다고 본다. (   )

답 ① ×((가) 입장이 아님) ② ○ ③ ○ ④ ○ ⑤ ○ ⑥ ×(영구 보장은 아님) ⑦ ×((나)는 동의하지 않음)

필수 유형

28 칸트의 영구 평화론

문제 해결 전략

도덕적 입법의 최고 자리에 위치한 이성이 명령하는 보편적인 의무, 공화국, 연방 결성 등의 표현을 통해 영구 평화론을 주장한 칸트임을 파악할 수 있다. 칸트의 영구 평화론은 의무론적 관점과 관련되어 자주 출제되고 있다.

필수 유형

다음 서양 사상가의 주장으로 옳은 것은?

세계 평화는 받는 것이 아니라 성취해야 하는 것이다. 평화란 모든 전쟁의 종결을 의미하므로 그 앞에 '영원한' 수식어를 붙이는 것은 용어의 중복일 따름이다. 평화는 도덕적 입법의 최고 자리에 위치한 이성이 명령하는 보편적 의무이다. 국가들은 서로를 하나의 인격체로 대하고, 무력과 기만을 근절해 평화를 예비해야 한다. 공화국으로 전환한 계몽된 자유 국가들이 연방을 결성하고, 호혜적인 질서를 수립함으로써 평화를 확정해야 한다.

평화는 ❶ [   ]이 명령하는 보편적 의무이며, 공화국으로 전환한 자유 국가들이 ❷ [   ]을 결성하고 호혜적 질서를 수립함으로써 평화를 이룩해야 한다고 본 점에서 칸트이다.

필수 자료 해석

칸트는 영구 평화를 위한 세 가지 확정 조항을 제시하였다. 우선, 모든 국가의 시민적 정치 체제는 ❸ [   ]이어야 하며, 국제법은 자유로운 국가들의 연방 체제에 기초해야 한다. 마지막으로 세계 시민법은 ❹ [   ]의 조건들에 국한되어야 한다.

답 ❶ 이성 ❷ 연방 ❸ 공화 정체 ❹ 보편적 우호

필수 선택지

위 지문을 보고 옳으면 ○표, 틀리면 ×표를 하고 그 까닭을 쓰시오.

① 모든 시민적 정치 체제는 공화 정체이어야 한다. (   )

② 세계 평화는 실현 불가능한 정치적 의무이자 이상이다. (   )

③ 영구 평화 이룩은 쉽지는 않지만 실현 가능한 이상이다. (   )

④ 도덕적 입법의 한계를 세계 정부의 강제력으로 보완해야 한다. (   )

⑤ 세계 평화의 정착을 위해 개별 국가의 주권은 폐지되어야 한다. (   )

⑥ 세계 시민법은 보편적 우호 조건을 규정하는 데 국한되어야 한다. (   )

⑦ 자유로운 국가들 간의 연방 단계에서 세계 정부를 수립해야 한다. (   )

⑧ 개별 국가의 주권을 인정하고 존중하는 가운데 국제 질서를 이룩해야 한다. (   )

답 ① ○ ② ×(실현 가능하다고 봄) ③ ○ ④ ×(세계 정부의 영향력을 인정하지 않음) ⑤ ×(개별 국가의 주권 유지, 존중) ⑥ ○ ⑦ ×(세계 정부 수립 허용하지 않음) ⑧ ○

필수 유형

29 갈퉁의 소극적 평화와 적극적 평화

문제 해결 전략

소극적 평화, 적극적 평화, 구조적 폭력, 문화적 폭력, 평화적 수단에 의한 평화 등의 표현을 통해 갈퉁의 주장임을 파악할 수 있다. 평화의 개념과 폭력의 종류에 대한 갈퉁의 주장은 그 특징을 분석하는 문제로 자주 출제되고 있다.

필수 유형

다음 사상가의 입장으로 가장 적절한 것은?

폭력을 줄이는 것도 중요하지만, 폭력을 예방하는 것이 더 중요하다. 전자는 소극적 평화를 목표로 하지만, 후자는 적극적 평화를 지향하는 것이다. 따라서 전쟁, 테러, 폭행 등 신체에 직접 해를 가하는 직접적, 물리적 폭력이 제거된 소극적 평화 상태뿐만 아니라, 억압, 착취 등의 구조적 폭력과 종교와 사상, 언어와 예술, 과학과 법, 대중 매체와 교육의 내부에 존재하는 문화적 폭력까지 모두 사라진 적극적 평화 상태를 추구해야 한다. 또한 목적이 수단을 정화할 수 없듯이, 평화는 평화적 수단으로만 이루어져야 한다.

평화를 소극적 평화와 적극적 평화로 구분한 점, ❶ [ ] 뿐만 아니라 구조적 폭력과 문화적 폭력까지 모두 제거된 ❷ [ ] 를 지향해야 한다고 주장한 점에서 갈퉁이다.

필수 자료 해석

갈퉁은 폭력을 언어나 신체적 폭력과 같은 직접적 폭력, 정치와 경제에서 나타나는 억압과 착취와 같은 ❸ [ ] 폭력, 직접적 폭력과 구조적 폭력을 정당화하는 문화적 폭력으로 나누어 설명하였다. 그리고 이러한 폭력들이 모두 제거된 적극적 평화의 실현을 강조함으로써 평화 개념을 국가 안보에서 ❹ [ ] 차원으로 확장하였다.

답 ❶ 직접적 폭력 ❷ 적극적 평화 ❸ 구조적 ❹ 인간 안보

필수 선택지

위 지문을 보고 옳으면 ○표, 틀리면 ×표를 하고 그 까닭을 쓰시오.

① 인간의 기본적 요구를 무시하는 것은 폭력이다. (　　)
② 국가 안보 차원에서 인간 안보 차원으로 나아가야 한다. (　　)
③ 적극적 평화 실현을 위한 폭력 사용은 허용되어야 한다. (　　)
④ 직접적 폭력의 제거가 간접적 폭력의 제거보다 중요하다. (　　)
⑤ 빈곤, 인권 침해 등 인간 삶의 질이 저하되는 것도 폭력이다. (　　)
⑥ 국제 평화 개념은 국가 간 전쟁이 없는 상태로 국한해야 한다. (　　)
⑦ 적극적 평화는 모든 사람이 인간다운 삶을 누릴 수 있는 상태이다. (　　)
⑧ 폭력의 개념은 공인되지 않는 비합법적인 무력의 사용으로 한정된다. (　　)

답 ① ○ ② ○ ③ ×(평화적 수단에 의해서만 달성) ④ ×(간접적 폭력까지 제거해야 함) ⑤ ○ ⑥ ×(인권, 정의와 같은 적극적 평화까지 포함) ⑦ ○ ⑧ ×(공인된 구조적 폭력이나 문화적 폭력도 폭력으로 규정함)

필수 유형

30 해외 원조에 대한 롤스의 입장

문제 해결 전략

고통받는 사회가 질서 정연한 사회가 될 수 있도록 돕는 것이 원조의 목표라고 규정한 내용을 통해 롤스임을 파악할 수 있다. 해외 원조에 대한 롤스의 입장은 싱어, 노직의 입장과 함께 비교 분석하는 문제, 공통점과 차이점을 묻는 문제, 상호 비판하는 내용을 찾는 문제 등 다양한 형태로 지속적으로 출제된다.

필수 유형

㉠에 들어갈 내용으로 가장 적절한 것은?

자원이 부족해도 잘 운영되는 국가가 있는 반면, 자원이 풍족해도 어려움을 겪는 국가가 있다. 이는 각 국가의 정치 문화 차이에 기인한다. 따라서 원조는 고통받는 사회의 정치 체제를 개선하여 시민들의 자유와 평등을 보장하는 질서 정연한 사회로 만드는 데 그 목표를 두어야 한다. 그런데 어떤 학자는 "국제 관계에도 차등의 원칙을 적용해 많은 자원을 가진 나라들의 이익을 자원이 부족한 나라들에게 분배해야 한다."라고 주장한다. 나는 이 주장이 '[㉠]'는 점을 간과하고 있다고 본다.

→원조의 목적이 ❶[ ] 사회를 ❷[ ] 사회가 되도록 돕는 것이라고 본 점에서 '나'는 롤스이다.

롤스는 국제적 분배 정의 문제에 차등의 원칙을 적용하지 않았다.

필수 자료 해석

롤스는 고통받는 사회가 일단 질서 정연한 사회로 진입한 이후에는 그 사회가 여전히 상대적으로 ❸[ ] 할지라도 더 이상의 ❹[ ]는 요구되지 않는다고 보았다.

답 ❶ 고통받는 ❷ 질서 정연한 ❸ 빈곤 ❹ 원조

필수 선택지

위 지문을 보고 옳으면 ○표, 틀리면 ×표를 하고 그 까닭을 쓰시오.

① 원조의 차단점이 존재한다. ( )
② 원조의 목적은 인류의 복지 수준 향상이 아니다. ( )
③ 국제적 분배 정의에 차등의 원칙을 적용해야 한다. ( )
④ 원조의 핵심은 고통받는 사회의 정치 체제 개선에 있다. ( )
⑤ 원조 대상국의 선정 요건은 경제적 빈곤만으로 충분하다. ( )
⑥ 국가 간 빈부 격차가 시정될 때까지 원조가 지속되어야 한다. ( )
⑦ 원조는 자원 배분의 우연성을 해결하기 위해 이루어져야 한다. ( )
⑧ 세계 시민주의보다 국가주의적 관점에서 원조를 시행해야 한다. ( )

답 ① ○ ② ○ ③ ×(차등의 원칙을 적용하지 않음) ④ ○ ⑤ ×(정치 사회의 체제가 중요한 고려 사항임) ⑥ ×(질서 정연한 사회가 되면 원조가 차단됨) ⑦ ×(자원 배분 문제 해결을 위해 원조해야 한다는 주장을 하지 않음) ⑧ ○

필수 유형

31 해외 원조에 대한 싱어의 입장

문제 해결 전략

이익 평등 고려의 원칙, 빈곤으로 고통받는 사람들을 도와야 한다는 내용 등을 통해 싱어임을 파악할 수 있다. 해외 원조에 대한 싱어의 입장은 롤스, 노직의 입장과 함께 비교 분석하는 문제, 공통점과 차이점을 묻는 문제, 서로 비판하는 내용을 찾는 문제 등 다양한 형태로 거의 매시험 출제된다.

필수 유형

다음 사상가의 입장으로 가장 적절한 것은?

공정으로서의 정의에 의하면 질서 정연한 사회란 그 구성원들의 선을 증진하고 공적 정의관에 의해 효과적으로 규제되는 사회이다. 그런데 정의의 원칙을 자기 사회 내에 있는 사람들에게만 적용하고 세계를 지금 이대로 내버려 둔다면, 수백만 명이나 되는 사람들이 자신의 나라가 질서 정연한 사회가 되기 전에 빈곤으로 인해 죽어갈 것이다. 우리는 고통을 느끼는 모든 존재의 이익을 평등하게 고려해야 하므로 빈곤으로 인해 고통받는 사람들을 도와야 한다.

→ 롤스의 해외 원조관에 따르면 당장 질병이나 기아로 죽어가는 개인들의 고통을 방치할 수 있다는 비판으로, 롤스에 대한 싱어의 비판에 해당한다.

→ 세계 ❶ [   ] 관점, 공리주의적 관점에서 ❷ [   ] 고려의 원칙에 근거하여 빈곤으로 인해 고통받는 지구촌의 모든 사람을 도와야 한다고 주장한 점에서 싱어이다.

필수 자료 해석

싱어는 정의의 원칙 중 '차등의 원칙'을 국내에만 적용하고 국제적 ❸ [   ]에는 적용하지 않는 롤스에 대해 만약 그렇게 한다면 질서 정연한 사회가 되기도 전에 수백만 명의 ❹ [   ]받는 사람들이 빈곤으로 죽어갈 것이라고 반론을 제기하였다. 싱어의 관점에서는 굶주림과 죽음을 방치하는 것은 인류 전체의 고통을 증가시키는 것이므로 롤스의 주장은 부당한 것이다.

답 ❶ 시민주의 ❷ 이익 평등 ❸ 분배 정의 ❹ 고통

필수 선택지

위 지문을 보고 옳으면 ○표, 틀리면 ×표를 하고 그 까닭을 쓰시오.

① 원조의 목적은 인류 전체의 복지 증진이다. (   )
② 국경이나 지리적 근접성과 무관하게 빈민을 도와야 한다. (   )
③ 원조 주체의 경제적 형편은 고려 사항에 포함되지 않는다. (   )
④ 원조는 전 지구적 차원의 윤리적인 의무로 정당화될 수 있다. (   )
⑤ 원조 대상자의 국적은 원조 여부를 결정하는 데 중요하지 않다. (   )
⑥ 질서 정연한 사회의 빈곤한 시민은 원조 대상에서 제외되어야 한다. (   )
⑦ 고통받는 사회의 정치 문화를 개선하는 것이 원조의 최종 목적이다. (   )
⑧ 원조는 인류의 공리 증진이 아니라 지구적 정의의 실현을 지향해야 한다. (   )

답 ① ○ ② ○ ③ ×(원조 대상뿐 아니라 원조 주체의 경제적 형편이 감안할 필요가 있음) ④ ○ ⑤ ○ ⑥ ×(롤스의 입장임) ⑦ ×(롤스의 입장임) ⑧ ×(인류의 공리 증진 지향)

필수 개념

과학과 윤리

개념 01

과학 기술의 긍정적 측면과 부정적 측면

(1) 과학 기술의 긍정적 측면과 부정적 측면

긍정적 측면	• 물질적 풍요와 안락한 삶 영위 • 인터넷과 교통수단의 발달로 인한 시공간적 제약의 극복 • 생명 공학 기술의 발달로 건강 증진, 생명 연장
부정적 측면	• 대량 생산과 대량 소비 등으로 ❶ [ ] 발생 • 인간의 주체성 약화, 비인간화 현상 초래 • 개인 정보 유출, 감시와 통제 등으로 인권과 사생활 침해

(2) 과학 기술 지상주의와 과학 기술 혐오주의

과학 기술 지상주의	• 과학 기술의 긍정적 측면만 강조 → 과학 기술을 활용하여 모든 사회 문제를 해결하고 무한한 행복과 부를 누릴 것이라고 주장 • 과학 기술에 대한 ❷ [ ], 반성적 숙고 등 방해
과학 기술 혐오주의	과학 기술의 부정적 측면만 강조 → 과학 기술의 비인간적, 비윤리적 측면을 부각시킴, 과학 기술에 대한 근거 없는 두려움 조장, 과학의 합리성 자체를 문제 삼음

답 ❶ 환경 문제 ❷ 비판적 성찰

개념 02

과학 기술의 가치 중립성 논쟁

(1) 과학 기술을 가치 중립적으로 보는 입장

특징	• 과학 기술은 객관적 관찰, 실험 등으로 지식을 획득하므로 ❶ [ ] 가치가 개입될 수 없음 • 윤리적 규제나 평가로부터 자유로워야 함
야스퍼스	"기술이란 수단일 뿐, 그 자체는 선도 악도 아니다."

(2) 과학 기술에 대한 가치 판단이 필요하다는 입장

특징	• 과학 기술의 ❷ [ ] 과정: 연구자의 주관적 가치가 개입되어서는 안 됨 • 과학 기술의 발견과 활용 과정: 개인의 가치관, 기업의 이익, 사회적 필요, 정치적 목적 등 다양한 가치가 개입될 수 있음 • 과학 기술은 인간의 존엄성 구현과 삶의 질 향상이라는 윤리적 목적과 연결되어 있음을 강조함
하이데거	"최악의 경우는 기술을 중립적인 것으로 고찰할 때이며, 이 경우 우리는 무방비 상태로 기술에 내맡겨진다."

답 ❶ 주관적 ❷ 정당화

개념 03

과학 기술자의 책임

(1) 과학 기술자의 내적 책임

- 윤리적 원칙과 행동 양식인 과학 기술 연구 윤리 준수
- 연구 ❶ ______ 에서 위조, 변조, 표절, 부당한 저자 표기 등의 비윤리적 행위 금지
- 실험 대상을 윤리적으로 대우하고 연구 결과를 완전하게 공표해야 함
- 연구 윤리를 지키며 자신의 연구가 참인지 거짓인지 밝혀야 하고, 다른 연구자들이 신뢰할 수 있는 검증 과정을 거쳐야 함

(2) 과학 기술자의 외적(사회적) 책임

- 연구 결과가 사회에 미칠 영향에 대해 책임져야 함
- 연구 결과물의 부정적 영향력이나 미래에 초래할 수 있는 위험에 대해 검토하여 이에 대한 ❷ ______ 조치를 해야 함
- 다양한 기술의 개발로 인류의 당면 과제를 해결하는 데 기여해야 함
- 선한 의도로 시작한 연구라도 해로운 결과가 예상되면 연구를 중단해야 함

답 ❶ 과정 ❷ 예방적

개념 04

요나스의 책임 윤리

(1) 책임 윤리의 필요성

전통적 윤리관	책임 윤리
책임의 범위를 ❶ ______ 로 한정	책임의 범위에 미래 세대까지 포함할 것을 주장함
행해진 것에 대한 사후 책임 강조	행위되어야 할 것에 대한 책임 부과

(2) 인류 존속에 대한 현세대의 책임 강조

- 인간만이 책임질 수 있는 유일한 존재 → 책임질 수 있는 능력은 책임을 이행해야 한다는 당위로 연결됨
- 인류가 존재해야 한다는 당위적 요청에 따라 인류 존속에 대한 현세대의 책임 강조
- 현세대의 잘못으로 미래 세대의 생존이 불가능할 수도 있다는 사실을 두려워하고 겸손한 태도를 갖고 검소한 생활과 절제하는 소비 습관을 길러야 함
- 칸트의 정언 명령을 변형한 새로운 ❷ ______ 정언 명령 제시 → '너의 행위의 결과가 미래에 지구상에서 인간이 살아갈 수 있는 가능성을 파괴하지 않도록 행위하라.'

답 ❶ 현세대 ❷ 생태학적

개념 05

정보 기술의 발달에 따른 긍정적 변화와 부정적 변화

(1) 정보 기술의 발달에 따른 긍정적 변화

- 스마트폰, 컴퓨터의 활용으로 삶의 편리성 증대
- 쌍방향 의사소통으로 인한 ❶ _____ · 다원적 사회로 변화
- 전문적 지식의 습득 기회 확대
- 다양한 문화에 대한 이해의 폭 확대

(2) 정보 기술의 발달에 따른 부정적 변화

- 정보 통신 기술을 활용한 구성원들에 대한 감시 · 통제 가능성 증가
- 성찰 없이 맹목적으로 기술을 수용하는 경우 증가 → 기술에 대한 의존성 증가
- 불법 복제, 표절, 사이버 폭력 등 ❷ _____ 상에서의 다양한 범죄 발생

답 ❶ 수평적 ❷ 사이버

개념 06

정보 기술의 발달에 따른 윤리적 문제

(1) 사생활 침해 문제

- 개인 정보가 쉽게 노출되고 도용되기도 함
- 정보 유통 과정 전체에서 자신의 정보를 결정하고 통제하는 권한을 가져야 한다는 ❶ _____ 이 강조됨
- 잊힐 권리에 대한 논의 전개

(2) 저작권 문제

저작권 보호	• 정보 생산에 필요한 시간, 노력 등에 대해 정당한 대가를 지불해야 함 • 창작자의 노력에 대한 이익 보장 → 창작 의욕 고취
정보 공유	• 모든 저작물은 인류가 생산한 정보를 활용하여 구성된 ❷ _____ → 공익을 위한 사용 강조 • 과도한 저작권 보호는 정보 격차에 따른 불평등 초래 우려

(3) 사이버 폭력의 문제

- 시공간의 제약을 받지 않고 발생할 수 있음
- 정보의 복제, 유포가 쉬워 광범위하고 빠르게 확산됨

(4) 표현의 자유 문제

- 현실 공간뿐 아니라 사이버 공간에서도 보장되어야 함
- 타인의 인권을 침해하지 않고, 사회 질서를 어지럽히지 않는 범위 내에서 표현의 자유를 허용해야 함

답 ❶ 정보 자기 결정권 ❷ 공공재

개념 07 뉴 미디어의 특징과 문제점

(1) 뉴 미디어의 의미와 특징

의미	기존 매체들이 제공하던 정보를 인터넷을 통해 가공, 전달, 소비하는 포괄적 융합 매체
특징	• 상호 작용화: 송수신자 간 쌍방향 정보 교환 • 비동시화: 송수신자가 동시에 참여하지 않고도 수신자가 원하는 시간에 정보를 볼 수 있음 • 탈대중화: 대규모 획일적 메시지 전달 방식 탈피 → 특정 대상과 특정 정보를 교환 가능 • 능동화: 사용자가 능동적으로 정보를 취합, 공개, 전달 가능 • 종합화: 개별 매체들이 하나의 정보망으로 통합되어 멀티미디어화됨

(2) 뉴 미디어의 문제점

• 정보의 객관성 문제: 전문성이 검증되지 않은 정보가 많아 ❶ ______ 하기 어려움
• 책임의 분산으로 인한 문제: 정보 분산으로 책임도 분산되고 윤리적 ❷ ______ 의식이 약화될 수 있음
• 사적 정보의 노출 문제: 정보 처리 교환 과정에서 사적 정보가 자주 노출됨

답 ❶ 신뢰 ❷ 책임

개념 08 뉴 미디어 시대의 매체 윤리

(1) 개인 정보의 신중한 처리

• 개인 정보 공개는 사람들의 알 권리를 충족시키지만 동시에 인격권의 침해로 이어질 가능성이 있음
• 개인의 명예, 사생활, ❶ ______ 을 침해하지 않도록 개인 정보를 신중히 다루어야 함

(2) **표절 금지**: 표절 행위는 기사 작성자의 권리와 재산을 침해하고 언론에 대한 신뢰를 무너뜨림

(3) 소통과 시민 의식 함양

• 정보를 바탕으로 대화하고 교류함 → 공동으로 체험, 협력할 수 있는 능력과 자세 함양
• 규범 준수, 사회 참여, 시민 의식 함양 등을 포함한 윤리적 태도 요구

(4) **매체 이해력**: 매체 내용을 비판적으로 해석하고 올바르게 표현하는 능력으로 ❷ ______ 라고도 함

답 ❶ 인격권 ❷ 미디어 리터러시

개념 09 서양의 자연관 – 인간 중심주의

(1) 인간 중심주의의 주요 특징

- 인간만이 도덕적 지위를 지님 → 인간 이외의 존재는 인간의 목적 달성을 위한 수단
- 도구적 자연관: 자연을 인간의 이익과 욕구 충족을 위한 ❶ [　　　]으로 봄

(2) 인간 중심주의의 긍정적 측면과 부정적 측면

- 긍정적 측면: 과학 기술을 발전시켜 인간 삶을 풍요롭게 함
- 부정적 측면: 자연에 대한 인간의 지배와 착취를 정당화하여 환경 문제를 야기함

(3) 인간 중심주의의 주요 사상가

베이컨	인간의 힘은 자연을 관찰, 분석하여 얻은 지식을 통해 생겨남 → 자연에 관한 지식 활용 강조
데카르트	• 이분법적 세계관: 인간과 자연의 관계를 인식 주체와 인식 대상으로 설정 • 자연을 단순한 물질 또는 기계로 파악 → 도덕적 고려의 대상에서 제외함
칸트	• 자연은 인간의 도덕적 감수성 증진에 이바지하므로 자연을 함부로 대하면 안 됨 • 동물을 폭력적으로 다루는 것은 인간의 자기 자신에 대한 ❷ [　　　]에 배치됨

답 ❶ 수단 ❷ 의무

개념 10 서양의 자연관 – 동물 중심주의

(1) 동물 중심주의의 주요 특징: 도덕적 고려의 범위를 동물까지 확대함

(2) 동물 중심주의의 긍정적 측면과 부정적 측면

- 긍정적 측면: 동물 학대, ❶ [　　　] 등 동물에 대한 비도덕적 관행에 대한 반성의 계기 제공
- 부정적 측면: 인간과 동물의 이익 충돌 시 현실적 대안 제공의 어려움

(3) 동물 중심주의의 주요 사상가

싱어	• 공리주의적 관점에 근거하여 도덕적 고려의 기준을 쾌고 감수 능력의 소유 여부로 파악 • 종 차별주의 비판: ❷ [　　　]에 근거하여 동물의 고통을 무시하는 행위를 비판함
레건	• 의무론적 관점에 근거하여 내재적 가치를 갖는 대상은 수단이 아닌 목적으로 대우해야 한다고 봄 • 일부 동물은 자기 삶을 영위할 수 있는 삶의 주체로서 내재적 가치를 지니므로 도덕적으로 존중받을 권리가 있다고 봄

답 ❶ 동물 실험 ❷ 이익 평등 고려의 원칙

개념 11

서양의 자연관 – 생명 중심주의

(1) 생명 중심주의의 주요 특징: 모든 생명체는 생명이라는 점에서 내재적 가치를 지님
→ 도덕적 고려의 범위를 모든 생명체로 확대할 것 주장

(2) 생명 중심주의의 긍정적 측면과 부정적 측면

- 긍정적 측면: 모든 생명체의 고유한 가치를 일깨움
- 부정적 측면: 모든 생명체를 존중하는 것은 현실적인 실천 가능성이 낮음, 생태계를 구성하는 무생물을 고려하지 못함

(3) 생명 중심주의의 주요 사상가

슈바이처	• 생명 외경 사상: 모든 생명은 살고자 하는 ❶ [ ]를 지니며, 그 자체로 신성함 • '생명의 유지와 고양은 선, 파괴와 억압은 악'이라고 봄 • 모든 생명은 동등한 가치를 지니지만 불가피하게 생명을 해쳐야 할 경우 그 선택에 도덕적 책임을 느껴야 함
테일러	모든 생명체는 고유한 선을 지닌 존재이자 ❷ [ ]적 삶의 중심임

답 ❶ 의지 ❷ 목적론

개념 12

서양의 자연관 – 생태 중심주의

(1) 생태 중심주의의 주요 특징: 도덕적 고려의 범위를 개별 생명체가 아닌 생태계 전체로 확대 → 전체론 혹은 ❶ [   ]적 입장

(2) 생태 중심주의의 긍정적 측면과 부정적 측면

- 긍정적 측면: 생태계에 대한 포괄적 시각 제시 → 환경 문제 해결에 시사점 제공
- 부정적 측면: 환경 파시즘 우려, 환경 문제 해결을 위해 불특정 다수에 과도한 책임을 부과하는 한계 발생

(3) 생태 중심주의의 주요 사상가

레오폴드	• 대지 윤리: 도덕 공동체의 범위를 토양, 물, 동식물 등을 포함한 대지까지 확대해야 함 • 생태계 전체의 ❷ [ ] 관계와 균형 중시
네스	• 심층 생태주의: 세계관과 생활 양식 자체를 생태 중심적으로 바꿀 것 주장 • 자신을 상호 연관 속에서 존재하는 것으로 이해하는 '큰 자아실현', 모든 생명체를 상호 연결된 전체의 평등한 구성원으로 보는 '생명 중심적 평등' 강조

답 ❶ 전일론 ❷ 유기적

개념 13 동양의 자연관

유교 사상	• 인간과 자연이 조화를 이루는 ❶ ______의 경지 지향 • 자연의 생명력을 도덕적으로 해석, 인간이 다른 존재와 타인에게 사랑을 실천해야 한다고 강조함
불교 사상	• 모든 존재가 원인과 조건으로 연결되어 있다는 ❷ ______을 바탕으로 만물의 상호 의존성 강조 • 불살생(不殺生)의 계율, 생명 존중 사상, 무소유의 가르침 강조
도가 사상	• 자연은 무위(無爲)의 체계, 무목적의 질서를 담고 있음 • 무위자연(無爲自然) 추구, 자연의 가치와 아름다움 중시

답 ❶ 천인합일 ❷ 연기설

개념 14 환경 문제와 기후 변화 문제

(1) 환경 문제의 원인과 특징

원인	• 근본적 원인: 도구적 자연관 • 산업화와 도시화, 무분별한 개발과 남획 등
특징	• 지구의 자정 능력 범위를 넘어서는 수준의 환경 문제 발생 • 전 지구적으로 영향을 미치는 ❶ ______ 성격 • 다양한 원인으로 책임 소재를 명확히 가리기 어려움 • 미래 세대에까지 영향을 미침

(2) 기후 변화 문제

• 기후 변화: 자연적 요인 또는 인간 활동의 결과로 장기적으로 기후가 변하는 현상

• 기후 변화의 원인과 문제점

원인	화석 연료 사용의 증가, 산림 파괴 등 → 온실가스 급증으로 인한 지구 온난화 가속
문제점	빈번한 자연재해 발생, 식량난 가중, 생태계 교란으로 인한 새로운 질병 유행, 해수면 상승으로 인한 저지대 거주민의 삶 위협

• 기후 정의의 의미와 실현 방안

의미	기후 변화에 따른 불평등을 해소함으로써 실현되는 정의
문제점	기후 변화의 피해는 선진국보다 ❷ ______과 경제적 약자에게 크게 나타남
실현 방안	• 기후 변화로 고통받는 국가에 대한 지원 확대 • 취약 계층이 받는 영향을 최소화하기 위한 노력

답 ❶ 초국가적 ❷ 개발 도상국

개념 15 미래 세대에 대한 책임

(1) 환경 문제와 미래 세대의 생존

- 환경 문제는 미래 세대의 ❶ [ ] 및 삶의 질 문제와 직결됨
- 인류는 하나의 도덕 공동체로, 어느 세대도 자신의 이익을 위해 전 인류의 공동 자산인 자연환경을 남용할 권리를 가지고 있지 않음
- 현세대는 온전한 자연을 물려주기 위해 환경 보전의 의무를 다해야 함

(2) 미래 세대에 대한 책임과 배려 윤리

요나스의 책임 윤리	'현세대가 가진 책임은 일차적으로 미래 세대의 존재를 보장하는 것이며, 이차적으로는 그들의 ❷ [ ]을 배려하는 것' → 인류 존속에 대한 현세대의 책임 강조
나딩스의 배려 윤리	환경 보호 행위는 미래 세대에게 이익을 주는 가치 있는 행동으로 배려 윤리를 실현하는 것임

답 ❶ 생존 ❷ 삶의 질

개념 16 환경적으로 지속 가능한 발전

(1) 환경 보전과 개발에 대한 논쟁

보전론	자연이 ❶ [ ]를 지님을 강조 → 자연 보전이 장기적으로 큰 이익이라는 점에 근거하여 자연 보전 주장
개발론	자연의 도구적 가치 강조 → 환경 문제는 경제 성장과 기술 개발로 해결 가능하다고 보아 자연 개발 주장

(2) 환경적으로 건전하고 지속 가능한 발전

- 등장: 개발과 보전 사이의 딜레마에 대한 해결책으로 등장한 개념
- 의미와 특징

의미	미래 세대가 그들의 필요를 충족할 수 있는 범위에서 현세대의 필요를 충족하는 개발 방식
특징	환경 개발을 ❷ [ ]의 범위 내에서 추구하여 인간과 자연의 공존, 개발과 보전의 균형을 도모함

답 ❶ 내재적 가치 ❷ 생태 지속 가능성

필수 개념

문화와 윤리

개념 17 예술과 윤리의 관계

(1) **예술**: 미적 가치를 표현하고 창조하는 일에 목적을 둔 모든 인간 활동과 그 산물

(2) **예술과 윤리의 관계**

구분	내용
도덕주의	• 예술은 올바른 품성을 기르고 도덕적 교훈이나 모범을 제공해야 함 → ❶ [ ] 예술론과 관계 • 도덕적 가치가 미적 가치보다 우위에 있음 → 예술은 윤리의 인도를 받아야 함 • 문제점: 예술에서의 미적 가치 경시, 자유로운 창작 제한 • 대표자: 플라톤, 톨스토이 등
심미주의 (예술 지상주의)	• 예술이 도덕적 선의 추구나 도덕을 위해 존재할 필요가 없음 → 예술은 미적 가치를 구현할 뿐 • '예술을 위한 예술' 주장 → 예술의 자율성 보장 강조, ❷ [ ] 예술론 지지 • 문제점: 예술과 현실의 분리로 예술의 사회적 영향력 간과 • 대표자: 와일드, 스핑건 등

(3) **예술과 윤리의 바람직한 관계**: 예술의 자율성을 인정하면서도 윤리와의 상호 관계성을 고려하여 예술과 윤리의 조화로운 관계를 추구해야 함

답 ❶ 참여 ❷ 순수

개념 18 예술의 상업화

(1) **예술의 상업화**: 상품을 사고파는 행위를 통해 이윤을 얻는 일이 예술 작품에도 적용되는 현상

(2) **예술의 상업화의 두 가지 측면**

구분	내용
긍정적 측면	• 대중이 쉽게 예술에 접근할 기회를 제공함 • 예술가가 ❶ [ ]을 얻을 수 있게 되어 창작 활동의 활성화에 기여
부정적 측면	• 경제적 이익을 추구하기 위한 작품을 만들게 되어 예술의 본래 목적과 자율성을 상실할 수 있음 → 예술 작품의 미적 가치, 윤리적 가치 간과 우려 • 예술 작품이 부의 축적 수단으로 전락할 수 있음 • 예술 작품이 대중의 오락적 요구에 맞추는 데 집중하여 예술의 ❷ [ ]가 나타날 수 있음

답 ❶ 경제적 이익 ❷ 질적 저하

개념 19

대중문화와 관련된 윤리적 문제

(1) 대중문화의 긍정적 효과

- 다양한 문화를 저렴하게 공급하여 많은 사람이 문화를 향유할 수 있게 함
- 대중문화는 현실의 불합리하고 부정적 측면을 고발함 → 대중의 사회에 대한 관심 및 참여 기회 제공

(2) 대중문화의 윤리적 문제

구분	내용
지나친 상업성	대중문화가 이윤을 창출하는 단순한 상품으로 전락할 수 있음
자본 종속	• 대중문화는 대규모의 ❶ [ ]이 필요함 • 자본을 소유한 소수의 집단이 대중문화 전반을 독점 혹은 과점할 수 있음 • 작품 선정에 상업적 이익을 우선할 수 있음 → 대중문화의 획일화 우려
폭력성과 선정성	대중의 관심이나 수익성만을 지나치게 추구할 경우 폭력적이고 선정적인 표현이 과도하게 사용될 수 있음

(3) 대중문화에 대한 윤리적 규제에 대한 입장

구분	내용
찬성	• 성의 상품화 예방을 위해 윤리적 규제 필요 • 미풍양속과 청소년 보호를 위해 유해 요소에 대한 윤리적 규제 필요
반대	• 대중문화의 자율성 및 ❷ [ ] 억압 우려 • 윤리적 규제는 문화를 향유할 권리를 제한할 수 있음

답 ❶ 자본 ❷ 표현의 자유

개념 20

의식주 문화와 윤리적 문제

(1) 의복 문화와 윤리적 문제

- 유행 추구 현상과 관련된 과소비와 환경 오염
- 명품 선호 현상과 관련된 ❶ [ ] 소비와 사치

(2) 음식 문화와 윤리적 문제

- 육류 생산 과정에서 발생하는 환경오염과 동물에 대한 비윤리적 대우
- 유전자 변형 식품, 농약 및 화학 물질 등의 사용으로 인한 안전성 문제와 생명권 침해

(3) 주거 문화와 윤리적 문제

- 주거를 경제적 측면으로 바라봄 → 주거의 본질적 가치 상실
- 주거 형태의 획일화 → 개성 상실, 폐쇄성으로 인한 이웃 간의 ❷ [ ] 단절

답 ❶ 과시적 ❷ 소통

개념 21 윤리적 소비

(1) 오늘날 소비의 특징

- 대량 소비와 과소비 → 환경 문제 발생
- 사회적 욕구나 자아실현의 욕구를 충족하려는 과시적 소비 발생
- 소비자가 소비를 통해 생산자 및 관련 집단에 영향력을 발휘할 수 있게 됨

(2) 합리적 소비와 윤리적 소비

구분	내용
합리적 소비	• 소득 범위 내에서 경제적으로 ❶ [ ]의 비용으로 자신의 욕구를 최대한 충족하려는 소비 • 인권 침해, 불공정한 분배, 자원 개발로 인한 환경 오염 등의 문제 발생 우려
윤리적 소비	• 재화나 서비스를 구매하고 사용하며 처리하는 데 ❷ [ ]에 따르는 소비 • 개인의 욕구 충족뿐만 아니라 타인과 사회를 고려하여 소비함 → 평화, 인권, 사회 정의, 환경 등 인류 보편의 가치를 중시한 소비 지향 (예 녹색 소비, 착한 소비)

답 ❶ 최소한 ❷ 윤리적 가치

개념 22 문화 다양성과 관용

(1) 다문화 사회와 다문화 정책 모형

구분	내용
동화주의	이민자의 언어나 문화와 같은 소수 문화를 주류 사회의 언어나 문화에 동화시켜 통합하려는 입장
샐러드 볼 이론 (다문화주의)	다양한 채소와 과일을 서로 섞는 샐러드처럼 각각의 문화의 고유성을 유지하면서 서로 ❶ [ ] 조화와 공존을 이루려는 입장
국수 대접 이론 (문화 다원주의)	주재료인 면 위에 부재료인 고명을 얹어 국수의 맛을 내듯이 주류 문화를 중심으로 비주류 문화를 조화해야 한다는 입장

(2) 관용의 필요성과 한계

구분	내용
필요성	• 다양한 문화를 가진 사람들의 공존 가능 • 문화적 풍요로움의 혜택을 누릴 수 있음 • 인간의 자율성 보장 및 인간 존중 실현 가능
한계	• 관용의 역설: ❷ [ ]은 인권 침해와 사회 혼란 초래 가능 • 관용의 한계: 인류 보편적 가치를 훼손하거나 사회의 기본 질서를 훼손하는 것까지 허용할 수는 없음

답 ❶ 평등하게 ❷ 무제한적 관용

개념 23 종교와 관련된 윤리적 문제

(1) 종교와 윤리의 상관성

공통점	인간 존엄성 중시, 사회 정의 실현에 관심
차이점	• 종교: 초월적 문제 탐구, 신에 대한 의존 강조 • 윤리: 도덕 규범이나 그 근거를 탐구, 이성이나 양심 등을 근거로 도덕적 행위 실천에 관심
바람직한 관계	종교는 윤리적 삶을 고양하는 데, 윤리는 종교가 올바른 방향으로 나아가는 데 도움을 줄 수 있음

(2) 종교 간 갈등 문제

- 종교 간 ❶ [　　　] 의 원인: 타 종교에 대한 배타적 태도, 타 종교에 대한 무지와 편견
- 종교 간 갈등의 해결: 종교의 자유 인정과 타 종교에 대한 ❷ [　　　] 의 태도, 종교 간 대화와 협력

답 ❶ 갈등 ❷ 관용

필수 개념

Ⅵ 평화와 공존의 윤리

개념 24 동서양의 소통과 담론의 윤리

(1) **소통과 담론의 바람직한 태도:** 사회적·경제적 지위 등을 이유로 담론 참여의 권리를 침해해서는 안 됨, 대화 상대방에 대한 존중, 진실한 대화를 위한 노력, 오류 가능성을 인정하는 겸허한 태도

(2) 동서양의 소통과 담론의 윤리

원효	• 불교 이론 간 대립 해소를 위해 ❶ [　　　] 사상 제시 • 모든 종파와 사상을 분리시켜 고집하지 말고 더 높은 차원에서 하나로 종합해야 함
하버마스	• 상호 간 논증적 토론 과정을 통해 보편적 합의에 도달하는 의사소통의 합리성 강조 → 합의 결과를 수용하고 ❷ [　　　] 로 받아들이기 위해 필요함 • 이상적 담화 상황: 모든 사람이 평등하게 논의에 참여하고 자유롭게 의견을 제시할 수 있어야 하며, 논의에 참여한 사람들이 진실성을 갖고 발언해야 함 • 이상적 담화 상황의 조건: 이해 가능성, 정당성, 진리성, 진실성

답 ❶ 화쟁(和諍) ❷ 의무

개념 25 통일 문제를 둘러싼 쟁점

(1) 통일과 관련된 비용 문제

분단 비용	• 분단으로 인해 남북한이 부담하는 유·무형의 모든 비용(예 외교적 경쟁 비용 등) • 분단이 지속되는 동안 ❶ ______ 으로 발생하는 소모적 성격의 비용
통일 비용	• 통일 과정과 통일 이후 남북한 간 격차를 해소하고 이질적 요소를 통합하는 데 필요한 비용 (예 화폐 통합 비용, 실업 등 초기 사회 문제 처리 비용 등) • 통일 이후 ❷ ______ 으로 발생하는 투자적 성격의 생산적 비용
통일 편익	• 통일에 따른 경제적·비경제적 보상과 혜택(예 시장 규모 확대에 따른 교역 증가 등) • 통일 이후 지속적으로 발생함

(2) 북한 인권 상황에 대한 국제 사회 개입 문제

- 찬성: 인권 보호를 위해 국제 사회가 개입해야 함
- 반대: 인권은 내정 문제이므로 스스로 해결해야 함

답 ❶ 영구적 ❷ 한시적

개념 26 국제 관계를 설명하는 이론

(1) 현실주의의 특징과 한계점

특징	• 국가는 이기적 인간으로 구성됨 → 세계는 자국의 이익을 추구하는 국가로 구성됨 • 국제 관계는 무정부적 상태임 • 국가의 목표는 자국의 안보와 생존 • 국가 간 갈등은 힘으로 해결 가능 → 평화는 ❶ ______ 으로 전쟁을 예방 또는 억지하는 것
한계점	• 군비 경쟁 유발 우려 • 국제기구, 비정부 기구 등의 영향력 간과하여 국제 관계의 협력을 잘 설명하지 못함

(2) 이상주의의 특징과 한계점

특징	• 인간은 이성적·합리적임 → 국가는 이성적·합리적임 • 국가 간 분쟁은 상대방에 대한 무지나 오해, 잘못된 제도로 인해 발생함 • 분쟁 해결을 위해 ❷ ______ 뿐만 아니라 개인, 국제기구, 비정부 기구 등 여러 행위 주체의 노력을 요구함 • 국가 간 이성적 대화와 협력을 바탕으로 도덕, 여론, 법률, 제도를 통해 평화를 실현할 수 있음
한계점	• 현실에서의 국가 간 갈등을 설명하기 어려움 • 국제 관계를 통제할 실효성 있는 제재 어려움

답 ❶ 세력 균형 ❷ 국가

개념 27 국제 평화의 중요성

(1) 칸트의 영구 평화론

- 모든 국가의 시민적 정치 체제는 ❶ [ ] 이어야 한다.
- 국제법은 자유로운 국가들의 연방 체제에 기초해야 한다.
- 세계 시민법은 보편적 우호의 추구를 목표로 삼아야 한다.

(2) 갈퉁의 적극적 평화

소극적 평화	직접적 폭력과 전쟁, 테러, 범죄 등으로부터 해방된 상태
적극적 평화	직접적 폭력뿐만 아니라 억압, 착취 등의 ❷ [ ] 폭력, 나아가 문화적 폭력이 제거된 상태 → 인간답게 살아갈 수 있는 삶의 조건이 갖추어진 상태

답 ❶ 공화 정체 ❷ 구조적

개념 28 세계화에 대한 관점

긍정적 입장	• 소비자의 다양한 상품 선택 가능 • 기업들의 국제적 경쟁력 확보를 위한 노력으로 경제 발전에 도움 • 세계적 문제 해결을 위한 ❶ [ ]
부정적 입장	• 선진국이 경쟁에서 유리함 → 국가 간의 ❷ [ ] 격차 심화 • 국가 간 상호 의존도가 높아져 국내 경제의 세계 경제 의존도가 높아짐 • 각 나라의 고유 정체성 약화, 문화 획일화 현상 발생

답 ❶ 국제 협력 ❷ 빈부

개념 29 해외 원조에 대한 다양한 윤리적 관점

자선 (노직)		• 해외 원조는 ❶ [ ] 를 베푸는 자유로운 선택의 문제 • 정당한 과정을 거쳐 취득한 재산은 누구도 침해할 수 없음 → 해외 원조에 대한 의무는 존재하지 않음
의무	롤스	• '고통받는 사회'를 '질서 정연한 사회'로 이행할 수 있도록 돕는 것은 윤리적 의무 • 질서 정연한 사회가 되면 원조를 ❷ [ ] 해야 함
	싱어	• 해외 원조는 인류 전체의 고통을 감소시키므로 절대 빈곤에 빠진 사람을 돕는 것은 윤리적 의무임 • 이익 평등 고려의 원칙에 따라 누구나 차별 없이 도움을 받아야 함

답 ❶ 선의 ❷ 중단

수능전략 | 생활과 윤리

수능에 꼭 나오는
필수 유형 ZIP 2